André Mathieu

AURORE

la vraie histoire

L'éditeur
Lac-Mégantic
819-583-2303

Les acteurs et témoins du drame

En voici une liste et ce qui les relia à Aurore ou à l'affaire d'Aurore. Ce qu'il advint de certains d'entre eux après 1920 sera suite à l'épilogue à la fin du livre.

Télesphore Gagnon, père de la victime, condamné à l'âge de **36** ans à la prison à vie pour homicide involontaire commis sur la personne de sa fille propre.

Marie-Anne Caron, première épouse de Télesphore, mère d'Aurore et de trois autres enfants. Elle mourut le 23 janvier 1918 après une longue maladie. La future "marâtre" prit "soin" d'elle pendant plusieurs mois avant sa mort.

Marie-Anne Houde, veuve de Napoléon Gagnon dont elle eut six enfants. Elle épousa en deuxièmes noces Télesphore Gagnon après la mort de sa première femme. Elle fut condamnée à mort à l'âge de **30** ans pour le meurtre de sa belle-fille Aurore.

Aurore Gagnon, la petite victime, enfant de Télesphore et de sa première femme Marie-Anne Caron, née le 31 mai 1909, mourut le 12 février 1920 à l'âge de **10** ans. Voir photo en couverture.

Marie-Jeanne Gagnon, soeur aînée d'Aurore, née le premier août 1907. Voir photo en couverture.

Joseph Gagnon, fils des deux précédents, mort à **deux** ans et demi en 1917 dans des circonstances pour le moins étranges.

Gédéon Gagnon, grand-père d'Aurore. Voir photo en couverture. Et son épouse **Louise Lord**, aussi sur cette photo. Deux personnes d'une exceptionnelle bonté de coeur, a-t-on rapporté en ce temps-là.

Nérée Caron et son épouse **Arzélie Hébert** de Leclercville, parents de Marie-Anne Caron et grands-parents d'Aurore. L'enfant y vécut durant la maladie de sa mère en 1917-1918.

Charles Caron, fils des précédents. Il vécut au Montana, et se rendit à la première guerre mondiale. Son retour fut déterminant dans la vie d'Aurore comme on le découvrira dans cet ouvrage...

Gérard Gagnon, fils propre de la meurtrière. Il livra un témoignage accablant contre sa mère lors de son procès. Et **Georges** et **Roméo**, ses frères plus âgés que lui.

Arthur Leboeuf, (ou Lebeuf) cultivateur de Deschaillons, oncle et parrain d'Aurore. Et son épouse, **Séverine Gagnon**, soeur propre de Télesphore.

Napoléon Gagnon, premier mari de Marie-Anne Houde dont elle eut six enfants. Aucune parenté proche avec Télesphore.

Anthime Gagnon, frère de Télesphore. Ce livre contient à son sujet des faits marquants que le lecteur découvrira. Et son épouse, **Victoria Vézina.**

L'abbé **Pierre Grondin**, curé de Fortierville de 1908 à 1912. Il baptisa Aurore. L'abbé **François Blanchet**, curé de 1912 à 1918. Il bénit le mariage de Télesphore et de sa deuxième femme. L'abbé **Ferdinand Massé**, curé de 1918 à 1923 donc du temps du martyre et de la mort d'Aurore. Personnage-clé dans la vie de l'enfant comme ce livre en fera prendre conscience.

Marguerite Leboeuf, fille d'Arthur et Séverine ci-haut mentionnés. Elle avait 15 ans à la mort d'Aurore. Pendant l'été 1919, elle vécut sous le même toit qu'Aurore. Et avec Gédéon Gagnon, elle fut témoin de l'enterrement du corps de sa cousine à la fin de l'hiver 1920. C'est par son témoignage qu'il fut possible de connaître l'endroit exact où Aurore repose.

Rose-Anna Gagnon, épouse d'Octave Hamel de Sorel, demi-soeur de Télesphore, et qui recueillit chez elle **Georges-Étienne,** frère propre d'Aurore lors de la maladie de leur mère. L'enfant n'est jamais retourné chez lui par la suite.

Le docteur **Andronique Lafond,** médecin à Parisville mais qui pratiquait autant à Fortierville à partir d'un bureau de desserte installé chez son beau-père. Il soigna Aurore et constata son décès.

Le docteur **Albert Marois,** médecin-légiste qui procéda à l'autopsie du cadavre d'Aurore. Et aussi le coroner **William Jolicoeur** de Québec.

Adjutor Gagnon deuxième voisin de Télesphore et qui fit une démarche pour sauver l'enfant quelques jours avant sa mort.

Oréus Mailhot, marchand de Fortierville et juge de paix. Il intervint à la requête d'Adjutor Gagnon auprès de la Couronne à Québec pour que cesse le martyre de l'enfant.

Trefflé Houde, de Sainte-Sophie-de-Lévrard, père de Marie-Anne, la "marâtre".

Willie Houde, frère de la marâtre.

Arcadius Lemay, voisin de Télesphore. Et son épouse née **Exilda Auger**, qui témoigna au procès de Marie-Anne Houde.

J-Napoléon Francoeur, avocat originaire de Leclercville, député libéral (indépendantiste) à Québec de 1908 à 1936 puis ministre (fédéraliste) à Ottawa de 1936 à 1940. Un politicien aux 'vastes horizons'. Il défendit sans succès Télesphore Gagnon et sa femme lors des procès consécutifs à la mort d'Aurore et se fit payer... avec la terre au complet.

Elmire Barabé, nom réel d'une maîtresse d'école des années 20 à Fortierville mais donné au personnage de la maîtresse d'Aurore dont il fut impossible de retracer l'identité. La vraie Elmire Barabé n'a donc pas enseigné à la jeune Aurore.

Message d'un auteur à un homme qui n'est plus de ce monde

Vous ne vouliez pas que je vous remercie de votre vivant. Pourtant, vous m'avez tenu la main, vous m'avez indiqué toutes les voies à suivre afin que je puisse écrire ce livre en toute confiance, muni de l'essentiel pour atteindre mon objectif qui était de situer Aurore dans son époque et de voyager à l'intérieur de sa personne, de visiter son coeur, de subir avec elle son terrible isolement et l'insupportable qui fut son lot.

Je parle de vous, monsieur Anthyme Gagnon, cousin propre d'Aurore, fils d'Anthime que l'on connaîtra dans cet ouvrage.

Vous m'avez fourni les photos. Vous m'avez ouvert votre documentation sur l'affaire. Vous m'avez fait rencontrer Véronique, la tante d'Aurore qui était âgée de 93 ans en 1990. Et tout cela, sans jamais rien demander en échange, sans accepter un seul sou, un seul merci officiel. C'était pour vous une affaire de coeur et, je le crois, de justice envers la petite Aurore qui avait été tant bafouée dans la vie par ses parents et ignorée dans la mort par ses concitoyens.

Le voyage que j'ai accompli dans la vie d'Aurore se situait aux frontières de l'abominable vertige et frôlait parfois l'irréel. La fillette était avec moi, près de moi alors que j'écrivais ce livre. Une enfant d'abord qui riait et qui aimait, puis une fillette de près de dix ans qui souffrait et pleurait tout en posant sa main sur la mienne pour la guider à travers les mots, les phrases et les chapitres. Je la savais là, je la sentais là. Elle y était.

On a choisi ce livre pour ramener au cinéma la vraie histoire d'Aurore. Je souhaite de tout coeur que l'on rende justice à cette enfant vulnérable qui fut broyée par son époque.

Et la boucle sera bouclée : partie de vous, passant par moi, la justice envers Aurore atteindra le grand public via le film. Et au bout du compte, cet esprit de justice pourrait rejaillir sur beaucoup d'enfants à travers le monde et amoindrir leurs souffrances dues à la cruauté de ceux qui frappent, qui rient et qui se moquent.

Vous, Anthyme, dans la dimension qui est la vôtre maintenant, je compte qu'avec Aurore, vous guiderez ceux qui feront ce film tout comme vous l'avez fait avec moi.

Merci, monsieur Anthyme !

André Mathieu

A la mémoire...

Aurore, *mot matinal aux parfums de mille fleurs qui bâillent sans sommeil et pleurent sans douleur.*

Aurore, *mot qui rit, chatouillé par les premiers bonheurs du jour.*

Aurore, *mot discret qui chuchote les plus douces confidences aux yeux fermés des moindres choses et les apaise quand ils s'entrouvrent.*

Aurore, *moment des ombres lumineuses où la mort se repose quand l'espérance étend ses beautés neuves.*

Aurore, *nom ou prénom, mot joliment ciselé dans les promesses belles.*

Aurore: *pureté, fraîcheur, enfance, soleil ou rosée, vie qui va, miroir du ciel, innocence de la lumière...*

Aurore: *la fillette de 1920 n'a même jamais eu droit à son nom sur une petite plaque au lieu de sa sépulture. Mais cela viendra peut-être grâce aux lecteurs de ce livre.*

*Je le **dédie** donc*

à la mémoire d'**Aurore Gagnon.**

La substance de ces mots date de 1990. Quelques années plus tard, un monument fut enfin érigé sur la tombe de la fillette au cimetière de Fortierville. Voir photo à la fin.

Chapitre 1

Sainte-Emmélie-de-Leclercville, le 23 décembre 1905

Debout, pieds écartés dans des bottes gelées dures, solide sur la fonçure de sa carriole, un jeune homme aux yeux sans profondeur regardait au loin le fleuve.

L'eau dont émanaient des vapeurs imprécises roulait lentement son immensité vers des lointains vagues, et sa puissance tranquille n'était domptée que par des rives hautes et grises en pente raide.

Dans son capot en poils de chat sauvage, le personnage donnait l'air de poser en colosse dans un pays de géants conçu par la fertile imagination d'un auteur aux inspirations fabuleuses... Et pourtant non, car le pays était bel et bien là à ses pieds étendu, enfoncé dans ses blancheurs d'hiver, à perte de vue de chaque côté d'un fleuve qu'on disait avoir été tracé dans la terre du Canada par le doigt d'un Titan.

Mais si la nature se faisait grandiose, le jeune homme, lui, vu de près dans son manteau ouvert, n'aurait certes pas inspiré Jules Verne si le romancier n'était pas mort quelques mois auparavant; et personne ne l'aurait confondu non plus avec le géant Beaupré disparu, quant à lui, l'année précédente. Il n'était qu'un garçon comme un autre, beau gars d'à peine vingt-deux ans, à la moustache fine, juvénile, séparée par le milieu, et ne le vieillissant que par l'illusion et l'intention, mince ligne de poils blonds qui laissait deviner malgré les sourcils foncés et froncés, une chevelure de couleur moyenne sous le casque brun qui enrobait toute la tête et dont des rabats terminés par des lacets lâches couvraient paresseusement les oreilles.

Tranchant, mordant, le froid était aisément endurable pour un voyageur aussi bien vêtu et à la peau rodée depuis toujours à la dureté du climat, à ses cuisants soleils d'été, à ses grands vents d'automne giclant sur la peau comme des coups de lanière de cuir, à ses pluies de printemps aux gouttelettes glaciales, mais par-dessus tout à ces lames d'air vif des hivers lourds, fouettant les visages par le long, par le large et par le travers, les pénétrant jusqu'aux os.

Non, la froidure n'avait pas bonne prise sur Télesphore Gagnon, ce rude fils de la terre, lui-même équarri à force d'équarrir la nature, heureux de sa jeunesse, fier d'entrer dans un siècle neuf qui serait celui du Canada, ainsi que le clamait depuis quinze ans l'idole des Canadiens français et bien-aimé premier ministre du vaste pays, sir Wilfrid Laurier.

Télesphore ne se trouvait pas dans cette cour pour se donner des airs, de l'importance, mais le lieu lui en conférait. Tout près, derrière lui s'élançait vers le ciel la flèche de l'église, une belle bâtisse éclatante bâtie à l'endroit le plus élevé des environs. Sur sa droite s'allongeait le presbytère au toit pénétré de trois lucarnes brillantes semblant surveiller ce petit village en bas des buttes, et dont les rues vagabondes suivaient des coulées, montaient, descendaient, couraient comme des enfants au jeu.

Il était là pour rêver un moment. D'avenir. De travailler à la construction du pont de Québec l'été suivant pour se ramasser un petit pécule et pouvoir se marier à l'automne. S'établir comme il faut sur la ferme paternelle. Se bâtir une vie. Être un homme parmi d'autres hommes de bonne carre dans un pays solide et dur.

Rendu au bout de son regard et de ses pensées, il clappa. La jument blanche à grandes taches noires arqua le cou, la gueule tirée par le cordeau de droite. Alignant des pas drus de travers, l'attelage se dirigea vers la rue principale de l'autre côté du couvent voisin aux quatre étages bardés de tuiles d'amiante grise.

Télesphore s'assit. Ses jambes interminables obligèrent ses genoux à pointer en avant. Il tira sur une peau de carriole en vraie fourrure de bison gisant à ses pieds et s'enveloppa du mieux qu'il put le bas du corps jusqu'à la ceinture. Il y avait un fort long chemin de Leclercville à Fortierville quand on passait par Deschaillons. Presque le double de la distance entre les deux quand on coupait au travers par le rang Castor. Mais il avait affaire chez Séverine, sa soeur, qui vivait à Deschaillons avec son mari Arthur Leboeuf : de jeunes cultivateurs vaillants et beaux. De la viande fraîche à y prendre et à ramener à la maison en raison d'un échange porc contre boeuf qui mettrait au temps du jour de l'An les deux sortes de viande sur les deux tables. Troc qui évitait d'abattre deux taures plutôt qu'une.

Il aurait pu s'en aller directement chez Séverine ce matin-là, mais il s'était trouvé un bon prétexte pour se rendre au village de Leclercville, ce qui l'avait obligé à passer devant chez Nérée Caron, les parents de sa future qui vivaient à mi-chemin entre les deux paroisses. Il n'avait presque pas parlé à Marie-Anne puisqu'il passait là par hasard et ne s'y était donc pas rendu exprès pour la voir comme le samedi soir et le dimanche après-midi. Même qu'il avait aidé durant une heure à faire la boucherie d'un cochon afin de compenser pour le repas du midi lui ayant été offert avec complaisance.

Tandis que le cheval nerveux trottait sur le chemin durci par le gel et recouvert d'une mince couche de neige, Télesphore se remémorait avec plaisir ces moments agréables passés à la table des Caron ce matin-là...

Le soleil se lève. Tard. Passé cinq heures. Télesphore aussi s'habille tranquillement d'une certaine ardeur. Il va faire le train avec son père. Rentre. Déjeune. «Reviens pas trop tard que je peuv' cuisiner des cochonnailles !» lui dit sa mère.

Attelle. Prend la route. Prend son temps, il est encore de bonne heure. Arrive chez les Caron une heure et demie plus tard, en plein coeur de l'avant-midi. On ne l'attend pas. On se colle le nez aux vitres. Marie-Anne rougit mais il ne le saura pas puisqu'il est dehors et qu'elle, à l'intérieur, se coud une robe à la main dans une petite chambre sans porte sous le comble. C'est Véronique, sa petite soeur de onze ans qui court l'avertir. «*Télesphore s'en vient, Télesphore arrive.*» Les doigts fins de Marie-Anne s'arrêtent un tout petit instant, sa pensée se délie. Elle jette un oeil dehors, en bas, par la lucarne.

Il est debout, ce gentil géant gêné, dans sa voiture, les cordeaux enroulés autour des poignets. Quelque chose lui dit où se trouve Marie-Anne. Il lève la tête. L'aperçoit. Voit sa pâle fragilité, ses dix-sept ans, sa jeune beauté discrète. Il s'émeut. Qu'il lui tarde de l'avoir avec lui à la maison ! Son père, sa mère ont bien hâte aussi. Ils sont loin dans la cinquantaine. Leur temps de dételer approche. Une autre génération doit s'emparer de leur maison, lui donner un souffle neuf. Les murs et les poutres sont prêts à entendre de nouveaux cris d'enfants, des voix menues qui s'agrandiront peu à peu et porteront l'avenir dans leurs naïfs commandements.

Marie-Anne laisse un sourire glisser de son visage par la fenêtre vers lui. Une image délicate, des lignes adoucies seulement. Il le ramasse, l'ajoute aux autres dans son coeur. C'est une promesse renouvelée. Un voeu silencieux. Et délicieux. Un oui pensé mais pas encore prononcé. Il a de l'eau dans les yeux. Ses paupières sont restées ouvertes trop longtemps. Il gardait son émoi rivé à la lucarne. Le froid s'est rendu chatouiller ses glandes lacrymales. Et d'autres aussi...

Elle se remet à sa tâche. Il tire un peu la langue, et de la pointe, suit la ligne de sa moustache. «Quen, salut Télesphore !» «Salut Charles !» «Ça adonne ben, Télesphore, on a besoin d'un bon saigneur. On s'en va faire boucherie betôt.» «J'arrêtais juste pour un peu, mais si je dois servir à quelque chose...» «Quant à ça, dételle !»

C'est Nérée qui s'approche. Ses bottes font crisser la neige sèche. Il dit à Charles : «Va donc t'habiller mieux que ça, tu vas attraper ton coup de mort.» Mais le bonhomme, rondouillard et le visage bougon, n'a plus l'autorité sur celui-là. Charles approche vingt ans; il se commande tout seul. Et le père n'insiste pas. Et Charles frissonne malgré l'épaisseur de sa chemise à grands carreaux noirs sur fond rouge sang. C'est un mackinaw qu'il faut de ce temps-là. Ou un grand capot de chat comme celui de Gagnon.

Télesphore est content. Il verra Marie-Anne, c'est certain. Et Marie-Ange aussi, et les autres filles du père Nérée. Pas toutes; il y en a sept et deux sont mariées. C'est une vraie bénédiction de manger à une table entourée de si belles jeunes personnes; ça donne grand goût à la fricassée; ça donne à rêvasser deux, trois nuits.

Tandis que le père retourne dans l'étable, Charles dételle de son bord. Il fait en sorte de parler du Montana. C'est par là qu'il ira s'établir un jour. Là où c'est qu'il y a du gagne, pas sur une terre de petite pitance de Lotbinière. Le Montana, c'est aux États, mais Télesphore n'en sait pas beaucoup plus que ça. Des cow-boys, des gros troupeaux en liberté. Des grosses gages. Des bandits de grands chemins. «Autrefois, c'était de même mais les temps ont reviré les affaires de bord depuis vingt ans.» Les tueurs en prison pour le restant de leur vie. Les Indiens dans leurs réserves pour aussi longtemps... Jesse James : mort depuis un quart de siècle. Sitting Bull : mort itou et rendu en poussière comme les champs de bataille où il a scalpé tant de soldats à cheveux blonds...

Quand Télesphore prend la jument par la bride, il frissonne à son tour, mais ce n'est pas le froid, c'est l'idée de la prison qui le dérange. Plutôt mourir que d'entrer là-dedans ! Moisir avec des rats pour compagnons. Souffrir des années d'agonie et de honte, c'était ça, la vie d'un prisonnier. Mais lui n'avait jamais volé une cerise de toute sa vie; comment pourrait-on l'enfermer ? Le bien d'autrui, c'était sacré; le sien aussi. Non, toute sa vie, il conserverait sa liberté d'atteler sa jument aux aurores pour aller à Leclercville ou Deschaillons. Ou bien pour se rendre à la gare et prendre le train pour Québec. Ou pour aller dans les chantiers à Villeroy ou ailleurs, sur l'autre rive du fleuve, dans Portneuf ou en Mauricie, à Mattawin ou plus loin.

On parlait beaucoup du procès d'un certain Wallace McCraw accusé à Trois-Rivières d'avoir assassiné un dénommé Percy Howard Sclater en complicité avec l'épouse de la victime, Mary Ann Skeene, crime passionnel survenu à Grande-Anse et provoqué par l'éternel triangle. Une histoire

17

à donner la chair de poule tout comme celle de Cordélia Viau et Samuel Parslow qui avait, elle, connu son dénouement le dix mars de l'année 1899 par la pendaison du couple maudit dans la cour de la prison de Sainte-Scholastique. La veille encore, Télesphore entendait ses parents présumer de l'innocence de McCraw comme le leur avaient suggéré des parents du bout de Grand-Mère l'été d'avant alors que toute la Mauricie se passionnait pour l'affaire Sclater encore fraîche, presque sanglante.

Ces pensées brèves disparaissent vite de l'esprit de Télesphore et font place à cet autre projet du bouillant Charles qui veut absolument aller travailler au pont de Québec l'été suivant, et qui depuis l'automne en fait rêver Télesphore. Suffit de pas avoir peur du vide. Et le dimanche, quand Télesphore vient voir Marie-Anne, on se pratique sur les plus hautes poutres de la grange au grand dam d'Arzélie qui reproche alors à son mari de ne pas les empêcher, ces jeunes hommes-là, de se conduire comme des enfants de douze ans. Mais Nérée, dans ses dehors rudes, est un homme sans aucune malice et donc sans grande autorité.

Charles ouvre la porte. Télesphore entre dans l'étable qui souffle au visage ses vapeurs tièdes et malodorantes. Il conduit la jument jusque derrière les vaches. Il n'y a pas de place autrement. Quatre vaches et deux chevaux, en plus de l'enclos de la truie, ça accapare tout l'espace disponible. Il faut laisser là la bête, attacher les cordeaux à un clou du mur pour l'empêcher de reculer jusqu'aux chevaux qui pourraient la ruer, lui casser une patte.

Sans la boucherie à faire, on l'aurait mise à manger du foin dans la batterie de la grange. Les deux jeunes gens se retrouvent dehors. Nérée a disparu. On placote. On se charge une pipe. Charles frissonne toujours. Il défie le froid, le domine et se tient donc bien en mains lui-même. Cela lui vaut de l'admiration. En réalité, Charles n'est pas de grosse santé. Mais Télesphore l'ignore. Tous l'ignorent. Ou font semblant.

«Entrons donc dans le fournil. Ça allume mieux que dehors.» C'est Télesphore qui fait la proposition. Charles est soulagé. Il fait le chemin. On monte sur la galerie. On entre avec un paquet de vapeur. De la chaleur de la cuisine s'est répandue de ce bord-là. C'est Noël demain soir. On dépense plus de bois que de coutume pour se chauffer. Arzélie l'a dit. Nérée l'a redit.

On s'assied sur des berçantes. Télesphore garde son capot. Le tabac s'enflamme. L'odeur court. Un nez l'air gêné paraît sur le chambranle de la porte. Recule. Rit.

«Véronique, ma senteuse !» Charles marche vers la cuisine pour la débusquer. Ce qu'il veut surtout : s'accrocher de la chaleur, se dégourdir les pieds, se dégeler la poitrine prise dans un pain glacé.

«Ah ! elle est remontée en haut avec ses soeurs.» La mère parle avec sa bouche creuse et son couteau. «Y'a Télesphore qui est icitte de l'autre côté.» «Ah oui ? Je finis mes oignons pis je vas le saluer.» «Ben, c'est fait !» Télesphore s'est approché comme une souris sans faire de bruit et il bloque toute la porte comme un géant.

Arzélie pleure. Elle n'a jamais su s'y prendre avec les oignons. A beau les éplucher à bout de bras, ils lui courent aux yeux, les grafignent aux larmes chaque fois, tant que les morceaux ne sont pas tombés dans la chaudronne, et des fois après. La femme n'a plus beaucoup de dents et ça lui fait honte de rire. Mais quand c'est nécessaire, elle tourne la tête et accentue les tons pointus, et les rallonge. Une créature bâtie sur rien. Des petits ossements qui supportent de la peau étirée.

«Si tu veux manger de la fricassée avec nous autres à midi...» Télesphore ne répond rien. «Ben oui, d'abord que c'est lui qui va saigner le cochon après-midi.» Charles a parlé pour lui. Il veut rentrer dans le fournil. Télesphore doit se tasser. Véronique se présente le nez dans l'escalier. Elle s'assit dans les marches du haut. Penche la tête doucement pour voir le cavalier de sa soeur. Télesphore fait pareil pour voir la soeur de sa blonde. Leurs yeux se rencontrent. La fillette a une bosse dans la joue. Elle la fait disparaître aussitôt. Elle a découvert la cachette des trois livres de bonbon clair et les popormanes qu'Arzélie a achetées au magasin général pour gâter les enfants à Noël et au jour de l'an, et elle s'en vole un de temps en temps.

La fillette prend peur. Elle se relève, se sauve, s'enfarge dans le bas de sa robe, trébuche. Le bruit ébranle la maison. Arzélie n'entend pas. Elle n'est pas sourde à cinquante ans, mais des bruits d'enfants, ça lui coule sur la patience comme de l'eau sur le dos d'un canard, depuis toujours qu'elle en entend.

Télesphore retourne s'asseoir derrière sa pipe à grosse fumée bleue qui, quand il marche, lui donne l'allure d'une locomotive. Et Charles reparle du Montana. De ce que le grand Ouest dispense aux audacieux. Son oeil brille dans la pénombre. Sa voix chante. Télesphore écoute. Il se laisse entraîner même si l'autre est plus jeune. À vingt-deux ans, Télesphore sait qu'il en a encore long à apprendre même s'il est déjà capable de lever une bâtisse, de se servir du pied-de-roi, d'équerrer, de faire de la maçonnerie, de fabriquer des meubles, de tailler des manches de hache solides et balancés...

C'est midi bientôt. On l'entend depuis une vieille horloge lente espaçant douze coups languissants qui remplissent les moindres interstices des murs et ne sont retenus de courir dehors que par le rang de planches debout qui sert de cloison extérieure contre le vent d'hiver et le soleil d'été.

Nérée rentre. Il a la faim dans le regard, mais reste dans le fournil, debout dans ses bras croisés. Il a cinq autres fils à part Charles. Tous partis. Deux de mariés et les trois autres dans les chantiers du bout de Mattawin où il s'en irait à son tour le lendemain du jour de l'an.

Charles s'occuperait du train tout l'hiver. Lui le savait chétif de santé, mais il ne le disait tout haut. Chaque année, c'était le tour d'un d'entre eux de pas aller dans les chantiers et de veiller aux travaux d'étable avec la mère et les filles disponibles, c'est-à-dire deux pour le moment : la Marie-Anne et la Marie-Ange.

Quant à Télesphore, il avait la meilleure raison du monde pour attendre après le jour de l'an pour monter dans le bois : demander la main de Marie-Anne. Son agir le disait mais fallait le dire tout haut. Il ferait en sorte qu'elle s'en doute le lendemain, qu'elle s'en attende pour pas la prendre de court au jour de l'an. Comme ça, plus de danger que personne s'approche de la Marie-Anne ni ne pense même à le faire. Une bonne affaire de réglée ! Ferait la grosse ouvrage des foins, l'été venu, puis s'en irait se gagner quelques piastres au pont de Québec et se marierait en septembre.

20

«Approchez-vous de la fricassée ! Pis toi, Véronique, va chercher tes soeurs parce que le repas les attendra pas.» Télesphore se dégreye de son capot qu'il laisse sur la chaise. Il est en culotte d'étoffe et chemise carreautée. Il prend quelques secondes pour vider sa pipe en lui assommant la tête dans son immense main gauche puis jette les cendres dehors. Arzélie lui donne la place du bout de la table, qui est la sienne de coutume. Elle va s'asseoir sur le côté. Ça va adonner autant pour courir du poêle à la table malgré que tout se trouve déjà en plein milieu du dessus en planches usées par le temps et par les plats. Une grosse chaudronne noire qui fume. Une planche avec dessus un pain qui ne durera pas longtemps, et un couteau de gros acier dur qu'on va passer sur la meule après le repas pour l'enfoncer mieux dans la gorge du cochon.

Télesphore est rempli de fierté. Sa place est aussi importante que celle du père. En plus qu'il verra descendre Marie-Anne dans l'escalier. Il s'assit, mais n'en a pas l'air tant son corps est grand et droit.

«Sers-toi, Nérée, sers-toi, Télesphore, pis toi, Charles, j'ai pas besoin de te le dire, tu coupes déjà la politesse à tout le monde, hein !» «Quand c'est que y'a de la gêne, la mère, y'a pas de plaisir non plus, c'est connu !»

Télesphore regarde. Il donne tout l'air d'attendre. Ses yeux s'inquiètent. Arzélie le contredit. «Mange, mange; les hommes en premier !» C'est bcn vrai, pcnsc Télesphore. Et ainsi approuvé par l'autorité maternelle, il se sert à l'aide d'une louche qui va jusqu'au fond du chaudron d'où il ramène des patates, du petit lard et des oignons, tout ça qui trempe dans un jus clair et salé, légèrement bruni par un soupçon de farine grillée.

Charles se découpe sans trop de fantaisie une tranche de pain dont la croûte molle ne s'égrène guère. Il pose le couteau et va déchirer le morceau libéré quand il voit Télesphore qui attend des yeux. C'est plus simple de lui donner son quignon que de lui passer toute la planche avec son contenu. Bien qu'il pense qu'en se relevant à peine le derrière de sa chaise, le grand gars à Gédéon Gagnon de Sainte-Philomène pourrait sans misère aucune, tant il est élingué, se couper au beau milieu de la table tout ce qu'il aurait envie de se couper là.

Télesphore arrache d'abord de la mie qu'il jette par petits morceaux roulés entre ses doigts dans la fricassée pour ajouter au jus et l'absorber, et y créer plus de bouchées plus substantielles. Il a grand appétit mais aussi un embarras à la mesure de son estomac.

Alors qu'il porte sa première fourchetée à sa bouche, des pieds légers se posent sur les marches hautes de l'escalier; il les voit à peine sous le flottement de la robe gracieuse dont les plis les moins évasés battent parfois les chevilles. Son coeur veut prendre le mors aux dents; Télesphore le retient solidement. Il se dit que ce n'est pas Marie-Anne qui descend la première. Surtout qu'elle le sait là, qu'elle l'a vu par la lucarne tantôt, qu'elle a vu qu'il l'a vue...

Mais c'est bien Marie-Anne. Il le devine dès qu'il aperçoit une main devant elle, si longue, si fragile, si effilée, tombante. Le buste paraît. Inapparent ! Comme si la jeune fille n'était pas encore femme. Et cela, même si son autre main prend appui sur le bord du plafond où s'enfonce l'escalier abrupt. Et voici la tête... Rejetée un peu sur le côté. Le visage sérieux, crayeux. Véronique la suit, glisse son regard sur le côté par devers sa soeur, cherche une lueur dans les yeux de Télesphore, en aperçoit mille plutôt qu'une, rit du fond du regard, le cache.

Nérée prend les devants. Il traite bien son futur gendre. C'est un beau parti, un bon garçon, fort et déjà établi. La maison va virer pareil sans la Marie-Anne et ça sera une bouche de moins à nourrir. «Si c'est pas ta blonde qui se décide à venir manger !»

«Ah ! quen, t'étais là ? Tu devais pas venir avant demain soir pour la messe de minuit ?» Véronique s'écrie. «Tu le savais, Marie-Anne Caron, je te l'ai dit, menteuse !» Marie-Anne bredouille, hoche la tête, fait se balancer une mèche de cheveux, de beaux cheveux brun foncé qui brillent aux moindres lueurs. «Ben... je savais pas que... qu'il mangerait icitte...»

«On l'a engagé pour saigner le cochon betôt.» «Ah !» Arzélie intervient. «Quen, viens t'assire icitte !» C'est sur le coin de la table, voisin de Télesphore. Marie-Anne obéit. Ils ne se regardent pas, ne sourient pas. Elle tire la chaise. Il continue à manger. Ne sait que faire, que dire, se sent faible.

S'adresse aux hommes. «En tout cas, Modeste Mailhot s'il était de ce monde, je voudrais le voir s'essayer avec Louis Cyr.» Charles s'écrie, le scandale au bout des mots. «Hey, Mailhot se ferait avaler rien que d'une bouchée. Louis Cyr, c'est le plus fort du monde avec un record qui a jamais été égalé depuis des milliers d'années et qui le sera pas avant des milliers d'années.» «Oui, mais Mailhot, c'est que vous en dites, vous, monsieur Caron ? Y était-il plus fort que Louis Cyr ?» Nérée laisse tomber : «Je gagerais ma terre pis ma plus belle fille qui est à côté de toi, sur Louis Cyr pas un autre. Mailhot, c'est pas contre Louis Cyr que je voudrais le voir s'essayer, Télesphore, c'est de contre toi.» Charles éclate de rire. «Avec la Marie-Anne au jeu, Télesphore le battrait à plate couture, pis peut-être même le gros Louis Cyr avec...»

Le visage de la jeune fille rosit. Elle sourit. Son futur se sent bien, mieux, bien mieux.

En réalité, on exagérait gaiement. Il n'y avait aucune commune mesure entre Télesphore, si grand et fort fût-il, et Modeste Mailhot, surnommé le géant canadien, homme de sept pieds et quatre, et six cents livres, et qui, cent ans plus tôt, avait basculé et roulé une pierre énorme qui se trouvait sur le chemin riverain entre Leclercville et Deschaillons. Et encore moins de comparaison possible avec Louis Cyr dont les exploits musculaires étaient admirés et chantés à travers le monde entier.

«Tu manges pas, Véronique ?» Marie-Anne veut se venger un brin; Véronique le mérite bien. «Elle se bourre de bonbons depuis le matin.» Arzélie l'apostrophe du regard. «T'es mieux pas, petite chenapan, parce que tu vas te faire corriger sévèrement.» Véronique ne craint rien. Son père n'a jamais touché aux petites filles. Et sa mère menace, mais ne frappe pas bien souvent.

Télesphore regarde Véronique. Elle est assise à côté de Charles. Elle pince les lèvres, plisse les paupières, secoue la tête, lui fait une moue de petite peste. Le jeune homme baisse la tête. Il la trouve mal élevée. Voler, c'est le pire péché. On devrait la corriger...

Marie-Anne ne met pas grand-chose dans son assiette. Un peu de fricassée et encore moins de pain. Un corps aussi frêle n'a pas besoin de dévorer comme un ours. Et puis elle

23

n'a guère faim. Elle a passé l'avant-midi assise à piquer de l'aiguille.

Elle prend un morceau d'oignon avec sa cuiller. Les bouts pendent de chaque côté. Elle doit pencher un peu la tête vers l'avant pour ne rien éclabousser. Son regard tombe sur la main de Télesphore. Elle l'a vue bien des fois déjà, mais jamais d'aussi près. Quelque chose s'empare de son âme, la compresse un instant; s'il fallait qu'une main aussi grande la frappe, elle, pas plus lourde qu'une plume, revolerait à l'autre bout de la maison, c'est sûr.

Les doigts sentent qu'on les observe et se retirent. Et la main disparaît sous la table. Marie-Anne se redresse. Télesphore lui adresse un premier regard. Ils se sourient. Faiblement.

Mais cela suffit à lancer chacun dans des intentions fortes. Il va vous le saigner, ce cochon-là, et pas tard après manger. Il espère qu'on va envoyer Marie-Anne afin de recueillir le sang chaud à mesure qu'il coulera de la gorge de la bête, et le brasser pour empêcher les caillots de se former. Elle se dit qu'elle va se dépêcher de finir sa robe pour pouvoir l'étrenner le lendemain.

En fait, ce n'est pas une robe neuve pour de vrai. Mais elle est propre; et ainsi rafistolée avec des dentelles neuves et du ruban, chacun croira qu'elle sort tout droit de la Compagnie Paquet à Québec.

Il ne perd pas une minute à table. Aura beau être à côté d'elle, lui avoir même touché un genou avec le grand sien, ce qui les a fait se regarder une seconde fois et se sourire, il se dépêche de manger. Puis il s'en va dans le fournil où il s'enveloppe de poches de jute qu'il rafistole du mieux qu'il peut avec des clous. Veut pas se faire souiller de sang. C'est guère nettoyable, surtout sur des culottes d'étoffe.

Et il la fait, sa boucherie, mais dans la contrariété. Marie-Anne n'est pas venue. À trois hommes, même pas besoin de femmes, a dit Nérée triomphant.

Le saigneur l'enfonce, le couteau, et si creux qu'il craint avoir piqué le coeur puisque la bête reste un moment sans bouger comme si elle était morte. Elle se réveille, hurle de son cri pointu qui cherche à pénétrer les coeurs des hommes. Mais les coeurs des hommes n'entendent pas. Ils n'ont pas à

24

entendre. La mort des uns, c'est la survie des autres. Les cris faiblissent, s'endorment, finissent. La mort n'est rien quand la vie continue.

«Bon, je vas m'en aller parce que faut je passe par Deschaillons, moi.» «Ouais, t'as long de chemin à faire !» «Ah ! mais avec une bonne jument de chemin comme t'as...»

En reprenant la route, il s'arrête. Jette un regard vers la lucarne. Marie-Anne ne le voit pas. «C'est donc si important, ce qu'elle fait là !» Il s'irrite de se voir ignoré, lui qui s'expose sans orgueil. Enfin, elle lève la tête, redresse sa mèche laborieuse, sourit. Un vrai sourire plein qu'elle assaisonne d'un salut de la main.

Il clappe, fouette la jument. Devant la maison, le chemin arrive en T. Pour aller à Leclercville, il faut prendre droit devant. Il aura donc le dos à elle sur un bon demi-mille. Alors il reste debout dans la carriole et fouette avec les cordeaux pour que la jument garde sa fine épouvante.

C'est comme ça qu'un homme voyage.

Tous ces souvenirs frais ont défilé dans son esprit et les milles ont glissé sous les patins de sa carriole, emportés en poussière blanche par les sabots de la jument.

Et ses pensées retrouvèrent le présent quand il arriva à la roche à Mailhot. Elle était là, debout, défiante, à quinze pas du chemin, son gros nez gris et plat dans le vent. Combien de jeunes voyageurs s'essayaient à la faire bouger ? Mailhot l'avait-il vraiment roulée jusque là ? Qui avait assisté à l'exploit ? Ça se passait en 1810 et on était en 1905. Dans 95 ans, ça enfle, les légendes...

«Si la Marie-Anne était au jeu, tu battrais Mailhot !» se souvint Télesphore. Il tira sur les cordeaux. «Huhau, huhau !» La jument s'arrêta à hauteur de cette damnée roche. Le jeune homme se leva dans la carriole, laissa tomber la peau à ses pieds, regarda par-dessus le cheval le chemin vers l'ouest, puis par derrière, vers Leclercville. Personne en vue. Et aucune maison proche, il le savait déjà. Il avait tout son temps pour la rouler quasiment jusqu'au fleuve, la maudite roche à Mailhot.

Les quinze pas, ses longues jambes les franchirent en huit.

Rendu, il promena son regard sur les environs comme s'il avait craint que des yeux ne l'épient pour ensuite lui rire au nez advenant le pire... Mais le pire n'arriverait pas. Il se bomba le torse dans son capot déboutonné puis se pencha sur l'obstacle que le manteau recouvrit en partie. Et, tous les muscles bandés au maximum, il enveloppa la grosse pierre dans ses bras et donna le grand coup. Il lui sembla que... Mais non, la satanée roche n'avait pas bougé d'une ligne. «Si la Marie-Anne était au jeu...» L'homme s'élança une seconde fois. Toujours beaucoup plus fort au deuxième essai, on verrait. Rien. Immuable, la pierre de glace ! Pourtant le jeune homme n'abandonna pas encore sa détermination. Un atout restait dans son jeu. Il manquait un élément : la rage. Il avait vu plusieurs batailles dans les chantiers. Un homme en colère peut tasser, soulever, écraser, projeter avec une force redoublée. Hélas ! lui ne connaissait guère les grands éclats de ce sentiment. Toujours paisible, jamais il ne s'était battu et personne n'osait le défier, sauf au tir au poignet; et il abattait les mains en souriant comme si elles eussent été de fragiles cartes à jouer mises en comble. Voilà bien pourquoi pas un gars de chantier n'avait jamais eu le goût de lui tomber entre les battoirs.

–Heu.... han... fit-il une troisième fois.

Il secoua la tête, regarda la jument qui le zieutait stupidement, chercha motif à s'enrager dur.

–Heu... han... cracha-t-il une quatrième fois.

Inébranlable, la roche à Mailhot !

Imperturbable, son âme qu'il tentait vainement de bousculer avec une fausse colère. Il fallait donc regarder la chose avec sa raison, constater l'échec et en trouver les causes.

–Sapré fou du saint bon Dieu ! dit-il tout haut en se frappant la tête de la paume de sa main dans un juron qui n'était pas un blasphème.

Le dessus de la terre étant gelé, bien sûr que pour soulever la pierre, il eût fallu au moins un de ces palans dont on se servait pour construire des bâtisses. Ou bien d'une bonne arracheuse. Il voulut en avoir le coeur net. Après un aller et retour à la carriole où il jeta son capot, constatant à nouveau qu'il n'arriverait personne, il revint à son défi, et cette fois, il fit deux tentatives pour tâcher de simplement renverser la pierre : elle se montra plus solide que le cap Diamant.

Un sourire put se lire aux coins de ses lèvres. Il ôta une mitaine et lissa sa moustache avec son index replié, comme il en avait l'habitude. L'idée de la faire sauter, la roche à Mailhot, à la dynamite venait de lui traverser l'esprit. Mais ce n'était qu'une pensée fugitive et que jamais un homme comme lui ne mettrait à exécution.

Le gel causait une bien plus grande résistance que le poids de la roche lui-même; il pensa y remédier en urinant contre l'arrière de la pierre en visant sa jonction avec le sol qu'il mit tout d'abord parfaitement à nu avec le bout de sa botte.

Suffirait qu'elle bouge d'une seule ligne pour qu'il soit satisfait; et si un jour d'été, il devait repasser tout seul par là, il se mesurerait encore une fois avec les forces à Mailhot, pensait-il en pissant.

Il en évacua longtemps, car il avait ingurgité deux grosses tasses de thé au repas, et bu pas mal d'eau après l'abattage du cochon. Une ligne noire et fumante suivit la base de la roche. D'une part, le sol n'était pas encore gelé en profondeur et surtout, la pierre ne saurait être enfouie de plus d'un ou deux pouces, puisqu'elle venait d'ailleurs que là, et que Mailhot l'y avait poussée à bout de bras.

Quand il fut prêt à nouveau, il la contourna et, les pieds arc-boutés derrière lui, il poussa sur l'obstacle. Il força en forçat comme un bison qui cherche à en faire retraiter un autre. Même à genoux et avec tout son raide, rien n'y fit. Ingrouillable, la damnée roche ! Il se redressa. À quoi bon se colletailler plus longtemps avec, peut-être bien rien qu'une maudite menterie ?

Il reprit son chemin en chemise. Comme Charles Caron. Il mettrait son capot plus tard. Les gros efforts lui avaient réchauffé les sangs. Pas une seule fois, il ne se retourna pour jeter un dernier coup d'oeil à la roche à Mailhot.

Un gratte-papier de notaire lui aurait dit que chez un peuple musculaire et oral, les hommes forts passent très vite à la légende comme les poissons des pêcheurs qui une fois étirés et allongés par les récits, acquièrent le pouvoir de nourrir des foules entières. Et que des petits Louis Cyr, il s'en trouvait aux cent coins du Québec, et même quelques-uns dans les bords de l'Ontario et de l'Acadie. Et si Mailhot était le Louis

Cyr des légendes de Lotbinière, lui, Télesphore ne passait-il pas pour le Louis Cyr de Sainte-Philomène ? Malgré que son frère Anthime avait le bras pas mal raide lui aussi...

*

Un demi-mille après s'annonça la fin du boisé qui depuis avant la roche enserrait le chemin blanc, étroit et droit dans ce bout-là. Au loin à gauche parut une maison, la première de la paroisse de Deschaillons. C'était plutôt rare que Télesphore passe par là. Mais il reviendrait aux beaux jours. Il avait maintenant tout un compte à régler.

«Si la Marie-Anne était au jeu, tu battrais Mailhot pis peut-être ben Louis Cyr avec.»

Mais la Marie-Anne n'était pas au jeu. Mais Modeste Mailhot n'était pas là. Louis Cyr non plus.

Perdu dans sa réflexion, il n'entendit guère les hennissements de la jument. Elle discernait quelque chose d'insolite plus loin. Il fallut qu'elle s'arrête pour qu'il fasse de même avec ses pensées. Il se leva et regarda entre les deux oreilles que la bête aplatissait dans le crin et jetait à l'affût aussitôt après en les pointant droit devant. Pas un maudit chat en vue aussi loin qu'il pouvait voir sur ce chemin-là ! Quoi c'est qu'elle avait donc dans le derrière tout d'un coup, celle-là qui grattait la terre avec un sabot et qui entamait des bruits que ses naseaux faisaient vite avorter ?

–Guédoppe, guédoppe ! fit l'homme qui ramassa les deux cordeaux en vue de les lancer avec vigueur sur la croupe récalcitrante.

Alors de biais sur sa gauche, un chevreuil empêtré dans une clôture de broche carreautée bougea, fonça en avant et en arrière dans son épuisement avancé. Mais ses bois restèrent emprisonnés dans le fil métallique comme ils y étaient empêtrés depuis une heure au moins.

Surpris un moment, Télesphore questionna les environs du regard. Quoi faire ? Avertir l'homme de la maison voisine à qui devait appartenir ce champ et cette clôture, et donc ce beau chevreuil bien empanaché ? Tuer l'animal et ramener la viande à la maison ? Ou le libérer pour empêcher les loups de venir le dévorer là tout rond, encore vif ? Parce que des loups, ça ne manquait pas pour tuer les moutons et même attaquer les vaches. On les entendait hurler parfois à la brune, même à Sainte-Philomène, dans les terres, loin du fleuve.

Il soupesa à nouveau les trois hypothèses. Alerter le voisin, il viendrait tuer la bête et garderait la viande ? Un animal sauvage, c'est à celui qui l'abat... L'abattre lui, mais avec quoi, sans fusil ni couteau ? Il songea à l'étouffer avec ses bras, mais la viande serait mauvaise...

C'est sans aucun dessein bien arrêté qu'il descendit de la carriole. Soulevant la banquette, il dénombre le contenu de l'espace en dessous. À l'aide d'une scie, il pourrait couper le panache. Ou avec des pinces, il sectionnerait la broche. Il n'y avait là qu'une couverte à cheval en jute et en étoffe, espèce de courtepointe rapiécetée de morceaux de poche par sa mère, cette femme qui savait tout faire. Il plongea la main, tâtonna un peu, trouva un objet qui faisait grandement son affaire, et il l'en sortit. C'était un crochet à bois.

L'homme se dirigea vers la bête en marchant tout doucement pour ne pas l'effaroucher encore plus. Il s'arrêta à mi-chemin, demeura silencieux, calme; le chevreuil s'habituerait à sa présence, s'apaiserait peut-être ou à tout le moins ne chavirerait pas de peur.

Le cou tordu, les pattes longues et sèches arquées au maximum, l'animal répétait furieusement les tentatives pour se libérer. Et entre chacune, son oeil terrifié jaugeait les intentions de l'homme.

–Tout doux, tout doux, allongea Télesphore de sa voix la plus tranquillisante.

Mais une bête sauvage dont tout l'être depuis des millénaires se fabrique en vue de la fuite, qui n'a de défense pour sauver sa vie que la peur, laquelle l'emporte deux fois plus vite tout comme la rage rend l'humain deux fois plus fort, repense-t-il, cette bête ne s'apaise pas autrement que par l'épuisement.

Parvenu à quelques pas seulement, Télesphore s'arrêta encore une fois. Pendant deux secondes, ses yeux et le seul oeil visible de la bête enfargée se rencontrèrent. Dans l'un ne se trouvaient que la terreur pure et l'innocence sauvage. Et dans ceux de l'homme se chamaillaient mille et une choses. De l'incertitude, de l'inquiétude, un frais et doux souvenir du regard de Marie-Anne par la lucarne brillante, les boulettes de pain dans la fricassée, la résistance de la roche à Mailhot, le respect du bien d'autrui, mais celui, tout aussi farouche, de son bien à soi, son bon droit autant que celui des autres, un regard maternel si bourré de bienveillance, le pont de Québec chargé d'avenir et qui enjamberait le fleuve au plus tard en 1909, Charles Caron prêt à s'emparer de l'Amérique...

–Doux... tout doux, répéta-t-il encore.

Là, il marcha dans la neige mince jusqu'à la clôture.

L'animal se rua dans une autre formidable tentative qui se solda par un échec affolant. La broche craquait. Ses sabots glissaient désespérément sous son poids, grattant la surface dure, y laissant des traces noires. Un cerf est léger, peu musculeux. Il n'a pas de prise, pas de chance quand sa liberté est ainsi entravée...

La jument secoua la tête, éternua. Télesphore s'assombrit. Il aurait dû l'abrier comme il faut avec sa couverte. Elle pouvait aussi bien attraper la gourme par ce froid humide. Il fallait en finir avec son problème.

Pour éviter de se faire cornâiller, le jeune homme attrapa le bois principal du côté droit et y exerça une pression énorme qui allait chercher la moitié de sa force. Le chevreuil se sentit encore plus terriblement asservi et cette odeur d'homme rendit son oeil fou. Télesphore lui, l'oeil froid, attendit qu'il s'énerve une autre fois, se laissa secouer le temps qu'il fallait. Puis survint une autre accalmie. Le temps était venu.

Le bras d'acier accentua sa prise sur le panache et immobilisa tout à fait la tête. L'autre qui tenait le crochet se banda, se souleva et d'un coup de poignet, la pointe d'acier pénétra dans l'oeil de l'animal comme dans du beurre mou, et s'enfonça jusqu'au cerveau. Le sang jaillit, coula avec d'autres humeurs blanchâtres; il en coula par les narines; des spasmes agitèrent la bête blessée à mort. L'autre oeil s'éteignit. Devint fixe. Et plus froid encore que celui de son bourreau.

Télesphore était content. Il avait réussi du premier coup. Il fit ressortir le crochet ct s'éloigna d'un pas pour ne pas se salir et laisser la mort établir définitivement son empire. Le chevreuil avait bien moins souffert que le cochon plus tôt. En une fraction de seconde, la pointe d'acier l'avait endormi.

30

Aucune souffrance. Sûrement aucune. Mais l'homme ne pesait pas ces choses car il aurait fort bien pu rater l'oeil, blesser, devoir recommencer, supplicier la bête cinq minutes, un quart d'heure. L'important, c'était cette viande qu'on aurait à si bon compte, et le reste, il n'y pensait pas.

Restait à dégager la carcasse, à l'installer dans la voiture. Ça se transporte mal dans une carriole, un chevreuil qui saigne encore faiblement si on ne veut pas tout souiller. La banquette, le beau capot de poil, la robe de carriole : il regrettait de n'y avoir pas songé plus tôt. Le mieux serait de l'attacher derrière, sur la rallonge des patins où il poserait un bout de planche. La tête traînerait sur le chemin, c'est tout.

Il fallait un morceau de bois, de la corde. On lui en donnerait peut-être à cette maison. Mais alors, il lui faudrait déclarer sa chasse à l'improviste. Et qui sait, on réclamerait la viande peut-être ? Et entre-temps, quelqu'un pourrait passer, s'emparer de l'animal en voyant qu'il était encore chaud...

—Maudit torrieu, mais y'a pas de quoi se torturer de questions ! s'écria-t-il soudain.

Et il se rendit chez le voisin qui lui fournit tout ce dont il avait besoin pour emporter son gibier avec lui : une solide corde tressée et quelques bouts de broche.

Quand il repassa devant la maison, l'homme, un personnage tout sourire, se mit au chemin. Télesphore fit s'arrêter son attelage. On regarda ensemble l'animal mort attaché comme le jeune homme l'avait prévu.

—Tout un beau ! Pas moins de soixante-quinze livres de belle viande là-dedans, peut-être plus.

—Ça me gêne un peu de m'en aller avec; après tout, j'ai tué ça chez vous, sur votre terrain...

—La loi de la chasse, c'est : celui qui tue emporte le morceau. Les sauvages ont toujours respecté ça; nous autres itou.

—Je veux croire, mais...

—Le principal, c'est que tu niaises pas trop avant de le vider... Si tu veux le faire dans ma grange...

Des garçons accoururent. Visiblement deux jumeaux, le regard excité, avec chacun deux épaisseurs de capot. L'un donna un coup de pied à la tête du chevreuil. L'autre fit pareil et ils reculèrent en riant comme s'ils attendaient une réaction, un reste de vie à vider à coups de bottes.

–Non... je m'en vas voir Arthur Leboeuf qui est marié avec ma soeur Séverine. On va faire ça là...

–T'es ben libre de tes agissements !

–Vous le connaissez, Arthur ?

–Certain ! Je le vois à toutes les semaines à l'église. Il se met à trois bancs de nous autres avec sa petite jeune femme qui est dans un état 'intéressant'.*

–Ben, je vas lui laisser un quartier de chevreux pour vous parce que je considère que vous en méritez un beau morceau... Après tout, votre clôture s'est comportée un peu comme une espèce de piège...

L'homme, un petit personnage perdu dans des vêtements bruns trop grands et une casquette immense, le visage sanguin et déjà fortement ridé, déclara sur un grand ton :

–Voyons donc : c'était pas de la trappe, tu le sais comme moé. Tu me dois rien pantoute, pas une vieille cenne noire, mais si tu veux me donner de la viande, je la refuserai pas. Je m'appelle Delphis Lafleur. Arthur me connaît.

Télesphore sauta dans la voiture. Il enfila son capot en disant :

–Comptez sur moé ! Je vas charger Arthur de ma commission.

–Ben, t'es ben généreux ! Qui que t'es, toé, en simple curiosité ?

–Télesphore Gagnon de Sainte-Philomène.

–Ben j'vas retenir ton nom.

–Pis moé le vôtre.

–Tu peux me dire tu, hein, j'ai rien que trente ans...

Mais Télesphore n'entendit pas. En même temps, il avait ordonné à la jument de se mettre en marche et la carriole s'ébranla, tandis que les jumeaux couraient derrière en tentant de frapper à nouveau la tête dont les bois labouraient le chemin et y laissaient des zigzags brisés par les chocs et rebondissements incessants.

******

* enceinte

Église de Leclercville

Chapitre 2

Dans l'absorbement de ses pensées qui voyageaient en sautant de Marie-Anne jusqu'au pont de Québec dont on disait qu'il serait l'une des plus grandes merveilles du monde, et qui ne pouvait qu'épater un coeur de bâtisseur, le jeune homme oublia les maisons du village, l'église de Deschaillons, les regards des curieux qui pesaient la carcasse du chevreuil, et il fut bientôt rendu à destination.

En entrant dans la cour des Leboeuf, arrivé sur le côté de la maison, Télesphore entendit cogner contre une vitre. C'était Séverine qui, étirée sur le bout des pieds, le saluait des doigts, car le seul espace non encore givré commençait haut. Heureusement que la femme était de grande race.

Très jeune personne, loin encore de sa majorité, elle s'était mariée le printemps d'avant et attendait son premier enfant. Seule dans la maison, elle s'ennuyait un peu et attendait son frère aîné avec hâte et agrément. On savait depuis le dimanche précédent qu'il viendrait chercher de la viande ce jour-là en compensation pour le quartier de tauraille qu'Arthur avait rapporté de chez Gédéon alors.

Il était spécial, le grand Télesphore, dans la famille. Moins joyeux luron et bon vivant qu'Anthime et les autres, plus Lord que Gagnon, il avait hérité du sérieux et des habiletés de sa mère ce qui le faisait pressentir par tous comme un homme de commandement, capable de bien conduire d'autres travaillants dans un chantier de bûcherons ou de construction. Déjà dur à battre pour lever une bâtisse ! Juste un défaut, pensait-elle, quand il a quelque chose dans le crâne, il l'a pas dans le dos. Un vrai tocson !

Il sourit un peu, fit un signe de tête questionneur. Elle prononça des lèvres :

—Sont dans la grange. Doivent achever la boucherie.

Il acquiesça pour montrer qu'il avait compris. Puis, fier de sa capture, il indiqua de la mitaine l'arrière de la carriole. Séverine colla ses mains arrondies sur la vitre pour tuer les reflets et y appuya son front ainsi que son regard. Puis elle obliqua de la tête et se composa aux lèvres une moue de surprise admirative; et elle applaudit à mains levées pour qu'il comprenne les félicitations. Le sourire lui creusait des fossettes doubles près des coins de la bouche et lui conférait un air espiègle d'enfant taquine.

Télesphore leva les yeux vers la position du soleil; il évalua son retard et anticipa les reproches maternels. Et il clappa pour s'approcher le plus près possible de la grange. Pas question de dételer pour une heure au plus. Il mit le nez de son cheval dans le mur; la bête n'irait pas plus loin certain. Elle avait beau s'appeler la Tannante, la jument, l'âge commençait à la rasseoir et elle était maintenant pas mal moins de chemin que sa réputation. Et savait s'arrêter sans trop bouger le temps qu'il fallait, le plus fort de son impatience la conduisant à gratter le sol avec le sabot de sa patte gauche.

Il descendit de voiture, se rendit la flatter sur un larmier, entre les yeux, frotter le remoulin, lui parler :

—Tranquille, la Tannante, je vas t'abrier comme il faut pis t'apporter à manger, ça sera pas long...

Il lui étendit ensuite la couverte sur le dos puis, par-dessus, il mit la peau de carriole.

Un coeur qui ne bat plus ne pompe plus le sang ni ne le répand; après le dernier filet sanguinolent quand il avait assujetti la carcasse à la carriole, le sang avait commencé à figer et le froid depuis l'avait durci. Télesphore ôta quand même son manteau pour transporter le cerf. Il le détacha puis rattacha les pattes et, d'un geste aisé, se le jeta sur les épaules et se rendit au bout de la grange. Il monta sur le gangway conduisant à la porte à demi ouverte qui dispensait de la lumière aux travailleurs dans la batterie.

Il poussa la porte du pied et se vit aussitôt bienvenir par des voix et des ombres, car ses yeux bourrés des blancheurs du dehors avaient besoin d'encore quelques secondes pour s'adapter au demi-jour intérieur.

Il y avait là Arthur, guère plus âgé que lui, aussi son frère, un grand efflanqué de pas quinze ans et les parents Leboeuf, des gens de chaleur et de grande amabilité.

—Ben maudit, t'as pogné un beau chevreux ! lança Arthur qui s'approcha et poursuivit. Pis un maudit beau... Le père, venez donc voir ça...

Le héros fut environné, félicité. Il jeta la carcasse sur le plancher de bois; le souffle créé souleva un nuage de poussière de foin et de brindilles de balle.

—Faudrait pas retarder pour le vider...

Il raconta sa chance. Parla de Delphis Lafleur. Le cochon était déjà mort et on achevait de le tailler en morceaux sur une table de bois. Tout serait ensuite mis à geler dans un hangar voisin sur des planches posées sur les entraits à l'abri des rats, ces affreuses bestioles capables de ronger du lard dur comme de la pierre. Et d'autres morceaux emballés de jute seraient enfouis dans l'avoine d'un enclos.

Télesphore s'étira le corps par-dessus la poutre de la tasserie pour y prendre un broc; il le piqua dans un mulon de foin qu'il arracha sans peine et porta à bout de bras à la Tannante qui le sut venir et hennit de bonheur anticipé.

Il revint la tête nue, les cheveux en broussailles. Et, le geste long, il rejeta la fourche qui resta plantée, le manche oscillant. D'une poche de sa chemise, il fit la lente extraction d'un sac jaune en vessie de porc contenant des morceaux de tabac durci.

—Qui c'est qui chique icitte ?

—Moé, dit aussitôt l'adolescent.

—Trop jeune, le jeune ! lui dit son père qui de son bras

dur lui coupa le geste avant que la main ne s'empare du bloc brun tendu par Télesphore.

On écorcha le chevreuil. Il fut vidé. Tout serait gardé à part les viscères que l'on empocha et que l'adolescent se rendit jeter sur le tas de fumier dehors. Les morceaux furent partagés, un petit quartier pour Lafleur, un moyen pour les Leboeuf et le reste, on l'ensacha avec le lard prévu, dans des poches de farine qui furent elles-mêmes insérées dans des sacs de jute. Rendu à Fortierville, la viande des Gagnon serait juste bien assez figée pour être facilement étalée. Et ce fut l'adolescent qui hérita du ramage.

La mère, une grosse femme à sourcils toujours froncés et dont les bras ballaient sans arrêt, quitta de son pas lourd en invitant le visiteur à s'arrêter prendre un gros thé chaud à son départ. Il remercia, mais refusa à cause de son retard.

L'espace sous le siège de la carriole fut rempli, bien paqueté. Arthur tendit le dernier sac. Il demanda :

—Veux-tu me dire pourquoi c'est faire que t'es pas venu en toad-sleigh ou ben en waguine ?

—Bah ! j'avais long de chemin par Leclercville...

Arthur comprit. Il sourit, agita les mains, le nez fin, rassura :

—Gageons que t'es passé par chez Nérée Caron ! Vas-tu la marier l'année qui vient, la Marie-Anne ?

—D'abord que tu vas le savoir pareil dans pas grand temps, je te réponds que oui. Je la demande au jour de l'an... Excepté que je voudrais ben pouvoir travailler au pont de Québec après les foins...

Arthur hocha la tête :

—Des grandes ambitions mais...

—Mais quoi ?

—Ben... ils prennent rien que des Sauvages pis des Américains de la Pennsylvanie...

Télesphore se rembrunit :

—Ah ! le Charles Caron m'a pas parlé comme ça, lui !

—Peut-être ben qu'il le savait pas ?...

*

C'est l'âme en eaux troubles que Télesphore reprit le grand

chemin de ligne pour regagner Ste-Philomène (Fortierville), progressant tout droit par Saint-Jacques-de-Parisville sans remarquer les maisons chenues et quelques-unes plus cossues comme celle du jeune docteur Lafond du village de Parisville. Il lui tardait de voir le lendemain pointer pour deux bonnes raisons plutôt qu'une : conduire Marie-Anne à la messe de minuit et rapporter à Charles les propos d'Arthur sur leurs faibles chances de trouver de l'embauche au pont de Québec en 1906.

Le jour entamait son court déclin quand le voyageur croisa le chemin du village indiquant le petit tiers de mille qu'il lui restait à faire pour arriver chez lui.

—Anthime est au village comme toujours; il est pas tenable icitte, annonça Gédéon quand, après avoir dételé et disposé de la viande comme prévu sur les entraits du hangar, Télesphore entra dans la maison avec dans les mains deux morceaux de chevreuil et deux de porc.

—Pas besoin de lui pour le peu que j'avais à faire...

Gédéon était trop malade pour mettre le nez dehors et pas assez pour être au lit. Une grippe qu'il vaincrait, comme toutes les autres depuis plus de cinquante ans. Il était assis devant, dans une chaise berçante, à côté d'un châssis par lequel depuis le midi, il surveillait le chemin et le retour de Télesphore, ce gros travaillant établi sur la terre et qui commençait déjà à la mettre à sa main.

Sa femme courut presque jusqu'à son fils pour lui montrer sans avoir à le lui dire qu'il y avait mis bien du temps à chercher la moitié d'un cochon à Deschaillons, mais elle se départit de ses intentions quand elle aperçut les deux morceaux de viande qui n'étaient visiblement pas du petit lard.

—Du bon chevreux, dit l'arrivant en tendant la main gauche.

Gédéon lança, la voix cassée par le rhume, par-dessus sa pipe blanche et la fumée bleuâtre qu'il ne sentait ni ne goûtait à cause de son mal :

—Tu vois ben, la Louise Lord, que ton gars revient pas en retard pour rien.

—Je vois ça ! dit la femme dont le regard s'attendrissait vite.

Elle prit la viande et retourna à son comptoir à côté de la pompe à eau qu'elle actionna ensuite à plusieurs reprises et dont il commença à tomber en virevoltant une eau belle et froide qui lui servit à nettoyer les morceaux. Télesphore se donna des coups de pied pour décrotter ses bottes puis il porta les deux autres pièces de viande à sa mère qui les passa aussi sous une eau copieuse.

Sur son comptoir attendaient dans des linges humides les oignons tranchés, les carottes et le chou qui serviraient au bouilli du soir puis six assiettes foncées de pâte à tarte qu'elle emplirait d'un mélange de viandes hachées et finement assaisonnées dont surtout du porc. Elle en fricoterait le double le lendemain de Noël pour la parenté au jour de l'an.

Les mêmes que ceux à la mode dans toutes les maisons, ses plats possédaient en plus une touche qui leur conférait une réputation spéciale.

Sur le poêle, il y avait une théière recouverte d'un cosy. Télesphore trouva sa tasse sur la tablette la plus haute de l'armoire et que pas même sa mère ne pouvait atteindre sans devoir grimper sur une chaise. Mais c'était sa tasse à lui. Il la possédait depuis toujours. L'avait adoptée enfant. Elle était grande et faite de métal recouvert de peinture jaune cuite. Dans ses jeux d'enfance, il l'avait cognée contre les pattes du poêle, écaillée, et l'ornaient depuis lors trois grosses taches noires dans l'émail luisant. Le thé y goûtait meilleur et s'y conservait plus chaud; il aurait craint de s'empoisonner de le boire depuis un autre contenant.

Le liquide s'écoula du long bec tourné, noir comme de l'encre et à l'odeur solide; il remplit la tasse à ras de bord et il lui fallut en boire là même pour éviter d'en perdre sur ses pas pour aller s'asseoir à la table. En même temps, il racontait sa chasse impromptue. On l'approuva d'avoir récompensé Lafleur et partagé avec Séverine et Joseph.

–C'est quand le coeur commande que la vie est bonne ! déclara Gédéon qui dut répéter tant sa voix fêlait les mots.

Sa femme approuva :

–On l'a toujours dit, nous autres : quand le coeur passe avant l'honneur, c'est un bel honneur qui nous attend; mais quand c'est l'honneur qui passe devant le coeur, ben là, c'est un déshonneur qui nous pend au bout du nez.

Télesphore réprima un sourire. La mère qui sortait des idées du vieux siècle. Il n'y réfléchit même pas. Et par les fenêtres d'en avant, d'en arrière, du côté, entraient dans toute la maison les rougeurs sombres et apaisantes du soir tombant.

*

Anthime ne fut de retour à la maison que pour le souper après le train. Pourquoi serait-il accouru partager la tâche de Télesphore qui avait dix fois la capacité de la faire tout seul, d'autant plus que son aîné et pas lui, hériterait du bien paternel. Il faisait en sorte que son père soit sûr de ses décisions, qu'il le considère et pour toujours comme un homme qui gagnerait son pain autrement qu'à le bûcher dans les sillons de labour et à écurer des vaches.

Le jeune homme était si grand qu'il devait pencher la tête pour traverser le chambranle de la porte d'entrée. On ne lui fit aucun reproche. On avait l'habitude. Tout au contraire, Télesphore lui fit la balle belle quand on fut attablé devant le bouilli :

–T'aimes les filles que t'en vois pas clair, Anthime, t'as rien qu'à venir avec moé, je vas te la présenter, la soeur à Marie-Anne... Non, mais vois-tu ça, toé, les deux frères Gagnon mariés aux deux soeurs Caron ?

–Ah ben, j'vas te dire, mon Télesphore, des blondes, j'ai pas besoin de toé pour m'en trouver.

–Ah ! mais une belle comme Marie-Ange, y en pas à toutes les portes... Je dirais même qu'à Leclercville, les filles sont de meilleure allure qu'à Fortierville...

–Occupe-toé de tes oignons, m'en vas m'occuper des miens...

–C'est comme tu voudras ! À dix-huit ans, t'es capable de te conduire tout seul.

–Dix-neuf ans, pas dix-huit !

–Dix-neuf... si tu veux !

******

Chapitre 3

Anthime, pourtant, vint donner un coup de main à son frère au train du lendemain soir, veille de Noël. Aussi bon travaillant que Télesphore, il choisissait néanmoins son genre d'ouvrage et surtout son temps pour se retrousser les manches. Il considérait la vie trop courte pour que les tâches quotidiennes mènent un homme par le bout du nez et pensait que bien au contraire, il fallait assujettir les travaux à son bon vouloir. C'était la seule manière de marcher sinon sur la voie de la pleine liberté, du moins pas trop loin de son chemin et de ses desseins.

Puisque Télesphore avait de la route à faire et qu'il devait lui tarder de retrouver sa blonde à Leclercville, autant collaborer avec son frère qui le lui rendrait en double, il le savait bien. Mais, au secret de son âme, il espérait vaguement que Télesphore lui reparle de Marie-Ange Caron. Il ne l'avait jamais vue nulle part, mais au dire de son frère, elle avait aussi bonne apparence que la Marie-Anne, sa soeur, et c'était pas peu dire.

Par quelques beaux dimanches de l'été et de l'automne,

Télesphore était venu à la maison avec sa blonde dont il se montrait plein de fierté. Hélas ! pas une seule fois sa mère n'avait délégué Marie-Ange comme chaperon, et c'avait été le plus souvent cette petite Véronique avec son nez de fouine qui riait à tout propos en dissimulant mal dans ses mains des ricanements aux airs de cachotteries.

On était dehors. Le ciel étendait sur la terre ses clartés glaciales et calmes. La nuit se ferait presque blanche de par la vertu d'une lune forte et pleine que le toit de la maison tranchait encore par le mitan et dont l'éclat jaune silhouettait les bâtisses et les arbres en ombres chinoises.

La jument attendait sous ses chaudes pelisses, attelée à la carriole et à sa patience. Depuis un bon moment, Anthime était retourné dans l'étable pour mettre le point final au train, tandis que Télesphore achevait de se changer de vêtements dans sa chambre du haut de la maison, ce qu'il accomplissait dans la pénombre, au seul clair de lune grâce à son oeil exercé.

Les Gagnon passeraient un Noël discret. Gédéon commençait à relever de sa grippe, mais il devrait s'encabaner encore des heures sous une tente improvisée faite de deux épaisseurs de draps que Télesphore avait 'chef-d'oeuvrée' l'avant-veille et qui contenait outre sa personne, une chaise droite pour prendre place et une cuve que Louise s'évertuait à vider de son eau tiédie qu'elle remplaçait par de la neuve, bouillante et fumante à laquelle parfois elle ajoutait un morceau de camphre.

–Tu dois suer ta gourme ! déclarait-elle chaque fois.

Et le lieu soulageait singulièrement Gédéon qui s'y adonnait à toute la souvenance qu'il voulait. Il y entrait toujours en marmonnant mais sans regimber pour de vrai.

C'est le soir du jour de l'an qui verrait la maison s'animer. Tous les enfants seraient là. De la parenté de chaque côté : des frères et soeurs à Gédéon et à Louise. Et même des Lemay du voisinage. Le garde-manger déborderait et la réserve de whisky aussi. Et le grand Léon préparait sa ruine-babines. Et Anthime astiquerait son archet.

Télesphore descendit. Quand elle le vit paraître dans la lumière des lampes, sa mère lui jeta un oeil satisfait. Il était grand et beau, son aîné, mais au grand jamais elle n'aurait

44

consenti à le dire, pour ne pas qu'il s'enorgueillisse.

Il fut sur le point d'ouvrir la porte de la soupente sous l'escalier où se trouvaient les habits de travail puis il revint à la réalité. Son capot était suspendu de l'autre côté dans la cuisine d'été où l'on mettait toujours les beaux vêtements d'hiver quand ils ne servaient pas et ce, jusqu'au printemps alors que Louise les remisait dans une chambrette du haut qui sentait le camphre à l'année.

Il s'y rendit et en revint, la stature deux fois plus grosse.

–Tu le boutonneras, hein, ton capot ! À quoi ça sert de se mettre un gros capot de poil si on le boutonne pas, hein ?

–Certain ! dit Télesphore machinalement.

Il se rendit à la tente de sudation, souleva un pan de drap et salua son père :

–Je vas revenir sur le tard demain soir, peut-être même rien que le jour d'après. Vous avez besoin de rester en dedans, là, vous !

–Crains pas, Anthime va s'occuper du train !

–C'est mieux, s'écria Louise sans lever la tête de sa vaisselle, parce que sinon, on va s'occuper de lui...

Télesphore sourit à cette menace en l'air, mais la pénombre n'en définit pas les lignes sur son visage. Et il sortit en mettant son casque à rabats qu'il changerait pour un chapeau de monsieur, un melon noir en feutre, quand il arriverait chez les Caron afin de paraître à son mieux devant la Marie-Anne et tous les autres.

La Tannante bougea de quelques pouces quand il monta dans la carriole. Les grelots des menoires se firent entendre. Anthime qui gardait l'oreille à l'affût sortit de l'étable avec un fanal allumé. Il vint le porter à son frère avec un contenant d'huile de charbon.

–Pas besoin de la canistre, protesta Télesphore en étirant une voix bienveillante. Le réservoir du fanal est déjà à ras bord d'huile à charbon...

–Ouais, mais si tu vas jusqu'au village de Leclercville aller et retour pis que tu reviens de nuitte demain : ça fait du temps à noirceur, ça.

–J'ai assez d'huile dans le fanal pour trois fois ça.

–Ah bon ! C'est toi qui le sais...

Anthime trouva autre chose :

–T'es-tu emporté un peu de blanc toujours pour te réchauffer sur le chemin ?

–J'en ai, mais j'suis pas un ivrogne, tu le sais, ça.

–C'est pas parce qu'un homme se met un peu chaudasse dans le temps des fêtes que c'est un ivrogne pour autant.

Télesphore devinait une intention dans la serviabilité de son frère. Anthime savait pourtant bien que le pétrole lampant ne ferait pas défaut. Ce pouvait être son offre de lui faire aconnaître la Marie-Ange qui travaillait depuis la veille dans la boîte à paroles de son frère; mais il n'en soufflerait plus mot. À Anthime de se révéler ! D'une manière ou de l'autre il ne pouvait toujours pas l'emmener avec lui et l'imposer aux Caron sans invitation.

–Bon, ben... joyeux Noël, Télesphore, là !

–Pareillement ! Pis laisse pas sortir le père de la maison !

–Crains pas, suis pas un pas-de-coeur !

–Je le sais.

–Pis t'ôtes pas les couvertes de la jument ?

–Je vas attendre qu'elle se réchauffe un peu; je m'en vas les ôter plus loin.

Ce furent les derniers mots échangés. Télesphore accrocha l'anse du fanal au coin gauche de la garde, dans les fioritures métalliques, afin de signaler sa présence aux voitures qui viendraient en sens inverse, lesquelles ne manqueraient pas cette nuit-là. Il clappa et la jument se mit en marche. Lui resta debout. Mais peu de temps après, il s'allongea confortablement de travers, les cordeaux d'une seule main et l'autre bras appuyé au dessus de la banquette qu'enveloppait une robe de carriole.

Si le ciel avait déclaré la paix à la terre pour quelques jours et si les étoiles progressaient dans la voûte céleste au pas de l'escargot, nul doute que devaient les ébahir tous ces points lumineux bougeant sans arrêt par monts et par vaux, par tous les chemins, grands et petits.

Télesphore s'imagina tout là-haut, à regarder le monde dans une machine volante. Depuis deux ans déjà que l'être humain volait pour de vrai, autrement qu'en ballon ou en planeur, et voilà que des appareils pouvaient s'envoler pour plusieurs milles sans atterrir. On disait qu'il y aurait une de ces merveilleuses machines ainsi que plusieurs automobiles à l'exposition de Québec en 1906. Qu'il travaille au pont ou pas, c'est en septembre qu'il épouserait Marie-Anne, et on irait à Québec en voyage les journées même de la grande exposition.

Et par l'imagination, il retourna dans les airs pour regarder les paroisses sillonnées de chemins tout allumés par des fanaux comme le sien de même que les deux ou trois fanaux à gaz qui dans chaque village autour de l'église brilleraient jusqu'au petit matin. Sans compter que toutes les maisons et les vitraux des églises demeureraient éclairés par des lampes que seule l'aurore finirait par éteindre....

Et en se croisant, on se criait des salutations sans savoir à qui l'on s'adressait. Qu'importe puisque c'était Noël ! En garçon d'adon, c'était souvent lui qui parlait le premier. Tous ceux des voitures répondaient et même les enfants de leurs voix flûtées. Et les milles glissèrent tranquillement sous lui. Et la jument appuyait son pas parfois pour se réchauffer après que Télesphore l'eut dénudée. Et la deuxième peau de carriole interdisait au froid de lui geler les jambes et les pieds.

Après la dernière maison de Sainte-Philomène, il ne rencontrerait plus âme qui vive, alors il s'alanguit dans sa rêvasserie et ferma les yeux pour en jouir davantage. Et la Tannante une fois encore le mena à bon port. Il sortit de sa somnolence quand la bête s'arrêta sec dans la cour au pied de la galerie des Caron.

Puisqu'il restait presque trois heures avant de repartir pour l'église, il fallait dételer. Et, comme la veille, il entra la jument dans l'étable sans la déharnacher.

Puis il accrocha son capot à un gros clou en vue d'un dessein particulier et irrésistible.

Comme il n'était guère chrétien de déféquer dans les bécosses l'hiver et que personne ne s'y rendait avant le dégel du printemps, il se fit un lit de paille sur une pelle et s'y soulagea pour deux jours d'avance. Puis s'essuya avec encore de la paille avant d'aller jeter les résultats par la porte du bout de l'allée donnant sur le tas de fumier. Comme ça, il n'aurait pas besoin d'aller sur le seau de bois derrière le rideau dans le fournil à moins d'être pris par le va-vite, ce qui lui arrivait plutôt rarement.

Il retourna à la carriole, éteignit son fanal, troqua son casque pour le melon; et c'est le coeur qui l'accompagnait dans les marches d'un escalier secoué par les vibrations que dans un certain embarras, il frappa à la porte d'entrée d'en arrière comme il le faisait de coutume.

Divers oui allant du ouais jeté au I pointu allèrent au-devant de lui à travers le brouhaha intérieur, et ils lui parvinrent tous ensemble, raffermissant son courage. Il allait se redresser, se gonfler quand soudain la porte lui sauta au visage, écrasant son chapeau et heurtant son coude. Excitée, la Véronique ouvrait brusquement.

Télesphore n'eut pas de mal, mais il en fut profondément irrité. Se faire ainsi cabosser le chapeau au vu et au su de tous l'humilia fort, et la dureté de ses traits fit taire quelques rires cabotins. Même le chien n'osa japper et retourna feindre le sommeil derrière le poêle.

Sauf les enfants mariés qui ne viendraient qu'après la messe pour le réveillon et les bûcherons restés dans les bois du nord, tous les enfants de cette famille très nombreuse étaient là à se parler, à rire, à jouer aux cartes, à aider Arzélie dans ses travaux de mère qui n'en finissaient jamais, à bavasser de rien à ras le poêle qui n'avait aucun mal à gagner sa bataille contre la nuit canadienne et qui, insolent, y parvenait même en ronflant dans des airs d'endormi.

—Rentre pis va te dégreyer dans le fournil ! vint dire Nérée qui utilisait sa pipe pour commander, comme un chef d'orchestre agite sa baguette.

Télesphore tâchait de redonner sa forme au chapeau, mais il semblait qu'il ne serait pas facile à radouber. Un coup d'oeil lui fit prendre conscience de l'absence de Marie-Anne qui devait se trouver en haut comme souvent quand il arrivait. À croire qu'elle le faisait exprès pour qu'il soit encore plus gêné dans ses habits.

Il suivit son futur beau-père et, après s'être libéré de son manteau, il resta avec lui à fumer une pipée en compagnie de Charles et du vieux chien noir venu sans trop d'espoir questionner les choses et les âmes. Et Nérée chassa les senteux à mesure qu'ils se mettaient le nez au coin de la porte.

Télesphore se demandait depuis une heure quand il apercevrait Marie-Anne lorsque soudain, elle parut dans l'embrasure de la porte. Elle salua d'un geste avorté et d'un sourire esquissé.

–Suis de bonne heure, hein ? fit-il en quémandant par là un pardon et une approbation.

Elle ne dit pourtant rien et disparut pour une heure encore. Et le jeune homme en ressentait de la contrariété quand il s'établissait un silence dans la pièce. Parmi les propos habituels qui allèrent de la politique aux chantiers en passant par des prouesses de chevaux et d'hommes, Télesphore rapporta les paroles d'Arthur sur l'embauche de Sauvages et d'Américains au pont de Québec. Charles le rassura l'index levé et sûr de lui mais qui camouflait de l'incertitude :

–Tant mieux, mon Télesphore ! Les Sauvages vont nous montrer à tenir notre ballant sur les poutrelles en haut pis les Américains nous parleront du Montana...

–Le problème, c'est qu'on parle pas le sauvage ni l'anglais non plus...

–Dors sur tes deux oreilles !...

Nérée servit lui-même de la boisson à trois reprises dans des verres pas beaucoup plus gros que le pouce. On faisait cul-sec après le sempiternel voeu de santé dont la tradition remontait à on ne savait quel siècle. L'intérieur de la maison était plutôt bien éclairé par deux lampes dans la cuisine, une grosse dans le fournil et une quatrième en haut de l'escalier, qui jetait ses lueurs dans tout l'attique et prévenait les chutes dangereuses dans les marches à pic. Toutes des lampes fixes hors de portée des enfants. Et les deux qui restaient, on les gardait hautes soit sur une armoire, une tablette ou la grosse tête du poêle, et il fallait au moins treize ans pour avoir le droit d'y toucher.

Un flair d'amoureux ou juste le hasard conduisit le jeune homme à la cuisine pour y boire de l'eau lorsque sa belle descendit d'en haut dans la robe neuve dont elle venait juste de parachever la confection. Il l'aperçut de la même manière que la veille, mais rien ne fut pareil. D'abord, il y avait cette pénombre dansante qui enveloppait toutes choses d'une lumière longue et mystérieuse, et d'arabesques spectrales; et puis là, il la voyait endimanchée comme jamais il ne l'avait vue auparavant.

Sa robe lui parut noire, mais de près, il verrait qu'elle était d'un beau bleu foncé et luisant. Tout le corsage était fait de belle soie pure. Télesphore ne savait rien de la nature du matériel utilisé; mais comme il eût voulu lui toucher juste pour en apprécier la texture, le velouté sous ses gros doigts durs !

De plus, le vêtement serré lui donnait de la poitrine, ce que lui, voyait pour la première fois, et qui le troubla jusque dans les mollets. Et la jupe en tissu plus pâle ondulait sous de gros plis qui ajoutaient aussi aux maigres rondeurs de la jeune fille. Une ceinture noire affinait la taille...

Elle rejeta la tête en biais vers l'arrière dès que ses yeux tombèrent sur la cuisine et sur l'homme. Personne sauf Télesphore ne lui prêtait attention. Elle lui sourit sans détour, à la fois indépendante et confiante, la beauté offerte; il la reçut en même temps qu'il reniflait un arôme de fines herbes ayant servi à la mère dans son fricot du soir dont il restait des relents sur le comptoir voisin.

–T'es belle comme le jour, même si on est la nuitte, osa dire Télesphore.

C'était le plus grand compliment que sa tête ait composé de toute sa vie, et peut-être le dernier vrai en même temps que le premier, qui aurait pu savoir. Et avant de le déclarer, il s'était assuré en regardant un peu en biais dans tous les sens que personne, surtout pas la belette de Véronique, ne l'écoutait. Car ce qu'il avait conçu, ça pouvait toujours se penser, mais ça se disait pas aisément. À vrai dire, ça se disait pas du tout, excepté quand c'était loin de la vérité et pour faire étriver, rien que ça.

–C'est ma robe, tu veux dire, pas moé, murmura-t-elle à la dernière marche.

De ce qu'il avait hâte au jour de l'an pour la demander, pour l'embrasser deux fois plutôt qu'une, la première pour la bonne année et la seconde pour sceller leur promesse. Mais en fait, la grande demande, c'est tantôt qu'il la ferait, soit en allant à la messe soit en revenant à la maison. À mots couverts ! Pour avoir une bonne idée de sa réponse du jour de l'an.

–T'as l'air d'une vraie grande dame anglaise de la haute ville de Québec.

–Pas trop vieille toujours !

Il était déjà dur de lui dire bellement les choses, pourquoi jetait-elle à mesure ses paroles en bas des mots chaque fois qu'il ouvrait la bouche ?

Il ignorerait toujours qu'elle recevait pour la première fois de sa vie un vrai beau compliment et que ça la portait à faire semblant de ne pas y croire trop trop.

Il chercha quelque chose à dire, trouva :

–Voudrais-tu une bonne tassée d'eau ?

–Heu... oui...

La jeune fille marcha jusqu'au poêle d'un pas qui lui imprimait une légère secousse aux reins. Cela se répercutait dans la nuque et y provoquait ce bref rejet de la tête en arrière, lui donnant un charme particulier, sorte de leitmotiv gestuel qui apaise les regards et les repose. Elle se frotta les mains au-dessus des ronds tandis que Télesphore pompait l'eau dans un bruit si familier et rassurant que personne ne l'entendait jamais.

Il se dit que le moment était peut-être venu de lui souffler à l'oreille sa grande intention, mais quand il parvint à elle, dans son dos, il ouvrit la bouche et ne sut que dire :

–Quen, la tassée d'eau fraîche...

Il la tendit, le bras arrondi autour de son épaule. Marie-Anne s'empara de la tasse qu'elle enveloppa de ses deux mains et porta à ses lèvres en se demandant ce que son prétendant ferait bien maintenant.

–Veux-tu que... qu'on parte avant les autres... pour arriver plus de bonne heure au village ?

–Non... ben... c'est si tu veux...

–On pourrait s'en aller... plus tranquillement...

–Ah !

–Je m'en vas dans le fournil... je vas atteler avant les autres...

–Ben... je vas le dire à maman... parce qu'elle va envoyer la Nique avec nous autres qu'elle m'a dit...

Télesphore en fut contrarié comme chaque fois, mais un

peu plus, car il lui serait difficile de dévoiler son grand projet avec le petite démone dans la voiture. Retournant auprès des hommes, il s'encouragea à l'idée qu'il aurait peut-être sa chance sur le chemin entre l'étable des Beaudet où on allait dételer et l'église. Énervée comme elle était, l'adolescente voudrait faire sa marche toute seule ou avec d'autres de son âge...

Son dessein redevint souriant...

*

Une ride improbative se traça un chemin plus prononcé parmi les autres sur le front d'Arzélie quand Marie-Anne lui annonça leur départ prématuré. Mais deux motifs lui gardèrent les lèvres fermées. Véronique chaperonnerait. Et puis Télesphore voulait peut-être faire part à leur fille d'une décision qu'on attendait de lui depuis plusieurs mois. Pas question de se disputailler pour une peccadille avec un jeune homme aussi estimable !

–Monsieur le curé confesse jusqu'à ras onze heures, dit-elle seulement quand ils quittèrent la maison, vous pourrez en profiter si vous voulez...

Marie-Anne saisit la perche tendue :

–C'est pour ça qu'on part avant, hein, Télesphore !

Par une éclaircie dans le givre d'une vitre, Arzélie les regarda monter en voiture. Tel qu'entendu, Véronique s'assit entre les deux amoureux.

–Comme ça, si elle s'endort, elle tombera pas dans le chemin, avait dit la mère prudente à qui les protestations de l'adolescente avaient donné l'occasion d'asseoir plus solidement sa décision dans le ton du commandement.

On prit la route sous le clair d'étoiles. Télesphore avait pris soin de mettre des briques chaudes à leurs pieds. Tout paraissait si douillet à Marie-Anne que protégeaient tant de choses : sa robe neuve, son chapeau emprisonné sous un châle de laine, deux crémones qui lui enveloppaient la tête, son manteau de belle étoffe, des pagodes aux poignets, des mitaines aux mains et un manchon de chat sauvage de surcroît, et la peau de carriole qui enveloppait jusqu'aux reins les pieds et les jambes des voyageurs. Dans pareil confort, on aurait pu se rendre à Québec; or, il n'y avait guère plus qu'une demi-heure de chemin à faire.

–Je me rappelle pas d'une nuit de Noël aussi nette qu'à soir, dit Télesphore quand on entra avec la route entre les arbres un peu plus loin.

Rien d'autre ne fut prononcé jusqu'au chemin de fronteau où, à distance, l'on pouvait voir de chaque côté, trois ou quatre maisons espacées et allumées, et un ou deux attelages au moins se dirigeant vers le chemin du trécarré conduisant au village.

Pas une seule fois jusque là Télesphore ne fit trotter la jument. En guise de reproche, Véronique respirait parfois en terminant l'expiration de l'air par un son de lassitude. Marie-Anne gardait le silence. Elle aussi tout comme lui désirait que le temps s'immobilise pour toujours. Le moment était si grand et l'avenir si incertain...

–Moé, je voudrais marcher, dit l'adolescente à brûle-pour-point. J'ai les jambes toutes engourdies.

–Maman a averti...

Marie-Anne fut interrompue :

–Je m'endormirai toujours pas si je marche dans le chemin, suis pas une jument...

Télesphore sourit sans le laisser voir. La proposition de l'adolescente faisait bien son affaire. Au croisement, il fit arrêter la Tannante.

–Mais maman, dit faiblement Marie-Anne.

–Y a du monde partout, en avant, en arrière, debout dans les maisons, dit Télesphore.

Véronique coupa court à la discussion en soulevant la robe de carriole, et enjamba les pieds de sa soeur puis sauta à terre.

–Partez, fit-elle à voix pointue et défiante.

–Pis si je fouette le cheval, hein ? menaça Télesphore pour rire, mais avec une idée derrière la tête.

–Si vous me laissez marcher jusqu'au village, je vas le dire à maman en revenant.

–T'entends pas la risée ?

–Oui mais... juste pour un petit boutte...

Le jeune homme clappa tandis que Marie-Anne replaçait

la peau de carriole.

–T'as pas frette, la fale à l'air comme tu l'as ? dit-elle à Télesphore qui, comme de coutume, avait laissé son capot tout grand ouvert.

–Pas une miette...

Mais il se ravisa aussi vite :

–Asteur que tu me le fais penser, j'ai frette un peu...

Sans songer à rien d'autre, la jeune fille ôta son manchon, empoigna les pans du manteau et les rapprocha puis attacha un gros bouton plat. Télesphore chavirait de tendresse. Elle avait son doux visage si proche du sien qu'il pouvait en sentir la bonne odeur et voir les rayons de lune se mirer dans ses yeux.

Pour la seconde fois il ouvrit la bouche sur son intention et encore les mots s'enfargèrent :

–Pis toé, t'as chaud comme il faut ?

–Oui.

Il redressa le corps; elle le sien : ça les rapprocha.

À dix pas derrière, Véronique sortit sa main droite de son manchon puis tira sur sa mitaine avec ses dents et, d'un geste vif, elle jeta dans sa bouche un bonbon qu'elle cajolait depuis le départ. Le goût riche de la 'popormane' se lança à l'assaut de ses glandes salivaires qui éclatèrent de toutes parts comme des barrages trop fragiles sous l'attaque des glaces printanières.

Il lui vint à l'idée de devancer l'attelage. Elle courut, dépassa la carriole et ne s'arrêta que loin devant, si loin que sa silhouette dessinée par les lumières du ciel finit par entrer dans l'invisible de la distance.

–Aussi ben de même, fit Marie-Anne, comme ça, elle pourra pas bavasser qu'on l'a laissée en arrière.

–Ça se pourrait-il que ton père la corrige pas assez souvent, celle-là ?

–Non ! s'étonna la jeune fille. Je pense qu'elle aurait aimé ça que tu lui parles de sa robe; elle est fierpette comme dix...

On rentra à nouveau dans un quart de mille de silence. Télesphore eut un élan de rêverie. En sa tête se dégageaient les mots pour dire ses sentiments :

«La terre est claire de dettes; restera cinq cents piastres par année à payer au père durant dix ans sans intérêt. Dès l'année prochaine, on pourra grainer une prairie neuve. Faire une vache avec une tauraille. Je vas foncer l'étable avec des dormants créosotés comme ceux-là en dessous des rails des gros chars. Suis pas mal nerfé, râblé, j'ai pas peur de l'ouvrage. La maison est assez grande pour élever dix enfants. Si faut ragrandir de grange, suis capable de lever une bâtisse. Sans compter que j'ai rarement été en boisson... pis que je vas continuer à monter dans les chantiers.»

Marie-Anne jonglait elle aussi. Son imagination lui montrait la devanture fleurie de la matinée de soie qu'elle avait dans son trousseau, et qu'elle porterait le jour de ses noces. Ses parents l'avaient rapportée d'un voyage aux États l'année précédente et on la lui avait donnée sous condition qu'elle la conserve jusqu'à son mariage ce qui, Arzélie le savait bien, créerait en l'âme de la jeune fille un doux rêve à caresser comme elle-même eût aimé le faire en son temps si cela avait seulement été possible.

Puis la fillette en elle reprit le dessus. Lui vint l'envie de descendre de voiture aussi et de courir sous les étoiles vers sa petite soeur, de la surprendre avec un grognement de bête sauvage pour la transir de peur. Mais elle n'avait déjà plus cet âge et l'idée la fit sourire.

Une carriole s'approcha par derrière. Les grelots annonçaient sa joyeuse vitesse. Télesphore fit tasser la jument tout en prenant soin que la voiture ne chire pas dans le côté du chemin.

C'était une voiture double qui passa à train d'enfer. On s'échangea des cris de salutations. Télesphore dit :

–Je pense que c'est chez Marcellin Baril. Difficile à savoir, sont habillés comme des momies d'Égypte.

–Prendront pas la tuberculose, eux autres, à pas s'habiller comme il faut.

–Ah ! ben ça, ton frère Charles est pas mal moins précautionneux que moi !

Véronique se laissa rattraper. Elle voulut monter. Ses pieds étaient gelés comme des cortons.

–Pousse-toé ! quémanda-t-elle à sa soeur.

Marie-Anne obéit sans se faire prier. C'était moins avec l'idée de se trouver plus proche de son prétendant que pour le plaisir de coincer Véronique dont l'haleine trahissait l'odeur de menthe donc un autre vol de bonbon.

–La Nique, elle s'est volé des popormanes encore, dit-elle à Télesphore.

Il ne le prit pas à rire même si le comportement de l'adolescente lui jetait pour ainsi dire sa blonde dans les bras. Elle mériterait un coup de sangle pour sa mauvaise action, pensa-t-il, mais il demeura silencieux.

–C'est pas vrai ! protesta la coupable qui rejeta sa crémone sur son visage pour tuer son souffle.

Marie-Anne parla avec une bienveillance espiègle :

–Par chance que ta première communion est pas faite parce que tu pourrais pas aller communier.

–Je vas la faire au mois de mai, ma première communion, parce que je vas avoir mes douze ans.

–C'est un péché de voler des bonbons : savais-tu ça ?

–C'est rien qu'un petit péché véniel.

–Qui vole un oeuf vole un boeuf !

Télesphore la trouva bien endurcie au péché, celle-là. Sa réflexion fut coupée par un défi de la part de la jeune adolescente :

–J'ai vu Caroline Baril, hein, dans leur voiture. Son père va ben plus vite que nous autres. Si ça continue, on va arriver au village rien qu'au jour de l'an.

Choqué par le manque de respect du bien d'autrui de Véronique, piqué en plein coeur de son orgueil, le jeune homme se leva et fit claquer les guides sur le dos de la jument qui se mit au petit trot. Insatisfait, il sortit le fouet de sa gaine à côté du fanal et fessa la Tannante à toute éreinte. Rarement assaillie aussi durement, la jument prit de la vitesse. Marie-Anne s'insurgea et frappa à contresens dans la fierté de Télesphore :

–Voyons donc, vas-tu te laisser mener par le bout du nez comme ça par une petite bougresse de onze ans ?

Il ne trouva à dire que :

–Si on veut aller à confesse...

56

Pas beaucoup plus loin, Télesphore se radoucit peu à peu; finie la foucade et il se rassit.

—La Tannante, faudrait pas je la magane, elle a le souffle qui s'en va dans l'âge...

Le cheval se calma aussi. Et reprit son petit train-train habituel.

*

Quand on fut sur la hauteur en vue du fleuve et du village, Télesphore s'en voulut de n'avoir encore rien dit, rien fait voir à Marie-Anne. Pourtant, elle ne s'était pas retenue de se trouver proche de lui. Il en avait oublié la Nique, il en avait oublié la Tannante.

Marie-Anne s'extasia :

—C'est ben trop vrai que j'ai jamais vu une belle nuitte de même.

La lune suivait un chemin de lumière sur la surface du fleuve en direction de Québec, et les étoiles, comme de minuscules trous d'aiguille, piquaient la nuit foncée, bleue comme le corsage de sa robe qui lui avait requis tant d'heures d'adresse méticuleuse. Et les fenêtres des maisons dansaient la farandole aux entours de l'église, dans les coulées, sur les hauteurs. Et dans le lointain du nord, on voyait aussi de ces grappes de petits lumignons qui, tels des artistes lutins, chantaient au pays et à Dieu des louanges qui jamais ne cesseraient de s'élever vers les picots d'or en myriades qui boutonnaient l'infini à la terre...

Le rang devint rue. Une rue qui, plus loin croisait le grand chemin venu de Deschaillons et Nicolet pour s'en aller à Lotbinière et Québec, et allait finir sur le dessus de la côte à l'église et au presbytère. On fut vite chez Arsène Beaudet où Télesphore détela, aidé par un jeune adolescent de la maison à qui Véronique eut le front de s'adresser :

—Comment tu t'appelles ?

—Eugène... Pis toé ?

—Je m'appelle manche de pelle pis quand le manche est cassé, je m'appelle pus...

Sitôt après, elle cria à Marie-Anne :

—M'en vas avec Caroline Baril...

–Manque pas de te retrouver avec nous autres dans le banc !

La fuyarde ne répondit pas et courut les pattes aux fesses en dépit des dangers de chute que la neige dure et sa robe longue lui faisaient courir.

Quelques minutes plus tard, Marie-Anne et Télesphore, bras dessus bras dessous, s'engageaient sur la rue glissante comme un couple de gens mariés sans toutefois se dire grand-chose à part des riens sans signification et des redites. L'émoi guidait tous leurs pas prudents. D'autres fidèles marchaient devant eux, traversaient le grand chemin, s'engageaient dans la montée de l'église.

Télesphore se sentait de plus en plus traqué entre l'impatience et l'espérance. Il manquait de courage, mais ne se l'avouait pas; et cela fabriquait en lui une mixture aussi plaisante que détestable qui le chicotait, le picossait.

Qu'il était donc doux et sécurisant de se laisser conduire ainsi ! soliloquait la jeune fille qui se mit à risquer des regards plus hauts, se fiant au bras solide qui la soutiendrait en cas de chute...

Elle n'acheva pas sa pensée que ses pieds se dérobèrent soudain sous elle. Son genou toucha à peine le sol que la force de son compagnon l'arrêta net et la redressa ensuite.

–Hey... j'ai manqué y goûter ! Par chance que j'avais ton bras !

Le coeur de chacun s'était mis au trot. Télesphore explosa d'un coup :

–Marie-Anne... je vas te demander de quoi d'important au jour de l'an... Je vas-t-il pouvoir ? Je t'en parle pour que tu y penses d'icitte là... Pis en cas qu'il fasse une tempête qu'on verrait ni ciel ni terre au jour de l'an... On sait jamais même si c'est pas le temps des tempêtes...

Elle s'attendait à la grande demande au jour de l'an mais pas qu'il en parle ce soir-là. Le moment toutefois n'aurait pas pu être mieux choisi. À elle, faible jeune fille, il avait dispensé sa grande force d'homme. Pas un garçon n'était plus vaillant, plus beau, plus doux, fort et attirant que Télesphore. Probable qu'elle dirait oui quand elle en aurait parlé avec ses parents !

On arrivait au-dessus de la côte, devant le cimetière et tout près. La jeune fille leva la tête vers le ciel. La flèche de l'église piquait en pleine lune. Puis elle regarda vers le fleuve. Des morceaux de neige glissaient lentement dans une fine brume qui montait de l'eau. Elle fouillait dans les sombres brillances de son coeur. Il dit brusquement :

—Pis c'est que t'en dis ?

—Je te répondrai au jour de l'an... En attendant, je vas demander conseil au bon Dieu pis comme ça, je vas être sûre de te donner la bonne réponse...

Télesphore se sentit envahi par du soulagement d'un côté de la poitrine et par de l'angoisse de l'autre. Pour lui, rien dans l'attitude de Marie-Anne ne laissait paraître un refus ou une acceptation, mais c'est qu'il ne s'y entendait guère en comportement féminin. Ce serait dur de vivre avec cette incertitude une semaine de temps.

On ne se parla plus.

Dans le tambour, Télesphore ôta son casque. Il avait fait en sorte de cacher son melon sous la banquette après que Charles lui eut fait comprendre que le chapeau n'était ni de mode ni de saison. Il se remit les cheveux en ordre du mieux qu'il put. Un épi resta debout. Le regard de Marie-Anne le lui dit. Il le trouva et le défit avec ses doigts écartés avant de l'aplatir.

Puis il ouvrit les pans de son capot et sortit sa montre de son gousset. Dix heures et trois quarts. Cela expliquait le nombre limité de personnes dans la cour de l'église, là même et dans la nef comme on le constata en ouvrant la porte. Mais la bonne grosse bouffée de chaleur les frappa davantage et puis devant, il y avait une file d'attente de sept ou huit personnes près du confessionnal, et qui s'empara de toute leur attention. Sûrement que le curé devait accélérer ses absolutions et plusieurs aimaient bien ça, et choisissaient les heures d'achalandage pour vider leur grand sac de fautes.

On ne se l'était pas dit de manière explicite, mais il semblait aller de soi qu'on irait à confesse. L'arrière de l'église étant vide, Télesphore se permit de murmurer à l'oreille de Marie-Anne :

—On s'est-il dit qu'on irait au confessionnal ?

–Non pis oui...

Guère besoin de s'en conter plus et l'on marcha, elle devant lui, jusqu'à la filée de monde qui s'écoulait rapidement grâce à Dieu. Et grâce au prêtre qui aurait lourde tâche dans les vingt-quatre heures à venir, obligé par les devoirs de sa charge à biner deux fois au moins, de nuit d'abord et puis d'avant-midi le lendemain.

Mais il voyait venir, le bon curé, par les fioritures de sa porte, et préparait à l'avance le conseil qu'il donnerait au prochain pénitent. Tandis que Télesphore attendait, agenouillé de l'autre côté, Marie-Anne entendit de la bouche du prêtre :

–Ça serait peut-être ben le temps que tu penses à te marier, ma fille. J'ai entendu dire que ton prétendant était un des meilleurs garçons de Fortierville...

Comme elle n'avait rien trouvé à accuser, elle ne reçut aucune pénitence et seulement une recommandation de réfléchir sur son avenir. Elle s'en retourna dans le banc des Caron et sourit au ciel qui se trouvait là, sur l'autel illuminé de tant de cierges, et au fond de son coeur.

Télesphore entendit :

–T'as sacré quelques fois, le bon Dieu te le pardonne. Mais tu sauras, mon garçon, qu'un homme marié est moins porté à prendre en vain le nom du bon Dieu. Le mariage, c'est bon pour un homme, ça le radoucit... Tu diras un chapelet pour ta pénitence...

–Merci, monsieur le curé.

–Va en paix et ne pèche plus !

Au dernier moment avant qu'il ne pénètre dans le banc à son tour, Marie-Anne leva la tête et adressa à Télesphore un sourire radieux qu'il comprit comme un oui et qui lui bouleversa le coeur.

La jeune fille savait maintenant qu'elle ne se tromperait pas en acceptant de le prendre pour époux. Tout le lui indiquait en plus de ses sentiments profonds. Et surtout Dieu, par la bouche du prêtre et par la voie de ses propres prières bref par une foi qui la faisait s'abandonner, lui montrait la voie, la bonne voie.

Quand il fut proche et à genoux aussi, elle mit sa main en biais devant ses lèvres et murmura :

–Tu pourras me demander ce que t'as à me demander au jour de l'an...

Il lui regarda les petites mains jointes et s'apprêta à les envelopper dans la sienne, mais le respect de la maison de Dieu le lui interdit. Et il passa le reste de son temps pantelant d'émotion, soulagé que sa doutance fût partie.

L'église comme un corps qui saigne laissa s'écouler les fidèles par trois portes à la fois. Marie-Anne et Télesphore sortirent par celle du milieu. Ils s'arrêtèrent sur le perron pour respirer à fond les splendeurs de la nuit. Des gens joyeux les frôlaient. Presque tous regardaient Télesphore à cause de sa taille et parce qu'il n'était pas de la paroisse.

Véronique arriva en excitée.

–Je m'en retourne avec Caroline Baril. Vous m'attendrez au coin du trécarré.

Télesphore jugea bon d'intervenir :

–Ça, chez vous me le reprocheraient...

–Ben moi, ça me fait rien... Marie-Anne, tu veux ?

La jeune fille n'était pas femme de grande autorité, ayant hérité des tendances à l'indécision de son père. Ça faisait des mois qu'elle y songeait de temps en temps à la demande que Télesphore finirait par lui faire, et il avait fallu tous les événements du soir pour la décider enfin. Par bonheur, une fois son idée arrêtée, elle n'en démordait plus. Mais commander à l'improviste n'allait chercher au fond d'elle-même que de la faiblesse et du rejet sur autrui du soin de choisir. Il lui parut plus facile de convaincre Télesphore :

–Au jour de l'an, maman s'en souviendra pas, tu vas voir.

Il fronça les sourcils. Son regard suivit la trace lumineuse sur le fleuve. Véronique disparut dans la foule sombre qui continuait de se déverser dans la nuit pâle.

–Laissons-les aller devant pis si elle gèle au coin du trécarré comme un corton en nous attendant, ça va la dompter...

Marie-Anne eut un petit rire. De toute manière, elle savait bien que les Baril attendraient leur arrivée au coin du trécarré et que sinon, Véronique ne se laisserait jamais geler ronde, et marcherait pour se dégourdir, ou bien, au pire, entrerait quelque part. Ce qui apparaissait peu probable puisque le froid ne bougeait guère et qu'il n'était pas excessif non plus.

On fut la dernière carriole à quitter le village. Charles, de ses frères et soeurs, et son père partirent les premiers. Arzélie préparait le réveillon avec Marie-Ange à la maison.

La magnificence de la nuit de Noël se trouvait derrière soi. Et la perspective devant, dans cette direction, se résumait à des chemins alignés, des terres cordées, des maisons rangées, des arbres serrés. Mais quand le grandiose est dans son coeur, quel besoin de celui de la nature : on peut trouver du bonheur dans l'indigence la plus abjecte quand on vit de l'amour et du rêve. Tout en lui respirait la grandeur et la force; tout en elle respirait la douceur et l'avenir.

On se parla par de longs silences jusqu'à ce que s'éteigne la dernière maison. Puis Télesphore, à l'insu de Marie-Anne, imprima aux guides une retenue que la Tannante comprit vite. Elle s'arrêta. L'homme dit :

—As-tu frette ?

—Ben...

—Étant donné que les briques sont frettes...

Elle comprit qu'il voulait qu'elle dise oui. Elle dit :

—Oui.

Tout avait été dit depuis avant la messe. Plus besoin de se torturer à conter fleurette, à prospecter dans les noirs tunnels de son esprit l'élégance dorée du propos. L'homme avait les frissons à fleur de peau et elle avait la peau satinée sous le clair de lune.

—C'est que je devrais peut-être... remettre ma crémone.

—Non ! jeta-t-il aussitôt... Non, répéta-t-il plus doucement.

Il se pencha sur elle. Se rajusta parce que son capot l'emprisonnait, tira dessus, l'ouvrit, en rejeta un pan sur elle, par-dessus la robe de carriole; et il se courba à nouveau. Elle sentit son haleine tout près de son visage. Si seulement on était après le jour de l'an et les fiançailles, elle se laisserait embrasser volontiers.

Puisque les mots avaient été dits, on avait le droit, songeait l'homme. Un baiser du jour de l'an qui en soit un de Noël plus la nuance parfumée de l'amour... Il déclara :

–On va vivre tout' les deux jusqu'à quatre-vingt-dix ans, tu vas voir...

Le temps étant le plus grand cadeau qu'il puisse être fait à un être humain, plus beau que les plus belles choses, plus exaltant que les voyages au bout du monde, plus désirable que les promesses fabuleuses, plus valable même que la santé tant qu'on l'a encore, Marie-Anne s'abandonna à sa volonté. Maintenant, désormais, que Télesphore décide de ce que le bon Dieu approuve et réprouve !

Il était l'homme. Comme Dieu !

Mais il ne demanda rien. Ne dit mot. S'approcha la tête encore. Prit ses lèvres froides sur les siennes. Le baiser tout comme la nuit fut glacial, mais aucun d'eux ne s'en rendit compte. Les coeurs s'enlaçaient, se fusionnaient comme la lumière des étoiles et l'eau du fleuve.

Il se recula à peine, rassura encore :

–Pis on va être ben toute notre vie.

Elle se livra à son second baiser sans penser à mal, sans penser à Dieu, simplement sans penser...

Au fond de la nuit, à l'orée de la forêt, des yeux rouges regardaient. Un loup solitaire évalua sa faim et sut qu'il devrait la vivre au moins jusqu'au lendemain. Silencieux, il repartit sur la piste d'un cerf qu'il reniflait, qui le menait dans des courses erratiques...

******

Chapitre 4

Sainte-Sophie-de-Lévrard, hiver 1906

Des loups hurlaient dans la nuit au loin.

Près d'une lucarne, une adolescente dormait d'un sommeil agité. Des rayons de lune traversaient un mince rideau jaune et dessinaient sur sa figure des angoisses et des cris silencieux. Parfois elle grimaçait, gémissait puis tournait la tête au bout d'une douleur évidente. Et recommençait aussitôt une ronde de l'épouvante.

Elle avait froid sous une mince couverture et son corps frissonnait, commandé par un cauchemar sans cesse répété, toujours le même, inexorablement le même...

Une forme humaine, sombre, énorme, la rudoie, la frappe, tire sur ses cheveux, lui serre la gorge et coupe l'air, l'arrache du lit, l'y rejette aussitôt, l'y écrase, la poignarde... Elle s'enveloppe la tête de ses bras et qu'importe le reste de son corps ! On grogne sur son visage, on y vomit quelque chose qui coule... Qu'est cela ? Une bête sauvage ? Un fantôme hideux ? Un monstre sorti de l'enfer ? Ça n'a pas de nom puisque c'est la terreur incarnée !

On l'arrache encore une fois du lit. Elle veut se retenir à la paillasse. Des mains velues la repoussent sur les planches et la paillasse lui est plaquée sur le visage. On l'étouffe, on la tue... Et pour la troisième fois, une violence inouïe s'empare d'elle, une volonté malfaisante, cruelle et brutale qui l'entraîne, la bouscule, la traîne sur le plancher, sur les planches qui bourrent ses cuisses d'échardes. Cet être est si gigantesque ou bien est-ce elle qui est si petite ? Il fait presque noir là-haut, mais le trou de l'escalier est tout blanc. On l'y conduit, on l'y pousse, on l'y projette. La peur durcit ses jambes, ses pieds qui s'accrochent dans la moindre faille du plancher; ses mains s'agrippent aux brins de paille. Mais le trou l'aspire et elle dégringole dans l'escalier avec un bruit fracassant, déboule, se heurte la tête aux marches abruptes, les membres au bois du mur : tout n'est que désespoir, coups et hurlements. La chute n'aura pas de fin. Elle en a une. Elle se termine par un choc terrible sur le côté de la tête; on lui enfonce le crâne; on veut la décérébrer.

Son corps, son âme, toute sa substance : tout son être n'est plus qu'un galimatias de douleurs vives comme si des chevaux l'eussent piétinée, ruée, avilie, détruite.

Mais elle voit encore, mais elle voit toujours. Là-haut, au bout de l'escalier se trouve le bourreau, la bave aux lèvres, flou, indéfini, anonyme. Il ne bouge plus, n'attaque plus; tout est devenu calme. Son bras se lève, son doigt s'étire. La désigne ou bien l'appelle.

Et elle répond. Et elle quitte cette chair brisée qui n'est plus qu'une pléthore de plaies qui saignent et qui saignent. Et elle gravit l'escalier, la tête tournée vers l'ombre qui ouvre les bras, l'accepte, l'accueille, la confond, l'absorbe tout entière et devient lumière.

Alors elle voit au pied de l'escalier ce pantin inutile et sans mérite qui s'agite encore, pauvre petit personnage dérisoire tout désarticulé, à l'agonie gauche, aux supplications vaines et présomptueuses. Et elle lui crie :

–Meurs, meurs ! Tais-toé à jamais et disparais pour toujours ! Insecte impur ! T'as volé tous les jours que t'as vécus. T'as pas le droit d'entendre, de sentir... t'as pas le droit de voir, pas le droit de voir, entends-tu ? Meurs, meurs donc !

L'enfant jetée en bas, qui n'est personne d'autre qu'elle-même à deux ou trois ans ou quatre, regarde là-haut, lève un doigt pitoyable...

–T'auras pas d'aide, crache l'ombre devenue lumière. Rien pour toi !

Mais c'était pour demander pardon. Pardon d'être venue au monde. Et le petit corps frissonne une dernière fois. Les yeux se referment doucement. Le doigt tressaute à deux reprises, retombe, se fige...

L'adolescente tourna la tête, fut calme un court instant puis son visage se remit à se tordre dans l'épouvante. L'ombre l'attaqua encore, l'arracha, la frappa, lui cracha des viscosités...

Une voix d'homme, longue et sans trop de mordant se fit entendre vainement depuis le pied de l'escalier :

–Debout, la Marie-Anne, tu vas pas passer une autre journée couchée ! Marie-Anne Houde, c'est le temps de se grouiller, fait clair depuis deux heures pas moins...

Dans son lit, étendue sur le dos, l'adolescente reposait. Elle ne s'en souviendrait pas, mais dans la nuit de son âme, elle s'était levée au bord du matin, avait trouvé un manteau dans un coffre et s'était enveloppée dedans. Et ça l'avait délivrée de ses cauchemars mais pas de sa fatigue ni de ce bourdonnement qui rôdait dans son oreille gauche ni de cette brûlure dans la tête qui chaque quart d'heure imprimait à son oeil gauche un rictus pénible.

Ce fut le dernier appel de son père. Il la présuma dans son temps du mois, ce qui la clouait au lit pendant quarante-huit heures parfois.

Elle marchait sur ses seize ans, la Marie-Anne et probable qu'on la marierait l'été prochain avec Napoléon Gagnon, son prétendant assidu. Ce serait à lui de juger si la jeune fille se morfondait de caprice de temps en temps, et qui la mettait en rabette. Car alors, elle s'en prenait au chien, aux choses, aux autres enfants, à n'importe quoi qu'elle pouvait dominer et assujettir jusqu'au moment où le soleil avait l'air de revenir dans sa tête...

Les yeux de la dormeuse s'ouvrirent sèchement à midi.

Elle resta couchée encore un peu, le regard fixe et dur.

Aucune beauté juvénile ne paraissait dans les traits de son visage. Ni trace de bonté qui transcende non plus. Comme si le ciel lui avait refusé toute grâce et toute joie. Qu'un éclat dans l'oeil, celui-là terne d'une absence ! Ni magie ni turpitude ! Le nez important, écrasé avec deux boules de chair rose sombre qui entourent les narines. Sous la chevelure fendue par le milieu et qui formait de grosses cornes lourdes de chaque côté de la tête, et dont des pans aplatissaient les oreilles par le milieu, s'étendait un front ordinaire que l'on ne commençait à remarquer qu'aux sourcils arqués, semblablement à des accents circonflexes. Entre le nez et la lèvre supérieure, un espace épais et légèrement duveteux conférait au bas du visage par ailleurs commun, une allure reptilienne.

L'ensemble ne présentait toutefois pas un aspect monstrueux; seules les nuances prises en elles-mêmes éloignaient son visage de la grâce adolescente en le rapprochant de celui d'une petite vieille sèche et nerveuse et comme dépourvue de toute forme de sentiment à part l'instinct de survie qui du reste n'en est pas tout à fait un.

Les mains jaillirent du manteau vert foncé, furent étendues en V, se refermèrent sur des poings squelettiques lesquels se rejoignirent et se touchèrent dans une attitude de dévotion au diable. Et brusquement le corps se détendit et se redressa.

Marie-Anne Houde commençait une autre journée de sa vie rude, attendue par un avenir encore plus âpre que cette insipide et maladive adolescence à son déclin déjà et qui avait commencé sur une longue et terrible méningite à l'âge de douze ans.

******

68

Chapitre 5

Télesphore partit pour les chantiers avec la promesse de Marie-Anne Caron dans son havresac.

Anthime l'avait attendu car les deux frères étaient accoutumés de bûcher ensemble. D'ailleurs, on les reconnaissait aisément comme les meilleurs hommes autant de sciotte que de godendard œuvrant dans la Mauricie. Les quantités de bois coupé chaque semaine étaient comparées et les réputations se répandaient, s'ancraient en même temps que l'efficacité des bûcherons était confirmée par les concours inévitables du dimanche après-midi dont les résultats sautaient d'un camp à l'autre comme des puces... ou des poux. Anthime finissait sa journée avec trois cordes de bois cordé et Télesphore le dépassait généralement d'une demi-corde.

Un commis de la compagnie qui parlait le français de peine et de misère, les envoya à un camp d'une trentaine d'hommes situé à cinq milles du chemin de la ligne aux alentours du lac Caribou. On bûchait le secteur, on halait les billes sur la glace et au printemps tard, des gens de drave achemineraient tout le bois coupé par la décharge du lac jusqu'au Saint-Maurice en bas.

Le temps fut parfait tout le mois de janvier. Un froid solide mais confortable, juste bien comme équilibre aux binnes et au petit lard dont une bonne part se transformait en chaleur musculaire. Pas une grosse tempête digne de ce nom pour un pays aussi neigeux.

Et février eut des odeurs de mars.

Un milieu de jour du milieu de semaine, du milieu du mois, les frères travaillaient, chacun dans leur chemin, séparés par un autre bûcheux qu'ils n'entendaient plus depuis plusieurs minutes déjà. Anthime fut le premier à s'inquiéter et cria son nom, mais ne reçut de réponse que de son frère plus loin. Chacun crut un moment que Tousignant avait rejoint l'autre pour dîner avec de la compagnie.

—Télesphore, lança Anthime entre ses mains mises en porte-voix sur sa bouche, Tousignant est-il avec toé ?

—Non, y'est pas icitte...

—Tousignant, étira l'écho depuis la bouche d'Anthime.

—Tousignant, répéta Télesphore.

Chacun laissa tomber son sciotte et se dirigea vers l'autre. On arriva en même temps sur une scène épouvantable. Tousignant gisait au pied d'un arbre, la tête sur un lit de neige ensanglantée. Tandis qu'il encochait le pied d'une épinette haute et peu branchue, une ralle s'était détachée du faîte et l'avait frappé en pleine tempe qu'une éclisse de bois renfonçait : jusqu'où, on ne pouvait pas le savoir. L'homme vivait encore, mais on n'aurait pas pu non plus présumer du temps qui lui restait.

On discuta. Il fallait le transporter au camp le plus vite possible. Puis le descendre au bord sur une sleigh, et le mettre sur le train pour Shawinigan.

—Va au camp tusuite chercher un charretier, ordonna Télesphore à son frère cadet.

—Mais ils seront tous dispersés dans le bois...

—Ben ramène un cheval pis une sleigh... On peut pas le porter à bras...

—Pourquoi pas ? Chacun de son bout...

—On va le rempirer, on pourrait même le rachever... Pis même, on va gagner du temps si tu marches de ton gros pas. Parce que mou comme de la guenille comme il est, faudrait arrêter tous les cent pieds. Faut une sleigh. En plus qu'il va geler ben raide si on le porte. Non, je vas lui mettre de la branche sur lui pour qu'il garde sa chaleur... Tu ramèneras une grosse couverte...

Anthime comprit que son frère savait exactement ce qu'il fallait faire et ne pas faire, et il se mit en marche. Télesphore lui cria :

–Garde un pas long, mais cours pas : c'est comme ça que tu vas arriver le plus vite...

Ce n'était pas la première fois que Télesphore voyait du sang humain. Rarement mortels, les accidents de chantier se faisaient nombreux. Des hommes à moitié écrasés par des billes. Une hache qui avait rebondi sur un noeud glacé pour entailler un genou au lieu d'une écorce d'arbre. Le plus dangereux, c'était une ralle qui tombe de haut; mais dans le bois mou, ça n'arrivait jamais. Tousignant avait eu une malchance exceptionnelle. Et c'est au mauvais sort que songeait le jeune homme tout en recouvrant le blessé avec des branches faciles à trouver qui jonchaient le sol en abondance.

Il se dit qu'à la place de Tousignant, il voudrait entendre une voix humaine si tant est que dans son délire et ses gémissements le malheureux l'eût entendue. Et il se mit à lui parler tout haut :

–Pas chanceux, mon Alphonse, pas chanceux ! Y'en a comme ça qui viennent au monde pour du pain noir... Te v'là avec un bout de branche en pleine tête, mais le docteur va t'ôter ça à l'hôpital... Pis peut-être ben que l'hiver prochain tu vas revenir bûcher par icitte... D'abord que t'as tous tes membres...

Il laissa le visage à découvert puis s'assit sur une souche en face du mourant dont l'oeil gauche cillait sporadiquement comme s'il avait compris Télesphore et eût voulu lui répondre ou bien lui demander quelque chose d'important.

–Peut-être ben qu'on devrait prier le bon Dieu pour toi, mon Tousignant. En tout cas, ça pourrait pas nuire. «Notre Père qui êtes aux cieux...

Tout le Pater y passa lentement puis Télesphore soupira :

–C'est peut-être ben des paroles gaspillées parce que tu m'as l'air pas mal décompté... Je vas dire l'acte de contrition

71

à ta place... «Mon Dieu, j'ai un grand regret de vous avoir offensé...

Anthime ne tarda pas. On étendit le blessé sur une sleigh plate et on regagna le camp où il fut entré une demi-heure, réchauffé et sommairement examiné par le cuisinier qui pontifia :

—Mourra pas, cet homme-là, parce qu'il serait déjà mort. À moins qu'il gèle tout rond.

Le blessé risquait plutôt de finir étouffé tant on le chargea de couvertures. Et les deux frères qui se sentaient responsables de lui, reçurent pour mission du petit mister de le sortir au bord, ce qui demanderait deux bonnes heures à condition que le seul cheval disponible, une jument âgée et peu fiable mais qu'il faudrait quand même utiliser, tînt un bon pas sur tout le parcours.

À moitié chemin, par un deuxième coup de malchance impossible, la vie de Tousignant perdit de la valeur. Le cheval qui traînait la sleigh s'arrêta net.

—Je vas le mener par la bride, dit Télesphore après les cris habituels et des coups de cordeaux qui semblaient frapper un corps mort.

Mais il eut beau faire, tirer, claquer sur les flancs, crier, la bête ne broncha pas comme si soudain quelque chose l'avait pétrifiée. Puis elle vacilla comme un arbre qui frémit avant de s'abattre et tomba sur le côté, écrasée sur un brancard. Anthime vint aider. Il parut vite évident que l'animal ne bougerait pas.

—Il est pas mort, mais paralysé ben raide, déclara Télesphore, étonné de si curieuse chose.

À force de bras, on dégagea les menoires. Puis l'on s'assit sur le bord de la sleigh près du blessé.

—Asteur, c'est qu'on fait ? s'enquit Anthime.

Tousignant se mit à s'agiter, à gémir, à baver tandis que le cheval ne bougeait plus que les yeux et les paupières.

—Si t'es d'équerre, on va faire les chevaux. Chacun de notre bord des menoires, on est capables de se rendre au bord. Ça sera dur, mais on va se rendre...

Anthime se frappa les mitaines l'une dans l'autre et déclara dans l'enthousiasme de ses dix-huit ans :

–Personne dira jamais que les frères Gagnon ont laissé mourir du monde.

Et ils sautèrent sur les brancards.

–Pis le cheval ?

–Reste rien qu'à fermer les yeux. Il va s'engourdir vite... Une belle mort... Un coup de coeur, Anthime, on a pas mal de chemin à faire !

À force de bras, Tousignant fut sorti au bord. Transporté à Shawinigan, il fut soigné et réchappé malgré une attaque au lobe frontal par l'objet pointu. Mais il resterait aveugle et fou à jamais. Perdu, complètement écarté les trois quarts du temps et en rage pour le reste... Rescapé de la mort, il vivrait l'enfer. Comme quoi les héros de sauvetages ne font pas toujours oeuvre utile.

*

Marie-Anne ne reviendrait pas sur sa décision que tous approuvaient, mais l'éloignement de son fiancé avait rejeté son âme dans les remous du doute et de l'appréhension. Elle rêvait souvent d'un fleuve noir par une nuit sans lune et dans lequel son corps tournoyait sans fin.

Pas grand-chose n'arrivait à chasser les ombres de son front, pas même les cadeaux qu'elle reçut pour son trousseau. Une marmite de sa marraine. Des draps de laine de sa mère qui alla tisser deux semaines au métier chez les Baril. Et même une belle nappe de lin fabriquée avec soin et art par sa grand-mère Caron.

Par bonheur Charles n'était jamais bien loin. Et quand le vague à l'âme lui revenait, elle retrouvait son frère et le questionnait sur les pays qu'il désirait voir, lui qui lisait de fond en comble les almanachs et tous les vieux journaux que le marchand général du village lui gardait et qu'il payait en cachette avec des oeufs subtilisés à Arzélie.

Pour la même raison, Marie-Anne aidait aux travaux d'étable, et, la tête appuyée au ventre d'une vache, seau entre les jambes, elle partait en voyage avec son frère qui, depuis la vache voisine, s'envolait à travers le monde comme une vraie machine volante. Son cher Montana d'abord. Puis la France.

Il monterait dans la tour Eiffel. Il chasserait le bison. Il verrait le roi d'Angleterre. Et bien avant ça, il se rendrait à Arthabaska pour voir le premier ministre Laurier. Et là, Marie-Anne pourrait venir aussi. Et Télesphore. C'était facile : on prendrait le train jusqu'à Villeroy et on s'en irait tout droit à Victoriaville. Puis de là, on trouverait bien à se faire reconduire à Arthabaska.

Et il reviendrait de l'étranger avec de l'argent comme personne n'en aurait jamais vu à Ste-Emmélie et dans tout Lotbinière. Mais il repartirait vers d'autres horizons après avoir tout raconté à Marie-Anne...

Un soir, il fut question des choses de la vie. Il fallait Charles Caron, unique, généreux, franc, ouvert au monde, pour oser aborder avec sa soeur un sujet dont ni sa mère ni le curé n'auraient jamais voulu dire le moindre semblant de mot.

Chacun affairé à la traite des vaches sous la lumière jaune et faiblarde d'un fanal dont la flamme dansait sans arrêt, dans l'odeur humide de la fiente et du purin, il dit à brûle-pourpoint sans réfléchir :

–Tu vas te marier avec Télesphore, Marie, et tu vas donc avoir des enfants.

–Je suppose...

–Sais-tu au moins c'est qu'il faut faire...

La jeune fille devint comme transie. Que fallait-il donc savoir ? Oh ! elle savait bien qu'il y avait quelque chose à savoir, mais là s'était toujours arrêtée la question... Et pas question d'aller plus loin ! Elle marmonna, la voix figée :

–Ben... non...

Il cessa de tirer sur le pis afin que le bruit du jet de lait dans le seau n'enterre pas la voix de sa soeur.

–Quoi ? J'ai pas compris...

–J'ai dit non, redit-elle sèchement comme si quelque chose en elle eût voulu à tout prix noyer ce sujet au fin fond de la chaudière de lait chaud.

–Falloir que tu le demandes à maman.

–C'est ça, je le demanderai à maman.

Ces quelques mots que Charles avait voulus utiles jetèrent encore plus de confusion dans l'âme de Marie-Anne.

Capable de faire le parallèle entre la reproduction des animaux de la ferme et celle des humains, elle ne voulait aucunement approfondir la question avec sa raison tant le tabou flottait dans l'air depuis toujours et avec une pesanteur énorme.

Que sa mère lui parlât de ces choses et elle serait morte de honte. Questionner Arzélie, ce serait comme l'astreindre à construire à elle seule le pont de Québec...

Charles en savait beaucoup, mais il était un homme. Et puis qu'il se taise donc, qu'il se taise donc !

*

Tout un malheur s'abattit sur les Gagnon cet hiver-là. La cheminée flamba et le feu s'empara de la maison. Des meubles et des choses furent sauvées, mais la bâtisse fut détruite de fond en comble.

Cela remettrait sûrement en question le mariage de Télesphore pour cette année de 1906, pensa Marie-Anne quand elle l'apprit.

Mais de retour à Fortierville, son fiancé et son frère ainsi que Gédéon, aidés du voisinage, érigèrent le temps de le dire une nouvelle maison, grande et solide, faite de deux étages et de deux sections, celle de la maison d'hiver doublée de la cuisine d'été.

*

Le bel été revint.

Un matin, Charles se mit sur son trente-six. Il se rendit voir l'avocat Francoeur de Leclercville et se fit rédiger une bonne lettre de recommandation. Dans les deux langues.

Bon travaillant. Responsable. Veut aller vivre aux États. Le jeune homme de loi broda sur ces trois points. Puis, gonflé de certitude, Charles se rendit visiter Télesphore et Anthime, et on prit la décision de se rendre à Québec dès le lendemain par les gros chars qui passaient à Fortierville.

On pourrait pensionner une couple de jours chez son oncle, le frère d'Arzélie, et quand on aurait été engagé pour travailler au pont, on se trouverait une maison de pension.

Le pocheton bourré de vêtements de semaine bien lavés, libérés des odeurs de fumier pour éviter de faire rire de soi par les gars de ville ou les Américains, les trois jeunes gens montèrent à bord du train pour s'emparer de l'avenir et contribuer eux aussi à dompter le fleuve.

Hélas ! le jour suivant, ils revenaient Gros-Jean comme devant. On n'avait pas voulu d'eux là-bas. Les bons hommes ne manquaient pas et les places, on le confirma, étaient prises d'abord par les Sauvages et les Pennsylvaniens à cause de la nature du travail. Un homme avait beau couper ses quatre cordes de bois par jour, il fallait des habiletés particulières pour bâtir un pont.

Néanmoins, le responsable des hommes fut fort impressionné par l'originalité de la démarche de Charles et il en fut flatté. Un jeune homme qui prenne la peine de se faire donner une lettre pareille et surtout de la faire traduire en anglais méritait beaucoup de considération. Et il lui fit promettre de se présenter à nouveau l'année suivante alors que les travaux seraient bien plus importants.

Par un foreman qui se débrouillait dans les deux langues, Charles fit comprendre à l'autre qu'il voudrait revenir avec les frères Gagnon. Impressionné par leur stature, le contre-maître acquiesça.

C'est donc à moitié content que l'on descendit du train.

La décision de Télesphore de se marier à l'automne ne fut pas modifiée pour cet autre revers, et il confia à Charles le soin de le faire savoir à Marie-Anne.

La jeune fille sourit quand elle aperçut son frère revenir. On n'avait pas pu se trouver d'ouvrage à Québec. Télesphore voudrait peut-être attendre une autre année avant leur mariage puisqu'il comptait tant sur l'argent rêvé, surtout après l'incendie de la maison paternelle...

Mais elle perdit son sourire quand Charles fit la commission de Télesphore en lui livrant son message... Il s'en étonna un bref instant puis, croyant en deviner la vraie raison, il dit, le ton rassurant :

–T'inquiète pas, Marie, il est en lieu de te faire vivre, le Télesphore Gagnon. Il a des maudits bons bras pis une des bonnes terres de Fortierville...

*

76

Marie-Anne se regarda une dernière fois dans le miroir. Elle se trouvait quelconque et pourtant l'observateur l'eût jugée comme une jeune femme à la beauté exceptionnelle dans cette robe de mariée lilas foncé qu'elle avait confectionnée elle-même avec l'aide d'Arzélie dans du tissu luxueux payé huit cennes la verge.

Très bouffantes depuis les épaulettes jusqu'aux coudes, les manches étaient enserrées par un brassard blanc de la même largeur que ceux qui se retrouvaient aussi à chaque poignet. Des bandes doubles assorties, de la même blancheur entouraient la jupe à la moitié de son ampleur, et le tissu ensuite s'évasait en plis généreux jusqu'aux chevilles.

Les parements de la blouse portaient bandes jusqu'à la taille; et sous leur paresse, sa matinée fleurie mais qu'on ne pouvait apercevoir car elle était recouverte d'un fril rose, enveloppait la poitrine, et tout l'habillement convergeait vers un point central sur le cou orné d'un camée en agate.

Pourtant l'élégance de Marie-Anne disparaissait toute derrière la pureté de son visage, l'âme qui s'y trouvait, l'harmonie de ses traits, la matité de sa peau blanche, la finesse de l'ensemble.

Une infinie tendresse émanait de son regard, un sentiment d'amour universel fait de nostalgie, de crainte et de confiance naïve. Encore une fillette dans sa robe de femme. En quelques heures, l'époque la projetterait brutalement dans l'autre monde, celui des adultes pour qui toute fantaisie devenait bêtise, la moindre étourderie une faute, et la beauté féminine une frivolité.

Elle redressa la tête en biais vers l'arrière sans même s'en rendre compte comme elle le faisait toujours en marchant, et ses cheveux lui donnèrent satisfaction. Sa mère les avait bien arrangés. Ils flottaient de chaque côté de leur séparation comme des vagues aux lignes douces, elles-mêmes constituées de vaguelettes dont quelques-unes s'avançaient candidement sur le côté gauche du front. Et leur aspect gardait au portrait tout son équilibre délicat par un fin ruban rose piqué vers l'arrière de la tête et flottant vers l'extérieur comme une rivière de bonheur et de grâce.

Telle était la future mariée, le mot futur ne signifiant plus qu'une heure et quelques minutes à peine. Et cette dernière heure de sa vie d'enfant lui fut volée par mille choses : les cris pointus d'Arzélie, l'ouverture dans le fournil de son coffre noir à couvercle bombé contenant toute la fortune de ses dix-huit ans et qu'au départ de la maison dans l'après-midi on emporterait là-bas à Fortierville dans sa nouvelle demeure, l'exposition des cadeaux, couvertes, draps, taies d'oreiller, oreillers et jusque des petits morceaux tricotés en laine blanche pour les futurs bébés, l'oubli de son chapeau et de son bouquet de fleurs et qu'il fallut bien retourner prendre, les grognements de Nérée que l'énervement joyeux d'un jour de noce rendait impatient et le chemin à parcourir que la jeune fille utilisa pour repasser les gestes et prières d'une cérémonie de mariage dans un petit missel noir et usé à la corde.

Difficile de lire quand des petites pierres ou des ornières impriment sans cesse des secousses à la voiture et qui se répercutent jusque dans les yeux des occupants et dans leurs mains frémissantes ! Difficile aussi quand une première feuille d'automne détachée de son été verdoyant vient vous arracher l'âme pour la rejeter une fois de plus dans un remous tournoyant, noir et glacial !

Et passent les milles. Et court vers soi l'église rouge qui verra à vous extraire de l'âme le total consentement à tous les sacrifices, à l'humiliation, aux silences éternels, à la misère probable et à la mort prématurée.

Avant d'entrer, elle jeta un regard au fleuve. La seconde dura un siècle. Son coeur se mit à pleurer. Septembre allongeait sur l'onde ses petits coups de vent frais qui ridaient l'eau çà et là. Marie-Anne fut atteinte par les picotements de l'air. Deux gouttes naquirent au creux de ses yeux; elle les écrasa en fermant durement les paupières. Nérée lui tira le bras. On entra...

L'avenir commençait pour Marie-Anne Caron de Leclercville, un avenir aussi court que douloureux...

Le restant de la journée tourbillonna dans sa tête comme un grand vent d'automne. Ce fut la sortie de l'église et l'apparition à sa vue de toutes ces voitures attelées aux bêtes attachées à des pôles longues, qui se trouvaient déjà là à l'arrivée mais qu'elle n'avait pas vues, faute de ne regarder que dans les lointains brumeux.

Charles conduirait les mariés dans le boghei le plus rutilant de la paroisse, voiture noire à deux sièges avec capote sur celui des passagers. Marie-Anne n'eut pas à y grimper; des mains de géant la soulevèrent comme si elle avait été une enfant et le geste en fit applaudir certains qui y virent bien moins l'amour que la force de Télesphore.

Le retour à la maison des Caron fut long et ponctué d'arrêts au cours desquels les hommes prenaient un petit coup de schnaps ou de blanc tandis que les femmes accouraient pour voir la mariée et lui adresser des félicitations dans lesquelles on tissait des regards discrets de pitié et d'encouragement que les hommes ne savaient pas lire, tout comme ils n'y comprenaient pas grand-chose au tissage du lin et au filage de la laine. Et dans le rang, la filée se gonfla d'autres voitures, gens qui ne sont pas allés au mariage mais seraient de la noce moyennant un petit cadeau de politesse.

Trois poules nourrirent les deux tablées. En sauce blanche. Du pain frais de la veille en abondance. Du sirop d'érable gardé depuis le printemps. Du sucre en pain. Des tartes aux framboises, à la citrouille. De la confiture. Toutes les panses furent bourrées ras bord.

Marie-Anne pignocha dans son assiette. À l'arrivée, au pied de la galerie devant, par inadvertance, elle avait entendu des hommes rire et qui se disaient des choses sur elle :

"La Marie-Anne, elle va y goûter aux choses de la vie avec une pièce d'homme comme Télesphore..."

"Ça va chauffer c'te nuitte dans le lit du grand..."

"Vingt-trois ans, il doit commencer à trouver ça long..."

"Ouais, ben long..."

Et chaque phrase était suivie de grands rires mêlés, étouffés, à odeur de whisky et de péché.

Mais puisqu'elle se trouvait maintenant sur le bateau de la vie, le même que celui emprunté par toutes les femmes, pourquoi se torturer de questions. Elle saurait bien à mesure ce qu'elle savait déjà mais n'osait s'avouer qu'elle savait. Le bateau avancerait. C'est tout. Tout ! Il tanguerait mais flotterait. Qu'importe ! Qu'importe !

Les mots pourtant roulaient dans la sauce comme les longs morceaux durs de la poule morte. Les mots questionnaient,

questionnaient sans jamais s'arrêter.

Télesphore était emporté par l'euphorie de la victoire. Son but était atteint. Il ne restait qu'à travailler. Et l'ouvrage ne l'effraierait jamais. De plus, Anthime tournait autour de Marie-Ange comme un papillon autour d'une lumière. Depuis le temps qu'il parlait d'elle à tout chacun, leur voie vers un mariage était déjà bien pavée... Si ça devait se produire, les deux frères comme les deux soeurs auraient l'occasion de se voir bien plus souvent et cette perspective lui souriait car Télesphore avait le sens de la famille; il aimait son monde, sa paroisse, son pays...

Au soleil couchant, les mariés partirent dans leur voiture tandis que les invités continuaient à festoyer, à bien boire, à chanter et à danser sur la musique du grand Léon et de son frère, à tirer au renard ou au poignet. Ni Anthime pas plus que les parents du marié ne rentreraient à la maison ce soir-là pour respecter les traditions et l'intimité des nouveaux mariés. Les invitations à coucher ne manquaient jamais dans ces circonstances et dans leur cas, la solution fut simple, on irait chez Séverine à Deschaillons, ce qui était à portée de le main en coupant par le chemin de fronteau qui menait à la grande ligne de Parisville. On y passerait même deux jours. Et quand on reviendrait à Fortierville le surlendemain, on reconduirait les mariés à la gare puisqu'ils iraient deux jours à Québec à l'exposition agricole. Ils pouvaient déjà compter sur l'invitation à coucher de l'oncle de Marie-Anne que Télesphore connaissait depuis l'aventure ratée des jeunes gens auprès de la Phoenix Bridge.

Quant au train à l'étable, Télesphore y verrait tout seul, ce qu'il avait voulu et qui par ailleurs signifiait pour lui une bien mince affaire.

Le coffre de Marie-Anne fut attaché derrière le siège par Télesphore lui-même qui refusa toute aide et l'y transporta au-dessus de l'épaule sans même que le fardeau ne touche à son habit de noce. Il l'assujettit avec des cordelettes en plus des sangles qu'il fixa aux crochets du dossier.

Enfin, la voiture s'ébranla sous les cris des enfants, les rires des hommes et les adieux des femmes. Marie-Anne regarda cette lucarne où elle avait si souvent travaillé, si souvent surveillé le chemin venant du village, ou ces derniers temps, celui venu de Fortierville, si souvent rêvé, si souvent pleuré aussi... Elle avait le coeur gros, la gorge sèche, l'ennuyance répandue par toute l'âme ainsi que l'esprit turbide et savaneux.

On ne se parla guère tout le long de la route. Marie-Anne se montra plus timide que jamais. Elle répondait par des oui faibles, hésitants, souvent même pas prononcés distinctement et qui ressemblaient à des "heun" bourrés d'indifférence. Télesphore aurait voulu qu'elle se montrât intéressée, contente d'avoir été si bien entourée toute une journée, enterrée de cadeaux, applaudie, bénie par Dieu et le curé, heureuse de devenir femme dans moins de deux heures maintenant.

–Sais-tu faire ça, toé, du vin de cerise ?

Elle hésita :

–Bah !... pas trop...

–Ah !

–C'est ma mère qui l'a fait...

Elle avait compris que Télesphore s'en reportait à ce vin grâce auquel des félicitations avaient arrosé Arzélie à la table de noce.

Il dit :

–Pas grave, on a rien que deux cerisiers...

–Ah !

Au milieu du chemin, Télesphore fit arrêter le cheval. Marie-Anne eut crainte qu'il voulût l'embrasser comme à Noël. Son embarras la figea au siège. Elle se croisa et se décroisa les doigts. Par chance, la nuit cachait ses gestes et son visage. Mais ses sombres clartés n'enterraient pas une butte voisine dont le délinéament paraissait devant l'éclat du quartier de lune.

–Si j'avais pas repris la terre du père, c'est icitte que j'aurais aimé rester.

–Ah !

Il le prit pour une question, répondit :

–Parce que...

Il clappa et la jument reprit son petit train, clopin-clopant. Des coups de vent frisquets les assaillaient parfois. Il arrivait que Marie-Anne frissonne et fasse du bruit avec son souffle, mais Télesphore n'entendait pas puisque les sabots du cheval, les roues de la voiture et les sangles attachant le coffre mélangeaient leurs cliquetis, chuintements et claquements cadencés.

Vint enfin Fortierville. Le cheval trotta sur le dernier quart de mille, droit et plus large. Il était rare que Télesphore fasse courir la jument par noirceur. La bête savait bien où mettre les sabots, mais on risquait de heurter un piéton.

–Nous y v'là ! dit-il simplement quand on entra dans la montée.

Marie-Anne fit du regard le contour de la maison en se disant que probablement toute sa vie s'y passerait, qu'elle y mettrait au monde leurs enfants, qu'elle les y élèverait, qu'elle y mourrait peut-être un jour... à bout d'âge comme le lui répétait souvent Télesphore. Pour rire, elle compta les années dans sa tête avec des chiffres aisés. À bout d'âge, mettons que cela voulait dire dans quatre-vingts ans, elle aurait alors quatre-vingt-dix-huit et on serait en 1986. Elle rit presque tout haut; la fin des temps pouvait arriver dix fois avant 1986 avec toute la méchanceté qui envahissait le monde comme le disait souvent monsieur le curé. Non, pas elle ! Ses enfants verraient peut-être ce monde lointain dont on disait qu'il serait plein d'aéroplanes et de machines, mais pas la Marie-Anne Caron... pas la Marie-Anne Gagnon... pis pas Télesphore non plus...

–Ce qu'on va faire, là... Je vas rentrer ton coffre, le monter dans la chambre pis durant que tu vas le vider de ce que t'as besoin, moé je vas aller faire le train. Entends-tu les vaches se lamenter au bout de la grange... Doivent avoir le paire dur comme de la roche... Le père a pas voulu prendre personne... Mais ça va me prendre une heure, une heure et quart...

–Tu veux pas que je t'aide ?

–Pas à soir... Ni demain... Rien que quand on reviendra de Québec...

Il sauta à terre. Les ressorts du siège craquèrent. Marie-Anne descendit d'elle-même. En silence.

–Veux-tu me conduire avec le fanal pour pas que je culbute pis que je me casse la gueule ?

–Ah oui !

Et le jeune femme s'empressa. Elle contourna la jument par devant, prit le fanal accroché au poteau de la fonçure et se rendit éclairer son mari qui commençait déjà à dessangler le gros coffre.

*

Il y avait une demi-heure qu'il était parti à l'étable et Marie-Anne demeurait assise sur le coffre dans la chambre du haut, entre le lit et le mur. Les bras tombés de chaque côté de sa robe. À penser. À craindre. Sans savoir que faire. Devait-elle l'attendre ? Il avait dit de sortir ses affaires... celles dont elle aurait besoin. De quoi pouvait-elle donc avoir besoin ? Il y avait des draps dans ce lit, une courtepointe, des oreillers, tout...

Elle se leva, s'accroupit, explora à tâtons sous le lit. Le pot de chambre était là. De toute façon, elle n'en avait pas emporté. Mais elle commençait à avoir envie... Fallait-il se forcer, ne pas souiller le pot; et si Télesphore la disputait pour ça ?

Il faisait sombre. La mèche de la lampe était basse. La jeune femme apprivoisa ses frissons et décida d'explorer les lieux, tout le deuxième étage. Le haut était plus grand, en fait plus long que chez elle. La maison comprenait le carré de la grande maison plus le fournil et c'est cela qui faisait dire à Télesphore qu'on pourrait y élever dix enfants. Dix enfants, ses frissons la reprirent.

Elle marcha. Prit doucement la lampe posée sur la table et sortit de la chambre. Elle découvrit peu de murs pour subdiviser l'étage à part celui de leur chambre. Un qui longeait l'escalier dans sa partie transversale par rapport au carré de la maison et, en haut du fournil au fond, une petite chambre étroite dont elle ouvrit la porte. La pièce lui parut servir de débarras pour de vieilles choses puisqu'il n'y avait pas de plafond donc de grenier où remiser les objets anciens auxquels on tenait.

Pas grand-chose à voir. Une table et quelques coffres dans la partie au-dessus du fournil. Et entre les deux parties, dans une encoignure où donnaient deux fenêtres, un vieux banc qui paraissait fixé au mur et devant lequel Marie-Anne s'arrêta, figea, devint angoissée plus qu'elle ne l'était déjà.

La porte d'en bas la sortit de sa stupeur qu'écrivait dans son visage blême la flamme qui se mit à danser, sans doute emportée par ce courant d'air qu'elle sentait sur ses mains. Elle se promit de calfeutrer mieux ces fenêtres avant l'hiver; car le coin devait être cruellement froid en plein coeur de janvier quand il faisait des vents à écorner les boeufs...

Se pouvait-il que Télesphore ait déjà terminé son barda ? La porte se referma et des aboiements se firent entendre à l'intérieur. Peut-être avait-il fait entrer le chien et ensuite était-il retourné à l'étable ? Et la bête entendait sa présence en haut...

–Télesphore, Télesphore ? s'enquit-elle en approchant de l'escalier.

Des jappements agressifs lui répondirent. Elle avait bien deviné. Et c'est au chien qu'elle s'adressa :

–C'est toi, Wif... viens voir Marie... Wif... Wif...

On avait ainsi baptisé l'animal en l'honneur du premier ministre comme le faisaient les Américains dont la moitié des chiens du pays s'appelaient Teddy du surnom de leur président Theodore Roosevelt.

La jeune femme entendit des bruits de griffes et comprit que la bête grimpait l'escalier à toute vitesse. Elle l'aperçut, noir, l'oeil rouge, glissant de travers après la dernière marche pour se précipiter vers elle.

Ils se connaissaient déjà très bien et la voix de Marie-Anne avait rassuré l'animal qui rendu à ses pieds aboya de manière affectueuse en ballottant de la queue. Elle se pencha vers lui et flatta sa tête bossuée. Le chien gémit de bonheur.

Retournant dans la chambre, elle se dit que Télesphore avait sans doute voulu lui donner de la compagnie en attendant son retour et elle eut un sourire faible atténué par le souvenir de ce banc, de ce coin pourtant vide où tout avait un aspect si lugubre...

Elle posa la lampe sur la table et le chien, resté dans l'embrasure de la porte ouverte, questionnait, quémandait la permission d'entrer ou du moins de rester là à regarder simplement...

Cela fit penser à Marie-Anne qu'elle ferait mieux de se déshabiller et de se mettre au lit. L'embarras de devoir le faire quand Télesphore serait là lui serait épargné. Elle ôta sa robe, l'accrocha dans une sorte de penderie ouverte et revêtit une jaquette qu'elle prit dans son coffre. Et elle finit d'ôter ses dessous à l'abri des regards invisibles de l'impudeur et du tabou. Elle cacha ses dessous dans son coffre puis se mit au lit. Le chien s'accroupit, se coucha, mais il garda les yeux ouverts jusqu'à l'arrivée de Télesphore longtemps après.

La fatigue du jour avait assommé Marie-Anne qui somnolait et ne reprit conscience qu'au moment où son mari chassait l'animal et refermait la porte. Elle ouvrit les yeux et le vit qui marchait, si terriblement grand sous ce plafond bas, vers la lampe. L'homme ne portait plus qu'un sous-vêtement le recouvrant en entier et qui lui donnait l'allure d'un fantôme dans la pénombre. Elle referma les yeux pour ne pas le voir, les rouvrit. Tout était noir maintenant et les pas se rapprochèrent du lit... Tout était si angoissant, silencieux... Qu'arriverait-il ? Que lui arriverait-il, à elle, si fragile, si perdue, si petite ?

—Ça froidit dehors, dit-il comme pour s'excuser de se glisser avec elle sous les couvertures.

—Ah !

Il fut content de sa réponse. Elle ne dormait donc pas. Et si elle ne dormait pas, c'était donc qu'elle devait être prête pour l'acte du mariage. Lui en tout cas l'était. Il y avait pensé tout le temps du train. Son corps l'avait demandé. Et toute sa chair frémit quand il fut enfin couché. Mais comment s'y prendre pour en arriver là ? Quels gestes poser ? Se glisser sur elle et relever sa jaquette : c'était sûrement ce qu'il fallait faire. Qu'y avait-il d'autre à faire ? Il dit :

—On va faire la prière du soir.

—Oui...

—Notre Père qui êtes aux cieux, que votre nom soit sanctifié...

Elle enchaîna bientôt avec lui. Dieu les aidait à se rejoindre : chacun devint un peu plus calme... Aussitôt après, il voulut monter sur elle.

—C'est que tu fais, Télesphore ?

—Ben... faut faire notre devoir conjugal.

—Ah !

Elle ne bougea plus, ne parla plus. Il y avait une nécessité, un devoir commandé par Dieu. Et Télesphore savait quel était ce devoir.

Il retroussa sa jaquette jusqu'à son ventre et lui écarta les jambes. Elle se sentit frotter par une chose énorme et chaude qui poussait, poussait sur sa chair... Les quelques mots de Charles sur les choses de la vie passèrent par la tête de la jeune femme. Puis ceux des hommes qui riaient de ce qui lui arriverait ce soir-là... Ce qu'elle savait déjà mais qu'elle avait toujours volontairement rejeté dans une chambre noire du fond de son âme se rua sur elle comme un éclair dans la nuit.

Télesphore cherchait à entrer en elle. Et elle n'y pouvait rien. C'était cela, la vie, c'était cela, le mariage. Attendre que ça se passe, que ce soit passé... Il poussa encore dans un coup de boutoir... Elle sentit une lame la transpercer... Retint un hurlement... Il poussa encore. La douleur était effroyable... Il poussait toujours... Alors il s'arrêta quand elle échappa malgré elle deux ou trois gémissements. Elle se dit qu'il devait avoir aussi mal qu'elle. Il pensa qu'elle ressentait les mêmes plaisirs que lui.

Et le va-et-vient commença. La jeune femme parvenait à endurer la douloureuse brûlure. Lui ne parvenait plus à soutenir les brûlures qui dévoraient sa chair. En moins d'une minute, il se répandit...

S'enleva de là. Se recoucha. Elle se sentait froissée, blessée, mais pas brutalisée. Télesphore n'était pas un mauvais homme et il avait fait ce qu'il fallait faire, ça, c'était certain. Car toute la vérité lui était apparue maintenant : des enfants, ça se concevait de la même manière que des veaux ou des chiots ou des chatons ou des petits cochons... Et elle-même, Marie-Anne Caron, était le fruit d'un acte pareil qui portait deux noms qu'elle connaissait pour les avoir souvent entendus mais que jamais elle n'avait fait plus que de les emmagasiner dans une mémoire floue : l'acte du mariage, le devoir conjugal. Une mémoire qui se nettoie en un instant : c'était cela, l'éclair dans la nuit !

Tout à coup, une main d'acier entoura sa gorge. Elle manquait d'air. Une angoisse terrifiante se rua sur son âme. Le grand remous qui l'aspirait si souvent depuis un an tourbillonnait devant ses yeux. Il lui semblait que la mort voulait l'emporter. Pourtant Télesphore reposait paisiblement à côté d'elle. À peine avait-il fini l'acte qu'il s'était endormi et son souffle allongé le disait.

Marie-Anne laissa monter ses larmes dans la nuit, leur ouvrit la porte pour qu'elles débordent, pour qu'elles se déversent, pour qu'elles dénouent sa gorge...

*

À bout de fatigue, de peur, de douleur, elle finit par sombrer très tard dans un profond sommeil qui l'emporta dans un rêve rassurant. Avec Charles, elle se laissait entraîner vers le ciel dans l'escalateur de la tour Eiffel. Mais la tour n'avait pas de fin; elle traversait les nuages et poursuivait sa course jusqu'à la lune...

La déchirure de la veille coupa encore sa chair par le travers. Elle s'éveilla brutalement. L'aube entrait en biais par la fenêtre et Télesphore recommençait l'acte du mariage. Pourquoi ? se dit-elle. Pourquoi deux fois dans la même nuit ? Alors elle se dit que commençait une autre journée et qu'on était maintenant le lendemain des noces. Et quand il grogna, elle respira en saccades comme un chien afin d'atténuer la souffrance physique...

La journée s'annonçait venteuse et nuageuse.

Elle le savait par sa belle-mère et il le dit avant de quitter pour l'étable, que son repas du matin devait comprendre des pitounes de sarrasin, du pain, du beurre, des oeufs frits dans de la graisse et du sirop d'érable quand on en avait.

Puis il s'en alla après avoir allumé le poêle.

Marie-Anne se débrouilla sans trop de misère. Elle fouilla dans les armoires, le garde-manger, trouva ce qui était nécessaire. L'ordre de sa belle-mère était encore plus pointilleux que celui de sa mère. Ça lui plut. Cette femme possédait une grande délicatesse de coeur sous sa carapace rude et la jeune mariée pourrait compter sur elle en tout. Elle regrettait qu'elle ne soit pas là et se promettait de lui demander si l'acte du mariage restait dur à supporter toute la vie. Louise qui était mariée depuis plus de trente ans la rassurerait peut-être... Elle en parlerait, oui, elle en parlerait ! Et elle écouterait aussi. Comme elle s'en voulait de ne pas l'avoir mieux fait auparavant !

Au repas du midi, Télesphore maugréa un peu.

–Tes patates sont pas cuites à demeure.

–Des gorlots de patates nouvelles, des fois, c'est plus dur.

–Mais ceux-là, là...

Il n'ajouta rien de plus et les jeta dans le chaudron des restants qu'il porterait aux cochons plus tard. Marie-Anne se sentit grossir le coeur, mais par chance, une visite fit oublier à chacun son désagrément.

C'était la voisine, madame Lemay, une femme de l'âge de Télesphore et qui venait saluer la nouvelle venue dans les parages. Télesphore se montra poli puis il en profita pour aller vernousser aux alentours des bâtisses tandis que les femmes feraient meilleure connaissance.

Elles s'étaient déjà vues sans se parler, s'étaient souri quand Marie-Anne et Télesphore passaient devant chez eux, savaient d'avance que leur voisinage serait bon.

La jeune dame Lemay portait des cheveux épais et noirs qui enveloppaient ses oreilles et se terminaient en chignon sur la nuque. Les joues rondes et le regard menaçant, son visage se transformait quand elle parlait et se dégênait. On décida vite de se tutoyer et de s'appeler par le prénom. Elle, c'était Exilda... Du temps de Séverine, elle avait été sa meilleure amie.

–Tu veux que je t'aide à dégreyer ta table, Marie-Anne ?

Exilda devinait aisément la nuit dure qu'il avait bien fallu que l'autre subisse tout comme elle deux ans plus tôt, et son coeur sympathisait...

Marie-Anne raconta qu'on prenait les gros chars pour Lévis le lendemain matin, et qu'on traverserait à Québec pour se rendre à la grande exposition. On profiterait du voyage de deux jours pour aller se faire prendre en portrait par un bon photographe.

******

Les parents d'Aurore à leur mariage
Marie-Anne Caron
Télesphore Gagnon

Chapitre 6

Dans le lointain, le train se plaignit, gémit plus longue-ment puis il hurla carrément.

Les nouveaux époux en habits de noce attendaient de-hors, assis sur un banc de la gare. On ne se disait rien. Ma-rie-Anne gardait son attention sur le bruit cadencé qui s'en-flait peu à peu. Elle cherchait à oublier les douleurs du bas-ventre et le sang qu'elle avait pris pour un début de périodes mais qu'elle savait maintenant lui provenir de ses déchirures.

Tous deux se rendaient à Québec pour la nième fois mais pas un ne connaissait encore les émotions dispensées par l'ex-position. On disait qu'une partie de la troupe du grand spec-tacle de Buffalo Bill s'y trouverait, l'autre partie se produi-sant à Albany dans l'État de New York. Énorme, la troupe comptait six cents participants; il fallait parfois la scinder en deux pour des raisons financières et pour mieux répondre à toutes les demandes.

Charles lut tout ça dans les journaux et il le répéta mot pour mot à Télesphore le jour de ses noces. Moins fauché, il aurait pris le train lui aussi pour voir ça, surtout pour ren-contrer en chair et en os le grand, l'unique tueur de bisons

91

qui en avait abattu des dizaines de milliers à lui tout seul, mais... Il se consolait à l'idée de pouvoir assister un jour au Montana ou quelque part dans l'Ouest au spectacle complet de The Buffalo Bill's Wild West Show. Mais que l'idée de rater l'événement si proche, à tout juste cinquante milles, le chatouillait et le travaillait !...

Dans un fracas d'acier contre acier, dans une odeur de métal mouillé, de charbon brûlé, la noire locomotive entra en gare, grinçant, sifflant, soufflant. Si bien que Marie-Anne eut l'impression d'une bête monstrueuse qui agressait tous ses sens; et elle ne réussit pas à empêcher son imagination de la comparer à Télesphore la nuit qui devenait comme un géant d'acier capable de tout écraser devant... Mais ce devait être péché de penser cela du devoir conjugal; elle repoussa fermement l'image indésirable.

Quatre voyageurs descendirent. Le couple seulement monta. L'arrêt fut bref. Le serre-frein donna les signaux et la locomotive entama une sourde pétarade dont le tempo augmenta avec la vitesse du train.

La tête agitée de petites secousses négatives, Marie-Anne s'abandonna comme un pantin aux caprices du train. Son grand compagnon silencieux à son côté sur la banquette avait les jambes qui traînaient un peu dans l'allée faute de place entre les sièges. Il y eut un arrêt à Saint-Apollinaire et on entra en gare à Lévis au milieu de l'avant-midi.

Une surprise de taille les attendait sur le traversier. Tandis qu'ils marchaient sur le pont, un personnage leur cria dans le dos :

–Comment c'est que ça va, les jeunes mariés ?

C'était Charles, mal fagoté, les vêtements noircis, souillés mais dont le sourire irradiait la joie.

–C'est ben moi. J'ai jumpé le tender. Je me suis dit que je pouvais pas manquer le bateau, ça fait que me v'là sur le bateau !

Et il éclata de rire.

–Tu vas retourner comment ? s'enquit son beau-frère.

–De la même manière.

–Où c'est que t'as ben pu jumper le tender ?

–À Fortierville. Devant votre nez pis devant le nez de

l'ingénieur pis du serre-frein. Un test pour quand je m'en vas voyager aux États.

—Tu vas pas aller à l'exposition, sale de même ? se scandalisa Marie-Anne.

Il tapota une petite valise grise qu'il tenait à la main.

—J'ai là-dedans tout ce qu'il me faut pour me changer chez mon oncle Augustin.

—Ben t'es game en maudit torrieu ! dit Télesphore. Ça prend quasiment un front de boeuf pour faire ce que t'as fait là.

Le jeune homme pencha sa tête ronde et noire en signe de modestie, mais cette humilité sonnait le creux et il le faisait exprès, c'est pourquoi il éclata de rire à nouveau.

—Pis vous autres, vous irez pas à l'exposition, propres de même ?

—On va se faire prendre en portrait...

—Mais on a du linge de semaine dans notre valise pis qui est ben propre...

La conversation se poursuivant entre les deux hommes, Marie-Anne se rendit à la balustrade et se pencha pour regarder l'eau qui bouillonnait à côté du bateau. Et se laissa bercer sans qu'une seule fois son cauchemar du grand remous ne lui revienne en mémoire. L'onde limpide et brillante l'apprivoisait en la berçant comme un bébé.

*

—Vous êtes du ben beau monde, vous autres, dit le photographe, un personnage qui se distinguait par ses cheveux fendus par le milieu, sa moustache fendue par le milieu et une dentition séparée entre les deux palettes.

Il fit asseoir Télesphore dans une chaise enveloppante et s'occupa tout d'abord de lui faire disposer de ses longs membres de manière à les oublier. Les hommes se montraient si gauches et empesés devant une caméra qu'il était hautement recommandé de les faire asseoir. Il lui fit croiser les jambes puis mettre les coudes sur les bras de la chaise et naturellement, les mains trouvèrent leur place, l'une sur le bois de la chaise et l'autre sur la cuisse de la jambe croisée.

Quand Télesphore eut le corps figé dans la détente, le photographe sourit. Le reste, c'était du gâteau. L'homme, élément statique de l'ensemble, n'aurait plus qu'à regarder l'oeil de la caméra le moment venu.

Et Marie-Anne devait demeurer debout et libre afin de donner au portrait sa grâce et sa beauté, c'est-à-dire la vie. Le photographe lui mit un bouquet de fleurs à la main et lui dit de se placer à sa guise. Elle posa sa main gauche sur l'épaule de Télesphore et oublia les fleurs au bout de l'autre bras.

–Oui... vous êtes du ben beau monde, dit le photographe de sa voix assourdie par le linge noir sous lequel il ajustait la lentille de sa caméra. Vous pensez que je dis ça à tous mes clients, c'est vrai... mais vous autres, c'est ben vrai que vous êtes du ben beau monde...

Il leva la barre de l'éclairage au magnésium et appuya sur le bouton.

Derrière lui, Charles faisait des folies. Il mimait celui qui donne un coup de pied au cul, ce qui dégela le regard de Télesphore et fit naître un soupçon d'espièglerie dans un oeil de Marie-Anne quoique l'autre oeil demeurât triste et rempli de résignation douloureuse.

La petite explosion sourde et fumeuse se produisit et l'homme émergea de sa prison.

–C'est de valeur que ça soye pas en couleurs, dit Charles pour montrer qu'il était bien sage.

–Mon ami, le grand art se perdra dans la couleur si ça devait arriver un jour.

–C'est pas pour demain...

Le photographe hocha la tête dans un rire composé :

–Oui, c'est pour demain. Hélas ! c'est pour bientôt. Y a Louis Lumière, l'inventeur du cinématographe, qui a trouvé moyen d'obtenir une photo en couleurs sur une plaque... Donc, c'est déjà inventé...

–Ah ?

–Oui monsieur. C'est ça le progrès... si on peut appeler ça un progrès.

–Oui, mais c'est pas pour demain que ça va se répandre.

–Dans dix, quinze ans, on verra ça dans la province de Québec, ici même à Québec.

–Ah ! moé, je vas le voir avant ça si c'est la vérité vraie ce que vous dites là...

Le photographe haussa les épaules. Qu'il était donc difficile d'être cru par ces campagnards qui n'avaient jamais rien vu !

*

Le couple et Charles entrèrent dans un autre monde. Un monde qui donnait l'air d'être infini, sans limites.

Télesphore portait une chemise carreautée, mais il avait gardé ses pantalons d'habit de noce; il n'avait pas pu se résoudre à se rendre à l'exposition en culottes d'étoffe. Pour se donner une allure moderne et citadine, il tenait à la bouche une pipe de plâtre qu'il ne fumait cependant pas.

Quoique l'entrée fût gratuite, il y avait quand même un goulot d'étranglement à la porte de la bâtisse qui donnait accès au terrain, et donc une filée de gens s'allongeait dans le chemin d'approche jusqu'à la rue transversale.

Une rumeur circula. On disait que le premier ministre se trouvait sur le site de l'exposition.

–Gouin ou Laurier ? Le premier ministre de la province ou ben celui du Canada ? demanda Charles à la dernière tête qui avait colporté la nouvelle.

L'autre, petit homme souriant et moustachu, se tourna et posa la question. Et la question repartit pour ne jamais revenir ni la réponse non plus.

Bien beau, Gouin, mais il n'était pas une vedette canadienne française mondiale comme Laurier. Non, Laurier était bien trop grand pour se montrer parmi le peuple autrement qu'en période de campagne électorale. Une légende vivante se dégonfle et s'affaisse quand elle descend trop souvent et à tout venant, du grand train de la gloire et de l'immortalité.

Alors que l'on franchissait la ligne d'entrée et que les gens se répandaient entre deux rangées de kiosques d'amusement, un brouhaha se fit entendre. Apparurent d'entre les tentes deux hommes grands et forts qui en transportaient un troisième aux allures de meurt-de-faim ou d'échappé de prison, à la barbe noire de deux ou trois jours, aux vêtements troués et déchirés. Tandis qu'en le soulevant régulièrement de terre, on l'entraînait par les bras vers la sortie, on ne cessait de l'invectiver à très haute voix :

"Dehors les tire-laine et les voleurs. Dehors les indésirables et les misérables ! Dehors les bons à rien et les chenapans ! Et surtout, dehors les ivrognes !"

Marie-Anne le prit en pitié. Elle trouvait tant de désarroi dans ses yeux et le pauvre était si maigre.

Le préposé à la chaîne à l'entrée des voitures, des bêtes et des choses volumineuses, dégagea l'obstacle et le malheureux fut poussé dehors sans aucun ménagement.

"Va chercher la chicane pis quêter hors d''icitte !" fut la dernière parole à laquelle il eut droit.

Ses deux gardiens rentrèrent et longèrent la file des gens en attente. L'un s'arrêta sec devant Télesphore et l'examina des pieds à la tête. Médusé, le jeune homme ouvrit la bouche pour dire quelque chose, mais Charles lui vola les mots :

–Ben fait... la racaille, faut jeter ça à la porte...

Les officiels montrèrent un visage avertisseur et menaçant puis ils s'en allèrent, le pas dur, long, définitif.

Pendant que Charles et son beau-frère s'échangeaient des propos nerveux et approbateurs quant au geste posé devant une petite foule interdite et silencieuse, Marie-Anne se recueillit et pria le bon Dieu pour ce personnage dont on ne voulait pas à l'exposition et qu'elle imaginait avoir volé un peu de pain pour se nourrir...

Des kiosques de bois voisinaient des tentes. La jeune femme aperçut une vendeuse de fleurs dans l'une. Elle s'imagina que Télesphore lui achèterait une pivoine ou une rose quand on serait là. D'autres en promenaient. Ça serait son plus beau cadeau de noce. Toutes les douleurs de son ventre guériraient par la vertu d'un baume venu tout droit du coeur.

Dans le premier kiosque, il y avait un photographe et en avant, un adolescent qui sollicitait les passants en leur promettant le plus beau et le moins cher des portraits.

–On aurait peut-être dû attendre ? s'interrogea tout haut Télesphore.

–Ben non, clama Charles, peut-être qu'avec un gars de même, t'aurais jamais tes portraits de ta vie...

De l'autre côté, des jeunes filles piaillaient comme des

poulettes excitées. Charles fut vite attiré par là. On tâchait d'abattre des poupées de guenille posées sur une tablette au fond de la tente avec des balles grosses comme le poing.

–Trois balles pour cinq cennes, trois balles pour cinq cennes, répétait le tenancier.

Une jeune fille aux cheveux blonds comme de l'or achevait les siennes sans succès. Charles tomba amoureux d'elle. Un amour instantané qui durerait le temps d'un éclair au magnésium. Il acheta trois balles. Plissa les yeux. Enveloppa la première balle de son poing déterminé. S'élança. Échec. Deuxième tentative : nulle. À la troisième, il ferma un oeil sous le regard amusé de tous et avant de s'élancer dit à la jeune personne qui s'apprêtait à s'en aller avec ses amies :

–Si je l'ai, je te le donne; ça fait que prie pour moi...

Ce fut raté. L'adolescente intimidée tourna le dos. Les deux autres lui murmurèrent quelque chose à l'oreille et toutes trois restèrent là à regarder et à attendre, l'air à la provocation.

Charles se gratta la tête et acheta trois autres chances. Cinq autres cennes de perdues. Dix autres et, sous les rires poussifs des spectatrices et les envolées défiantes du tenancier, l'acharné dut baisser pavillon faute de munitions dans ses poches.

–Toé, Télesphore, toé, dit-il pour disperser l'attention.

L'autre se savait deux fois grand et trois fois fort comme son beau-frère, mais il fallait bien montrer que les apparences n'étaient pas que du vent. Il se vida lui aussi de vingt cennes mais dut démissionner en regrettant cette dépense de pure fierté.

Marie-Anne se traîna les pieds, hésita, s'arrêta quelques secondes devant la vieille dame et sa petite boutique de fleurs. Télesphore tourna la tête...

–C'est que t'attends ?

–Je voulais juste voir... des fleurs que je connais pas...

–Viens t'en, autrement ça va prendre quatre jours à faire le tour.

–Monsieur, achetez donc une fleur pour votre petite dame, dit la vieille personne échevelée qui devinait tant l'immense désir de cette jeune et si belle passante.

Télesphore tâta sa monnaie. Assez de frivolités ! Il tourna le dos et poursuivit son chemin avec Charles qui lui, était emporté par sa hâte de voir le spectacle de Buffalo Bill, et dont on avait vu de belles affiches colorées sur le mur de la bâtisse de l'entrée.

Et Marie-Anne se dit que plus tard peut-être...

Il y avait un mur de bois ni haut ni large plus loin dans l'allée de gravois jaune, et qui empêchait de voir quelque chose mais pas les gens très nombreux massés tout autour et qui s'exclamaient admirativement devant LA chose.

Marie-Anne suivait docilement les deux hommes en gardant les mains vides enfoncées dans les poches tout aussi vides de son chandail noir. Le temps était frais sous le soleil de septembre mais supportable ainsi vêtue. Parfois elle se retournait et jetait un regard furtif vers la fleur qu'elle n'avait pas eue. D'autres jeunes femmes passaient qui en tenaient une entre leurs doigts réchauffés.

On déboucha sur la merveille, le miracle du modernisme, grande, flamboyante, unique, presque divine et qui chavirait le coeur des hommes : une machine. Toute de tôle et d'acier, de fer et de cuir, de promesses et de richesse ! Une incomparable machine ! Sur une tribune comme sur un piédestal. Quelqu'un lança :

—Ça prendrait un moteur itou en dessous de l'estrade pour la faire tourner...

Mais sa voix se perdit dans l'ébahissement de Charles et Télesphore, et celui plus mitigé de Marie-Anne, et surtout sous les paroles à l'emporte-pièce d'un présentateur moustachu qu'un chapeau melon secoué à bout de bras rendait encore plus éloquent et grandiloquent.

—Les amis, cette merveille nous vient directement de France. Comme vous le savez peut-être, c'est une Vis à vis construite par la maison De Dion-Bouton. Un moteur incroyable d'une puissance de quatre chevaux et demi. Un brake à pédale qui actionne le différentiel. Un brake à bras qui agit directement sur le moyeu des roues... Une machine sans danger.

—Attention, lui cria une voix.

C'était un prêtre de petite taille perdu dans la foule et qui brandissait un journal.

–Attention à quoi, monsieur le curé ? chantonna le présentateur, la tête en biais.

–C'est dangereux plus que vous le dites, une machine. Voyez ce qui est arrivé à Montréal il y a deux jours...

Le présentateur ouvrit grand les bras en disant :

–Montez nous lire ça, monsieur le curé...

Le prêtre accepta et rejoignit l'autre près de la fière De Dion-Bouton. Il lut soigneusement alors que la petite foule frémissait d'horreur :

«La première victime de l'auto meurtrier. Pour la première fois à Montréal, un citoyen a été victime d'un accident de machine. Vers huit heures, samedi soir, une auto conduite par un dénommé Atkinson a pris la droite du chemin où se trouvait un nommé Antoine Toutant. L'auto allait à une telle vitesse que le pauvre homme n'eut pas le temps de l'éviter et fut pris dans la dernière roue, d'arrière. Le malheureux fut lancé à huit pieds et écrasé par la machine. Des passants l'ont relevé, mais l'infortuné est mort. Il a eu le crâne fracturé.»

Le présentateur hocha la tête à plusieurs reprises.

–Ouais, ouais, un accident, rien qu'un, tandis qu'à Montréal, y'en a des centaines et des centaines de machines. Comment de monde se font tuer par des chevaux, monsieur le curé ?

Le prêtre haussa les épaules, signifiant son ignorance.

–Pis par les petits chars, pis par les gros chars ?

Le prêtre haussa encore les épaules. Et il redescendit comme ayant l'air battu par les raisonnements du présentateur. Les gens se reprirent d'attention pour le crieur et d'admiration pour la belle des belles, l'incroyable Vis à vis de De Dion-Bouton...

Charles poussa sur le couple pour qu'on parte, quitte à revenir là plus tard. Buffalo Bill le commandait d'il ne savait où...

Mais un jeu de masse fait d'une haute colonne terminée par une cloche et d'une base-levier qui durement frappée projetait en l'air un poids en métal, les fit s'arrêter. Le visage de

Télesphore s'assombrit. La roche à Mailhot venait de lui passer devant les yeux. Un grand freluquet feluet et qui avait du mal à soulever la masse frappait le dormant de bois sans arriver à faire grimper le petit coursier de métal plus haut qu'à la moitié de la colonne aux allures de thermomètre.

—Ha, ha, v'là des bras solides qu'arrivent ! s'exclama le préposé au jeu. Cinq cennes pour trois coups de masse, cinq cennes pour trois coups de masse. Et un cigare pour trois coups de cloche. Toi, le grand avec la pipe, montre donc au monde que t'es pas rien qu'un grand efflanqué...

Mais le jeu était si dur, la distance si grande entre le morceau de bois et le poids de fer qu'un coup de masse sur cinquante faisait sonner la cloche. Et jamais deux de suite. Et le tabac des cigares dans la boîte à promesses était devenu complètement sec à force d'attendre.

—Pas pour moi ! dit d'avance Charles.

On tendit la masse à Télesphore qui garda le visage froid, comme tout à fait indifférent.

—Ben voyons ! T'es pas Louis Cyr, mais Louis Cyr, lui, gagne une boîte complète de cigares quand il vient icitte...

Le nom de Louis Cyr chatouilla les muscles de Télesphore. Il jeta la monnaie au crieur et s'empara de la lourde masse. Un : ding. Deux : ding. Trois : ding. Des curieux s'amenèrent. Tous avaient essayé sans succès. On voulait voir les gros bras. On agrandissait les yeux. Marie-Anne applaudit son mari.

Télesphore reçut le cigare et le donna à Charles. Le crieur devenu sombre voulut reprendre la masse. En vain.

—Moé itou, je fume le cigare, dit Télesphore.

Et il s'en gagna un pour lui-même.

Quand il partit, le crieur se rendit derrière son appareil et vérifia la distance entre la poutre et le poids...

Et voilà qu'au bout de quelques pas apparut enfin le secteur du Wild West Show. À l'affût, Charles l'aperçut le premier. Le premier signe en était un chef indien à cheval courant sur un rond avec, derrière la piste, un immense panneau sur lequel on avait dessiné l'image du célèbre tueur de bisons.

Ils s'apprêtaient à traverser le chemin pour s'y diriger que s'amena un landau les soufflets repliés, tiré par deux chevaux, et qu'entouraient des suiveurs animés... On entendit dire qu'il s'agissait du premier ministre. Que Buffalo Bill attende donc encore un peu ! On demeura à l'attention. La voiture passa. C'était bien Gouin qui salua à gauche, à droite, de la canne et du chapeau, avec l'élégance électoraliste d'un politicien qui promet le ciel au peuple avant de le faire vivre quatre ans au purgatoire.

Marie-Anne fut impressionnée. Voir de si près pour quasiment leur toucher, le premier ministre de la province et sa femme, l'émut au plus haut point. Lui donna l'envie de se rendre aux toilettes. Elle l'indiqua à mots couverts.

–Avez-vous vu un... coin quelque part ?

–Là-bas pas loin de l'entrée, derrière la marchande de fleurs, dit Charles.

Télesphore fronça les sourcils. Marie-Anne mentait-elle pour retourner vers ce kiosque de freluches ? Bah ! qu'elle y aille ! On l'attendrait sur place sans l'accompagner là-bas.

–Vas-tu être capable de nous retrouver toujours ? fit-il.

–Ben certain !...

Elle repassa les points de repère dans sa tête dont le principal était la machine.

Et elle y fut vite. La foule avait changé, mais le prêtre se trouvait toujours au milieu des spectateurs. Et brandissait son journal en disant :

–C'est dangereux plus que vous le dites, une machine. Voyez ce qui est arrivé à Montréal il y a deux jours...

Marie-Anne poursuivit en se demandant comment on pouvait tolérer pareille intervention. Mais la réponse paraissait bien évidente et tombait sous le sens : c'était un prêtre. Elle ferma les yeux sur les fleurs en frôlant le kiosque et se rendit tout droit à la petite cabane devant laquelle il fallut faire la queue.

Lorsqu'enfin elle eut son tour et qu'elle eut terminé, en sortant de ce réduit nauséabond, des hommes bruyants passaient devant son nez, deux gardiens en habits officiels qui entraînaient une espèce de miséreux en criant fort :

"Dehors les tire-laine et les voleurs ! Dehors les indésirables et les misérables..."

Encore un malheureux, s'étonna-t-elle. Mais la surprise décupla quand elle reconnut en celui que l'on expulsait le même personnage qu'à leur arrivée. L'homme entêté était-il donc revenu sur le terrain et on le reconduisait une autre fois à la porte ?

Plus loin, une nouvelle foule entourait la machine. Le prêtre était toujours là, brandissant son journal et redisant les mêmes mots.

*

Quatre heures plus tard, après le spectacle de l'Ouest, après avoir vu toutes sortes d'instruments pour l'agriculture, des charrues, des herses, des harnais, des batteuses, des engins à gazoline, des petites faulx et des moulins à faucher, des râteaux droits et des râteaux de côté, de l'équipement de sucrerie, des chalumeaux, des chaudières de zinc, des évaporateurs, et aussi toutes sortes de marchandise fancy, des machines à coudre, des petites vues et des Kodak, de la vaisselle et de l'argenterie, des métiers à tisser et des rouets, après avoir dépensé plus de trois piastres et après que Télesphore en eut prêté deux à Charles, on résolut de s'en aller. On reviendrait le jour suivant.

Près de la machine, Marie-Anne revit le même prêtre et entendit de sa bouche les mêmes mots. Les hommes ne le remarquèrent pas et elle n'en dit rien. Et quand on franchit la ligne de sortie, elle entendit parmi tous les bruits :

"Dehors les tire-laine et les voleurs ! Dehors les indésirables et les misérables..."

Elle se demanda si sa tête ne lui jouait pas des tours.

Épuisés, rendus chez l'oncle Augustin, couchés, elle allait s'endormir quand Télesphore releva sa jaquette.

–Pourquoi c'est faire qu'on attend pas à demain ?

–Notre devoir conjugal...

Elle s'ouvrit sans rien dire de plus et pendant qu'il travaillait le plus silencieusement qu'il pouvait, Marie-Anne se remémora encore une fois les bizarres comportements dont elle avait été témoin. Et elle comprit. Ces gens, les gardiens, le miséreux et le prêtre étaient des animateurs de foule... comme des manipulateurs. Sachant que les jeunes Canadiens français sont portés sur la boisson et la chicane quand ils sont à la fête, on voulait les impressionner dès leur arrivée sur le terrain de l'exposition et calmer leurs ardeurs... Quant au prêtre, il commençait par faire peur aux gens qui, pour plusieurs, craignaient encore les machines, et ensuite il finissait par se rendre aux arguments de présentateur pour les rassurer doublement...

Le jour suivant fut pour elle long et pénible. On avait tout vu et ce ne furent que des redites. Les jeunes gens s'amusèrent autant que la veille, eux.

Et Marie-Anne n'obtint pas sa fleur.

De retour à Fortierville, dans leur chambre, alors qu'ils accomplissaient leur devoir conjugal, elle eut une larme en pensant une dernière fois à cette fleur tant désirée dont le parfum n'embaumerait jamais son coeur, dont la texture ne caresserait jamais ses doigts et dont la couleur ne serait toujours qu'un souvenir vague, brisé et flétri...

*

Durant la semaine qui suivit, elle s'entretint souvent avec sa belle-mère. La femme espérait une crise de larmes pour que sortent avec les pleurs de Marie-Anne sa peur et ses misères de jeune femme entrant dans la vie conjugale. Mais Marie-Anne se taisait. Sa ferme décision s'effritait, se muait en procrastination. Et l'air de rien, Louise l'observait à la dérobée, attendait un mot, une insignifiance qui ne venait jamais.

Un après-midi de grand vent qui faisait craquer la maison, elle s'avança, jugeant que le silence de sa belle-fille parlait tout seul. Et conduisit Marie-Anne dans sa chambre, à elle et Gédéon, la seule du bas et dont la porte donnait à la fois sur l'escalier qui allait en haut et sur la porte du fournil. Là, elle montra à sa belle-fille quelques souvenirs de ses propres noces. Puis elle demanda à voir les cadeaux qu'avait reçus Marie-Anne, le contenu de son trousseau qu'elle dit ne pas avoir eu l'occasion de bien apprécier le jour des noces. Les travaux du midi avaient pris fin. Les hommes labouraient. On monta dans la chambre du jeune couple. C'était là que se pourraient les confidences les mieux mesurées, pensait Louise.

Marie-Anne s'assit devant le coffre sur le plancher de bois à la manière d'une petite fille, les jambes repliées sous sa robe mais que révélaient ses bottines; et sa belle-mère préféra prendre place sur le bord du lit. Ainsi, l'une pourrait sortir les choses et les exposer à la vue de l'autre sur le pied du lit où il venait de la lumière en abondance de par la fenêtre voisine.

La jeune femme sortit d'abord un de ses plus beaux cadeaux, une nappe de lin joliment brodée qui lui était venue de sa tante de Québec. Louise qui n'en avait jamais vu de plus belles fut éblouie. Ce que Marie-Anne sentit encore plus profondément à ne pas voir le visage de cette femme que les années, le soleil, le froid, les travaux, la vie âpre avaient durci et masculinisé. Seuls les mots lui parvenaient, et si beaux par le ton, si touchants par leur dire :

—Ma petite fille, t'es chanceuse d'avoir une tante généreuse de même. Mais t'es assez bonne toé-même pis toute ta famille que je comprends... Pis quand tu vas recevoir ton monde à Noël ou ben au jour de l'an, tu la sortiras...

—Pas rien que mon monde, madame Gagnon, le vôtre itou.

—Non, c'est à toé en propre pis je veux que ça reste à toé en propre.

Marie-Anne hocha la tête et regarda la lumière blanche de la fenêtre en disant :

—Si c'est à moé en propre, vous me laisserez ben en faire selon mon bon vouloir...

—Bon... c'est ben entendu, c'est sûr, ma petite fille, c'est ben entendu.

Dans un coq-à-l'âne subit qui fit croire à Louise qu'une porte s'ouvrait sur l'âme de sa belle-fille, Marie-Anne dit :

—Madame Gagnon... des gorlots de patates, en outre de les picosser tout' comment savoir qu'ils sont ben cuits ?

—Ma pauvre fille, t'as juste à picosser le plus gros.

Il y eut une pause. Puis Louise décida de se jeter à l'eau pour elle avant que le silence ou les belles choses du coffre ne viennent refermer la porte :

—Ça serait-il que le Télesphore t'aurait disputée pour ça ? J'en serais pas étonnée parce que quand il trouve le plus petit motton dans les patates pilées, le coeur lui lève. Il est de même depuis tout le temps pis des fois, ça le rend disputeux.

—Ben... oui... mais il m'a pas disputée fort, là...

—Mais j'imagine que c'est pas trop ça qui te tracasse le plus, hein ? Quand on vient de se marier, y'a des affaires qui sont plus dures que ça pour une femme...

Marie-Anne rougit malgré son visage toujours exsangue. Son coeur commença à jongler, mais elle resta muette...

—Ce que je veux te dire, c'est que le devoir conjugal, ça s'apprend même si c'est ben dur dans les premiers temps. Tu vas t'accoutumer, tu vas voir. Pis surtout quand t'auras eu un bébé... Le Télesphore, c'est pas un mauvais garçon... il est pas pire qu'un autre homme, ça, c'est sûr, mais... mais c'est un homme... Pis un homme, c'est plus dur au mal que nous autres, ça, faut le comprendre. Ah ! c'est pas qu'ils souffrent pas eux autres itou, mais ils sont faits plus forts... C'est pour ça que c'est eux autres les maîtres. Si le bon Dieu avait voulu que ça soye autrement, c'est nous autres, les femmes, qu'on aurait eu de la force dans les bras pis dans les jambes. Nous autres, on est faites pour élever des enfants; c'est moins dur que d'aller bûcher dans le bois. C'est à travers de sa grosse ouvrage qu'un homme aime sa femme pis ses enfants. Quand un homme fait ben vivre sa famille, c'est un bon homme; pis ça, tu vas voir que le Télesphore, il te laissera pas dans la misère. Du manger, il va tout le temps y en avoir dans la maison. Pis il manquera jamais de bois dans la cour pis dans la shed pour chauffer la maison. T'auras jamais de grande misère icitte-dans.

Au fur et à mesure que les mots de Louise descendaient dans son âme pour la réchauffer et pour la rassurer, des larmes montaient en Marie-Anne, et en même temps que la dernière phrase était prononcée, elles surgirent en sanglots incontrôlables et serrés les uns sur les autres comme les vagues d'une mer grossie par les vents d'automne. Elles contenaient tous ses regrets et toutes ses craintes.

Louise se pencha en avant et lui frotta la nuque et le dos tant que dura l'éclatement. Et les épaules tout doucement pour qu'elles s'apaisent.

—Je vas t'aider tant qu'on sera icitte-dans. Tu pourras aller chez-vous quand tu voudras. C'est tout proche, rien que cinq milles. Tu l'aimes, Télesphore, mais c'est ben étrange de s'accoutumer à un homme comme c'est étrange pour un homme de s'accoutumer à une femme... une jeune femme qui sait moins que sa mère comment picosser des gorlots de patates... Je t'aime ben gros, tu sais. Pis Gédéon itou qui est si content pis ben fier de toé, même si souvent il fait son jonglard avec des airs de noirceur dans la face. Je pouvais pas avoir mieux comme bru pour vivre icitte... Ça assure mon bonheur pour longtemps... Et pis, tu pourras te voisiner avec Exilda Lemay, ça va t'aider gros à te partir...

Marie-Anne se tourna brusquement et enfouit sa tête dans la robe de sa belle-mère, entre ses genoux, et elle finit de déverser les larmes de cette adaptation nécessaire pour donner un nouveau cours au fil fragile de sa vie...

******

Chapitre 7

Fortierville, 1907.

Quand Télesphore partit pour les chantiers pas tard en décembre, Marie-Anne eut un moment le sentiment qu'elle reprenait possession de son corps. Mais sa période ne reparaissant pas et avertie par Louise de ce que cela voudrait dire, elle se sut enceinte. Elle devrait donc continuer de partager son corps à deux tout l'hiver et ensuite à trois au retour de son mari en avril.

Au train, il ne lui fut donné qu'une seule vache à traire, le reste étant assumé par ses beaux-parents qui l'entouraient d'une grande attention.

Marie-Anne eut quelques nausées mais pas de grands maux comme en avaient certaines femmes enceintes et que les remèdes de bonne femme ne guérissaient pas toujours.

Ainsi que l'avait souhaité Louise, l'amitié grandit entre sa belle-fille et Exilda Lemay. Chaque semaine, chacune allait passer une demi-journée chez l'autre. On fila de la laine en placotant. On tissa au métier en riant. On tricota en s'échangeant des recettes de fricot. Marie-Anne parlait souvent de son frère Tit-Charles et de ses folles ambitions. Et chacune finit par trouver en l'autre mieux qu'une soeur. Exilda promit d'être là pour l'accouchement et Marie-Anne dit que s'il s'agissait d'une fille, elle porterait le nom de Bernadette, comme deuxième prénom ainsi que celui d'Exilda.

Tout comme les mains filaient la laine, les mois filèrent le temps, et avril vint, bourré de caresses et de coups de pied, tout doux d'un soleil frais un jour, cinglant à faire éclater la peau le jour suivant.

Télesphore et Anthime arrivèrent un soir de temps froid, humide, pénétrant. Ils laissèrent leurs frusques dehors à cause des poux et restèrent en sous-vêtements longs pour se faire épouiller par les femmes. Louise montra à Marie-Anne à bien se servir d'un peigne fin pour qu'il ne reste au fond de la tête aucun insecte risquant de déposer ses larves et de ramener le cycle de reproduction des bestioles indésirables qu'au chantier on aurait combattues en vain.

Anthime achevait son temps avec eux. Il se marierait à l'automne. Mais pas avec Marie-Ange Caron qu'il n'avait jamais revue après les noces. Il fréquentait maintenant Victoria Vézina et c'était pour le bon motif.

Au commencement de mai, Charles rendit visite aux Gagnon. En réalité, il se fit reconduire par son père et coucha à Fortierville en vue de prendre le train aux aurores pour Saint-Romuald où il était sûr de s'engager pour travailler sur le pont de Québec. Il décida Anthime à l'accompagner, mais Télesphore avait trop à faire sur la terre, les foins surtout en juillet, pour penser à partir avant quasiment le mois d'août.

Pour lui éviter un voyage blanc, il fut décidé qu'on écrirait à Télesphore ou bien qu'on lui ferait parvenir un message par le télégraphe si on parvenait à le faire engager par la Phoenix Bridge malgré le moment tardif de la saison.

C'est avec regret que Télesphore vit partir son frère et son beau-frère le lendemain, et l'espace de quelques jours, il se montra bourru à la maison, mais le plus souvent jongleux.

Louise et Exilda enseignèrent à Marie-Anne les meilleures façons de camoufler son état intéressant. Une robe très ample qui la ceinturait légèrement au-dessus de la poitrine comme pour imiter la taille, et ainsi la bosse du ventre s'amenuisait jusqu'à disparaître aux regards. Par les bordées de coups dc picd du foetus, il fut stipulé qu'elle portait un garçon. Mais on n'en saurait rien avant la fin du mois de juillet.

Au bord de ses vingt-quatre ans, Télesphore avait maintenant tout de l'homme accompli. Le pas sérieux, la pipe assurée, une casquette plate qui avait trouvé sa place définitive sur le coin de sa tête. Il se levait vite et le premier aux premières lueurs de l'aube et toutes ses pensées, toute sa vie, toutes ses énergies visaient un même objectif : travailler. Il le faisait avec mesure, efficacité, dans le plus grand calme, mais sans relâche, sans jamais de relâche. Et il méprisait les paresseux et les bons à rien. Le bon Dieu avait créé l'homme pour travailler. Il travaillait dur. Il n'avait rien à se reprocher, n'aurait jamais rien à se reprocher.

Marie-Anne se sentait bien lourde et lasse quand le temps des foins commença. Elle travaillait au petit broc et la chaleur l'écrasait tandis que ce bébé à venir l'éreintait. Et puis elle ne se sentait guère utile à gratter avec cet outil dont les dents s'accrochaient toujours dans des tiges entortillées pour constituer de peine et de misère des petites vailloches dérisoires. Ce que ses forces lui permettaient d'accomplir en une journée, Télesphore aurait pu le faire en une heure. Mais comment donc demander à rester à la maison tandis que tout le monde suait à grosses gouttes dans les champs ?

Il ne restait que la moitié d'une prairie à faucher le jour où arriva la dépêche de Québec. Charles présumait que les foins devaient achever et il écrivait que le contremaître de la Phoenix Bridge, hautement satisfait de lui-même et d'Anthime, acceptait de l'embaucher aussi pour le temps qu'il voudrait. Télesphore se dit qu'il remettrait son labour au printemps si Gédéon ne pouvait pas le faire seul et qu'ainsi, il pourrait travailler au gros pont jusqu'aux grands froids.

Ce soir-là, dans leur chambre, Marie-Anne osa lui demander d'attendre quelques jours. Il pourrait en finir tout à fait avec les foins et probable que le bébé arriverait en même temps. Mais il refusa. On pourrait ne plus vouloir de lui à Québec. Il devait partir. Et il partit pour la gare le lendemain matin à pied avec sa petite valise. Par une fenêtre du haut, sa femme le regarda s'en aller de son immense pas. Pas une seule fois il ne se retourna comme quand il repartait de chez elle avant leur mariage.

Lorsqu'elle décida de quitter son point d'observation, elle se rendit compte que son genou s'appuyait sur ce banc gris qui, pour une raison aussi inconnue que farfelue, lui donnait toujours des frissons dans le dos.

*

Louise commanda à Marie-Anne de se coucher aussitôt que la jeune femme grimaça à sa première contraction ce matin du premier août. Tout d'abord, elle se rendit à la chambre du bas où aurait lieu l'accouchement et changea draps et couvertures pour du propre. Elle mit sur une petite table des pièces en tissu ouaté piqué qui serviraient à absorber les eaux et les suites.

Marie-Anne garderait leur chambre jusqu'après les relevailles et eux coucheraient dans la chambre d'Anthime en haut. Elle retourna dans la cuisine d'été chercher sa belle-fille qui confirma son entrée en travail. Puis la femme cria à son mari par l'embrasure de la porte ouverte. Gédéon sarclait dans le jardin potager.

–Va avertir la petite madame Lemay, Gédéon ! Elle voulait le savoir quand c'est que Marie-Anne aurait son bébé. Pis ben c'est aujourd'hui...

Gédéon se redressa. Les sourcils en broussailles, la moustache drue, il regarda au loin et sourit. Jamais autrefois à la naissance de ses propres enfants il ne s'était senti aussi heureux. Un petit enfant, ça rajeunirait la maison, ça rirait, ça pleurerait, ça grandirait, ça viendrait l'embrasser... Non, un père n'embrassait pas ses gars, ses filles, mais un grand-père, oui, il prenait ses petits-gars, ses petites-filles sur ses genoux et les faisait danser pour les rendre heureux. C'était comme ça, il fallait quasiment être un vieux bonhomme pour se laisser aller à la tendresse. La gorge lui fit un gros noeud; il fut pris de l'envie de brailler comme un veau. Pourvu que le bébé survive pis que la Marie-Anne relève ! Pas trop nerfée, cette bru fragile ! En cas de besoin, on lui tiendrait la main solide...

Il se mit en chemin sans tarder.

Louise prit sa bru par les épaules pour l'aider à se lever. Marie-Anne lui fit un large sourire entre deux soupirs :

–Faites-en pas tant, madame Gagnon, c'est juste le commencement. Suis capable de me rendre, vous savez.

Mais Louise ne la laissa pas d'une semelle et fit autant d'efforts que la future mère pour la conduire dans la chambre fraîche et sombre, l'aider à se dévêtir, à mettre sa jaquette et à se coucher sur les tissus absorbants.

–Quand les douleurs se présentent, mets-toi à souffler en petit chien pis ça va t'aider à les traverser. Mais dis-toé que la douleur, ça va avec l'accouchement. C'est le bon Dieu qui l'a dit pis c'est comme ça !

Ensuite Louise retourna dans la cuisine et en revint quelques instants plus tard avec un collant à mouches qu'elle étira. Et, grimpée sur une chaise, elle le braquetta au plafond au-dessus de la commode.

–C'était pas nécessaire de gaspiller un collant pour moé, protesta doucement Marie-Anne.

–Je le gaspille pas, il va servir à pogner des mouches. Quelque chose qui sert, c'est pas du gaspillage.

–Vous savez ben ce que je veux dire.

–T'es trop bonne, toé, la Marie-Anne; t'es pas assez exigeante pour toé-même. C'est dur de vivre pis faut se battre tu sais. De contre la maladie, de contre le souffrance, de contre le mauvais sort, de contre le malin pis même de contre le monde des fois itou...

La femme finit son installation sans s'arrêter de papoter. Quand elle accouchait autrefois, elle aimait qu'on lui parle comme ça sans arrêt pour chasser la peur et l'angoisse. Et elle ne lâcherait pas la petite Marie-Anne un seul instant. Télesphore retrouverait une femme en santé et un jeune bébé vigoureux. Et pourvu qu'il ne lui arrive pas un accident à celui-là ou à Anthime. Y'en a qui disaient que ça paraissait fait avec des bâtons d'allumettes, ce gros pont-là à Québec ! D'autres soutenaient que personne à part que les Sauvages pouvaient se tenir debout au-dessus du vide...

Entre les douleurs et malgré elles, Marie-Anne se sentait parfaitement bien, heureuse qu'on la dodiche autant, et parfois elle se demandait pourquoi Télesphore se pilait sur le coeur tout le temps et refusait de s'attendrir comme ses parents savaient si bien le faire. Probable qu'il fallait de l'âge pour embellir de l'âme !

111

Gédéon et Exilda Lemay arrivèrent bientôt, essoufflés, sachant pourtant bien tous les deux que le bébé pourrait se faire espérer encore des heures. La jeune femme avait emporté avec elle des choses susceptibles de servir mais que l'on avait chez les Gagnon, malgré l'incendie, et comme dans toutes les maisons d'ailleurs : des allèges de tissu ouaté, des ciseaux frais aiguisés pour couper le cordon ombilical, et jusqu'à une jaquette de rechange pour Marie-Anne.

L'homme sortit de la chambre, mais il laissa la porte entrouverte pour que de la fraîche de la cuisine circule... et pour mieux entendre. Sachant ce qui se passe, il serait rassuré et l'attente ne se bourrerait pas d'angoisse. Oh ! il sortirait souvent de la maison et ferait semblant d'aller travailler au jardin pour qu'on le pense tranquille et fort comme il se devait de l'être, lui, l'homme, mais son âme ne connaîtrait le répit qu'au moment où tout risque serait écarté et c'est pourquoi il resterait constamment à l'affût sans en avoir l'air.

Pour l'heure, il avait du temps devant lui; il se rendit donc dans le fournil où il chargea et alluma sa pipe qu'il fuma assis dans l'embrasure de la porte, sarclant les rangs de légumes avec ses regards habiles et vaillants. Et puis qu'importe, il tâcheronnerait jusqu'après la brune et au fanal au besoin pour se rattraper !

Il sursauta quand sa femme ouvrit brusquement la porte de la cuisine pour lui dire :

–Gédéon, on va avoir besoin d'eau chaude pis c'est pas chrétien de chauffer le poêle de c'te chaleur-là...

Il se serait assommé de ne pas y avoir pensé. Mais il dit, la pipe détachée des dents noirâtres :

–Justement, je m'en allais allumer le feu dessous le chaudron de fer...

–Pis crains pas de le laver comme il faut avec de la castille avant...

–Crains donc pas ! Crains donc pas !

Et il émit une poffe de fumée bleue suivie d'un crachat lancé dont le jet s'étira dans une traînée bouillonnante au milieu de la poussière au pied de l'escalier.

De temps en temps une femme mourait en couches, surtout les jeunes mères d'un premier enfant. En l'esprit de Marie-Anne s'opposaient souvent son rêve de l'eau qui l'aspire et la noie et cette promesse de Télesphore quant à la longueur de leur vie sur terre. L'homme constituant une meilleure source de vérité que la femme, elle se disait donc que tout se passerait bien pour elle...

L'encouragement, voilà ce à quoi l'on se livrait dans cette petite chambre sombre. Des bons accouchements furent décrits. On attendait un petit gars, mais un gars n'était pas plus dur à délivrer qu'une fille; au contraire, il montrait souvent plus de vigueur, disait-on.

Marie-Anne devint si confiante malgré le rapprochement des contractions qu'elle raconta aux femmes ce qu'elle avait toujours gardé pour elle et qui l'avait tant frappée à l'exposition de Québec : l'action des manipulateurs de foules, le faux prêtre et le faux malheureux...

–Je te crois pour le misérable, mais le prêtre, j'sais pas, opina sa belle-mère, une femme qui aurait considéré comme un péché mortel qu'un homme crachât sur le perron de l'église, et qui ne pouvait donc concevoir que l'on pût profaner ainsi la soutane en l'utilisant pour rire ou pour tromper.

C'est la raison pour laquelle, Marie-Anne n'avait jamais révélé ce secret à Télesphore, craignant qu'il ne la dispute et se moque d'elle. Car le respect du prêtre et de la religion dont témoignait son mari dépassait celui de sa mère et avoisinait l'intolérance pure et durc. D'ailleurs, il ne juronnait presque jamais, contrairement à bien d'autres hommes de son temps et de ses métiers de cultivateur, bûcheron et bâtisseur.

L'eau bouillit. Le soleil darda. Le temps passa. Le corps de Marie-Anne se tordit de plus en plus fort pour donner la vie, pour que cette vie sorte d'elle et entre en elle-même dans ses valeurs propres et ses forces vives.

On lui fit relever les genoux, écarter les jambes, attraper les balustres de la tête du lit pour mieux pousser; on lui épongea le front avec de l'eau froide, on lui badigeonna la vulve avec de l'eau chaude pour attendrir la peau et décontracter les muscles. Enfin Louise introduisit ses doigts, sa main et creva les eaux sous le regard d'Exilda qui assistait pour la première fois d'aussi près à l'accouchement d'une autre et voulait tout apprendre.

Le liquide amniotique s'écoula; ce n'était plus qu'une question de minutes.

Gédéon entendit le son des voix. Il sut. Alors il se rendit au poêle, mania gauchement la bordiche pour ôter un rond, claqua la tête de sa pipe froide sur le métal pour la vider de ses cendres mortes. Il retourna au milieu de la pièce, s'assit sur sa berçante, l'oeil rivé à la porte de la chambre; mais son calme apparent ne dura guère et il recommença son manège dérisoire avec sa pipe dont cette fois, il racla soigneusement le fourneau encrassé avec la lame d'un couteau de poche. Au dernier choc du plâtre et du métal, un cri de bébé éclata, brillant comme le soleil, étonnant comme un miracle, émouvant comme la mort.

Il referma le rond, mit sa pipe inutile sur la tête du poêle, se demanda quoi faire... Excitée, les cheveux mouillés, Exilda Lemay mit brusquement sa tête dans l'entrebâillement de la porte et cria :

–Une fille, monsieur Gagnon, c'est une petite fille...

–Pis ?

–Pis ?

–Ben... tout' va ben ?

–Tout' va ben.

–Dans ce cas-là, ça serait le temps de commencer à penser à manger.

En train de laver le bébé, Louise entendit cette requête qu'elle prit pour un certain stoïcisme bien masculin de la part de Gédéon, mais l'homme avait parlé pour elles puisqu'il n'avait pas faim et que, le cas échéant, il aurait trouvé autre chose à dire.

Lorsque le nouveau-né fut mis près de sa mère, de son sein, de la tétée, Marie-Anne qui retrouvait son souffle dit faiblement :

–J'sais ben que Télesphore aurait aimé mieux un gars, mais ça sera pour la prochaine fois...

Les yeux cernés, les résidus de souffrance dans les muscles peauciers du visage, les cheveux agglutinés, collés à ses joues, lui donnaient une apparence spectrale; mais un semblant de sourire signait un lent retour à la vie et l'éloignement du remous suivi d'un nouveau regard vers la terre promise de Télesphore.

Puis elle remercia les deux femmes qui continueraient à surveiller puisque le danger d'hémorragie persisterait encore quelques heures au moins.

Et elle annonça que la fillette, tel que promis, porterait le nom de Marie-Jeanne Bernadette...

Des gouttes tombaient, drues sur la terre sèche qui enveloppait les jeunes pousses de betterave. C'est que Gédéon avait chaud à travailler dur, plié en deux. Il y avait bien aussi quelques larmes de bonheur mélangées à la sueur de son front usé et cuit par le temps.

*

Plus de cent hommes travaillaient comme des fourmis sur le pont et aux abords du côté sud. Au nord, tout avait l'air de dormir et les travaux n'avançaient qu'à pas de tortue tandis que depuis l'autre rive et jusqu'au tiers du fleuve s'élevait l'arche immense que l'on espérait parachever avant la fin de l'automne très prochain que les premières feuilles mortes annonçaient déjà.

Trois semaines après son départ, Télesphore reçut une lettre de sa mère qui lui annonçait la naissance et le baptême de sa fille aînée. Il en fit part sans plus à ses compagnons de baraque, Anthime et Charles, mais en l'absence du quatrième homme, un Français qui savait tout et qui n'aurait pas manqué de donner une leçon quelconque au nouveau père. Non pas qu'on haïsse le personnage qui dépassait largement la trentaine et savait raconter mieux que personne ses expériences nombreuses et peu courantes, mais parce qu'il semblait trouver bien étranges et pas trop modernes les moeurs de ces Français du Canada qui parlaient comme des provinciaux du seizième siècle et ne juraient que par leur religion catholique.

Agnostique, il se disait marquis et s'appelait en conséquence : Henri de Caumont.

Ce soir-là, à la chandelle, assis à la table au milieu de la pièce étroite, la seule de la baraque, il parla à nouveau de la construction du canal de Panama à laquelle il avait participé en 1888 et dont on disait qu'aux Français, jusqu'à la faillite de l'entreprise l'année suivante, elle avait déjà coûté vingt mille vies humaines, la plupart des ouvriers mourant de la fièvre jaune quand ils n'étaient pas tués par des serpents venimeux dont grouillaient la jungle humide et les moindres marécages par lesquels devait passer le chenal.

—Messieurs, dit-il en retirant sa pipe de sa bouche et en exhalant de la fumée qui sortit égale, comme mesurée, en un jet éclairé par la flamme, et qui se perdit dans le néant de la porte ouverte, j'ai vu un homme un jour, se faire tuer par une pierre grosse comme le poing que lui fut projetée derrière la tête par l'explosion d'une importante charge de dynamite.

—Nous autres, par icitte, on avertit avant de faire sauter de la dynamite, dit Charles étendu sur son bed, et tout heureux d'avoir coincé la France.

—Mon bon ami, dit hautement le marquis dans la nuit, le cri avait été lancé au maximum et avec un porte-voix. Je le sais puisque c'est moi qui l'ai fait. Mais le malheureux a dû juger que la distance le protégerait. Sachez messieurs, que c'est toujours leur manque de jugement qui tue les hommes. J'ai eu la bonne idée de ne pas rester à travailler au canal de Panama, de n'y rester que trois mois. Simple : un homme sur deux y mourait. Des dix-huit soeurs venues pour soigner les malades, il n'en restait que deux à mon départ.

Sur leurs lits superposés, les frères Gagnon écoutaient sans prendre part à la conversation à laquelle, du reste, ils n'auraient eu strictement rien à ajouter.

—Ça serait-il que les Français se seraient mis les deux pieds dans la marde ? ironisa Charles.

On fut surpris d'entendre l'homme avouer, le ton à la grandiloquence :

—C'est exactement ça, mon cher ami ! Et jusqu'aux yeux. Et ce sont les Américains qui vont terminer ce que nous avons commencé. Mais... nous leur avons pavé la voie avec nos idées et notre sang, sachez-le.

—Mais pas le tien, picossa le venimeux de Charles.

—Bien sûr que non ! Je ne suis pas allé à Panama comme on va à la guerre, pour défendre mon pays, messieurs, allons donc !

–Mais l'honneur, lui, de quoi c'est que vous en faites ?

–L'homme ne doit-il pas songer à sauver sa vie avant de sauver l'honneur de son pays ?

–Ben... on n'a jamais eu à se demander ça, nous autres.

–Dieu vous bénisse !

Puis il parla de la tour Eiffel. À son retour en France après Panama, il y avait travaillé jusqu'à son inauguration l'année suivante. Et Charles alors l'enchevêtra :

–Mettons qu'on prenne le pont de Québec quand il sera fini pis qu'on le redresse ou ben, si tu veux, qu'on couche la tour Eiffel à terre, lequel serait le plus long ? Pis dans lequel que y'a le plus de poutrelles d'acier ? Le plus de bolts ?

Le Français se leva et fit un grand sparage :

–Mais quelle importance ? Une civilisation ne s'évalue pas par le nombre de boulons de ses ponts, voyons !

–C'est ce qu'on a dans la tête ! dit Charles qui croyait l'approuver.

–Non plus, non plus ! Pas du tout ! Vauvenargues écrivit: «Ni l'ignorance n'est défaut d'esprit, ni le savoir n'est preuve de génie.»

–Qui c'est, Vau... nargues ?...

Il ne répondit pas et, impatient, il s'en alla dehors et s'éloigna dans la pénombre d'une nuit de premier quartier de lune qu'obscurcissaient de fréquents nuages. Il put voir des fanaux sur le fleuve et la structure inquiétante de l'arche du pont là, si proche qu'il la pointa du bouquin de sa pipe pâle et en suivit le délinéament depuis le pilier de terre en montant vers le ciel puis redescendant jusqu'au pilier en eau profonde pour ensuite suivre la ligne du tablier jusqu'au point de départ.

Dans la cabane, on parlait de lui :

–Faites-le pas trop étriver, dit Télesphore, il va vouloir s'en aller. Pis moi, ben je l'aime autant qu'un Anglais...

–Justement, dit Charles, moé, j'aurais aimé mieux un Américain; comme ça, j'aurais pu apprendre l'anglais...

Mais oui, on l'aimait bien, malgré tout, le placoteux marquis. Intarissable, il remplissait leurs soirs de récits endiablés, parfois ampoulés mais toujours passionnants. Il parlait de Rabelais et Gargantua; on lui parlait de Louis Cyr, de Modeste Mailhot et du géant Beaupré. Il raconta l'histoire de Jeanne d'Arc; on la connaissait, mais lui ignorait celle de la Corriveau qu'il mit dans sa mémoire scrupuleuse. Il vanta les Sans-Culottes; on vanta les Patriotes.

Un jour qu'il les surprit à limoner contre lui, il voulut partir. On le retint. Grâce à lui, la baraque demeurait toujours propre et souriante. Pas question de le laisser s'en aller, le Français maniéré, même si à l'ouvrage, il décrochait toujours les tâches les moins dures, ce que lui pardonnait aisément Charles qui en faisait autant. Après tout, les frères Gagnon possédaient deux fois leurs muscles ! De plus, il comprenait l'anglais et le parlait un peu, ce qui faisait de lui un excellent interprète pour Charles et les autres Canadiens français.

Il leur fit découvrir qu'un bain dans le fleuve rebâtissait les énergies, aidait à mieux dormir sur les lits durs et reposait l'esprit aussi. On acquit l'habitude de descendre la berge abrupte jusqu'au fleuve chaque deux soirs et de plonger en sous-vêtements dans l'eau fraîche d'une petite anse. Des anguilles leur passaient parfois entre les jambes et c'est là qu'il leur avait raconté des morts d'hommes mordus par des serpents à Panama.

*

On était au soir du vingt-huit août 1907.

Une belle soirée fraîche.

Le Français pensa longuement à la France. Et des brumes vagues obombraient son âme comme ces nuages imprécis embrouillant la lune. Un autre mois, un dernier mois et il prendrait le bateau pour son pays avant que les froids et la glace ne le clouent à Québec pour tout l'hiver. Il reviendrait au printemps ou bien il prendrait le bord de l'Orient...

Quand il retourna à la cabane, ses compagnons de travail gardèrent le silence. Ou bien ils dormaient tous. La flamme de la chandelle ne permettait pas de les bien voir. Il le demanda à mi-voix avec l'accent du pays pour se moquer un petit brin :

–Y a-t-il quelqu'un qu'aurait encore sa connaissance ?

Rien.

Alors il referma doucement la porte, éteignit la flamme et se rendit à sa couchette sous celle de Charles qui ronflait. Pour la centième fois depuis le printemps, il se demandait si à son âge, il ne devrait pas en finir avec cette vie de coureur des grands chantiers du monde. Car il aurait trente-huit ans le lendemain.

Il resta longtemps les yeux ouverts à ne penser qu'au temps qui passe...

*

Et il fut le premier de la baraque à les rouvrir au matin. Bien avant qu'un couquie ne frappe à leur porte et à celles de toutes les cabanes pour réveiller les travailleurs et les inciter à venir manger au plus vite. Car la journée d'ouvrage démarrait à sept heures pour s'arrêter à midi, reprendre à une heure pour se terminer à six heures. Six jours par semaine et pour plusieurs, sept. Pourvu qu'un homme paye sa dîme, les prêtres ne se montraient pas exigeants quant au respect du dimanche pour les travaillants, surtout sur un chantier où bien peu de catholiques canadiens-français oeuvraient, ce pour quoi on avait d'ailleurs pleinement compensé par de nombreuses bénédictions des travaux depuis leur début à la demande expresse de la Phoenix Bridge qui voulait tous les alliés possibles dans son entreprise.

On se retrouva une demi-heure plus tard aux abords de la couquerie dans un grand pavillon sans murs où s'alignaient une vingtaine de tables longues permettant à cent cinquante hommes de manger en même temps. C'était plus qu'il n'en fallait puisque ces jours-là, du côté sud, on était cent douze dont un peu plus de quatre-vingts travailleraient sur le pont lui-même à boulonner, à installer les poutres, à couler du ciment, à poser des armatures. Les autres se retrouvaient à diverses tâches : la cuisine, le chemin d'approche, le drainage, les matériaux à transporter, du rivetage, du peinturage, du chronométrage, de la comptabilité ainsi que du travail d'ingiénerie.

Les Indiens restaient groupés et ne parlaient jamais aux Blancs. Ainsi se comportaient les Pennsylvaniens envers les autres. Quant aux hommes de bras de la province de Québec, ils ne pouvaient pas, eux non plus, communiquer avec les étrangers. Sauf deux contremaîtres, seul le marquis n'était

119

donc pas entravé par la barrière de la langue et il lui arrivait même de s'entretenir avec ceux qu'il appelait les Mohawks. C'est sans aucun succès qu'il avait voulu faire comprendre aux Canadiens que le mot sauvage pour désigner les Indiens les injuriait même s'ils ne montraient pas leur indignation et gardaient le masque impassible.

Ce matin-là, Charles eut une chance qu'il attendait et qui ne s'était pas encore présentée, celle d'avoir en face de lui et le Français et l'un des contremaîtres américains. Il avait eu beau rêver souvent de l'Ouest, de grands espaces et d'un travail semblable à celui qu'il connaissait le mieux, rien ne l'empêchait de s'intéresser aussi à l'Est dont pourrait certes l'entretenir cet homme de la Pennsylvanie.

Henri était un homme de taille moyenne, le visage rond et aisément rouge, les cheveux frisés et noirs comme du charbon. Il voyageait depuis le plus haut sérieux jusqu'au rire bon enfant dans une même longue envolée. Vite mis en confiance, les Mohawks et les Américains le devinaient quand ils ne le comprenaient pas tout à fait tant il avait le don de ramasser toute l'attention alors qu'il parlait.

Quant à l'Américain, il arborait une moustache noire épaisse mais étroite et fendue par le milieu comme ses cheveux foncés. Peu loquace, les traits du visage durs et lourds, on le craignait à tort. Sans l'obéissance à toute épreuve que les travailleurs livraient aussitôt engagés, il n'aurait pas eu l'autorité morale, la fermeté pour conduire efficacement ses hommes.

Le Français connaissait le désir de Charles de parler avec le contremaître ou plutôt de l'écouter; mais le jeune homme, même bilingue, n'aurait pas su poser les bonnes questions. Il l'aida donc en interrogeant pour lui. Et Charles, pendant près de trois quarts d'heure, fut abreuvé de connaissances variées sur la vie aux États-Unis

On mangea des pitounes de sarrasin, du pain, du beurre, du sirop et du lard salé que servirent en abondance les couquies, et il y eut du lait, du thé et du café, beaucoup de café.

De ce point de vue, l'on pouvait admirer le grandiose spectacle offert par la nature et la main de l'homme additionnées. Le fleuve aux courbes lentes et au cours immuable commençait à briller sous les rayons obliques du soleil montant. Mais ni lui ni ses rives montueuses et vertes, pas son éternité ni plus sa tranquille majesté n'arrivaient à la cheville de cet ouvrage en construction qui lui, bien avant l'eau, savait capter les rayons solaires et luire dans la grisaille matinale. N'est-il pas vrai qu'un peuple civilisé ne s'enorgueillit pas de ce qui lui fut donné gratuitement comme ses montagnes et ses fleuves, mais de ce qu'il est capable d'en faire et des beaux ouvrages de sa main pour améliorer sa condition et celle de ses enfants !

Les Canadiens n'étant pas des travailleurs spécialisés comme les autres, ils ignoraient toujours à quoi s'attendre. Car on leur assignait toujours une nouvelle tâche pour remplacer la précédente, chacune pouvant durer entre une journée et deux semaines. Il arrivait même qu'on les mît au chômage afin d'économiser de l'argent à la compagnie.

Ce vingt-neuf août, huit hommes furent envoyés au grand entrepôt pour charger un train de poutrelles d'acier, de plaques de jonction et d'étançons métalliques, et parmi eux, les Gagnon, Charles et le Français.

Le train était déjà sur place, ses wagons sous le toit de l'entrepôt et la locomotive dehors et qui fumerait doucement toute la journée. Car c'est le temps qu'il faudrait pour charger les quatre wagons plates-formes et parce qu'on n'aurait besoin de ces matériaux qu'à compter du lendemain et pas avant.

–Chargez une fois et demie plus haut, ordonna le contre-maître. On va le tester à notre goût, le pont de Québec aujourd'hui.

Il s'agissait plus d'une boutade que d'autre chose puisque tout avait été calculé par les crayons des ingénieurs : résistance des matériaux, forces en présence, poids, puissance des renforts et de l'ensemble des poutrelles et autres éléments. Les techniques américaines les plus avancées du monde ne sauraient errer.

Un soir, le marquis avait fait un peu rire de lui quand il avait dit que le pont n'était pas indestructible et qu'un simple régiment marchant au pas suffirait à le faire s'écrouler. Télesphore fut le premier à comprendre la loi physique du mouvement oscillatoire quand l'autre passa par le phénomène de la chaise berçante qui allonge sa course grâce au moindre effort d'un enfant, et à la meilleure manière de s'y prendre à force de bras pour sortir une voiture embourbée dans un ventre de boeuf, façon qui passait par la multiplication des forces musculaires dans leur mouvement cadencé.

–Quand on additionne les coups, on peut détruire presque n'importe quoi ! avait dit le Français ce jour-là.

Et Télesphore pensa qu'il devrait retenir cette idée qui allait chercher dans l'acharnement répétitif, mais un nuage de mauvais augure l'obscurcit aussitôt...

Bien qu'on soit sous une couverture, la chaleur humide du jour combinée à la dureté de la tâche rendit l'effort de plus en plus pénible. Les travailleurs ôtèrent leur chemise et restèrent en combinaison de coton que la sueur transformait en torchon.

Tôt dans l'après-midi, il ne restait ni dans Charles ni dans le marquis les énergies requises pour continuer à trimbaler des gros morceaux. Télesphore le remarqua. Il les prit en pitié et proposa une autre manière de se partager l'ouvrage de sorte que les frères Gagnon transporteraient et cageraient les grosses poutrelles tandis que les deux autres s'occuperaient des éléments moins lourds.

À cinq heures, la dernière pièce de métal fut déposée sur la quatrième plate-forme. Le contremaître vint examiner le chargement en compagnie du chauffeur de la locomotive et de l'ingénieur du train. Il donna un moment de répit aux hommes qui écoutèrent leurs supputations sur le poids de l'ensemble et que le marquis traduisait à mesure.

–La locomotive est une Atlantic qui doit peser dans les soixante-cinq tonnes, dit McNaught, le chauffeur, un personnage roux aux sourcils d'un blond blanc insolite.

–Et chaque plate-forme avec son chargement doit faire dans les vingt-cinq tonnes, jaugea Davis, l'ingénieur.

–Ce qui fera un total de cent soixante-cinq tonnes, conclut le contremaître.

–Le pont de Québec va savoir ce que c'est, les gros chars, hein ! s'exclama Charles quand il sut le poids présumé du chargement. J'aime autant rester icitte, moé, que d'aller avec ça sur le pont...

–Mais non, mais non, étira paternellement le marquis. Il en faudrait dix fois autant pour seulement faire frémir la structure.

–Oui, mais un régiment... c'est moins pesant...

–Ah ! mais de ce qu'il est... imperméable ! dit Henri qui rattrapa le mot "bouché" au dernier moment.

Et il renonça à recommencer son explication sur les mouvements oscillatoires dont le principe pouvait être appliqué non seulement au plan de la mathématique physique mais à celui des tentatives répétées qui conduisent l'individu à la réussite.

Le mieux, pensa-t-il, serait de convaincre Charles par le biais du défi, et de passer par son sentiment auquel ces gens frustres étaient bien plus perméables qu'aux raisonnements complexes... ou pas. Et puis, il montrerait à ces Canadiens le courage d'un Français... surtout quand il n'y a pas de danger. Troisième avantage de son geste : il pourrait rester assis jusqu'à la fin de la journée de travail, ce à quoi le poussait non point sa paresse mais son épuisement total.

–Je vais m'y rendre, moi !

–Vas-y si tu veux, moé, je reste icitte ! Mais t'iras pas. Tu pourrais peut-être ben pogner la fièvre jaune en chemin... ironisa Charles.

Piqué jusque dans la moindre de ses fibres françaises, toute hésitation disparut de l'esprit du marquis. Il s'adressa au contremaître à qui il ne put pourtant donner d'autre raison pour accompagner le chargement que ce défi lancé par l'ignorance du Canadien. L'homme sourit et accepta la proposition puisque de toute façon, il n'avait rien d'autre à lui confier pour l'heure qui restait.

Et Henri grimpa sur la troisième plate-forme puis sur le dessus de la plus haute cage de poutrelles où il s'assit et chargea sa pipe tout en plaisantant avec ses trois collègues.

–Je vous annonce que j'ai trente-huit ans aujourd'hui et que je ne suis pas encore rendu à la moitié de ma vie.

Toute cette inquiétude drapée de sourires grandissait néanmoins autant chez les responsables du train que chez les travaillants. Conscient des efforts énormes qu'avait requis cette journée-là et puisqu'il avait en quelque sorte accordé une heure de grâce au Français, le contremaître libéra aussi Charles et les frères Gagnon.

–Et alors, messieurs, vous n'accompagnerez pas le vieux schnoque sur le pont ? défia Henri une fois encore.

–Ben moé, j'y vas, déclara Anthime qui s'avança vers la plate-forme.

Télesphore le retint fermement par le bras et dit :

–Quoi c'est que ça va te donner de prendre un risque rien que par orgueil ?

–Si je meurs, je mourrai...

–Ben moé, je te dis que non... Tu te maries dans un mois; fais donc pas le fou pour rien !

Anthime haussa les épaules et recula... Une fois encore, le contraste frappait entre les deux frères : l'un prenait les choses à rire et l'autre s'en tenait à l'utile.

Le train bougea. On entendit la locomotive tousser. Les roues ne glissèrent même pas sur les rails tant le poids était grand et elles mordirent doucement fer contre fer. Le Français salua du bouquin de la pipe, le visage animé d'un large sourire supérieur.

–Maudit qu'on est mitaines ! se désola Anthime. Ma foi du saint bon Dieu, on va faire rire de nous autres par le Français pour le reste du temps qu'on va travailler icitte...

–Pouah ! il riait déjà, jeta Charles.

On suivit le convoi qui ne prit guère de vitesse puisque l'entrée du pont ne se trouvait pas bien loin : à quelques centaines de pieds tout au plus.

Le contremaître quitta la voie et prit le chemin montant des cabanes pour mieux voir en plongée la progression du chargement. Il nourrissait un mauvais pressentiment que la raison en lui ne parvenait pas à extirper. Depuis le début qu'il avait des doutes sur cet acier venu de Pittsburgh. Le meilleur de réputation pourtant, mais celui-là...

On le suivit et alors même que les trois Canadiens arrivaient devant leur cabane, le train entrait sur le pont. Partout dans la structure, l'on pouvait apercevoir des hommes affairés. Des gars qui rivetaient, boulonnaient, des Indiens qui couraient d'une poutrelle à l'autre en s'équilibrant de leurs bras allongés.

Et à mesure que la locomotive progressait sous sa colonne de fumée blanche montant à travers les pièces métalliques enchevêtrées, la honte augmentait chez Anthime et Charles. Seul Télesphore demeurait impassible et sûr de lui.

Le Français se mit debout sur la charge et se tourna vers la ligne des cabanes où il put voir ses collègues ébahis aux airs de pingouins, les bras avachis jusqu'en bas des genoux. Il salua de la pipe puis, pour se moquer un peu et se faire comprendre, il exécuta deux trois petites steppettes dans une danse qui imitait ces pas que faisait parfois Charles pour se rendre intéressant, et qui n'étaient rien d'autre qu'un extrait de gigue simple dont ces Canadiens raffolaient dans les soirées.

Le nez de la locomotive arrivait maintenant à hauteur du pilier en eau profonde. Anthime et Charles haussèrent les épaules et s'apprêtèrent à entrer dans le petit camp. Télesphore gardait l'oeil rivé sur le train. Et le contremaître un peu plus bas faisait pareil. Soudain l'impossible se produisit. Toute l'arche en un seul instant donna le spectacle effroyable, impossible, de quelque chose qui s'amollissait.

—Ah ben maudit torrieu, on dirait que le pont grouille ! s'écria Télesphore déserté par son calme, et qui refusait de se fier complètement à ses yeux.

Ses compagnons tournèrent la tête. À temps pour voir le Français qui, bras levés et jambes écartées, parut un moment interdit tout comme la structure elle-même qui, l'espace d'un éclair, demeura comme suspendue à sa propre faiblesse, à sa mollesse, à son devenir de l'épouvante. Cet instant, cette fraction de temps fut d'un silence absolu comme si la fixait sur pellicule le destin devenu photographe. Les cris des hommes n'étaient encore qu'à l'arrière des bouches bées; ceux de l'acier paressaient dans l'obéissance. Déjà réduite, la vitesse du train arriva au point zéro. Pas de souffle de la chaudière. Pas même de vent qui chuchote quelque part. Une disamare passa sans bruit devant le nez de Charles dans un tourbillon discret comme si elle eût été la seule chose en mouvement d'un univers au souffle arrêté...

—Ah ben maudit torrieu ! répéta Télesphore dont la voix

enrouée sembla redonner au cours des choses sa dimension temporelle.

Tout à la fois se firent entendre grincements du métal, bruits mats de chocs de poutrelles, hurlements humains. Dans un ensemble sourd car le métal, lourd et relié au métal, n'eût pu vibrer et parce que son fracas immense et pesant coupait net, tranchait les cris stridents d'appels à l'aide ou à la miséricorde du ciel.

Le dernier regard de Télesphore sur ce qui n'était pas encore fouillis indescriptible, mort et catastrophe, le fut sur le marquis et il lui parut que l'homme avait fait son signe de la croix.

Aussi brève qu'elle fut, cette pensée ne dépassa pas le temps requis pour que le fatras chaotique s'écrase dans l'eau bouillonnante du fleuve.

Tout alors se termina très vite. Un dernier faible sifflement de la locomotive s'enfonçant et qui valut un peu de vapeur sur l'eau, un amas de poutres cédant à une pression et bougeant encore, mais pas un seul cri d'effroi d'un des quatre-vingts hommes emportés par la mort. Tous assommés, broyés, écrabouillés, anéantis : pas un que le métal tordu n'ait épargné.

Le corps du marquis fut décapité, démembré, entièrement défait comme une mouche sur laquelle s'abat une masse d'acier. On n'en retrouverait même pas de sang que l'eau des prochains jours laverait à tout jamais.

Tout redevint calme. La quarantaine d'hommes témoins de l'accident demeurèrent figés sur place. Certains priaient en silence. D'autres attendaient comme des pantins qu'on vienne leur dire quoi faire, quoi penser. Puis ce fut un lent mouvement les uns vers les autres. L'on se regroupa comme mu par un immense besoin de se serrer les coudes dans une démarche craintive, religieuse, superstitieuse. Un contremaître canadien fit un court laïus. Il invita les hommes à la résignation et à la prière. Et il les amena à penser que leur survie constituait un grand miracle dont ils ne devraient pas oublier de remercier le ciel pendant toute leur vie naturelle.

Puis Charles et les frères Gagnon reprirent le chemin des cabanes. Ils ne s'échangèrent pas un seul mot et avant de pénétrer à l'intérieur, tous trois jetèrent un coup d'oeil sur l'immense tas de fer tordu et sans nom qui restait au-dessus de l'eau comme une sorte de témoin à la fragilité de la matière et des ouvrages des hommes. C'est comme si on avait voulu vérifier l'authenticité du cauchemar.

Le silence dura longtemps, chacun assis sur une chaise droite et réfléchissant, la tête quasiment entre les genoux. Télesphore fut le premier à revenir aux exigences du quotidien. Il prit la valise du Français sous sa couchette et la posa sur la table en disant à voix blanche :

—Va falloir trouver son adresse pis écrire une lettre à sa famille...

—Doivent l'avoir à l'office de la compagnie, son adresse, supposa Charles.

—On se fiera pas à eux autres pour la lettre...

*

Pas un ne se rendit au pavillon de la couquerie; pas un n'avait faim.

À la brunante, Charles partit seul prendre la fraîche. Il traversa le chemin et fit une trentaine de pas jusqu'à un érable près de la falaise d'où il pouvait voir à ses pieds l'effritement des rêves de quatre-vingts hommes.

Il s'assit, s'appuya à l'arbre, se souvint. En même temps qu'il se rappelait diverses attitudes et toutes sortes de discours du marquis, il prenait des disamares jonchant le sol tout autour et, une à une, il les mettait dans sa main puis soufflait dessus comme pour les projeter jusqu'à sur les lieux de la catastrophe; mais le plus souvent, après avoir franchi une faible distance, elles revenaient vers lui. Il s'obstinait; elles s'obstinaient.

Et en sa tête, une phrase s'obstinait aussi, le harcelait à cause de son évidence dans le cas du Français qui l'avait dite et par son côté prémonitoire : «C'est leur manque de jugement qui tue les hommes !»

Le marquis était mort de fierté. De fierté personnelle et de fierté nationale. Mais mort quand même !

Pourtant Charles avait une dette envers sa mémoire.

C'est la raison pour laquelle il s'était offert pour écrire la lettre à sa famille.

*

Au matin suivant, on télégraphia à Fortierville pour faire savoir qu'on était sains et saufs.

On attendit trois jours. Rien ne se produisit sauf que les gens affluaient sur les deux rives pour "admirer" le spectacle et obtenir gratuitement les plus grands frissons de toute leur existence passée et à venir. Et l'émoi devenait prière. Les prêtres interrogeaient les gens et les images, cherchaient des miracles, en trouvaient, les répétaient, les amplifiaient, déclamaient des versets bibliques appropriés. Et ils bénirent à deux mains et sur les deux rives : le fleuve, la construction du côté nord, les hommes sauvés par la main de Dieu; et on pria pour les quatre-vingts victimes de la fatalité. Seule la ferraille fut ignorée du Seigneur et des hommes. Elle aurait bien son temps.

Les jeunes gens de Lotbinière attendaient leurs gages pour s'en aller. Le paie-maître de la compagnie leur dit alors que leur argent leur parviendrait par la poste. On refusa de partir. L'homme dut avouer qu'à cause du désastre, la compagnie était maintenant insolvable et qu'elle ferait sans doute faillite sous peu...

*

Louise et Gédéon avaient gardé la chambre du haut. On ne voulait pas voir Marie-Anne voyager dans l'escalier matin et soir avec un bébé dans les bras. Ce pouvait être dangereux et ce n'était pas d'adon du tout. Télesphore, espérait-on, approuverait, même si son "chez-eux" à lui pour dormir, c'était là haut.

Marie-Anne finissait d'allaiter le bébé dans la chambre quand à travers le rideau transparent qu'elle laissait pendre pour la pudeur, elle aperçut là-bas sur le chemin, les trois formes d'homme, aisées à reconnaître même d'aussi loin. Son coeur s'accéléra. Elle était contente qu'ils reviennent en bonne santé. Bien entendu qu'ils avaient télégraphié mais tant de rumeurs circulaient depuis trois jours. La nouvelle de l'écroulement du pont voyageait aller et retour sur toutes les lèvres et s'allongeait. Tous les hommes étaient morts sauf de rares exceptions. La compagnie faisait croire aux familles que les leurs étaient saufs. Charles vivait puisqu'il avait envoyé le message mais Télesphore, mais Anthime...

Puis elle goûtait par anticipation au plaisir ressenti quand elle leur montrerait Marie-Jeanne. Télesphore ne le ferait peut-être pas trop voir, mais elle saurait bien lire de l'intérêt au fond de ses yeux. Après tout, c'était leur premier enfant.

Elle mit un terme à la tétée avant sa fin normale. Le bébé grimaça un peu, mais s'en accommoda. Et elle le coucha dans son ber aussitôt qu'il eut éructé dans ses bras après quelques tapes douces dans le dos.

Ensuite elle accrocha le rideau pour mieux voir et berça la petite en chantonnant, penchée vers elle, sa mèche de cheveux rebelle ballottant sur son front.

–C'est Marie-Anne dans le châssis, fit Anthime avec de l'expression dans la voix, comme si la jeune femme eût été la sienne.

Télesphore demeura silencieux.

–Je pense qu'elle nous a vus : elle regarde vers nous autres, dit Charles qui leva le bras et secoua sa main.

Marie-Anne répondit puis elle se rendit avertir ses beaux-parents dans la cuisine. On entendit le chien japper dehors. Louise remarqua la nervosité de sa bru. La jeune femme marchait de long en large entre le mur de la chambre et la table. Le bébé rechigna. Elle accourut. Il ne fallait pas que Télesphore soit accueilli par des pleurs d'enfant. Peut-être valait-il mieux prendre Marie-Jeanne dans ses bras. Pour qu'elle se taise et puis pour la mieux montrer dès leur entrée dans la maison.

Enfin, ils arrivèrent. Entrèrent par devant, par la porte du fournil que Télesphore avait dessein de boucher parce qu'au fort de l'hiver, elle laissait entrer trop de froid en dedans. Près de l'autre porte entre les deux parties de la maison, Gédéon les reçut à voix pointue qui glissa le long du bouquin de sa pipe fumante :

–Comment ça, mais vous êtes pas dans le fin fond du fleuve, vous autres ?

Les trois jeunes gens éclatèrent en même temps.

–Une affaire épouvantable...

–Je reverrai jamais ça de ma vie, moé...

–Le Français des vieux pays qui vivait avec nous autres, il s'est fait écrapoutir comme une mouche...

Louise, assise à table, s'écria :

–C'est le bon Dieu qui vous a sauvé la vie, vous autres.

–Ça, c'est certain ! affirma Télesphore.

Près du poêle éteint, Marie-Anne berçait Marie-Jeanne enfouie dans un paquet de langes.

–Ben venez vous assire pis nous conter tout ça, dit Gédéon.

Les hommes laissèrent pochetons et valises dans le fournil et ils se dispersèrent dans la grande cuisine. Télesphore prit place au pied de l'escalier. Anthime étira ses longs membres sur une berçante un peu plus loin. Et Charles fut le seul à se rapprocher de la jeune mère à qui il déclara avant de s'asseoir sur une chaise droite qu'il recula de la table :

–C'est pareil comme si la tour Eiffel s'était effoirée devant nous autres, hein Anthime !

Marie-Anne n'osait trop lever les yeux maintenant qu'ils étaient là, comme si elle avait eu honte de se trouver avec un bébé dans les bras à vouloir le montrer tandis qu'il se passait des choses si importantes dans le monde. Dans cinquante ans, dans cent ans, on parlerait encore de l'écroulement du pont de Québec, mais qui se rappellerait la naissance de Marie-Jeanne Gagnon qui serait peut-être morte et enterrée depuis longtemps ?

Anthime fut le seul à dire un mot du bébé. Télesphore se drapa d'indifférence. Et Charles, lui, était emporté par l'exaltation, par la fierté qu'il ressentait d'avoir eu la sagesse d'écouter ses craintes avant la catastrophe et d'avoir sans doute sauvé les deux Gagnon qui, selon lui, auraient aisément suivi s'il avait décidé, lui, d'accompagner le Français, surtout pour défendre l'honneur des Canadiens français...

Et c'est là qu'Anthime dit cette parole :

–C'est une fille que t'as eue, hein Marie-Anne ?

Elle acquiesça d'un signe de tête et jeta un coup d'oeil vers Télesphore qui s'adressait à son père resté debout près de lui.

Louise répondit pour Marie-Anne :

–Une belle fille qui s'appelle Marie-Jeanne.

Mais sa phrase fut noyée par les émois racontés.

Et c'est ainsi que la fragile existence de Marie-Jeanne Gagnon fut noyée elle aussi ce soir-là au fin fond du fleuve de l'âme des hommes sous un amas de souvenirs beaucoup plus importants... quoique sévèrement tordus...

*

On apprit une bien triste nouvelle.

Le lendemain même du baptême de Marie-Jeanne, le curé Moreau en visite au moulin Laquerre avait subi un accident sérieux. S'étant approché trop près des machines, son vêtement s'était pris dans les engrenages des roues et sans sa grande force, et peut-être une intervention miraculeuse du ciel, il serait mort : échiffé là.

Mais depuis ce jour, le prêtre était si malade, en état de choc que l'évêque avait dû nommer deux vicaires desservants jusqu'au retour à la santé du pauvre prêtre.

*

Trois semaines plus tard, Anthime arrivait à l'église de fort bon matin. Avant d'entrer, il s'étira le cou pour le libérer un peu de sa prison de celluloïd puis rajusta sa cravate pâle tout en regardant le coeur du village de Fortierville, le chemin de terre qui s'en allait, bon et dur, jusqu'à Sainte-Sophie, le magasin général de l'autre côté de la rue, de belles maisons à deux étages bien alignées dans les deux directions et tous ces arbres qui étendaient sous ses pieds un tapis de feuilles multicolores.

L'image se grava pour toujours en son âme. Ce jour entre sa naissance vingt ans plus tôt et sa mort Dieu seul savait quand serait le plus important de sa vie donc le plus mémorable.

D'un gousset de sa veste, il sortit sa montre et lut l'heure.

Alors il entra résolument dans l'église pour aller se marier...

*

Quatre milles plus loin, tout juste après les limites de Fortierville, dans une maison qui ressemblait fort à celle des Gagnon tant du dedans que du dehors, Marie-Anne Houde finissait de s'habiller.

En l'église de Sainte-Sophie, cette journée-là, elle épouserait Napoléon Gagnon, son seul prétendant depuis qu'elle était en âge de se faire fréquenter jusqu'à ces dix-sept ans qu'elle avait maintenant.

Sa chambre se trouvait être dans le même coin de la grande maison où, chez les Gagnon à Fortierville était ce banc que Marie-Anne Caron-Gagnon avait en horreur. De sa fenêtre à guillotine qu'elle ouvrait souvent depuis la fin des mouches, elle pouvait voir sous l'excédage du toit ce nid d'hirondelles dans lequel deux jeunes oiseaux arrivaient au point de s'envoler.

Tout l'été, Marie-Anne Houde avait déposé des miettes de pain sec sur la tablette du châssis et les hirondelles s'en étaient copieusement alimentées croyait-elle, alors que le vent, le plus souvent, charriait les morceaux légers et les essaimait dans la nature pour d'autres volatiles.

Au printemps, quand le couple commença à construire son nid, elle voulut les en empêcher pour ne pas risquer de ces souillures blanchâtres et vert-de-gris dans les vitres, elle si scrupuleusement propre, mais elle remit la tâche de jour en jour et finalement, le nid de boue séchée fut complet. Alors elle laissa faire. Et puis la perspective de son prochain mariage l'attendrissait; c'est pourquoi plutôt de chasser les oiseaux, elle se mit à les nourrir.

À l'éclosion des oeufs, elle écouta les cris. Elle surveilla les becs ouverts et quémandeurs dans l'entrée du nid. Il lui sembla qu'il s'y trouvait quatre oisillons. Par une journée de chaleur insupportable, deux petits tombèrent du nid et se tuèrent sur les pierres qui dépassaient du solage. Alertée d'avance par les cris stridents, la jeune fille suivit les événements et elle put se rendre compte que la mort des oisillons ne fut pas accidentelle puisqu'ils avaient été expulsés du nid et jetés en bas par les deux autres.

Cruauté provoquée par la chaleur ou bien acte de survie : elle ne se posa pas la question, mais le drame lui apporta du plaisir. De ces mêmes vibrations qu'elle ressentait parfois quand son chat broyait entre ses dents une souris dont les petites pattes se figeaient alors dans la mort. Telle était la vie. La loi du plus fort était la meilleure, la plus noble, la plus naturelle. Il fallait survivre ou périr.

Elle se recula pour se mieux voir dans le miroir ovale. Sa robe noire tombait bien. En hochant sèchement la tête, elle la détailla. Une encolure blanche se perdait sous une large dentelle autour du cou et en cercle sur le devant. L'agrémentait une fine chaîne d'argent qui portait un petit crucifix en chrome. Le bustier comptait trois plis verticaux de chaque côté d'un parement orné de fanfreluches en dentelle dont on retrouvait quelques paires çà et là sur la jupe longue. Et la manche bouffante se faisait étrangler au poignet par une pagode s'évasant en des plis paresseux.

Et ses cheveux étaient coiffés comme ceux de toutes les femmes à la mode depuis de nombreuses années : une raie au milieu jusqu'au fond de la tête et qui donnait naissance à des vagues terminées en pointe.

Elle ne se sentait ni fière, ni triste, ni émue, ni contente, ni malheureuse, ni effrayée. C'était le jour de son mariage. Et voilà ! Sa tranquillité d'esprit suivait une dure période où pendant quatre jours entiers, elle avait subi une violente migraine, pire que dans les pires temps de sa méningite quatre ans auparavant.

Une voix d'homme lui cria :

–Marie-Anne... nous reste encore un quart d'heure, vingt minutes...

–Je vas être prête, je vas être prête, fit-elle de sa voix sèche qui débitait les phrases tout d'une venue.

Elle l'était déjà et se demanda à quoi dépenser ce temps qui restait avant leur départ pour l'église pour tromper son peu de ferveur à s'y rendre.

Dans son vol gracieux, une hirondelle quittant le nid décrivit un cercle devant sa fenêtre et Marie-Anne trouva réponse au vide qui l'environnait. Elle ouvrit la fenêtre, sortit la tête dans l'air frais de septembre et tordit le cou pour regarder le nid.

–Pit, pit, pit, pit, pit, pit, chanta-t-elle aux petits ailés qui l'ignorèrent tout à fait.

Mais leur mère entendit depuis l'arbre voisin où elle s'était arrêtée et elle fonça sur l'intruse qu'elle frôla dans un bruit d'ailes agressif. Marie-Anne recula brusquement et se cogna la nuque, mais elle n'en ressentit aucune douleur sinon à son amour-propre.

–Espèce d'ingrate que j'ai nourrie tout l'été ! dit-elle au

133

volatile qui tournait en cercle et plongeait sans cesse vers elle.

Sa décision du printemps de dénicheter les oiseaux revint à la jeune femme. Maintenant qu'elle vivrait deux terres plus loin avec son mari, qui donc nettoierait la maison paternelle puisque sa mère était décédée et que son père n'avait pas beaucoup de prétention à un nouveau mariage ? Et quelle femme voudrait entrer dans une maison aux vitres pleines de fiente ? Et puis, il était temps que les hirondelles partent pour l'hiver.

Elle descendit chercher un balai d'aulnes et revint avec le dessein d'utiliser le manche pour défaire le nid, mais à peine le bout arrivait-il à toucher la boue, et encore devait-elle s'étirer le corps à en culbuter en bas pour se casser la tête comme les oisillons déjà.

L'hirondelle atteignit le paroxysme de sa colère et de sa peur et elle ne cessa d'attaquer dans les cris les plus aigus que son gosier parvenait à composer. Si bien que Marie-Anne dut essayer de l'atteindre avec le balai.

—Tu vas voir ce que tu vas voir, ma tannante ! dit-elle alors qu'une idée surgit dans sa tête.

Elle redescendit et courut à la grange chercher une fourche à foin à long manche et à trois fourchons. Quand elle rentra, son père qui se berçait en fumant sa pipe dans son habit serré, s'étonna :

—C'est que tu fais donc là ?

—Occupez-vous pas !

—Ben oui mais...

—Je m'en vas défaire le nid d'hirondelles.

—Je le ferai...

—Ben non, vous allez l'oublier...

Il dit autre chose. Elle disparaissait déjà dans l'escalier. La mère hirondelle avait disparu. Ce serait moins énervant. Marie-Anne émergea une fois encore de la fenêtre, elle prit les deux fourchons et put frapper du manche la maison des oiseaux dont il tomba aussitôt des morceaux.

Elle n'arrivait qu'à racler la paroi, et seulement des résidus superficiels s'en détachaient. À ce rythme, elle aurait le temps de se marier et de tomber veuve avant d'en finir avec sa tâche. Pendant qu'elle tournait son outil de bout, l'hirondelle quitta le nid, s'enfuit sans l'attaquer, et disparut au-dessus du toit.

Un premier coup de fourche pénétra le nid. La jeune femme appliqua une torsion et un large morceau de la paroi tomba. Elle frappa encore et le coup fut tout aussi efficace. Mais le suivant rata son objectif et seulement un fourchon transperça le nid. Alors un oisillon fut ou bien rejeté par l'autre, ou heurté par l'acier, ou paniqué, ou peut-être tout cela à la fois et il tomba en tournoyant. Chuta, chuta et allait frapper le sol quand soudain ses ailes se déployèrent; il rasa des herbes mortes puis reprit de l'altitude.

Le quatrième coup piqua l'autre oiseau, l'éventra, lui perça la tête, l'empala de bout en bout, et si bien que son corps demeura accroché au fourchon de droite. Tomba la plus large portion du nid. Marie-Anne finit le travail puis elle ramena la fourche et ôta le corps défait de l'oisillon qu'elle rejeta dans les ronces plus loin. Elle essuya le sang de ses doigts sous la tablette du châssis puis eut l'idée de jeter la fourche en bas plutôt de la redescendre par l'intérieur.

L'objet atterrit debout à côté du cadavre de la jeune hirondelle et resta planté là en oscillant.

Une heure plus tard, la future mariée descendait de voiture à côté de l'église de Sainte-Sophie. Tandis que son père attachait le cheval, elle se dépêcha de se rendre sur le perron. En fait, c'était sa nervosité naturelle qui l'emportait et non pas une excitation que son mariage ne provoquait d'ailleurs pas. Contrairement à Anthime Gagnon qui, à Fortierville, deux heures auparavant, avait glané sa dernière image aux environs de l'église, Marie-Anne Houde, elle, s'intéressa particulièrement à la façade du temple, car elle était une bonne croyante.

Là-haut, en belles lettres dorées, était écrit 1901. Plus bas, dans une niche, une statue, les bras ouverts, souhaitait la bienvenue aux fidèles.

—Une belle bâtisse, hein ! lui dit Trefflé qui avait travaillé tout un été à l'érection de l'église six ans plus tôt, et que l'oeuvre rendait fier.

–Les hirondelles des granges, y'en a pas rien que dans les granges pis après les maisons des rangs, regardez... Y a un nid là, là, au pied de la statue...

–J'espère qu'on se fera pas chier sur la tête en sortant...

******

Église de Sainte-Sophie
où la marâtre épousa
son premier mari

Chapitre 8

Deschaillons, août 1908.

–Regarde ça, mon Télesphore, la ligne de vent est nette; on voit son tracé aussi loin que la vue peut voir...

Petit, chauve et noir, le nez soutenu par deux grosses rides épaisses, l'homme qui parlait remit son chapeau sur sa tête après avoir essuyé son front avec la manche de son sous-vêtement encrassé. Il faisait chaud et il avait ôté sa chemise.

Les trois hommes examinaient les dégâts d'un ouragan qui s'était tracé un couloir dans la forêt, y arrachant les arbres les plus faibles, en inclinant d'autres, massacrant le feuillage puis se ruant sur une prairie semée d'avoine qui était maintenant écrasée, couchée par ondains énormes, sortes de tourbillons gigantesques comme si un personnage cent fois plus gros et haut que le géant Beaupré s'y fut amusé à courir, à s'asseoir et à se coucher. Puis le vent avait frappé la grange, la décapitant de son comble anglais et essaimant les morceaux sur plusieurs centaines de pas tout autour.

Ce courant d'air exceptionnel s'était perdu ensuite dans une volonté moins destructrice pour s'effacer sans doute quelque part au-dessus du fleuve. Le sinistré se comptait chanceux que la maison n'ait pas été frappée aussi.

–Là, ce que je veux lever comme grange, c'est une bâtisse avec un comble français. D'abord, c'est plus beau pis on dit que c'est plus solide pour casser la force du vent.

Le voisin d'Arthur Leboeuf parlait en s'adressant de préférence à Télesphore qui lui avait été hautement recommandé par Arthur comme ouvrier principal pour lever une nouvelle bâtisse en remplacement de la grange perdue. Et, mis en confiance aussi par la personne de Télesphore, sa stature et son calme, il l'avait engagé pour mener les travaux de reconstruction jusqu'au milieu de septembre. Arthur fit un commentaire :

–Un ouragan de même, ça survient une fois par siècle, pour ben dire.

Le voisin leva les mains, pencha la tête :

–Ah ! on sait jamais, on sait jamais...

Télesphore retira le bouquin de sa pipe de sa bouche et cracha dans un jet qui retomba sur des bardeaux éclatés. Il jeta tranquillement :

–Moé, j'aime mieux travailler sur un comble français; ça fait qu'on va ben s'entendre.

–Je dirigerais ben, mais autant vous dire pis Arthur le sait, que moé, j'ai pas été école; ça fait que je sais pas compter pantoute... Pis quand on sait pas compter, ben on sait pas mesurer pis équerrer... Mon petit Gagnon, c'est pour ça que t'es là...

Arthur prit la parole :

–Pis Télesphore, il est capable de mener du monde.

–Ça nuira pas.

Il fallait d'abord récupérer de la vieille bâtisse ce qui avait gardé de la valeur : poutres, bardeau, planches. Puis raser le carré. Tout ramasser sur un tas dont on ferait plus tard du bois de poêle avec la scie ronde. Simultanément, des hommes se rendraient bûcher dans le haut de la terre puis les billes coupées seraient transportées au moulin à scie du village et transformées en poutres, en deux par quatre et en planches. Lorsque tout serait prêt, un dimanche, avec la permission du curé qui d'ailleurs viendrait lui aussi donner quelques coups de marteau, une corvée permettrait à une bonne trentaine d'hommes de lever le gros oeuvre de la bâtisse en une seule journée.

Aux aurores du jour suivant, Arthur, Télesphore et un troisième homme partirent pour le haut de la terre avec un cheval et une chaîne à billots ainsi qu'une voiture basse à petites roues avec laquelle on sortirait le bois de la forêt. On emporta les outils requis : hache, sciotte, godendard, crochets à pulpe. Trois jours de bûchage suffiraient selon les calculs de Télesphore. Et s'il fallait plus, on verrait au fur et à mesure de la construction de la grange.

Une première épinette fut abattue, ébranchée, tronçonnée à la longueur requise, puis chaînée et halée jusqu'au chemin où se trouvait la voiture basse. Une deuxième suivit, une troisième. Et alors se produisit un accident stupide que Télesphore aurait pu éviter s'il n'avait été distrait par ces images comparées de l'étenderie des morceaux de la grange frappée par l'ouragan et de celle du pont de Québec, séparées par tout juste une année. Si le marquis était là, il serait content que l'on veuille remplacer un comble anglais par un comble français, était-il à se dire quand arriva l'incident...

Arthur enchaîna le tronc coupé et il clappa. Le cheval se mit en marche. Mais il fallait tourner un peu pour aller vers le chemin et les forces en présence firent en sorte que le billot roula, sur des racines montantes, jusqu'au tronc d'un arbre debout et qu'alors s'inversa obligatoirement le sens de son mouvement. Il roula à contre-sens et vivement puisque tiré fort et son extrémité faucha les jambes de Télesphore un peu au-dessus des chevilles, projetant le jeune homme plus loin où il tomba assis.

–Maudit torrieu ! fit-il en se touchant la jambe gauche, je pense que c'est cassé pis ben cassé itou...

Il sentait les bouts des os qui gravouillaient l'un sur l'autre au-dessus de la cheville. Son teint devint blafard. Arthur accourut. Télesphore répéta ce qu'il avait dit. Il fallait transporter le blessé à la voiture basse. On le prit par dessous les bras; il s'aida de sa jambe valide et tout le temps que dura le transport, il ne cessa de s'en vouloir et de se mordre les pouces :

–J'avais rien qu'à m'ôter de là. Une coche mal taillée :

141

pas disable ! Quarante jours à rien faire ! Cré torrieu ! Qui c'est qui va lever la grange à Potvin ? Pas chanceux trop trop dans le mois d'août, moé, là ! L'année passée, je viens proche de me faire écrapoutir au pont de Québec pis là...

Il fut emmené à la maison. On prit la décision de le conduire à Parisville chez le docteur Lafond. «Un jeune docteur qui connaît les meilleures manières, dit quelqu'un, pis c'est pas plus loin que de descendre au village de Deschaillons.»

Jeune, grand et fort bel homme, souriant et jasant, le docteur Lafond posa des attelles de bois sur la jambe de son patient. Mais malgré ses bons soins, Télesphore ne le trouva pas trop d'adon. Trop minutieux peut-être, trop maniéré comme le Français de l'année d'avant.

Arthur ramena son beau-frère chez lui et lui prêta les béquilles de la maison. Il le reconduirait à Fortierville le dimanche suivant ou si Télesphore le voulait à tout prix, il pourrait toujours se faire conduire par Séverine. Mieux valait que pour au moins quelques jours, il restât sans bouger la jambe pour que l'os reprenne à la bonne place et ne pas risquer de rester boiteux comme l'infirme à Beaudoin du rang sept à Fortierville. Séverine fit donc preuve d'autorité et le garda.

*

Marie-Anne traversait une période hémorragique sans précédent. Exilda lui dit que le docteur Lafond viendrait visiter plusieurs malades du village ces jours-là et elle lui conseilla de se faire voir. La jeune femme refusa, mais on agit dans son dos et pour son bien. Et au milieu de la semaine, le docteur se présenta. Il donna un remède et surprit tout le monde en dévoilant l'accident survenu à Télesphore.

Sa visite soulagea Marie-Anne au bout du compte. Il y avait de la confiance dans le liquide rouge du petit flacon. Et puis pendant que son mari récupérerait, elle aussi pourrait laisser reposer son corps vacillant qui en avait grand besoin.

*

Télesphore passa le temps à jongler. Séverine ramena du village la nouvelle que Laurier avait déclenché des élections et qu'il y aurait un énorme ralliement à Arthabaska le trois septembre. Le premier ministre prendrait alors la parole à la sortie de la messe, avec le perron de l'église comme tribune électorale. On disait que des partisans de cinquante milles à la ronde afflueraient dans le village même où résidait le célèbre homme d'État canadien-français et où il avait choisi de donner le coup d'envoi de sa campagne électorale qui conduirait son train d'un bout à l'autre du pays jusqu'au jour de l'élection, le vingt-six octobre.

–Maudit torrieu ! de ce que je voudrais donc y aller ! lança le jeune homme que Laurier rendait fier, lui comme tant d'autres.

Impossible de voyager à Arthabaska en voiture, la distance frisant les trente milles. Il aurait donc fallu pas loin d'une journée rien que pour s'y rendre. Seul le train le permettait. Télesphore fit à nouveau le trajet dans sa tête. De Fortierville, il fallait aller à Villeroy; de là, repartir vers le sud sur un second train qui filait droit à Victoriaville. Et une fois là-bas, suffisait de se faire conduire à Arthabaska à pas trois milles.

Il fallait cette perspective d'élections et une jambe cassée pour que Télesphore se laissât emporter pareillement sur le train de ses sentiments.

Et plus il jongla, plus son désir de se rendre à Arthabaska le dimanche en huit augmenta jusqu'à s'arrêter le samedi en une décision finale.

Dès son arrivée à la maison, tandis qu'on se mettait à table, il en fit part à Marie-Anne et à ses parents.

La jeune femme craignait la dureté pour elle d'une si longue journée, mais elle souleva plutôt ses appréhensions quant à lui :

–En béquilles de même, si tu te fais bousculer, ça pourrait être dangereux. Dans une grosse foule, on sait pas ce qui peut survenir.

–C'est justement le contraire, le monde, ils font plus attention quand ils s'approchent d'un éclopé comme moé.

Télesphore proposa à ses parents d'aller avec eux autres voir l'homme politique, mais Gédéon s'y refusa. Il avait toujours voté pour Laurier. mais il ne se sentait plus d'âge de courir au loin à une assemblée publique.

Ce soir-là, Marie-Anne coucha en haut avec Marie-Jeanne

dans le lit occupé jadis par Anthime. Et elle fit pareil toute la semaine. Autrement, elle aurait pu sans le vouloir, donner un coup de pied sur les attelles de la jambe dans la nuit et déranger la fracture. La docteur l'avait fortement recommandé pour quatorze jours et comme seulement six s'étaient écoulés depuis l'accident... Les Gagnon imposèrent l'ordre du docteur malgré quelques grognements de Télesphore qui accepta néanmoins.

*

Le soleil couchant annonça du beau temps pour le lendemain.

Comme la religion exemptait les voyageurs de leur devoirs dominicaux, on monta sur le premier train de l'aube. Et l'on se rendit à Victoriaville tel que prévu.

Partout, c'était noir de monde. À la gare tout d'abord où ce train venu de Québec déversa plus de cent personnes. Puis un autre du sud y laissa autant de gens. Des voitures circulaient, allaient sur la voie principale en direction d'Arthabaska. Un superbe soleil frais faisait éclater les toilettes des dames, surtout les chapeaux flamboyants qui chatoyaient de toutes leurs couleurs. Les têtes des femmes donnaient l'air de grands oiseaux fiers comme des paons, prêts à s'envoler, et Marie-Anne en fut embarrassée, elle dans sa simple robe de noce et avec seulement ce minable ruban de toujours dans les cheveux.

Plusieurs voitures à deux, trois ou même quatre sièges servaient de taxi aux couples venus par train. Télesphore ne voulut pas être en reste et il s'approcha de l'un d'eux. Le cocher, un homme joufflu, moustachu et melliflue demanda deux piastres pour l'aller et retour, mais il faudrait payer le double si on ne voulait personne d'autre sur le second siège.

—Ah ! on est ben parés à voyager avec d'autre monde, s'empressa de dire Télesphore.

Du haut de sa banquette, le conducteur examina son homme de pied en cap en ayant l'air de questionner. Ce qu'il fit sur un ton qui pointait l'index dans l'estomac :

—Grand comme que t'es pis emmanché comme ça, t'aimerais pas mieux voyager tout seul avec ta femme ?

Marie-Anne intervint :

144

–Ah ! moi, suis petite. Je prends juste un petit coin sur le siège. Il va pouvoir s'étendre la jambe comme il faut.

–C'est pour vous autres que je disais ça, rien que pour vous autres...

Sur les entrefaites, un autre couple à la recherche d'une voiture se présenta. Des gens de Lotbinière. Un jeune avocat aux cheveux minces mais au crâne bourré d'ambitions politiques et fort à l'aise dans son col de chemise, et qui aida Télesphore à prendre place sur la banquette. Sa femme qui portait maquillage et un gros point noir sur une joue, demanda elle-même au charretier de faire un détour par la rue des magasins. Même si cette ville était infiniment petite par rapport à Québec où elle se rendait une fois par mois au moins, elle voulait en lécher les moindres vitrines.

Et lentement de chaque côté de la voiture, les vitrines défilèrent, chargées de robes, de manteaux, de chapeaux, de bottines, marchandise qui éblouissait Marie-Anne mais que l'autre jeune femme trouvait bien ordinaire et ennuyeuse. Du reste, elle portait des atours dignes de Londres ou Paris : une robe bien baleinée, un superbe jabot de soie et un énorme chapeau de plumes aux multiples couleurs sombres.

Par bonheur, elle n'affichait pas d'airs supérieurs même quand on sut que les Gagnon étaient des cultivateurs. Son mari lui avait enseigné à montrer du respect, du moins en leur présence, aux gens des petites classes qui possédaient une immense qualité égale à celle des plus riches et des plus puissants : leur voix électorale. Et même si les femmes ne votaient pas, bien entendu, il fallait aussi les considérer car plusieurs, selon les dires les plus éclairés, exerçaient une certaine influence sur leur mari.

–C'est quoi votre nom déjà ? demanda Télesphore quand il sortit de son embarras après être resté longuement silencieux alors que l'autre jeune homme parlait sans arrêt de tout et de rien, du beau temps, de l'importance de ce ralliement et de l'immense personnalité de Laurier.

–Francoeur. J.-Napoléon. Francoeur...

–Ah !

Le regard de Télesphore se promena au loin dans la verdure. On arrivait sur la longue rue des Bois-Francs bordée d'arbres encore verts et sur laquelle régnait une animation plus grande encore qu'aux environs de la gare.

Les voitures se suivaient de proche. On en rencontrait qui revenaient vides d'Arthabaska avec seulement le conducteur. Les moyeux des roues claquaient. Des chevaux hennissaient en se croisant : comme une manière d'ôter leur chapeau. Des voix se criaient des slogans libéraux. La plupart des gens dehors venaient d'ailleurs car les citoyens de Victoriaville assistaient à la grand-messe dans leur église tout comme ceux d'Arthabaska entouraient leur bien-aimé premier ministre pour recevoir les bénédictions toutes particulières du Seigneur dans le temple paroissial. Il avait été entendu entre les curés que la messe de Victoriaville prendrait fin un quart d'heure avant l'autre pour donner leur chance aux citoyens d'aller voir ce prestigieux voisin qui somme toute se faisait rare dans les parages malgré que sa résidence y était.

–On dirait quasiment que le coeur du Canada... c'est icitte, s'exclama soudain Télesphore comme inspiré.

Surpris par le bon sens de l'observation, l'avocat ne le fit pas voir et il la mit dans ses goussets pour utilisation ultérieure à son propre compte, car il avait dessein de se présenter député de Lotbinière très prochainement.

Les milles furent vite franchis en si agréable compagnie. L'on fut bientôt devant la maison du premier ministre : carrée, majestueuse, imposante dans sa brique rouge, et toute ombragée par de nombreux grands érables mêlés d'ormes. Des miliciens empêchaient les gens de pénétrer sur le terrain pour éviter les dommages et les ravages. D'ailleurs les voitures étaient dirigées plus loin, vers l'église où l'on fut bientôt. L'avocat paya les deux piastres requises. Télesphore fut piqué dans son orgueil, mais l'homme de loi lui dit qu'il aurait son tour de payer plus tard...

À l'entrée de la cour, il y avait un endroit clos pour tourner. Sans cela, la chose eût été entreprise hasardeuse tant il y avait de monde sur la place. Le tinton sonna. À la messe, on arrivait au moment de la communion. Il y eut un remous dans la foule. La fébrilité de l'attente augmentait.

On se donna rendez-vous au même endroit pour le retour et les Francoeur s'éloignèrent sous l'acceptable prétexte d'organisateurs politiques à rencontrer. En fait, l'avocat voulait se glisser entre les gens comme une anguille pour atteindre les abords d'une estrade improvisée qui s'appuyait sur les marches du perron, et où, très certainement monterait le premier ministre pour haranguer ses partisans mais surtout au pied de laquelle se trouveraient des journalistes de La Presse, du Star et du Soleil et des photographes peut-être. Et cet homme de Fortierville en béquilles ne saurait que le retarder et l'empêcher d'atteindre son but. De plus, il n'avait pas la conversation facile.

Pour Télesphore Gagnon, le plaisir n'irait pas plus loin. Et c'est de là qu'il assisterait au discours du premier ministre. Que les gens les plus importants aient les places les plus proches ! C'était le plus loin que pouvait aller un jeune cultivateur de Fortierville en béquilles.

On peut voir si loin depuis l'église d'Arthabaska ! Jusqu'au bout de ses pensées. Marie-Anne regardait la grande plaine par-delà les toitures de Victoriaville et elle ne regrettait pas de se trouver là. Télesphore avait eu bien raison de l'y conduire sans lui demander ses volontés. Elle considérait ce voyage comme un cadeau. Un cadeau de compensation pour la fleur absente de leur voyage de noce. Puis elle observa son mari à la dérobée un petit moment et alors un beau sentiment effleura son âme. Qu'il lui parut doux de pouvoir abandonner son coeur à un compagnon si fort et encore plus grand d'être ainsi privé des capacités d'une jambe !

Télesphore jetait un coup d'oeil parfois à l'avocat pour voir sa progression lente à travers cette foule compacte. Il focaillait avec tant d'ardeur à droite et à gauche qu'il trouverait sûrement les organisateurs dont il avait parlé. Sympathique cet homme qui traitait le gens du petit monde comme des égaux ! Et qui n'avait pas craint d'avancer indirectement une piastre à un parfait inconnu. Télesphore saurait qui voir quand il aurait une consulte à prendre.

Le jeune homme se demanda ce qu'il ferait en cas de bagarre. Il pouvait fort bien se trouver sur place des hommes de main du parti conservateur, des casseurs d'assiettes venus chercher à faire perdre la face au premier ministre dans son propre village, sur le parvis de son église paroissiale. Mais non puisque c'était un ralliement, pas une assemblée contradictoire. À part Henri Bourassa et Armand La Vergne, rares se faisaient les têtes connues du Canada français osant s'opposer à l'unanimité créée par Laurier. Et puis qu'il se trouve un faiseur de trouble pas loin et il lui dirait des bêtises ou bien l'assommerait à coups de béquille.

Derrière le couple se trouvait l'enclos de perches où ne cessaient d'affluer des voitures qui se vidaient de leurs gens fébriles et enthousiastes, exaltés par cette formidable expérience qui consiste à se voir soi-même embelli comme si on était devenu un ange dans le miroir que constitue un personnage célèbre de sa race, de se faire entraîner au-dessus des autres par l'honneur, de se trouver un factice moment de gloire et d'illusion. Voilà pourquoi les gens admiraient si souvent la grande plaine du Saint-Laurent qui s'arrêtait là, au pied de leurs regards. Il leur semblait s'envoler au-dessus dans l'attente de prendre place sur les paroles du grand chef.

Trois hommes émergèrent soudain, et comme des gens pressés, des portes centrales restées ouvertes, mais seulement celles de l'extérieur donnant sur le tambour de l'église car il n'aurait pas fallu créer un courant d'air de septembre à un homme d'État aussi fragile des poumons. Un frisson parcourut la foule. Laurier suivrait sans doute. Il sortirait le premier sûrement. Ces hommes devaient être des aides, des éclaireurs, des gardiens...

Un personnage grand et digne parut. Quelques-uns applaudirent déjà, espérant si fort qu'il s'agirait du premier ministre qu'ils confondirent l'inconnu avec Laurier. Puis d'autres. Les portes de côté s'ouvrirent. L'église permettait à ses rejetons de s'en aller.

Et le bon premier ministre à l'humilité grandiose trompa tout le monde en paraissant simplement parmi les fidèles qui sortaient du côté droit donc depuis la porte la plus éloignée du hustings. Facile à repérer parmi la foule, cet homme que différenciaient des contrastes physiques frappants aussi bien que des absences de contrastes !

Visage et cheveux semblaient de la même couleur blanche tant la peau était exsangue. Et le complet d'un noir absolu sabrait net dans son buste d'hiver.

Des hommes de claque l'aperçurent aussitôt et commença l'ovation qui dura tant que l'homme d'État progressa en travers sur le perron dont ensuite il descendit les marches pour monter sur l'estrade, suivi de son épouse Zoé et précédé d'un orateur président de l'assemblée et d'un fendeur de foule.

Tous restèrent debout. On n'avait pas mis de chaises sur le hustings. Laurier n'en avait pas voulu. Si le public devait demeurer debout, alors lui aussi. Et pourquoi pas Zoé ? De plus, le discours serait d'une brièveté nécessaire pour que le peuple restât en appétit. Il ne fallait pas le nourrir à satiété, lui bourrer la panse et risquer de tuer ses désirs par une satisfaction trop grande. Il avait beaucoup appris à côtoyer le sens de la mesure britannique.

Le présentateur se fit bref mais ostentatoire d'entrée de jeu, les mains ouvertes apaisant la marée :

–Messieurs, mesdames... messieurs, mesdames...

La rumeur descendit aussitôt; et en aussi peu de temps que les quatre mots répétés, il ne resta plus à flotter dans l'air frais que des chuchotements retardataires. Ce fut bien moins l'autorité des mains de l'homme qui s'imposa que celle de la personne du héros international.

–Un homme d'honneur, pour une race d'honneur, dans un pays d'honneur; c'est comme ça que je veux vous présenter notre grand premier ministre...

L'éclatement de la foule fut net comme l'éclair. Bravos, cris métissés avec des applaudissements : en plus de l'honneur, la race possédait l'enthousiasme. Télesphore avait le triomphe plus modeste, accroché des épaules à ses béquilles comme il l'était. Marie-Anne frappa des mains pour deux.

Fait prisonnier par la foule et ses pompes, l'avocat résigné, étouffé, réussit à lever les mains lui aussi pour ovationner la certitude que d'autres générations après lui appelleraient plutôt consensus.

L'orateur poursuivit sur le même ton pendant cinq minutes, rappelant les hauts faits qui avaient bâti le piédestal où Laurier vivrait toujours. Rares étaient ceux qui entendaient clairement ses dires et plus rares encore ceux qui voulaient s'y arrêter et tâcher de les comprendre. Les mots de l'honneur et les cris de l'ovation se succédèrent jusqu'au moment où Laurier s'avança. On l'accueillit par une salve de vivats suivie d'un silence solennel.

D'autres contrastes apparurent. Ses paupières lourdes et

paresseuses de quelqu'un qui s'éveille, s'ouvraient sur un oeil enflammé par la passion politique. Et sa haute majesté naturelle ne voilait en rien la condescendance envers le populo que sa gestuelle dégageait abondamment.

Une langue d'argent tout juste sanctifiée par l'eucharistie possède l'éloquence la plus pure. Il s'adressa à la foule de sa voix douce et sonore en picorant dans sa mémoire des morceaux d'un discours vieux de trente ans et qu'il avait alors prononcé au club Canadien.

–Nous sommes un peuple heureux et libre...

On l'interrompit.

–... et c'est grâce à nos institutions...

–...

-Nos devanciers de 1837 ne voulaient rien d'autre que ces institutions que nous avons aujourd'hui. Quel est le Canadien qui, comparant son pays aux pays même les plus libres, ne se sentirait pas fier des institutions qui le protègent?

–...

L'orateur poursuivit sur le ton de la proclamation en rappelant la bataille des plaines d'Abraham où les mourants auraient pu voir un avenir terrible pour leurs descendants mais où également ils auraient pu apercevoir une future liberté des Canadiens français acquise petit à petit et pour laquelle il fallait remercier le ciel.

Laurier eût tourné les mots à l'envers, jeté l'anathème sur le vainqueur et la tradition anglaise que le peuple aurait applaudi autant. On ne l'écoutait pas, on l'aimait.

Marie-Anne vibrait. Télesphore se redressa et se tint en appuyant ses longs doigts sur les assises de ses béquilles. Il eût aimé serrer la main d'un tel homme. Car si un prêtre pouvait bénir par un simple geste de la main, Laurier lui, sacralisait par une poignée de mains.

Et c'est à ce pouvoir que l'homme d'État s'en remit après son discours. Serrer la main des malades et des handicapés constituant le nec plus ultra de la démagogie silencieuse dont aucun politique ne peut se passer, il repéra cet homme en béquilles au fond de la foule, facile à voir de son point de vue et tant Télesphore était grand par rapport aux autres. Il s'adressa à ses aides et à Zoé en montrant dans la direction du couple de Fortierville. Alors le présentateur demanda la collaboration des gens pour qu'on permît au premier ministre de circuler avec la promesse qu'à son retour au hustings, il distribuerait de nombreuses poignées de mains.

Et le fendeur de foule fit un couloir qu'imposait aussi le respect. L'avocat ne fut séparé de l'illustre personnage que par deux rangs de monde. Et Laurier s'approchait de plus en plus de Télesphore qui se mit à regarder autour de lui en se demandant qui donc était aussi célèbre qu'il méritât une attention de cette grandeur.

Il fut éclaboussé d'un tel éclair d'honneur que le jeune homme bredouilla, tint sa main molle, faillit laisser tomber sa béquille. Quant à Marie-Anne, elle aurait préféré toucher la main de Zoé, mais elle sourit quand même comme une enfant comblée de cadeaux et d'amour.

Laurier fut chaudement applaudi pour son geste et des gens de son entourage félicitèrent Télesphore. De retour au hustings, le premier ministre distribua les poignées de mains promises, mais l'avocat n'ayant pas la musculature requise pour se frayer un passage, il n'eut jamais sa chance et c'est un peu ulcéré qu'il dut revenir près de l'enclos de départ.

Néanmoins, le voyage de retour fut plutôt heureux. Francoeur se souviendrait toujours de la haute et belle leçon d'électoralisme que le vieux routier de la politique lui avait servie sans le vouloir expressément. Mais cela lui coûterait au moins deux piastres, en tout cas pour le moment, car il tint mordicus à payer aussi ce voyage.

Emportée par l'exemple de la femme de l'avocat qui avait osé demander à son mari que l'on fît un détour par la rue des magasins à l'aller, grisée par les effets de foule, Marie-Anne exprima son désir de revoir les vitrines, ce qui ne convenait pas aux Francoeur. On se sépara. Les Gagnon descendirent. Télesphore tendit un billet au cocher. L'avocat le lui repoussa dans la main en disant :

−Un homme qui s'est mérité la si haute considération du premier ministre doit pas payer... en tout cas, pas aujourd'hui...

Le ton était si définitif que Télesphore n'insista plus. On se salua et les Gagnon empruntèrent le trottoir de bois qui conduisait vers les petits plaisirs de la coquetterie qui, pour Marie-Anne, ne dépasseraient sûrement pas les seules joies

151

du désir.

Abasourdi, quasiment abruti, Télesphore se laissa mener, entraîner d'une vitrine à l'autre pendant plus d'une heure. Lui enchanté par la poignée de main mémorable et elle s'extasiant devant les chapeaux, ils n'entendirent pas le train siffler. Et ce n'est qu'une fois rendus à la gare que l'évidence leur sauta aux yeux en même temps que le champ des voies ferrées déserté. On avait oublié qu'on était venu par train spécial et surtout, on avait oublié de regarder l'heure.

Pour un temps, Télesphore s'impatienta. C'était la faute de Marie-Anne. Elle s'en fit reproche. Puis, la voix longue et bienveillante, elle atténua :

–C'est pas grand-chose, on va se prendre une chambre à l'hôtel pis demain matin, on partira vu que tu pourras pas travailler pareil.

La contrariété venait du prix à payer pour une chambre. La jeune femme soutint qu'il ne serait sans doute pas plus élevé que celui du voyage à Arthabaska, coût que l'on n'avait pas eu besoin d'assumer. Elle croyait aussi qu'il en tardait à Télesphore de raconter cet événement unique dans sa vie et qu'il était maintenant bien moins porté par ses béquilles que par la fierté personnelle et nationale. Et puis ses parents pourraient s'inquiéter pour eux...

Au fond, l'homme ne savait pas trop comment se comporter. Où y avait-il un hôtel ? Quoi faire pour prendre une chambre ? Sans bagages, on les prendrait pour qui ?

–Regarde la grosse bâtisse en brique rouge là : c'est écrit hôtel Victoria...

On eut la chambre quatorze de laquelle on pouvait apercevoir l'église d'Arthabaska au loin, féminine comme toutes les églises du pays, élancée, toujours prête à recevoir et à donner, protectrice... et paternelle par sa flèche...

Une fois à table plus tard, Télesphore oublia aussi les coûts de la nourriture et l'on mangea sans arrière-pensée. Un témoin de la scène d'Arthabaska leur fit servir du vin français sur son compte après les avoir félicités.

Et l'on s'empiffra tellement que le repas servirait de dîner et de souper.

De retour à la chambre, on fit une longue sieste après

152

que Télesphore se soit fait envelopper la jambe avec un drap pour atténuer les chocs possibles.

Marie-Anne se réveilla la première et elle se rendit à la fenêtre pour revoir encore cette journée si exceptionnelle dans sa vie. Elle eût bien aimé que Charles soit venu, mais rien n'avait adonné pour le lui faire savoir. Puis le jeune homme toussota et reprit connaissance. Ils se parlèrent du pays des Bois-Francs, de la nature, de Laurier encore. On se partagea la moitié de la bouteille de vin rouge qui restait et que le maître d'hôtel leur avait conseillé d'emporter avec eux dans leur chambre en souvenir, et qui leur avait permis d'emporter aussi des verres pour le boire. Émoustillé, un peu sur la ripompette, Télesphore l'invita ensuite à le rejoindre.

–On va se déshabiller pis faire notre devoir conjugal...

–Mais...

–Le bon Dieu nous a donné pas mal aujourd'hui... Ma jambe, suis capable de faire attention...

Pour la première fois depuis son mariage, Marie-Anne avait envie de sentir son mari la couvrir, hâte de humer l'odeur de sa peau, désir de le recevoir...

Des tourbillons chauds l'enveloppèrent quand cela se produisit. Elle en fut heureuse jusqu'à la nuit tombée. Alors le remords naquit en elle. Comment pouvait-on sans pécher remplir son devoir conjugal et aimer cela ? Le regret augmenta et elle eut du mal à s'endormir.

Au matin, elle retrouva de l'aise morale. N'appartenait-il pas au bon Dieu de disposer de sa chair et de son coeur comme il le voulait ? Devrait-elle se martyriser, porter le silice, pour ne pas se sentir bien dans les bras de son mari ? Lui revint une sérénité que la joie de retourner à la maison augmentait mais qui fut brutalement brisée à la gare de Fortierville quand Télesphore chuta et se tordit la jambe.

Malgré sa résistance, la douleur lui arracha des plaintes nombreuses qui témoignaient de son mal extrême. Marie-Anne prit le raccourci de la voie ferrée pour marcher à la maison et elle envoya Gédéon quérir son mari pour le conduire de nouveau chez le docteur Lafond à Parisville.

Cette fois, Télesphore fut totalement immobilisé pendant quatorze jours entiers. Sa mère lui répéta souvent qu'il faisait l'échignant. En effet, capricieux et disputeux, il se serait mérité des corrections s'il avait été un enfant.

Marie-Anne ne revit pas sa période le mois suivant. Enceinte, elle savait dans quelles circonstances exceptionnelles ce deuxième enfant avait été conçu; et parce que cette journée du trois septembre marquait un point tournant dans sa perception d'elle-même et de son corps, qu'elle resterait mémorable par les joies qu'elle avait engendrées et jusqu'aux petits excès de table et de vin, elle se trouva d'avance un prénom pour le bébé s'il devait s'agir d'un garçon comme elle l'espérait : Wilfrid. Et si une petite fille se présentait, elle s'appellerait d'un nom qui contient du nouveau, qui déborde de soleil matinal, d'air frais et d'espérance : **Aurore**.

******

Chapitre 9

1909

L'hiver de Marie-Anne fut nettement moins lourd que celui où elle avait porté son premier enfant deux ans auparavant. En janvier et février, elle grelotta souvent; mais rien qu'un poêle pour défendre une aussi grande surface de mur contre le vent du nord ne suffisait pas. Même à l'intérieur, il fallait, certains jours, rester emmitouflé et surtout, comme les Gagnon lui reprochaient de ne pas assez le faire, il était requis de "manger gros et gras".

Néanmoins, Télesphore, Fortierville et le temps qui passe vite l'avaient apprivoisée tout à fait. Et à vingt ans, les caprices ont fini de mourir déjà quand on est femme du début du vingtième siècle.

Elle appréciait les nombreux avantages de vivre sa vie. Télesphore était un bon mari reconnu, un homme fiable et solide, adroit de ses deux mains et qui inspirait la confiance dans toute la paroisse. Elle s'ennuya de lui quand il fut dans les chantiers de décembre à avril.

Le village, et donc l'église, le magasin et la gare, se trouvaient tout près, à portée de la main, et on pouvait aisément s'y rendre à pied en quinze minutes.

Le compte qu'elle fit au magasin monta plus haut que celui de l'hiver d'avant. La marchandise était un peu plus chère et il en fallait plus. Pourtant les Gagnon qui suivaient ces choses-là sans en avoir l'air, jugèrent que la jeune femme gérait bien la maison en l'absence de son mari.

Mais lui qui voyait loin devant et pas toujours en rose, et que les responsabilités familiales chargeaient sans qu'il le laissât paraître, se fâcha quand il apprit le montant à payer chez le marchand.

C'était trois jours après son retour du bois et c'est au magasin qu'il le sut lorsqu'il s'y rendit justement pour s'acquitter des dettes accumulées durant l'hiver. Au retour du village, il se dit que l'enjouement de Marie-Anne depuis son retour n'était rien de plus que de l'enjôlement. Mais rien ne transparut tant qu'on ne fut pas dans la chambre.

–Ben je pense qu'il va falloir faire un maître icitte-dans, fit-il à mi-voix avant de se coucher.

Marie-Anne déjà étendue du mieux qu'elle pouvait dans ce lit trop étroit pour un aussi gros ventre et un aussi gros homme en même temps, couchée sur le côté, la tête tournée vers l'extérieur, se montra surprise et s'inquiéta mais sans s'adresser tout d'abord de reproches :

–De quoi c'est que tu veux dire ?

–Tu dois le savoir.

Son coeur s'accéléra.

Le bébé le sentit. Peut-être entendait-il son émotion. Il donna quelques coups de pied.

Elle se fit de la même aussi belle douceur que les traits de son visage et la fragilité de son corps quand il n'était pas engrossé :

–Télesphore, je me sens coupable de rien; si j'ai fait quelque chose de pas correct sans m'en apercevoir, dis-moé le pis je vas essayer de réparer...

–Le compte du magasin, c'est sans bon sens, ça !

–Mais j'ai rien acheté de fancy !

–Je sais pas ce que t'as acheté, mais je sais le montant que ça coûte.

–Regarde sur les factures...

—Les hommes, on se désâme dans le bois pour payer le gaspillage de ces dames...

Pour une autre femme, le ton n'eût pas été violent, mais pour une âme aussi vulnérable que celle de Marie-Anne, et dans cet état intéressant depuis huit mois alors qu'elle avait le plus besoin de protection, les phrases de son mari piquaient comme des couteaux. Et elle ne put s'empêcher de pleurer. De plus en plus imperméable aux épanchements du coeur, Télesphore se durcit encore un peu plus, croyant que sa jeune femme devait être corrigée sans attendre par crainte qu'elle prenne trop de mauvais plis. Il lui prit un poignet et serra fortement en disant :

—Dans le futur, tu vas rien acheter sans me le dire...

Elle tut la douleur et gardait silencieuses les larmes.

—Mais quand t'es dans le fin fond du bois ?...

—T'en parleras avec le père pis la mère.

—C'est comme tu voudras...

—Pis déroge pas de ça !

—Je dérogerai pas...

Elle reçut une autre bordée de coups dans son ventre qu'elle entoura de ses mains. Ce n'est rien, ce n'est rien, dit-elle mentalement au bébé pour se rassurer elle-même.

De fait, à raisonner, elle se dit que Télesphore était peut-être mal-en-train pour se montrer ainsi malendurant. À quel-que chose malheur est bon et dans la semaine, il parut plus abordable. À ce point qu'elle osa lui demander de fabriquer une seconde chaise haute pour le bébé tout proche. Il ne répondit pas. Et dans les jours suivants, il continua d'essarter une prairie neuve comme si de rien n'était. Et Marie-Anne se vit coincée entre l'espérance et le chagrin, n'osant demander la même chose à son beau-père pour ne pas risquer une nouvelle querelle avec son mari.

Au milieu de mai, un matin de pluie abondante, il se rendit sous l'allonge de la grange, là où il travaillait le bois durant la belle saison et il se mit à l'ouvrage.

Il se monta une table avec des chevalets et une fonçure puis il sortit les outils nécessaires : des ciseaux à bois, des serres, un maillet, un vilebrequin, une égoïne, une râpe, une chignole et un rabot. Au-dessus, posés sur les entraits, il y avait toujours des morceaux de bois sec, de l'épinette mais aussi de l'érable.

Il tressaillit, mais ne sursauta pas quand au coeur de l'avant-midi et de son ouvrage, une voix se fit entendre dans son dos :

–Si jamais quelqu'un dit que t'es un pigrasseux, Télesphore, il va se faire serrer les ouïes, c'est moi qui te le dis.

–Adjutor... salut ben !

C'était le deuxième voisin, Adjutor Gagnon, trente ans, sans lien de parenté proche avec lui, un homme de bon visage aisé et au menton bifide.

–Je t'ai vu travailler de loin pis comme j'avais pas grand-chose à faire avec un temps aussi rechigneux, me suis dit : quen, je vas aller le faire étriver un peu...

C'était parler pour parler car Adjutor connaissait la placidité de son jeune et imposant voisin. Son entrée de jeu visait à l'amadouer. Mais Télesphore se sentait un peu ridicule de taponner ainsi à fabriquer une chaise haute. Il désigna l'ouvrage inachevé et dit :

–Nos bonnes femmes d'aujourd'hui, c'est pas comme autrefois, leur faut deux chaises à bébé, imagine-toé...

Adjutor ne put s'empêcher de rire :

–Oui mais deux bébés sur la même chaise, c'est pas les chars non plus.

–La petite Marie-Jeanne, elle marche solide sur ses deux jambes.

–Mais elle peut pas manger debout.

–Ben voyons, suffit d'une sellette sur une chaise droite pour lui remonter le corps un peu !

–Quant à ça...

Il y eut une pause. Adjutor prit place sur une grande cuve de bois posée à l'envers et qui servait à faire du lavage l'été. Il chargea sa pipe, offrit sa blague à Télesphore qui refusa. Au loin le tonnerre se fit entendre. Dans la maison, Gédéon vironna d'un châssis à l'autre; il avait envie de sortir pour aller parler aux jeunes gens, mais la pluie le découragea et il retourna fumer dans les marches de l'escalier.

Sous l'appentis, les banalités s'ajustèrent les unes dans

les autres pour former une conversation qui paraissait à bâtons rompus tandis que les parties de la chaise s'épousaient à la serre dans une colle blanche sur laquelle il ne fallait pas trop compter.

«Comme ça, tu vas faire baptiser encore une fois ces jours-icitte ?»

Ensuite, ce qui n'avait aucun lien avec cela :

«Lagloire, y a pas de fiat à faire sur ce qu'il dit, c'est un vrai trou-de-cul.»

Lagloire, c'était l'homme de la gare et dont il se disait du mal dans les alentours. Il savait trop de choses à cause du télégraphe et l'on se méfiait des colporteurs de nouvelles. Les gens se livraient aisément les uns aux autres; mais ce qui était personnel devait le rester, surtout ce qui avait trait aux maladies et aux infirmités.

–Dis-moi donc, as-tu fait un pite pour tes enfants ? Y a pas une maudite côte d'icitte jusqu'au bord du fleuve...

Adjutor désignait cet engin tape-cul fait d'une planche recourbée pour glisser, et d'une bûche avec une seconde planche qui servait de siège, et qu'on avait accroché sur les entraits au-dessus de leur tête.

–Ben non ! C'est le père qui a fait ça quand j'étais jeune. Des fois l'hiver, on allait à Leclercville se promener pis là, on glissait dans les côtes de la coulée.

–Ah ! ça... nous autres itou, on l'a ben fait. Bah ! tes jeunes pourront toujours s'en servir.

–C'est bon rien que pour les petits gars.

–T'as des ben bonnes chances d'en avoir un. J'ai vu ta femme : est rondelette pas mal. Pis comme ta plus vieille, c'est une fille...

–Ça veut rien dire pantoute. Du côté de ma femme, y a plusieurs filles de suite... sept en tout.

Il fut question du temps favorable aux foins, aux patates et au jardinage. On jouissait d'un de ces printemps que les prêtres qualifiaient de bénédiction du ciel et qui inclinait les cultivateurs à en rajouter sur leur dîme.

Lors d'un vide, Adjutor rechargea sa pipe et cette fois, Télesphore accepta son tabac. Et il s'accrocha une fesse à la table pour parler sans travailler. La pluie ne changeait pas son débit et parfois, des gouttelettes battues par le vent se rendaient jusqu'à eux. On se parla du Forum de Montréal dont le Soleil avait rapporté l'inauguration au début de l'hiver, ce qui avait alimenté bien des temps morts du soir et du dimanche dans les chantiers.

–Treize mille lampes électriques ! dit Adjutor avec un clin d'oeil.

–Si y a du monde sur la lune, doivent voir, c'est sûr, une pareille illumination.

–Un grand 'patinoir' à glace en plein air pis un autre à patins à roulettes.

–Trois cent mille piastres...

–Tout un honneur pour Montréal, une bâtisse de même... C'est toujours Montréal qu'a les honneurs...

On se désola de ne pas vivre dans la métropole du pays, mais Télesphore donna l'autre côté de la médaille par une opinion définitive qui s'était forgée en lui il ne savait plus trop où ni quand :

–C'est bourré de machines pis de petits chars pis c'est dangereux comme le diable : le monde, ça tombe comme des mouches en-dessous des roues...

*

Marie-Anne fut aux anges quand son mari entra la chaise dans la maison.

–Comme elle est belle ! Que c'est donc ben fait ! Je te dis que ça va me sauver de l'ouvrage ! Un homme habile, c'est pas bitable !

Elle ne tarissait pas d'éloges et Télesphore en fut heureux. Meilleur juge encore, Gédéon le félicita.

Les semaines suivantes furent bleues comme le ciel, agréables comme l'air doux aux odeurs champêtres, souriantes comme le visage frais de Marie-Anne.

Samedi le trente et un mai, le travail commença vers midi dans son ventre. On savait le docteur Lafond à Fortierville; Télesphore le trouva. L'accouchement fut presque facile. Pas le plus petit problème ! Le père haussa même les épaules quand il sut que c'était une fille, voulant signifier par là que

160

le sexe de l'enfant lui importait peu.

De Parisville, le docteur Lafond fit parvenir un message aux Leboeuf de Deschaillons le soir même, car il était entendu d'avance qu'ils seraient parrain et marraine du nouveau-né, qu'il soit un garçon ou une fille. Le baptême aurait lieu le lendemain et Exilda Lemay porterait le bébé sur les fonts baptismaux.

*

La belle-mère de Marie-Anne resta avec elle à la maison pour en prendre soin et garder Marie-Jeanne tandis que Séverine, Arthur, Exilda et Télesphore se rendraient à l'église.

La femme se rendit dans la chambre et s'assit auprès de sa bru qui dans son lit tout blanc rayonnait dans sa faiblesse, de la tendresse plein le regard.

—Suis une femme ben heureuse ! dit Marie-Anne en se léchant les lèvres qui avaient tendance à sécher.

—Ça se voit depuis quelques semaines.

—Pis je vous en sais gré... à vous pis à monsieur Gagnon qui est si attentionné envers moé.

—C'est pas nous autres, voyons, c'est parce que tu commences à mieux connaître ton mari...

—Là itou, vous avez raison. Télesphore, il a comme un masque sur la face mais faut savoir lire ce qui se trouve derrière... pis je commence à être capable...

Il entrait des bouffées d'air frais par la fenêtre de la chambre sombre; la saison des mouches n'avait pas encore commencé. Marie-Anne respira à fond.

—C'est une belle journée pour faire baptiser un enfant, vous trouvez pas, madame Gagnon ?

—Oui, une ben belle journée ! soupira Louise.

*

Le curé Grondin qui avait pris la relève de l'abbé Moreau décédé au début de l'année précédente des suites de son accident du moulin Laquerre, prit Télesphore à part dans la sacristie, et tandis que les autres attendaient près des fonts baptismaux, il le conduisit près de la garde-robe pour mettre les vêtements sacerdotaux. On resta debout. Le prêtre, un homme énorme aux yeux enfoncés et naïfs s'appuya le bras

161

sur une crédence et se montra sérieux, plusieurs rides lui barrant le front :

–C'est pas une mauvaise nouvelle que j'ai pour vous, monsieur Gagnon, mais... Disons que vous n'êtes pas convenablement marié...

Télesphore fronça les sourcils.

–Convenablement ?

Le prêtre rit :

–Ne nous méprenons pas... Je veux dire face à notre sainte mère l'Église catholique... Un examen des registres et une comparaison avec ceux de Sainte-Emmélie révèle entre votre femme, Marie-Anne Caron et vous une consanguinité pour laquelle une dispense de l'archevêché est obligatoire.

–Ce qui veut dire ?

–Qu'il faut en obtenir une pour que votre mariage soit revalidé.

–Ah !

–En réalité... il en faudra deux : l'une pour vous et l'autre pour votre épouse.

–C'est... dur d'avoir ça ?

–N... non... C'est long... Avant de se marier, c'est rapide, mais après, il faut beaucoup de temps. Qu'importe puisque l'important, c'est de la demander...

–On vit pas en état de péché mortel, toujours ?

–Mais non ! Bien sûr... si vous omettiez de demander cette dispense... ces dispenses...

–C'est des gros coûtements ?...

–Dix piastres chacune.

–Cré torrieu... excusez-moé de jurer, mais... L'argent manque... faut dire que ma femme a dépensé pas mal fort cet hiver...

Le prêtre fit une moue complice :

–Les jeunes femmes sont parfois un peu... frivoles, mais avec un mari qui tient bien les cordeaux, tout finit par s'arranger.

–Je les ai pris, les cordeaux, sauf que j'aurai pas l'argent avant... le printemps prochain...

Le prêtre leva les bras, ouvrit les mains en les écartant l'une de l'autre en signe négatif.

–Prenez un an, monsieur Gagnon.

–On va y voir, monsieur le curé, on va y voir.

–Tout est bien, dit le prêtre qui se frotta les mains. Et maintenant, le baptême. C'est un garçon ?

–Fille...

–Le nom ?

Télesphore secoua la tête.

–Pour tout vous dire, je le sais pas trop. C'est à ma femme de s'occuper de ça pis j'ai pas pensé lui demander.

–C'est fréquent, mais d'habitude les parrains, eux, sont au courant.

Télesphore étira le cou dans l'embrasure de la porte et cria à sa soeur :

–Séverine...

Aussitôt la conscience du sacré du lieu l'avertit de baisser le ton et il s'excusa au prêtre qui le rassura :

–Aucun problème, le bon Dieu est pas dans la sacristie, il est dans l'église. Quand je dis le bon Dieu, je veux dire les saintes espèces bien entendu puisque le bon Dieu, lui, est partout.

Et l'abbé se rendit enfiler un surplis tandis qu'arrivait la soeur de Télesphore.

–Le bébé va s'appeler comment ?

Elle grimaça :

–Je le sais pas... Pis c'est pas Arthur qui le sait non plus.

–C'est qu'on fait ? On choisit nous autres-mêmes ?

Le curé proposa une solution :

–Écoutez, choisissez un prénom... On va la baptiser en disant et en écrivant Marie... espace blanc pour prénom voulu par la mère... et prénom que vous allez choisir. Et plus tard, vous me transmettrez le prénom à ajouter dans l'espace blanc...

Télesphore le trouvait relâché, ce prêtre, et assez peu scrupuleux. Il dit :

–Trouve quelque chose, Séverine.

163

–Ben... disons Julienne.

–Parfait, dit l'abbé.

Au moment de commencer, on demanda à la porteuse si elle avait souvenance d'un choix possible d'un prénom par Marie-Anne. Énervée, Exilda cafouilla :

–Il me semble que... qu'elle me l'a dit, mais je me souviens pas.

On procéda.

Le bébé dormait dans l'emmaillottage qu'enrobait un châle de baptême en tricot blanc. Exilda lui découvrit le visage puis le front. La fillette dormait en paix, heureuse semblait-il dans sa peau plissée.

–Elle semble se sentir tout à fait bien dans notre monde, dit le curé qui esquissa un sourire à l'endroit de la petite tête rose.

Télesphore tressaillit, se redressa.

Le moment venu, le prêtre prononça :

–Je te baptise, Marie...

–Aurore, souffla brusquement Exilda.

–Vous dites ?

–C'est Aurore que madame Gagnon a choisi... je me souviens...

–C'est bon, dit le prêtre qui reprit.

–Je te baptise, Marie... Aurore probablement... Julienne... au nom du Père...

Télesphore plissa la glabelle. Ça faisait assez drôle comme baptême, ça !...

*

Sous l'influence du "probablement" énoncé par le curé Grondin, Exilda se mit à douter de sa mémoire. Et lorsque plus tard, entourée de tous dans la chambre, elle donna l'enfant à sa mère, elle demanda, piteuse :

–C'est quoi au juste le nom que t'avais voulu pour elle, Marie-Anne ?

–Aurore. Mais dernièrement, j'ai changé d'idée... Quelque chose d'étrange m'a passé par la tête, pis je m'en rappelle même plus...

–Ben asteur, elle va s'appeler Marie-Aurore-Julienne Gagnon, fit joyeusement Séverine.

–Aurore : c'est ben choisi, dit Louise qui fut approuvée
par tous.

Marie-Anne demeura songeuse en s'interrogeant sur ce
mouvement de son âme qui, quelques semaines plus tôt, avait
jeté de l'ombre, comme des relents d'une nuit claustrale, sur
le nom d'Aurore...

******

Église de Fortierville

Chapitre 10

Un berlot à une banquette derrière laquelle s'allongeait un grand coffre à marchandise n'avait pas bougé depuis une heure. Une jument malingre dont le réseau des côtes paraissait, y était attelée. Elle commençait à jaspiner en secouant la tête; des hennissements interrompus, cassés par le milieu, disaient sa colère. Mais un petit câble accroché au mors de bride l'attachait à un grand anneau de fer planté dans le mur du magasin général.

La bête gelait debout. Elle avait faim. Ses liens lui devenaient insupportables : ce harnais raidi par le froid de février pénétrait sa chair, ces menoires et ces atteloires entravaient ses pattes, ce lien lui donnait des coups violents à la gueule chaque fois qu'elle bougeait.

Mais les efforts répétés s'ajoutaient les uns aux autres; elle le percevait vaguement, car elle pouvait s'étirer le cou de plus en plus d'une tentative à l'autre pour se libérer.

–Huhau, huhau... fais pas la nerveuse là, dit une voix masculine.

L'animal habitué d'obéir se calma durant quelques secondes, le temps qu'il fallut à l'homme pour ajouter dans le coffre une boîte à d'autres qui s'y trouvaient déjà. C'était le marchand de Fortierville, en chemise et en chapeau, et qui frissonnait. Mais il avait l'habitude de sortir peu habillé pour porter à leur voiture les effets achetés par ces dames de sa clientèle.

Pourtant, cette jeune femme n'était pas une cliente régulière et il ne la connaissait que par les airs de famille. Les Houde de Sainte-Sophie. Il fallait la servir royalement pour escompter la voir revenir. Car la distance entre chez elle et le village de Fortierville n'était guère plus grande que celle la séparant de son village : un mille, un mille et demi de différence... Et puis l'argent ne lui pesait pas au bout du pouce, semblait-il. Elle n'avait pas fafiné une seule fois devant la marchandise. Ça : oui; ça : non ! Son coffre serait plein. De la fleur. Des bottines. Des boutons. De l'huile à charbon. Du parfum...

Elle sentait bon. En plein coeur de semaine, c'était rare qu'une femme sente aussi bon. Même la sienne, à Oréus Mailhot, qui pouvait piger à satiété dans les eaux de senteur ne les utilisait que les dimanches et fêtes.

Des broches à tricoter. De la mélasse. Une tasse de granit. Du sucre. L'almanach 1910 qu'elle n'avait jamais pu avoir au magasin de Sainte-Sophie. Du sirop Mathieu. Du liniment Minard. La grippe était maligne et elle en toussait encore un peu. Des lacets de cuir. Du coton à fromage. Et quelques plumes d'autruche.

Le marchand, personnage de trente ans tout juste, ne se souvenait plus trop du reste. En remontant les marches du perron, il lui vint à l'esprit que la personne devait être enceinte à en juger par son visage quelque peu enflé mais c'était la seule manière de le savoir puisqu'elle portait un manteau ample et capable de cacher un état intéressant très avancé.

Il allait entrer quand le cheval réussit par un dernier coup de tête à se libérer. Aussitôt qu'il se sentit la bride sur le cou, il piétina de côté dans des sauts à deux pattes comme s'il eût été complètement figé, puis il s'élança en avant...

–Huhau, huhau ! s'écria en vain le marchand.

Maintenant électrisée par la voix humaine qui la révoltait, la bête sa cabra à deux reprises puis s'élança en tournant dans la cour vers le chemin principal sur lequel, l'oeil rendu fou, elle s'engagea à la fine épouvante.

–Huhau, huhau, répéta le marchand qui se mit à sa poursuite mais y renonça aussitôt.

Marie-Anne sortit à ce moment-là du magasin.

–Vous voulez ben me dire de quoi c'est qui se passe ? demanda-t-elle en nasalisant comme elle le faisait à l'occasion surtout pour s'attirer les bonnes grâces des gens par un intérêt feint à leurs dires.

–J'ai peur que votre cheval soye échappé.

–Ah ! la bonyenne de jument ! dit la femme sans aucune passion.

–Elle va finir par s'arrêter quand elle sera au bout de son souffle. Pis y'aura peut-être une bonne âme pour vous la ramener.

La jeune femme éclata de rire et caqueta :

–C'est qu'on fait avec ça ? Y a mes effets là-dedans pis faut que je retourne à maison à Sainte-Sophie : c'est pas à porte...

–C'est comme je vous dis : elle s'en ira pas au bout du monde...

–Moé, je courrais ben après, mais comme je suis dans un état intéressant... vous comprenez...

–Écoutez, je vas m'habiller comme faut pis ensuite me mettre en marche pour la rattraper. Rentrez...

Quand le marchand sortit à nouveau et prit le chemin, il aperçut au loin quelqu'un qui venait d'attraper le cheval par la bride et lui faisait faire demi-tour. La taille de l'homme le disait : c'était le grand Anthime Gagnon qui devait se douter que la bête partait de son magasin. Il rentra pour annoncer l'heureux dénouement à Marie-Anne qui sortit aussitôt.

Et Anthime fut bientôt là, les jambes de travers et qui pendaient hors de la fonçure. Car il manquait de place à l'intérieur occupé par un paquet qui avait fini par bouger à sa grande stupéfaction et qu'un examen lui avait révélé être un jeune enfant profondément endormi dans une montagne de couvertures.

Accueilli par des remerciements mêlés de la part de la femme et du marchand, il descendit après avoir accroché les cordeaux à la devanture métallique de la fonçure. Et il se rendit à la tête du cheval pour le calmer en lui frottant le nez.

–C'est une bonyenne de jument ! dit Marie-Anne. Va falloir que j'y coupe le manger, je pense...

–C'est ben le contraire : faut lui donner à manger, elle est toute étriquée, pis l'abrier quand c'est le temps.

–Je faisais juste entrer pis sortir du magasin.

Sachant son nom par le marchand, Marie-Anne put questionner et en dire sur elle :

–Vous êtes un Gagnon, vous, ben moé itou. Ben pas moé comme telle, mais mon mari. Napoléon Gagnon de Sainte-Sophie. Y a peut-être ben de la parenté entre vous autres ?

–Pense pas ! Malgré que c'est dur à dire... Pas plus tard que v'là pas longtemps, mon frère Télesphore s'est fait dire qu'il était parent avec sa propre femme...

–Hein ? Télesphore Gagnon, c'est votre frère ?

–Ouais...

–C'est pas que je le connais personnellement, mais mon mari pis lui se trouvent dans le bois au même camp au lac Caribou. C'est lui qui me l'a dit dans sa dernière lettre.

Anthime ne voulut pas commenter. Cette femme lui faisait mauvaise impression. Un visage faux. Un ton hypocrite. Elle le sentit, se rapprocha, comptant sur ses effluences pour le mettre de son côté; et en sa tête, elle tâcha de bien ourler sa prochaine phrase :

–Ben vous êtes quelqu'un, vous, d'avoir pogné mon cheval avant qu'il prenne une fouille quelque part.

–J'ai fait ce qu'il fallait.

–C'est quelqu'un d'avoir fait ça pareil, reprit-elle en se permettant cette fois un coup d'oeil languide, la tête en biais.

Il la trouvait bien sèche pour une femme au début de la vingtaine, guère plus jeune que lui. Les mots tranchants comme des lames aiguisées. Et des lueurs noires dans ses yeux bruns. Il frissonna. Moins à cause du temps que d'elle. Qu'elle s'en aille donc à Sainte-Sophie ! Et qu'elle soigne donc mieux cette pauvre jument qui se mourait de faim et de froid !

–Vous avez un enfant que dort là...

Le jeune marchand fronça les sourcils d'étonnement, s'approcha du berlot.

–Ben oui, c'est mon premier-né ! Il dort n'importe où, n'importe quand. Faut dire que j'ai un chauffe-pieds juste en arrière de lui, derrière la bavette...

Finalement, elle monta et remercia une fois encore avant de partir.

–C'est une nièce à Anthime Lemay, dit le marchand. Elle est venue voir sa tante pis en a profité pour s'acheter des effets. Une ben bonne jeune personne !

On la regarda aller. Elle ne fut pas longue à fouailler sa jument, mais, trop loin, on ne l'entendit pas lui dire :

–Toi, ma bonyenne de bonyenne, tu vas manger plus rien que du foin avec de la rouche dedans. Si faut te faire sécher deboutte, tu vas sécher deboutte...

Puis elle maugréa contre cet Anthime Gagnon trop indulgent à son goût envers les chevaux malfaisants.

Les deux hommes jasèrent d'autre chose un moment :

–Je m'en venais travailler dans le bas de l'église quand j'ai vu le cheval échappé. Pas dur à pogner !

–Tu travailles toujours pour la fabrique ?

–Y a toujours des choses à faire quand on est bedeau.

Le marchand soupira :

–Ouais ben le ciel se graisse : on va avoir notre premier doux-temps de l'hiver.

–Probable, probable ! dit Anthime qui jeta un dernier regard à la femme qu'il voyait fouetter sa bête à toute éreinte.

–Jamais vu ça, moé, un hiver avec si peu de neige...

–Ah ! mais c'est pas fini, c'est pas fini !

*

Au lac Caribou, ce soir-là, Télesphore et Napoléon se parlaient à voix basse dans le camp sombre, chacun allongé sur son bed en attendant que le show-boy éteigne les fanaux suspendus aux murs et dont les mèches avaient déjà été baissées.

À Télesphore, il apparaissait bien mou et triste, ce personnage de petite taille aux cheveux foncés plus clairs que la soupe aux pois du repas dont les hommes s'étaient tous plaints d'autant qu'elle avait été assortie d'un ragoût fade, et qu'il manquait de sel dans la couquerie. Ses lunettes rondes qui grossissaient son regard lui conféraient un petit air de clerc-notaire. Il traversait rarement ses deux cordes de pulpe dans la journée au bout de laquelle il traînait misérablement sa carcasse au camp.

–T'as ben la fale basse à soir, mon Poléon.

–Bah !... suis resté, pire que mort.

–Tu t'ennuierais pas un peu de ta bonne femme itou ?

–Oui pis non !

Il y eut une pause. Napoléon gardait la tête piteuse comme un enfant qui cherche à faire pitié.

Télesphore chargea sa pipe et lui offrit sa blague que l'autre refusa pour la nième fois puisqu'il ne fumait pas, ce qui manquait quasiment d'allure aux yeux des autres jeunes bûcherons.

–Oui, ça veut dire un aspect de sa personne pis non, ça veut dire un autre aspect ?

–On pourrait dire ça comme ça !

Télesphore se recula et laissa porter son corps sur ses bras derrière lui. Il reprit à travers le bouquin de sa pipe dans des mots entrecroisés de boucane :

–On pourrait dire un air de nuitte pis un air de jour ?

–Oui pis non...

–C'est-il une personne difficultueuse, ta Marie-Anne ?

–Ah ! c'est pas une méchante personne, mais faut dire que des journées, on dirait qu'elle est écartée...

Télesphore rit :

–Sont toutes de même, les bonnes femmes ! Pas pour rien qu'elles ont pas le droit de vote pis qu'elles l'auront jamais !

–Faudrait pas !

–Ce qui compte, c'est qu'elle fasse ce qu'il faut faire. Sois toujours sévère là-dessus !

–C'est pas aisé avec une créature de même, de faire un maître.

–Quand c'est pas l'homme qui mène dans une maison, il court à sa ruine, certain.

Napoléon se redressa à moitié. Il regarda dans un lointain qui lui parut bizarre comme un rêve égrianché. À quinze lits de là, un jeune garçon de pas seize ans s'arrêtait entre chaque bed et grimpait sur une chaise qu'il traînait avec lui, soulevait le globe d'un fanal et soufflait d'un coup sec sur la flamme paralytique, la tuant pour la nuit.

*

Aurore se serra peureusement contre sa mère quand Télesphore parut dans la maison en avril. Mais il l'ignora comme s'il l'avait vue dix minutes auparavant. Marie-Jeanne courut autour de la table puis s'arrêta au bout devant ce personnage familier et étranger à la fois pour l'examiner de ses grands yeux inquiets. Il l'ignora tout autant et se rendit boire. Puis s'essuyant la bouche du revers de sa manche de chemise, il dit :

–Ça serait mieux que tu les envoyes en haut le temps que tu vas m'épouiller les cheveux.

Louise se leva de la table et dit :

–Marie-Anne, emmène les petites en haut, je vas m'occuper de la tête à Télesphore.

–Non, non, la mère, objecta-t-il rudement. C'est à la femme d'un homme à faire ça, pas à sa mère.

–Faudrait pas penser que y a des règles aussi pointues que ça ! opina Gédéon qui fumait dans l'escalier.

–Ben oui ! s'empressa d'approuver Marie-Anne qui confia Aurore à sa belle-mère et courut quasiment à la machine à coudre où se trouvait dans un tiroir le peigne fin requis.

Il prit place sur une chaise droite près de la fenêtre là où la lumière entrait le mieux dans la maison. Elle allait commencer quand il demanda :

–La dernière, elle marche pas encore ?

–Donnes-y le temps : la petite Aurore a rien que dix mois et demi.

–Ah !

Elle travailla inquiète. On dirait que Télesphore revenait chaque printemps du bois dans un état de maussaderie généralisée. Cette année, il ne pourrait pas rechigner sur le compte au magasin puisqu'elle avait moins dépensé que jamais. Tout l'hiver, on avait vivoté avec la portion congrue. Elle avait ménagé le pétrole lampant, la fleur, le sucre, tout. Et le jardinage à Gédéon avait grandement aidé. Par deux fois, Anthime était venu porter des lièvres. De plus, elle avait fait en sorte que Télesphore mette le compte à zéro avant de partir.

Mais là, il donnait l'air de mépriser la petite Aurore, une enfant dont elle sentait l'âme si fragile, toute faite de peur, de pleurs, un bébé qu'il fallait souvent prendre pour le consoler et qui tremblait, et qui ne souriait guère, et qui n'avait jamais crié de rage comme le font tous les enfants contrariés un jour ou l'autre.

*

Marie-Anne se sentait plus maternelle, protectrice avec sa dernière-née comme si l'enfant, par sa vulnérabilité, l'eût commandé. Aurore serait brune tout comme elle, ce qu'elle était presque déjà. Avec des yeux assortis, inquiets et soumis. Encore joufflue de son allaitement et de la bouillie, on pouvait prédire que son visage serait moins fin que celui de sa mère mais moins allongé que celui de son père. Moins bien bâtie, elle ne se traînait guère sur le plancher comme sa soeur l'avait tant fait et avec grande énergie avant de se mettre à marcher et à courir. On la trouvait dans des coins à étudier des bouts d'écorce, à surveiller le chat qui finirait par sortir de son refuge sous le poêle, à fixer dans sa mémoire aux airs volages ces pieds sous la table, à tourner et retourner dans tous les sens durant de longues minutes une simple petite boîte de carton sur laquelle se trouvaient les lettres rouges, à soulever et laisser tomber un vieil almanach tout échiffé, à expérimenter sa main sur la tête du chien comme pour lui donner un peu de son enfance, à regarder passer toutes ces ombres géantes au-dessus et autour d'elle.

La petite recherchait de la chaleur et on la trouvait souvent endormie aux alentours du poêle : derrière, sur le côté, entre la boîte à bois et cette partie du foyer ou en-dessous de la porte du four quand on l'ouvrait pour mieux chauffer la maison.

Depuis le retour de Télesphore, Marie-Anne la mettait souvent à terre pour qu'elle se développe plus vite et commence

174

à marcher le plus tôt possible après ses douze mois. Ce qu'elle fit ce soir de grande fraîche dès après le souper en l'extrayant de sa chaise haute pour lui donner cet univers du plancher que la petite connaissait bien.

On parla longuement à table. Télesphore racontait à son père des événements de chantier. Rarement s'adressait-il à Marie-Anne et quand ça lui arrivait, il ne l'envisageait pas et cherchait à lui parler indirectement par les mots, les gestes, des phrases tronquées : un langage que la jeune femme savait lire maintenant. Il parla de Napoléon Gagnon. On se rappela qu'Anthime en avait parlé aussi un peu lors d'une visite de février alors qu'il avait raconté l'incident du cheval échappé, arrivé à cette petite jeune femme qui n'avait pas froid aux yeux.

Louise dut allumer une lampe tant il faisait sombre maintenant dans la cuisine. Elle commença à défaire la table. Marie-Anne s'empressa de l'aider, en fait de prendre les devants comme son mari, elle le devinait, le voulait, pour qu'elle devienne une femme accomplie en vue du départ des Gagnon, ce qui ne saurait tarder et dont on parlait de plus en plus souvent. Et Télesphore eut le goût de fumer sa pipe qu'il chargea à bloc, au point que des brindilles de tabac débordaient du fourneau. Puis il se rendit au poêle, ôta un rond qu'il jeta bruyamment sur l'autre à côté; et à l'aide de la bordiche, comme il en avait l'habitude, il se mit à la recherche d'un beau tison rouge couvant sous la cendre. Quand il l'eut, il le souleva avec le pied de la bordiche et alla le poser sur le tabac, mais le tison tomba au dernier moment et disparut il ne savait où. Il reprit son manège et cette fois était en train de réussir quand soudain éclatèrent des pleurs d'enfant.

C'étaient des cris de douleur et Marie-Anne accourut. Télesphore regardait bêtement Aurore qui, près de la patte arrière du poêle, se tordait dans la pénombre, et il ne pensa au premier tison échappé qu'après que sa femme eut pris la petite dans ses bras pour se rendre compte que la manche de la robe sur l'épaule était défoncée par un trou, rongée par le tison qui retomba à terre. La mère tua le feu avec sa main et vit la chair brûlée : un rond gros comme le petit doigt et qui tirait de la gorge de l'enfant des hurlements de terreur commandés par la souffrance. Télesphore lança :

–Ben oui mais qu'elle se recule donc de là itou !

–Mais son petit bras est tout brûlé ! s'écria Marie-Anne que la colère emportait, et d'une voix qui perça le tumulte.

Elle criait après son mari pour la première fois.

–C'est ben bon pour elle, ça va la corriger de se tenir dans les jambes à ras le poêle.

–Mais Télesphore, cette enfant-là, elle a pas un an !

Et la colère de Marie-Anne vira aussitôt aux larmes silencieuses et résignées.

–Je vas chercher une couenne de lard, dit Louise tandis que sa belle-fille se réfugiait dans la chambre.

Télesphore écrasa le tison sur le plancher dans un bruit pareil à celui d'un barbot qu'on écrabouille. Et il dit :

–De ce que cette enfant-là est donc tannante pis limoneuse ! Toujours le nez où c'est qu'elle a pas d'affaire à se trouver !

Gédéon se leva de sa chaise en tremblotant. Il pointa son fils du bouquin de sa pipe et il dit, la voix chevrotante, animé par un sentiment de révolte :

–Si tu te sens coupable envers ta petite, Télesphore, t'es pas obligé de t'en prendre à elle par-dessus le marché pour te défendre. Tu cours aucun danger, toé... Tu mesures six gros pieds, pas deux petits pieds...

Puis, une larme de colère dans un oeil et de douleur dans l'autre, Gédéon quitta la grande maison et il se rendit dans la cuisine d'été après avoir rejeté la porte derrière lui.

Télesphore demeura seul avec sa pipe. Même Marie-Jeanne, après l'avoir questionné du regard, courut avec sa mère, sa grand-mère et sa soeur dans la chambre.

«Ouais ben le père, va falloir qu'il nous laisse faire notre vie à notre manière asteur !» soliloqua Télesphore en s'asseyant sur sa berçante.

Et il appela le chien pour avoir de la compagnie et de l'approbation. L'animal accourut... Il lui frotta la tête.

–Bon chien, bon chien...

*

Puis Télesphore retrouva son calme et son coeur. Le dernier dimanche d'avril, à la sortie de la messe, il jasa avec son frère Anthime qui lui annonça tout fier son achat d'un Kodak au magasin Mailhot, et dit qu'il avait déjà commencé à prendre des portraits dans la paroisse.

Pour l'encourager en même temps que voir de près le fonctionnement de l'appareil, Télesphore réserva ses services pour quelque part durant l'après-midi. Il ne faisait pas grand soleil, mais le temps ne se présentait pas trop sombre non plus. Et Anthime vint à deux heures.

Entre-temps, Marie-Anne fit porter un billet à Exilda par Marie-Jeanne; et la voisine revint avec la fillette.

—Tu vas te faire poser avec nous autres, lui glissa Marie-Anne à l'oreille.

—Je voudrais pas briser le portrait, chuchota l'autre.

—T'es folle... Viens...

On sortit. Marie-Anne la première avec Aurore dans les bras. Exilda suivit et descendit en bas de l'escalier tandis que Gédéon et Louise, précédés de Marie-Jeanne, s'arrêtaient, tout juste sortis de l'embrasure de la porte.

Plus loin, les deux frères examinaient l'appareil qui contenait déjà de la pellicule puisque Anthime avait photographié sur ce film durant la semaine. Il montra à Télesphore l'inimaginable simplicité de l'appareil.

—On a quasiment rien qu'à peser sur le bouton pis eux autres font tout le reste.

Le jeune homme s'écarta les jambes pour mieux s'arc-bouter comme on lui avait montré à le faire.

—Faut que je soye solide parce que si je grouille, le portrait va être brouille.

À la famille, il cria :

—Pis vous autres, grouillez pas non plus...

Avant de peser sur le bouton, il dit à Télesphore :

—Va avec eux autres si tu veux te faire poser.

—J'irai à l'autre, je veux voir comment ça marche.

—C'est comme tu veux.

Anthime mit sa main en visière devant la petite fenêtre qui redonnait au photographe l'image recueillie par l'oeil de la caméra.

—Ça grouille, ça grouille, étira-t-il en levant la tête.

Marie-Anne avait décidé de poser Aurore à ses pieds même si on verrait son ventre dans un état intéressant avancé. La fillette chambranlait fort sur ses frêles jambes, mais avec un point d'appui, elle était capable de rester debout quelques moments. Et sa mère lui prit la main pour la soutenir.

En même temps, Gédéon mit sa pipe dans le coin de sa bouche et pour la calmer, mordit dans le bouquin, puis il tira Marie-Jeanne sur lui afin de l'empêcher de bouger. Alors Anthime sut que c'était le bon moment. Il abaissa le déclic. On respira...

–Grouillez pas, grouillez pas, on va prendre la deuxième. Télesphore, va avec eux autres...

Aurore vacillait et frissonnait sous les légers coups de vent, une brise qui se donnait du mordant dans le champ d'en face en y léchant quelques lisières de neige qui restaient encore. Et dans le brouillard de sa tête, cette ombre de son père presqu'au-dessus d'elle provoqua la peur. Elle grimaça, courba les genoux, tomba sur une cuisse, à moitié retenue par la main de sa mère. Soudainement, une force énorme s'empara de son corps et elle se retrouva debout sur des jambes qui refusaient de la porter. Une voix lourde s'abattit sur elle :

–Tiens-là par les deux mains, disait Télesphore à sa femme.

Marie-Anne obéit, mais l'âme de la fillette sombrait dans un abîme de terreur et elle éclata en sanglots, les yeux fermés, les jambes molles, oppressée de la poitrine et prisonnière des épaules. Sa mère fut chagrinée non pas de cela mais parce qu'elle aurait voulu que l'enfant restât debout, affirmât de la petite force et à jamais sur un portrait pour qu'on l'accepte comme personne humaine ayant le droit à son existence avant que naisse l'enfant suivant.

Peine perdue, Aurore pleurerait de plus en plus, elle le savait. Elle se pencha et la prit dans ses bras, l'enlaça du mieux qu'elle put pour la retenir sur son ventre pointu, mais les pleurs grimaçants se poursuivirent et c'est ainsi que fut prise la seconde photographie.

Lorsque, dix jours plus tard, vinrent les photos, la seconde était manquée. Tout à fait brouille. Télesphore grommela en les regardant :

–Pas surprenant : la petite torrieuse braillait tout le temps pis quand on se fait poser, faut pas grouiller d'un poil...

–On en fera faire d'autres, dit doucement sa femme.

–Pouah ! Une de bonne, c'est assez !

*

Marie-Anne râtelait dans la prairie voisine de la terre des Lemay. Exilda s'arrangea pour s'en rapprocher le plus possible. On se salua de la main et d'un peu loin. Puis la voisine succomba à la tentation et, après avoir ramassé des herbes, elle suivit jusqu'à la clôture son envie de placoter.

Rendue, elle tendit son petit bouquet à Marie-Anne.

–Tiens, tu donneras ça à la petite Aurore : c'est du foin d'odeur. Ça la fera pas moucher toujours ?

Le visage de Marie-Anne s'éclaira.

–Ben sûr que non !

–Elle a pas commencé à marcher encore ?

–Non, mais elle se tient debout. Ça retardera pas, c'est sûr.

–La petite bougresse, elle est assez belle... on va vous l'emprunter pour aller se promener.

–T'en as deux beaux enfants toé itou : de quoi c'est que tu te plains, Exilda Lemay ?

Puis le front de Marie-Anne se rembrunit sous son grand chapeau de paille. Elle avait le coeur givré d'une tristesse durable depuis l'incident du tison qui s'était ajouté à d'autres moins spectaculaires, à des mots, des regards, des sous-entendus. Elle soupira :

–Je crains que Télesphore soye un peu trop dur avec les enfants. Il a pas l'air de voir que des petites filles qui viennent de venir au monde, elles sont pas comme lui, qu'elles sont petites pis faibles...

–Bah ! les hommes sont comme ça ! Des enfants, faut que ça soye repris pis corrigés.

–Ben entendu que j'ai déjà donné quelques bonnes tapes à Marie-Jeanne mais y'a correction pis correction. Et la petite Aurore, elle est douce pis tranquille; on l'entend presque jamais.

–D'abord que c'est de même, l'important, Marie-Anne,

c'est que tu l'aimes pis que tu la caresses dans tes bras de temps en temps. Pas trop, là, mais de temps en temps...

–Ah ! j'y manque pas, j'y manque pas.

–Pis si tu veux un conseil... pour la protéger de... de tout, couds-y un scapulaire dans sa petite robe par en dedans. Même s'il est usé, son pouvoir sera là. Pis tu continueras à faire pareil dans ses autres robes à mesure qu'elle grandira.

–C'est une bonne idée : je vas le faire certain.

Dans l'après-midi, ce fut au tour de Louise de se rendre aux champs avec les hommes. Marie-Anne demeura seule avec les fillettes à la maison. Elle trouva un scapulaire usé au fond de son coffre et le posa à l'aiguille dans la robe d'Aurore, au milieu du dos tandis que la fillette s'amusait avec le foin d'odeur au milieu de la cuisine dans une autre robe trop grande pour elle.

Quand elle eut terminé, Marie-Anne s'arrêta : épuisée. La fatigue du matin, celle de son état et un moment de découragement l'assaillirent à la fois. Trois enfants bientôt et tout juste vingt ans : à ce rythme-là, elle en aurait bien deux douzaines. Un long soupir eut raison de sa faiblesse.

–Aurore, Aurore, viens voir maman...

La petite répondit aussitôt à l'appel et se traîna jusqu'aux pieds de sa mère qui se pencha sur elle et l'aida à se mettre debout en la soulevant par les mains. Elle la retint ensuite entre ses genoux et lui ôta sa vieille robe pour lui remettre l'autre dont le trou à l'épaule avait été bien reprisé par sa belle-mère. La cicatrice lui apparut. La gale était tombée d'elle-même quelques jours plus tôt. Mais la marque ne s'effacerait jamais.

Marie-Anne se rappela des mots d'Exilda. Et elle pensa que l'occasion de bercer sa petite fille ne lui serait plus guère donnée puisque le temps et le nouveau bébé l'empêcheraient de le faire désormais

Difficile de s'y prendre avec ce ventre impossible !

Elle préféra garder l'enfant entre ses genoux. Et l'entraîna en douceur dans un balancement qu'elle accompagna de la plus belle chanson qu'elle connaisse dans un filet de voix juste et beau :

Parlez-moi d'amour
Redites-moi des choses tendres.
Votre beau discours,
Mon coeur n'est pas las de l'entendre
Pourvu que toujours
Vous répétiez ces mots suprêmes :
Je vous aime...

Aurore suçait son pouce, les yeux chercheurs. Puis un ravissement extatique s'empara d'elle toute. Elle souriait aux sourires maternels. Il lui entra de la force dans les jambes.

Au loin, dans le fournil, Marie-Jeanne entendit et délaissa son jeu. Elle courut, s'arrêta un moment dans la jouée du mur entre les deux maisons, hésita.

–Viens, Marie-Jeanne !

La fillette s'approcha.

–Colle ta tête sur le ventre à maman.

L'enfant obéit.

Et la voix maternelle recommença le même refrain.

*

Quelques jours plus tard naissait un fils à la famille. On le baptisa Georges-Étienne.

Ces semaines-là, une ligne de téléphone depuis Deschaillons se rendit à Fortierville grâce aux demandes incessantes du curé Grondin qui fut le premier abonné, suivi aussitôt du marchand Oréus Mailhot, un jeune homme d'avant-garde.

*

Par un beau soleil du milieu d'août, Arzélie et Nérée Caron, Charles, Marie-Ange, Véronique et quelques autres enfants vinrent rendre visite à la nouvelle maman.

Télesphore montra du contentement d'avoir un fils. C'est lui qui avait choisi son nom et Marie-Anne n'avait pas suggéré Wilfrid car l'étoile de Laurier commençait à pâlir au pays du Québec, obscurcie par les attaques vives et incessantes des nationalistes.

–Une qui marche pas encore pis déjà un autre bébé : je

sais pas ce que je vas faire, se plaignit Marie-Anne devant sa mère et Louise qui se berçaient dans la grande maison, tandis que les hommes fumaient leur pipe dans le fournil.

Venu boire, Charles entendit du coin de l'oreille. Il regarda Aurore qui se traînait autour du poêle; et il poursuivit son chemin, mais, devant l'escalier, sur le point de rentrer dans la cuisine d'été, il fit subitement demi-tour.

Il avait un gros penchant pour la petite Aurore qui lui semblait un peu perdue, tout comme lui, en ce monde où il fallait tant de ruse pour se défendre quand on n'avait pas beaucoup de force musculaire et de l'énergie à revendre. Mais qu'il devait être dur de survivre à une pauvre fillette qui n'avait même pas encore les mots pour se faufiler entre tous ces pièges de l'existence !...

Il se souvint de cette blessure à l'épaule de la petite qu'il avait vue au printemps et combien il avait trouvé la chose invraisemblable. Qu'on dise ce qu'on voudra, le monde lui appartiendrait bientôt puisqu'il avait pris la décision de partir pour le Montana en septembre. C'était son avant-dernière visite à Marie-Anne, car la suivante marquerait son départ par train pour Montréal et les États-Unis. Il avait son argent pour s'y rendre, ses contacts, ses espoirs, sa détermination.

Tout lentement et sur des mots souriants, il s'approcha de la petite, puis il s'agenouilla devant elle avec le dessein de l'apprivoiser. Il la toucha à la tête, la cajola, la traita comme un petit animal précieux et l'enfant ne fut pas longue à s'abandonner à la confiance par des sourires et du baragouinage qu'elle lui adressait en guise de réponse.

Arzélie souffla à l'oreille de Louise :

–Tit-Charles, il aime assez les enfants : c'est drôle pour un homme, vous pensez pas ?

Quand il fut certain de sa relation avec elle, il la prit dans ses bras et se redressa puis l'assit dans la dernière marche de l'escalier. Il se recula de deux pas d'homme qui en signifieraient le triple pour la fillette et se mit à genoux en tendant les bras sous les regards amusés des femmes qui n'en revenaient pas de le voir agir.

–Viens Aurore, viens voir mon oncle Tit-Charles, viens...

Elle regarda à droite à gauche comme quelqu'un qui réfléchit. Il insista du sourire et de ses bras ouverts où la petite désirait de plus en plus se réfugier. Elle se leva enfin, garda un moment le derrière des jambes appuyé à la marche...

–Viens, viens, lui suggérait fortement le jeune homme à voix soufflée, les yeux chargés de promesses brillantes que lui seul pouvait concocter au creux de son âme mais que l'enfant paraissait capter.

Aurore bougea. Son équilibre se cherchait un point d'appui, perçut qu'il ne saurait y en avoir rien qu'un, apprivoisa le mouvement. Elle fit un pas et l'équilibre entraîna le suivant puis l'autre puis l'autre... Tout allait tout seul. Il y avait des ailes dans ses petits bras tendus. La peur se muait en plaisir. Pas toute la peur. Elle lança le morceau restant dans les mains de son oncle qui la souleva au ciel en lui criant de la joie.

Et il la remit dans la marche et se recula un pas de plus. Elle contempla son désir, sachant qu'il suffisait d'un pas pour que le bonheur survienne de lui-même ensuite.

–Ah ben, ça prenait le Tit-Charles pour faire marcher ma fille ! s'exclama Marie-Anne.

En son for intérieur, elle se dit que Télesphore aurait pu réussir la même chose un mois plus tôt s'il était seulement sorti de lui-même comme venait de le faire son frère.

Le jeune homme reprit le manège en s'éloignant chaque fois un peu plus, espérant que la petite tombe puisque ça aussi, elle devait apprendre à le faire, mais pas une seule fois elle ne chuta, pas même quand il se déroba les bras près de la boîte à bois. Elle avait l'habitude de s'agripper au bord comme à son ber quand elle s'y mettait debout.

On rit copieusement de Tit-Charles à qui l'enfant avait joué un si bon tour. En homme sachant se moquer de lui-même et de plus, fier de son succès avec la petite, il s'amusa plus que tout le monde.

*

Quand il reparut avec ses bagages quelques semaines plus tard, dès son entrée dans la maison, la petite Aurore se leva du lieu de ses jeux simples et marcha vers lui les bras tendus. Mais elle ne put se rendre. Télesphore l'ôta de son chemin pour prendre la valise de son beau-frère...

À l'aube, après une bonne nuit reposante qui conduisit ses rêves dans les plus flamboyantes contrées de l'empyrée, Charles se leva et il s'agenouilla devant sa fenêtre du bout de la maison d'été par laquelle pouvait se voir le village étendu là-bas dans le matin gris. Un autre de ses désirs se réaliserait : il partirait un jour de pluie. Pluie bienfaisante, nourricière, si belle sur les feuilles d'automne et si douce quand elle picorait la peau ! Pour lui, il n'y avait pas de meilleur augure. Il respira à fond tant qu'il put de l'air frais que la fenêtre ouverte dispensait en abondance dans la pièce. Puis la flèche de l'église lui rappela que la pluie était un don du ciel et il en rendit grâce au Seigneur.

Par association d'idées, sa prière lui fit songer au récent décret du pape Pie X grâce auquel les enfants désormais, au lieu de faire à douze ans seulement leur communion solennelle, la feraient à sept. C'était là une reconnaissance par l'Église catholique de la valeur des enfants et de leur bonté naturelle aussi grande que leurs travers. Et ça le rassurait sur son intérêt de vieux pépère pour les petits. Il en aurait lui aussi un jour, mais pas maintenant, seulement quand il se sentirait les capacités de leur donner le meilleur pour faire face à la vie : lorsqu'il reviendrait les poches pleines dans cinq ou dix ans. À condition de revenir un jour, ce dont il n'était pas absolument sûr !

Il entendit la maison se réveiller. Télesphore faisait trembler les murs quand il marchait en bas. La voix pointue de Marie-Jeanne monta l'escalier et courut jusqu'à ses oreilles où elle arriva un peu essoufflée mais distincte. Les grands-parents se levèrent à leur tour; il sut qu'ils parlaient en sourdine pour ne pas le réveiller. Des bonnes personnes environnaient Marie-Anne : tant mieux pour elle ! Télesphore était certes un homme rude, mais au fond, comment bâtir une famille sans l'être ? Voilà précisément une des importantes raisons, par-delà son goût de l'aventure et des grands espaces, qui l'expédiaient de par le monde ce jour-là.

Le claquement de la porte lui révéla que Télesphore quittait la maison pour se rendre faire son train. Il demeura là encore un long moment puis le rappel de l'heure de son départ trancha dans ses réflexions et Charles se mit en branle. Il avait à faire. Déjeuner puis se laver comme il faut. Cela était entendu de la veille. Il aurait le coin du fournil à lui pour y faire ses ablutions dans une grande cuve à l'abri d'un rideau. Comment s'embarquer pour les États sans faire peau nette ? disait-il.

Il s'habilla de semaine. S'endimancherait plus tard, une fois propre. Descendit. Au tournant de l'escalier, quand la cuisine lui apparut, il s'arrêta un moment. Louise allait du poêle à la table. Gédéon mangeait des pitounes et Marie-Jeanne buvait du lait par petites gorgées à même une tasse de granit. Dans sa chaise haute, Aurore se plongeait les doigts dans un petit plat de bois contenant de la pâte de sarrasin puis les léchait. Il en tombait sur sa bavette qu'elle cherchait à nettoyer ensuite mais ne réussissait qu'à engraisser davantage. Dans la mémoire de ses petites mains rondes, il y avait ces coups du plat du couteau de Télesphore qui pendant une semaine avait cherché à la dresser pour lui montrer la propreté. Il n'avait cessé qu'à force de se faire dire par ses parents et Marie-Anne : «Attention pour pas lui briser ses petits doigts !»

Charles toussa sans besoin, juste pour signaler sa présence. Aurore se tourna. Elle eut crainte. Puis elle prit conscience qu'il s'agissait d'un être toujours bon pour elle et qui apaisait toute frayeur dans son âme.

–Bonjour ma belle petite Aurore ! Bonjour ma belle grande Marie-Jeanne ! Et bonjour tout le monde ! Marie-Anne est à l'étable ?

–Non, elle est dans la chambre, s'empressa de dire Marie-Jeanne.

–Avec le bébé, dit Gédéon qui fut compris.

–Ben viens t'assire à table tusuite, Charles, dit Louise avec son grand sérieux habituel, j'ai de la pitoune en masse, quasiment pour une armée.

Une armée : que voilà un mot évocateur pour Charles ! Parmi ses rêves, souvent il paradait le fusil à l'épaule, le bel uniforme sur le dos, la bravoure dans l'oeil. Il prit place à côté d'Aurore qui ne mangeait plus et n'avait plus d'yeux que pour lui.

–Pis comment va la belle Aurore ? demanda-t-il à la fillette dont il caressa la tête, et qui le gratifia d'un large sourire.

–Elle se salit tout le temps ! dit Marie-Jeanne de l'autre côté de la table et pour qui, à cause des leçons de son père, Aurore était coupable de se souiller ainsi.

–Ben oui, mais elle est toute petite ! dit Charles. Quand elle aura ton âge, elle va être aussi propre que toé.

–Ben non, est pas capable ! insista la fillette qui du regard chercha une approbation dans les yeux de son grand-père.

Gédéon lui dit :

–Ben oui, elle va être capable, ben oui !

Tout le temps que dura le repas, Charles fit de la façon à sa petite voisine qui le lui rendit bien. Marie-Anne parut. Elle prit place à côté de Marie-Jeanne. Se montra chagrine comme le temps. Mais voulut le cacher par des questions dont, le plus souvent, elle savait d'avance les réponses tant son frère avait parlé de l'Ouest ces dernières années. Ce qui chicotait le plus Marie-Anne, c'était sa crainte qu'il ne revienne jamais, qu'il soit tué dans un accident aux États ou bien emporté par la maladie. Ce qu'elle voulait lui entendre dire, c'était une intention manifeste de revenir un jour. Pas rien que des mots mais une assurance, une conviction qu'il lui transmettrait. Et elle finit par l'obtenir.

–Si je reviens m'établir par icitte, ça sera au bord du fleuve. Quelque part entre Leclercville pis Lotbinière ou Deschaillons. Pour pouvoir me dire chaque matin en me levant : j'ai rien qu'à mettre mon bateau sur l'eau pis à lever les voiles. Pis si y'a une place sur la terre où c'est que je veux dormir de mon dernier sommeil, c'est dans le cimetière de Sainte-Emmélie, face à la mer... comme Chateaubriand.

–Comme qui ? demanda Marie-Anne qui ne mangeait guère à cause de petits noeuds dans la gorge.

–Chateaubriand...

–Qui c'est celui-là ?

–Je sais pas qui c'est, mais je sais qu'il l'a écrit. Je l'ai lu dans l'almanach du peuple.

–Parlant d'écrire, on va-t-il pouvoir compter que tu vas le faire de temps en temps ?

–Ah ! ça : oui ! Une fois par année au moins !

Et il s'esclaffa.

–Rien qu'un petit mot ! insista Marie-Anne. Ça coûte rien qu'une cenne, envoyer une lettre.

L'échange se poursuivit. Louise lui dit que tout était prêt dans le fournil pour son bain. La cuve était là. Le savon du pays aussi. Des serviettes pour s'essuyer. Il ne manquait plus que l'eau et Gédéon lui donnerait un coup de main pour remplir la cuve de moitié comme il le désirait. Il y avait déjà un réservoir qui chauffait sur le poêle.

Tout se produisit à son goût. Ce qui n'empêcha point la tristesse de partir de grandir en lui.

Les larmes de Charles, c'était le rire.

Il chanta en flacotant dans l'eau belle.

> *Ti-Minou, gros minou*
> *L'été en p'tit boghei*
> *L'hiver en gros berlot*
> *Le matin, toujours à jeun*
> *Prends ton p'tit verre de rhum*
> *Spiritum Sanctum Dominum Nostrum*
> *Pour boire du rhum*
> *Pour boire du rhum*
> *J'en ai pas' cor' bu...*

Attirée par la voix, Marie-Jeanne se rendit fureter dans l'embrasure de la porte restée à moitié ouverte entre les deux maisons.

–Va pas là, écornifleuse ! cria Marie-Anne.

–Viens t'en icitte, ordonna Louise à l'enfant qui rebroussa chemin et comprit l'interdit sans percevoir la raison.

Quand Télesphore entra, on mit Aurore par terre en sachant qu'elle s'éloignerait naturellement de lui. Il fut question du temps. Pas moyen de labourer à la pluie. Télesphore irait reconduire Tit-Charles à la gare et il ramènerait Marie-Anne à la maison puis il retournerait chez Anthime au village pour l'aider à se faire des chaises. Gédéon avait dessein de travailler avec Louise à fabriquer du ketchup vert. La pluie, c'était quand même pas la mer à boire : il ramasserait des tomates malgré tout, coiffé d'un vieux saouest de marin et revêtu d'une veste en toile de lin huilée qui n'absorbait guère l'eau.

Aurore aussi avait été séduite par la voix de Charles et elle n'ignorait pas où il se trouvait. Quant à savoir ce qu'il fabriquait là-bas... Discrète par sa petitesse, furtive par l'innocence, silencieuse par l'habitude, la petite fille traversa la frontière entre les deux maisons et suivit avec une grande hésitation -car elle savait par bien des coups reçus déjà que la violence s'attaquait toujours à elle par surprise- cet appel envoûtant venu de l'invisible.

Les êtres marqués sont frappés même par le temps. Le hasard joue contre eux comme il en favorise d'autres. Ce n'est pas de la malchance, c'est de la haine orchestrée par ce qui tire les ficelles du destin. Télesphore cherchait sa pipe avec impatience depuis un bon moment dans la cuisine. Et il ne la trouvait pas. Et il se rendit dans le fournil pour la chercher sur des tablettes. Et Aurore arrivait au rideau derrière lequel Charles chantonnait toujours. Et la colère emporta son père. Quel diable pouvait mener cette enfant pour qu'elle veuille voir quelqu'un sans vêtements sur le dos ? C'est ce démon que Télesphore crut prendre en s'emparant de l'enfant. Il la souleva comme une plume, fit deux pas en arrière et la déposa sur la frontière.

–Va t'en d'icitte, petite impure que t'es !

Au mépris craché, il ajouta une claque au derrière qui faucha le frêle équilibre saisi d'effroi de la fillette et la projeta en avant, en pleine face sur le plancher. Les cris saccadés du désespoir, les seuls possibles à un être aussi cruellement bafoué, jaillirent de sa gorge alors même qu'elle restait là, le côté du front se boursouflant sur une bosse du plancher. Louise fut la première auprès de l'enfant. Elle la ramassa et l'enveloppa dans ses bras.

–Grand dur ! dit-elle à Télesphore qui retournait dans le fournil.

Marie-Anne sortit de la chambre où le bébé l'avait requise et questionna sa belle-mère.

Charles cessa de chanter. N'ayant saisi que les mots de Louise, il sut que Télesphore avait battu la petite Aurore et il eut mal. Toujours il ignorerait que sa fantaisie de prendre un bain, peut-être réprouvée par le ciel, avait, au fond, tracé la voie entre la main du bourreau et le corps de la victime.

Il se promit de consoler la fillette avant de partir. De lui donner, quoi que l'on dise ou pense, des souvenirs impérissables, des petites ailes de confiance en l'amour d'une grande personne qui se développeraient peut-être en son âme et qui l'aideraient à traverser les épreuves de la vie et les duretés des jours.

Il mit rapidement un terme à son bain et se rhabilla. Puis il jeta l'eau dehors, ramena la cuve à l'intérieur et la mit à l'envers au beau milieu du plancher du fournil. Il fallait maintenant quelque chose de brillant... Madame Gagnon l'aiderait. Il se rendit la voir puis ayant obtenu ce qu'il voulait, il revint poser au milieu de la cuve une chandelle qu'il alluma aussitôt et autour de laquelle il dispersa des cuillers et des fourchettes de la belle argenterie de la maison.

Télesphore et Gédéon fumaient dehors, à l'entrée du jardin potager. La pluie faisait relâche; à peine brumassait-il pour quelques minutes.

–Veux-tu ben me dire à quel jeu tu veux jouer ? s'enquit Marie-Anne qui achevait de consoler la blessée.

–Un jeu d'enfant... Donne-moi Aurore.

La fillette cessa ses pleurs quand il la prit. Puis il demanda sa main à Marie-Jeanne que la crainte tranquillisait sur sa chaise depuis la colère paternelle. Et le trio repartit pour l'autre maison.

Marie-Anne sourit à sa belle-mère en disant avec une moue espiègle et faussement résignée :

–Si Tit-Charles veut nous voir, il va nous appeler, je suppose.

–Vous pouvez venir si vous voulez, cria-t-il de loin pour répondre à la phrase qu'il avait entendue.

Consoler Aurore lui permettrait de se consoler lui-même de partir.

Les larmes de Charles, c'était le rire.

Dans la pièce sombre, les reflets de la flamme dansaient sur la brillance des ustensiles. Il posa Aurore à terre mais garda sa main dans la sienne, et il fit en sorte que l'on entoure la cuve. Marie-Jeanne comprit. Elle lui redonna sa main et prit celle de sa petite soeur que tout maintenant fascinait et qui ouvrait grand les yeux sur le feu, sur sa soeur et sur ce grand magicien du coeur.

—On va danser la capucine.

Pour les accompagner, il prit un air connu et remplaça les Madeleine par Marie-Jeanne et Marion, et l'on se mit à tourner doucement au gré des syllabes étirées :

À-la-clai-re fon-tai-ne, m'en al-lant pro-me-ner
J'ai trou-vé l'eau si bel-le que je m'y suis bai-gné.

Alors il s'arrêta et se mit à sautiller sur place pour le refrain qu'il chantonna plus vite :

Tu danses bien Marie-Jeanne
L'rigodon, Marion
T'accord' bien Marie-Jeanne
Du talon, Marion.

Marie-Jeanne apprit vite à le suivre, mais Aurore se laissait porter par tout ce qui l'entourait et qu'elle entourait : par les mains, par la flamme, par l'éclat des cuillers, et maintenant par les sourires de sa mère et les regards attendris de sa grand-mère toutes deux appuyées au chambranle de la porte. Elle avait les yeux tout bouffis et une grosse bosse noire sur le front, mais son visage rayonnait par-dessus les pleurs et la peur; cela demeurerait l'un des plus beaux spectacles de sa courte vie. Et ses petits bras allongés et légers se transformaient en ailes fragiles comme l'avait voulu l'oncle Charles dans sa cuve... La vie, pour Aurore, en cette minute, devenait grandiose.

Et la ronde reprit.

"Sous les feuilles d'un chêne, je me suis fait sécher
Sur la plus haute branche, le rossignol chantait."

On s'arrêta une seconde pour le refrain. Il dit :

—Viens Marie-Anne, viens danser avec une bande d'enfants.

La surprise fut grande de voir Louise prendre les devants car Marie-Anne eut un moment d'hésitation que lui commandait son sérieux de femme adulte, mère de trois enfants.

La grand-mère se mit entre les deux fillettes puis Marie-Anne entra dans la ronde entre sa belle-mère et Aurore de sorte que la fillette eut maintenant une main tenue par Charles et l'autre par sa mère.

–Tout le monde saute...

Tu danses bien, Marie-Jeanne
L'rigodon, Marion
T'accord' bien, Marie-Jeanne
Du talon, Marion...

–Tout le monde chante et tout le monde tourne...

Chante rossignol chante, toi qui as le coeur gai
Tu as le coeur à rire, moi, je l'ai à pleurer.

La voix fine de Marie-Anne s'ajouta à celle un peu fêlée de son frère. Louise émettait des notes rauques comme si sa langue eût été affligée d'une grenouillette. Et Marie-Jeanne avait le ton juste et s'en servait dans des la la la qui nasillaient.

Aurore émit des sons. N'importe quoi. Elle ne savait pas. Et elle ignorait qu'elle ne savait pas. Comme ce premier pas qui lui avait valu tant de joie mais dont elle ne se souvenait plus consciemment, elle devait aussi dire quelque chose. Un mouvement vague et irrésistible, un ravissement nouveau le lui commandait. Car le dire, pour elle, en ce moment, c'était le bonheur, c'était le sourire, c'était le rire.

Et pour Charles, les larmes, c'était le rire.

Un grand éclat se fit entendre. Les hommes étaient rentrés et Gédéon regardait la ronde depuis l'embrasure de la porte entre les maisons.

–Le fun qu'est pogné dans la cabane ! dit-il, la voix volontairement enrouée et qui lui gravouillait dans la gorge avec les humeurs provoquées par la puissance de son tabac cultivé par lui-même.

Et il s'esclaffa encore en se claquant sur la cuisse.

Télesphore s'approcha, regarda un moment par-dessus l'épaule de son père, émit un soupir en disant :

–On dirait du monde en train d'invoquer le diable.

Seul Gédéon l'entendit. Il ne le prit même pas au sérieux et commença à se frapper dans les mains alors que reprenait le refrain.

Le reste du temps qu'il fut là, Aurore courut Charles comme un petit chien qui vient de se découvrir une grande fidélité. Lui devint de plus en plus agité. La petite le percevait et ses yeux cherchaient, cherchaient dans toutes les choses qu'ils rencontraient. Mais ils ne trouvaient pas et ils recommençaient à chercher : obstinément, désespérément, vainement.

Vint l'heure.

Télesphore qui avait attelé rentra dans la maison pour avertir et prendre la valise de son beau-frère. Il sortit avec Gédéon. La pluie était revenue : égale et tranquille. Le soufflet du boghei avait dû être installé. Et on aurait des toiles cirées pour les genoux, les pieds...

Charles salua Louise. Il frotta la tête de Marie-Jeanne qui se tortilla de bonheur embarrassé. Ensuite il prit Aurore dans ses bras et lui chuchota des secrets. Elle sourit à plusieurs reprises comme si tous ses dires avaient été des brindilles de foin d'odeur. Il l'emmena dans le fournil où son autel du bonheur était toujours monté, et sans poser l'enfant à terre, il ralluma la chandelle éteinte.

Aurore montra la flamme du doigt et questionna d'une série de sons et d'un sourcil plus sérieux que l'autre sous sa grosse bosse à l'enflure douloureuse qu'elle oubliait pourtant. Charles fit signe que oui comme s'il avait compris la question. Et pour la première fois de sa vie, il embrassa un enfant. Lui, l'homme propre, bien lavé, les cheveux dans un ordre parfait, cravaté dans un col dur, posa ses lèvres sur la joue d'une petite bonne femme poussiéreuse au visage noirci par ses larmes et de la pâte de sarrasin séchée et salie par le plancher, à la petite robe rapiécée à l'épaule et sous laquelle se trouvait la cicatrice d'un tison qu'une pipe n'avait pas retenu, au front marqué par une main correctrice conduite par l'inconscience mais aussi par une interprétation exagérée de versets de la Bible...

Puis il se pencha et dans un grand souffle terminé par un rire commandé par un sanglot profond, il éteignit la chandelle.

Dans l'embrasure de la porte, Marie-Jeanne se demandait pourquoi elle n'avait pas droit, elle aussi, à autant; et quelque chose d'instinctuel au fond de son âme en voulut à sa petite soeur.

Quand Charles revint à la cuisine, Marie-Anne était rendue dehors. Il déposa son précieux fardeau, marmonna un ultime salut à Louise et sortit vite sans se retourner. Aurore grimaça. Elle se rendit questionner la porte par des yeux démesurés. Sa grand-mère la prit dans ses bras. Le bébé appela de son cri depuis la chambre. Louise dut remettre Aurore par terre.

Et la fillette chercha, chercha dans toutes les choses que son regard rencontra. Ne trouvant pas, elle recommença : obstinément, désespérément, vainement...

*

Lagloire laissa le guichet extérieur ouvert malgré le temps. Il eût fallu de la pluie battante pour que l'eau entrât dans la gare. Il respirait mieux ainsi dans son étroit réduit du télégraphe. Et puis il entendait clairement les conversations des voyageurs assis sur le quai dans l'attente du train. C'était un homme roux au nez pivelé portant une visière verte qui compensait sa faiblesse musculaire en tâchant d'établir une sorte de domination de l'esprit, ce qui le faisait se rapprocher du mieux qu'il pouvait de l'élite pensante constituée des notables de la région et des curés.

Sous le porche, les Gagnon et Charles avaient pris place sur un banc. Le voyageur tira sa montre de son gousset. Il restait à peine un quart d'heure qui passa en banalités. Le ton et les pauses disaient tout. Il y avait de la pression sur la gorge de Marie-Anne, de la peur dans les rires de Charles, de la réprobation dans la placidité de Télesphore.

Enfin, la locomotive entra en gare dans son bruit d'enfer en soulevant une bruine qui mouilla la peau et les vêtements. Charles serra la main de son beau-frère en disant, le regard appuyé :

–Prends ben soin de toi, Télesphore, pis de tes enfants... pis ben entendu de Marie-Anne...

–Je fais ce que je peux.

Puis ce fut le tour de Marie-Anne. Télesphore se recula vers le guichet. Lagloire lui parla aussitôt :

–Temps de chien, hein !

–Ouais...

–C'est le frère de ta femme qui s'en va à Montréal ?

–À Montréal ? Ben plus loin que ça : au Montana.

–C'est pas à porte, ça... C'est comme mon frère le plus vieux, il est parti...

Pendant que ce bla bla se poursuivait, couverts par une petite distance et les sifflements de la locomotive, Marie-Anne et Charles s'embrassèrent comme au jour de l'an.

–Pis dis-moé pas de faire attention à moé : t'es ben plus au risque...

–T'es folle ! Je m'en vas vers la grande vie. Le Montana, c'est pas Panama pis la maladie pis les serpents... Le monde vit mieux que par icitte.

–En tout cas...

Il s'éloigna de quelques pas, jusqu'au pied du wagon à voyageurs. Elle recula jusqu'à Télesphore, des larmes de bois prises en écharde dans sa gorge et cria alors qu'il montait :

–Pis manque pas de nous écrire, là !

–Je vas essayer.

Lagloire crut que l'homme ne savait pas écrire. Il joua au messie :

–C'est pas tout le monde qui sait écrire... Dites-lui d'envoyer des télégraphes : pas besoin de savoir écrire...

Marie-Anne sentit ses pleurs se muer en colère froide. Elle dit de travers :

–Il le sait écrire, pis ce qu'il écrit, c'est pas avec une patte de perroquet qu'il le fait, c'est avec sa tête pis tout son bon sens pis surtout avec son coeur...

Alors que le langage gestuel remplaça l'autre entre Marie-Anne et Charles qui se rendit prendre une place dans le wagon, Télesphore continuait la conversation avec Lagloire. On renoua avec ce rêve des États qui nourrissait Charles depuis si longtemps :

–Je vois pas pourquoi. On est ben par icitte. Fais frette l'hiver, mais on se chauffe.

Quand le train se mit en branle, il parut que la pluie augmentait. Son miroitement devant l'acier noir se transforma en remous dans l'âme de Marie-Anne qui n'entendit plus Télesphore et Lagloire échangeant comme des pies.

Les yeux de la jeune femme s'embuèrent alors qu'elle leva la main pour un dernier salut, et la majesté de la tristesse envahit son front.

Assise sur la banquette, alors que Télesphore remettait la jument en route, elle entendit un gémissement au loin.

Dans le fournil, Aurore qui regardait le dessus de la cuve où il n'y avait plus ni argenterie, ni chandelle, ni feu ni joie, ni rien, entendit elle aussi depuis l'autre bout de l'univers, cette plainte du train.

******

Village de Fortierville: début du 20e siècle

Chapitre 11

L'hiver 1911 fut bon pour Marie-Anne et les enfants. Le ventre libre, elle disposait d'énergies pour eux. Mais vint le printemps. Télesphore rentra du bois en mars... Et le ventre dut se remettre à l'oeuvre...

Une quatrième grossesse en tout juste cinq ans de mariage altéra considérablement son état de santé et, l'été venu, la jeune femme eut du mal à se rendre aux champs quand il le fallait. Louise l'en exempta du mieux qu'elle put, mais ce n'était pas facile. Marie-Anne ne voulait pas prendre le risque de passer pour paresseuse aux yeux de son mari et ni sa faiblesse ni ses nausées fréquentes ne l'arrêtaient d'aller râteler, faire des vailloches, traire les vaches.

Par chance, il plut souvent et les foins s'étirèrent en longueur. Mais à la fin de juillet, par un matin où déjà le soleil frappait dur, alors qu'elle arrivait à la moitié de son temps, elle se sentit au bout de ses forces. Elle eut beau s'appuyer souvent à la pagée de la clôture pour tâcher de se rebâtir, le ciel et la terre tournaient, ses jambes flageolaient, des tremblements l'agitaient. Il lui fallut se résoudre à s'asseoir pour ne pas tomber.

Exilda la vit faire. Elle se rapprocha, cria, n'obtint pas de réponse, s'approcha encore...

Un spectacle affreux s'offrit bêtement à elle. Étendue, assommée, divaguant, Marie-Anne avait la robe relevée aux genoux, ensanglantée... Exilda se pencha, passa la main entre les perches, tira davantage la robe et trouva ce qu'elle s'attendait à voir : un avorton.

Elle enjamba la clôture. Avant de redescendre, elle jeta de grands et longs cris aux hommes qui fauchaient loin dans une prairie voisine et finit par obtenir leur attention. Ils répondirent à ses gestes dont ils devinèrent la signification et accoururent.

Pendant ce temps, elle échiffa le cordon à l'aide de deux petites pierres et le sectionna. Télesphore devint blanc comme neige à voir sa femme ainsi, mais il garda son ton coutumier.

—Je vas la porter à la maison pis la reconduire à Parisville su' le docteur.

—Non, vaut mieux la laisser se reposer dans la maison pis aller chercher le docteur, objecta Exilda.

—Ça va prendre le double de temps.

Gédéon intervint :

—Ça sera pas plus long. Si tu l'emportes su' le docteur, falloir que t'avances au petit pas avec elle arrangée de même. Tandis que si tu vas chercher le docteur, le cheval pourra trotter tout le long. Comme ça, tu vas prendre moins que la moitié moins de temps.

Télesphore ne répondit pas, mais il se rendait à l'argument. Il prit Marie-Anne dans ses bras et la transporta comme un bébé jusqu'à la maison tandis que Gédéon commençait déjà d'atteler. Puis il se rendit chercher le médecin comme entendu. On revint chacun dans sa propre voiture, car le docteur Lafond en profiterait pour voir d'autres patients à Fortierville (où il tenait maintenant un bureau de desserte installé chez son beau-père), ce qui d'ailleurs le garderait à portée de la main en cas d'hémorragie prolongée.

Il ausculta, donna des remèdes, repartit en disant qu'elle devrait dormir longtemps pour se refaire des forces.

En fait, Marie-Anne demeura sans connaissance durant plusieurs heures, la tête engoncée dans son oreiller, blanche comme un cadavre embaumé. Les petites qui souvent se faisaient enfermer dans cette chambre, eurent défense d'y entrer et Marie-Jeanne ne put qu'entrevoir sa mère sans comprendre pourquoi elle dormait en plein midi.

Puisque les femmes veillaient et parce qu'il se morfondait d'inquiétude, Télesphore repartit pour les champs. Mais il travaillait nerveusement, avec de fréquents coups d'oeil vers la maison. Soudain, le souvenir du foetus traînant là-bas près de la clôture lui revint en tête. Il planta sa faux en travers pour la retrouver aisément, et par prudence habituelle, et il se rendit au lieu de la fausse couche. L'avorton était noir de mouches, mais aucune bête ne s'en était encore approchée. Il prit la fourche laissée là par Marie-Anne et inséra les fourchons sous le foetus pour les en charger et qu'ensuite, il porta jusqu'au tas de fumier derrière la grange. Il l'y jeta. La chose roula vers le bas. Après tout, c'était mieux ainsi. Autrement, les bêtes... Alors il enterra l'avorton dans le fumier de vache. La décomposition serait rapide. De toute façon, il prendrait garde quand il étendrait le fumier sur ses champs au printemps suivant...

*

La pauvre Marie-Anne traîna plusieurs semaines à tâcher de rattraper ses forces, puis un soir, elle reprit de sa volonté de vivre.

Une lettre de Charles arriva.

C'était le premier pas qu'il lui fallait pour se remettre sur le chemin de la vie; les autres s'ajouteraient tout seuls. Elle n'aurait même pas eu à ouvrir l'enveloppe.

Télesphore respecta son nom car il était écrit et bien souligné : Madame Télesphore Gagnon, Sainte-Philomène-de-Fortierville, Comté de Lotbinière, Province de Québec, Canada. Il la lui remit en mains propres puis vint poser une lampe sur sa table de chevet pour qu'elle puisse mieux lire.

–Tu veux me l'ouvrir ?

–Je vas tout te la briser; t'es mieux de faire ça tout' seule, je crèrais.

–D'abord, demande à ta mère de venir si elle veut.

–Comme tu voudras.

Marie-Anne avait besoin de quelqu'un pour partager ce bonheur anticipé de lire les nouvelles de son frère, qu'elle espérait depuis longtemps.

–Regardez : il a pas trop une mauvaise main pour un homme, vous trouvez pas ?

Louise approuva.

–Vous voulez me l'ouvrir ?

La femme se rendit chercher un couteau dans la cuisine et revint. Et en précaution, appuyée sur la commode devant le miroir, et dans une délicatesse qui contrastait avec la rudesse de son visage, elle glissa la lame sous le rabat puis trancha dans un va-et-vient vif pour ne pas briser ni effranger le papier. Elle tira la lettre qu'elle tendit à Marie-Anne.

–Restez avec moé, madame Gagnon. J'aimerais ben ça.

Louise demeura debout près du lit.

La lettre était datée du début de juillet.

Marie-Anne en goûta chaque mot qu'elle prononça tranquillement :

"Chère Marie,

Je t'écris... Ça va ben pour moé. Icitte, j'aime pas ça pis j'aime ça. L'hiver, c'est frette en pépère. Pis veut veut pas, faut faire son ouvrage. Ça fait rien, je gagne de la belle argent. Je pense que je vas rester trois ans pis que je vas m'en retourner par chez nous après. Papa va se tenir informé des terres à vendre le long du fleuve pis quand je vas revenir, je vas la payer rubis sur l'ongle..."

–Rubis sur l'ongle : il écrit comme un homme instruit, coupa Marie-Anne qui reprit...

"Pis toé, un autre bébé de plus ? Dès que t'auras fini de lire ma lettre, je veux que t'embrasses la petite Marie-Jeanne pour moé pis surtout la petite Aurore. Tu leur diras que quand c'est que mon oncle Tit-Charles va revenir, il va leur apporter des beaux cadeaux des États.

L'ouvrage par icitte, c'est comme par chez nous excepté qu'on vironne pas mal dans la même journée à courir les vaches à cheval. C'est dur mais je gagne de la belle argent...je te l'ai déjà dit, en tout cas...

Télesphore est-il encore aussi fort ? Dis-y que le Buffalo Bill qu'on a vu à Québec, ben c'était pas le bon. Pis que je suis pas sûr que celui-là que j'ai vu à Chicago soye le bon non plus. Y'en a qui disent que y a autant de Buffalo Bill que y a de Santa Claus.

M'ai acheté une guitare. Je commence à gratter dessus des airs qui ont du bon sens. Tu diras à tes petites filles de s'affiler les griffes pour quand je vas revenir parce que je vas les faire swinguer trois fois plus fort autour de la cuve à lavage... ou ben dans le fond de la boîte à bois...

C'est à ton tour de m'écrire pour me donner des nouvelles de tout vous autres. Des becs aux enfants pis à toé pis à madame Gagnon qui est une ben bonne personne... Je te donne mon adresse.

Salut ben, salut ben."

Louise tourna les talons.

–Vous partez déjà ?

–Je vas chercher les petites. Il t'a demandé de les embrasser tusuite...

–C'est vrai : j'oubliais déjà...

Et un sourire large accueillit les fillettes qui ne virent pas les cernes dans les orbites creusées...

*

Un train pressé mugit dans le soir. Il avait de l'énergie à revendre dans le sifflet et, bielles galopantes, il filait à toute vapeur dans la contrée rose en train de se déshabiller une fois encore pour le long hiver canadien.

C'est que la locomotive ne traînait derrière elle que trois wagons à voyageurs à part le wagon de queue. Un vieil homme blanc appuyé à une vitre avait le visage enfoui dans une main et donnait l'air de somnoler.

Il était seul.

Seul dans son âme aussi.

Seul, il l'était depuis toujours.

Seul de son espèce car unique en son genre.

Et seul avec sa gloire.

Battu.

Laurier battu.

Tous les Canadiens français étaient battus à travers lui. Borden, le chef conservateur, l'avait dit et répété souvent durant la campagne électorale : "C'est désormais l'Ontario qui dictera la politique du gouvernement."

Battu par cinquante sièges.

Si les vingt-cinq comtés du Québec qui avaient élu des conservateurs avaient élu des libéraux, il aurait gardé le pouvoir. Le Québec s'était donc battu lui-même...

Mais ça, il n'avait pas pu le dire. Il fallait déjà préparer la prochaine élection. Au soir de la défaite, il avait déclaré : "En un jour sombre comme celui-ci, il nous reste une consolation : la fidélité de la province de Québec à nos drapeaux. Dieu merci ! ce n'est pas de la province de Québec que nous vient la défaite."

*

Laurier battu : Télesphore le perçut comme une mornifle. Sa fierté nationale eut quelques soirées piteuses. Il se fit plus disputeux envers les petites et un midi les corrigea en leur donnant à chacune de son long majeur dur comme du bois trois dures chiquenaudes sur les mains parce que, prises dans leurs jeux dehors au bout de la maison, elles n'avaient pas répondu à un premier appel à venir manger lancé par leur mère.

******

Chapitre 12

–Il est fait, notre devoir conjugal, j'sus encore enceinte. Pis ça va être le quatrième. Ça fait que... recule-toé de sur moé, espèce d'homme, dit la femme d'une voix qui cingla aux quatre coins de la chambre obscure.

–Ah ben ma foi du saint bon Dieu ! une femme qui se refuse à son mari, elle commet un péché mortel.

–Péché mortel, péché véniel, péché temporel, péché éternel : m'en sacre ben d'aller su' l'yable parce que tu y seras le premier. Pis c'est toé qui va pelleter toute la marde dans tout' l'enfer d'un boutte à l'autre.

–Marie-Anne, tu dis pas ce que tu penses; c'est ton état intéressant qui te rend de même.

–Je vas te dire, mon tornon de Gagnon, tu t'intéresseras à d'autre chose que moé pour une escousse...

L'homme se résigna. Son beau-père l'avait prévenu : Marie-Anne agissait drôle des fois. Mais c'était depuis leur mariage, depuis leur sortie de l'église de Sainte-Sophie cinq ans auparavant, qu'elle agissait aussi drôle, la Marie-Anne Houde, fille de Trefflé.

Il se souvint du portrait que Télesphore Gagnon lui avait

203

dressé dans le bois de sa Marie-Anne à lui : une personne d'adon d'une famille des plus belles filles de Leclercville, généralement obéissante, respectueuse et pieuse. Alors Napoléon se plaignit un moment de ce que le bon Dieu ne favorisait pas tout le monde égal.

Marie-Anne Houde n'était pas moins soumise aux lois dictées par sa religion; mais dans les zones grises, dans les cas particuliers où il appartenait à chacun chacune de juger des actes à poser en s'aidant des conseils des prêtres, elle occupait tout l'espace disponible et savait convaincre ses confesseurs.

Pour protéger l'enfant dans son ventre, son mari ne la toucherait pas tant qu'elle serait enceinte ni ensuite tant qu'elle ne serait pas tout à fait rétablie. «Mon père, suis fragile, ben fragile, demandez à monsieur le docteur. Pis Poléon est trop... gourmand là-dessus. Je peux-t-y le refuser ? Il mourra pas pis il me fera pas mourir. D'abord que je suis enceinte, le bon Dieu va comprendre...» Cette demande à son confesseur était en fait si raisonnable, si élémentaire que toutes les femmes qui auraient osé faire la même chose auraient eu des chances d'obtenir elles aussi l'assentiment des prêtres. Mais les curés comme les politiciens vont rarement plus loin que les demandes du peuple... à moins d'un grand changement, d'une grande révolution qui les avantage en argent ou en puissance....

Napoléon se dit qu'il reviendrait à la charge le lendemain et aussi le jour d'après; elle finirait bien par retrouver ses esprits.

Marie-Anne s'endormit. Peu après, dans les ténèbres profondes, son vieux cauchemar s'empara une fois encore de son âme. Cette chose hideuse qui la bafouait, la tirait par les cheveux vers le trou de l'escalier; sa résistance : ses pieds qui s'accrochent aux moindres saillies du plancher, ses mains qui cherchent à repousser l'invasion...

"Lâche-moi... lâche... ahhhhhhh... heuneuneuneun..."

Elle se débat, repousse, gémit; le corps dégringole dans l'escalier, s'abat dans un fracas sourd là-bas au pied des marches...

–Mon Dieu moi, mon Dieu moé ! entendit-elle vaguement.

Elle ouvrit les yeux subitement dans la nuit. La chair de poule agitait sa peau des cuisses et sa conscience avait du mal à émerger dans la réalité.

–C'est qu'il t'arrive encore ? Pourquoi c'est faire que tu m'as sacré en bas du lit ? se plaignit Napoléon qui deux fois cruellement meurtri dans son amour-propre en l'espace d'une heure, se demandait s'il ne devait pas s'en aller coucher ailleurs.

–Ben voyons donc, voir si je t'ai sacré en bas du lit ?

–Tu m'as poussé avec tes pieds pis tes mains...

–Ben non... C'est encore toé que tu te prends pour un cheval. Tu rêves à toutes sortes de folies, tu le sais, tu me l'as conté mille fois plutôt qu'une...

La voix était si sûre d'elle que l'homme en vint à douter de son bon sens et de ses perceptions. Il retrouva sa place sur la paillasse. Au moins ça sentait l'odeur avec Marie-Anne; toujours mieux que dans le bois où c'est que les paillasses sentent toutes la pisse, se dit-il en marmonnant des morceaux de mots.

Elle fut reprise de son mauvais rêve qui dura longtemps, mais Napoléon eut de la chance et à part quelques coups de pied sur les genoux, il ne fut pas trop incommodé par cette agitation de sa femme. Néanmoins, elle le réveilla aux aurores en lui poussant dans le dos avec l'articulation pointue de son majeur replié.

–Grouille-toé, Poléon, grouille-toé pour aller au train.

–Pas si de bonne heure.

–Je l'ai fait tout l'hiver pis j'sus pas en état de t'aider; ça fait que grouille-toé...

"Décidément, elle était de plus en plus anormale et de moins en moins comme les autres femmes," pensa le jeune homme qui se leva et s'étira dans sa combinaison trop grande et dont le panneau arrière pendait comme si quelque chose de lourd s'y trouvait.

Il regarda Marie-Anne. Les mains croisées sur son gros ventre, elle l'observait, le sourcil menaçant, le bec pointu et les cheveux hérissés. Une tête de martin-pêcheur...

–Rendors-toi si tu veux, je m'occupe des animaux.

–Une bonne fois, va falloir que ça se règle, ça. Chacun son ouvrage. Toé dehors pis moé icitte-dans. On a assez d'ouvrage avec les enfants, le manger, le lavage pis toute, qu'on devrait pas, nous autres les femmes, aller en plus au train, pis aux foins, pis au jardin...

–Ça : pense-z-y pas pour avant la saint-glinglin !

–C'est ce qu'on verra, mon tornon de Gagnon.

–T'es ben grincheuse à matin !

Elle ne renchérit pas et se tourna la tête vers la lumière de la lucarne.

*

Migraineuse, elle se leva quand même lorsqu'il eut quitté la maison. En haut, ses deux plus vieux ne tardèrent pas à se réveiller. Elle entendit leurs petits pas suivis et leurs voix mêlées dans l'escalier, mais elle demeura prostrée dans sa chaise berçante, cachée dans l'ombre du gros poêle noir, enveloppée par sa jaquette et une couverture de laine grise, emprisonnée dans un temps qui n'était pas fait pour elle, venue au monde à mi-chemin entre le trop tôt et le trop tard... Elle pensait :

"Quatre ans, Georges; trois ans, Roméo. Deux fils qu'elle élevait à la dure pour compenser les faiblesses du père. Elle les battait avec une hart une fois par mois et à la main une fois par semaine. Il fallait les corriger. C'était la volonté même de Dieu. Et de la bible. Le ciel ne se gagne pas sans les souffrances terrestres. Il fallait aussi qu'ils apprennent à se battre mieux que leur père. Il lui semblait qu'elle réussissait. Une fois de plus, elle voulut s'en assurer..."

–Georges, viens icitte, ordonna-t-elle sèchement quand elle les sut rendus en bas.

L'enfant repéra sa présence et accourut.

–Pourquoi c'est faire que tu viens pas tusuite quand c'est que je te le dis ? Hein ? Hein là ?

Le petit homme à cheveux aussi raides que noirs fit une moue désolée et craintive. Il n'avait pas entendu, mais il ignorait qu'il n'y avait rien eu à entendre.

–Relève la tête, là, relève... relève... Pis regarde maman dans les yeux...

Il obéit, fit la lippe.

–Réponds à maman, là, réponds tusuite à maman...

–Sais pas...

–Sais pas, sais pas, sais pas... comme son père... sait pas, sait jamais... Donne-moi ta main là...

Roméo restait à l'autre bout du poêle, pétrifié, un petit pied nu qui frottait discrètement le froid de l'autre. Il entendit un coup et les pleurs retenus de son frère.

–Pis renifle pas en plus, hein !

Un autre coup parvint aux oreilles de Roméo. Il oublia qu'il avait froid dans sa jaquette trop courte. Deux sanglots sourds échappèrent de Georges. Il reçut une troisième tape sur la main. Puis il se tut et resta là sans bouger. Le pire était passé pour lui. Marie-Anne appela Roméo.

L'enfant s'approcha de son pas boitillant. Il avait une déformation à un genou et ça l'avait retardé sensiblement pour apprendre à marcher, mais depuis qu'il en était capable il restait le plus souvent debout comme si un instinct lui disait qu'il deviendrait plus solide ainsi.

Il parut à côté de son frère, la tête basse.

–Toé, mon petit morvaillon, c'est pas maman qui va te retrousser, c'est ton frère.

Il y avait davantage de son père en Roméo qu'en son aîné. Le petit fouilla au fin fond de son courage et de ses mémoires et parvint à se composer un semblant de sourire qu'il servit à sa mère en relevant des yeux noirs et luisants.

–Pis pourquoi c'est faire que tu me regardes de même, hein, mon petit polisson ?

Elle rejeta de côté un pan de la couverture qui l'enrobait et se pencha tant bien que mal pour trouver la hart de correction derrière la boîte à bois. Mais n'y parvenant pas, elle ordonna au plus vieux de la chercher. Georges la trouva. Elle fit mettre les enfants l'un devant l'autre à distance de coup de fouet.

–Georges, donne trois coups de hart à Roméo.

Le gamin se fit un visage dur et frappa son frère, mais le coup se perdit dans l'amplitude de la jaquette.

–Pas de même ! Fesse comme il faut sur les jambes ou

ben c'est toé qui auras les coups.

Georges frappa une seconde fois. Roméo commença à pleurer.

–Encore.

Deuxième coup. Les pleurs restèrent égaux, peu bruyants, résignés.

–Encore.

Troisième coup.

–Bon, asteur, venez embrasser maman pis allez-vous en dans la chambre. Pis que je vous entende pas !

Quand Napoléon fut de retour, elle le morigéna :

–Fait frette icitte-dans. Pourquoi c'est faire que t'as pas chauffé le poêle avant de partir ?

–La boîte à bois est pleine, dret à côté de toé.

–Y a même pas de braises : faut rallumer.

Napoléon soupira. Elle reprit, pointue :

–Pis j'ai corrigé les petits.

–Pourquoi c'est faire ?

–Sont tannants tout le temps : des vrais petits démons sortis de l'enfer. Pis tu devrais les corriger toé itou. Sont dans la chambre là...

–Si t'es as corrigés, pourquoi c'est faire que je les corrige-rais par-dessus toé.

–Parce qu'un homme... pas un bon à rien là, un homme, ça corrige ses enfants.

–Oui... mais quand c'est le temps.

La jeune femme se renferma dans sa couverture et y ca-cha même sa tête. Elle se sentait plutôt bien, encabanée de cette manière. Son mari s'approcha. Il ouvrit la porte du poêle et brassa avec le tisonnier. Des braises rouges apparurent. Dans la boîte à bois, il trouva des rondins frisés et les mit dans le poêle. L'écorce grésilla, pétilla...

*

Le dimanche suivant, à l'église, au sermon du curé, une nouvelle terrifiante fut apprise aux paroissiens qui ne la con-naissaient pas déjà. Marie-Anne ne broncha pas d'une ligne en l'entendant. Elle ne voulut même pas en discuter avec Napoléon qui aurait aimé le faire et exhausser la conversation avec toutes les connaissances qu'il possédait sur le sujet.

Mais la nuit suivante, elle en fit un énorme cauchemar.

L'église de Sainte-Sophie remplie de monde flotte sur l'océan comme l'arche de Noé. Elle est frappée soudain par un immense bloc de glace, grand comme une montagne. Éventrée, elle s'incline. Les fidèles par centaines se répandent par les fenêtres comme régurgités par un ventre malade. Et ils tombent à l'eau qui les aspire par les pieds. Quelques-uns nagent, parviennent à flotter dans l'horreur et les cris. À son tour, elle doit se jeter dans la mer. Un boghei sans attelage flotte tout près. Elle y monte. Les enfants crient au secours. Elle les aperçoit, les hale, les embarque. Il n'y a plus de place. Poléon s'avance dans les menoires. Elle prend la hart, le fesse à toute éreinte. Il n'y a plus de place, il n'y a plus de place...

–Hey, la mère, t'es encore en train de me sacrer en bas du lit...

Elle se réveilla à moitié, se tourna, marmotta :

–C'est quoi le nom du bateau qu'a coulé ?

–Le Titanic.

–Y a comment de personnes qui sont mortes ?

–Mille six cent une.

–Ah !

–Des gros morceaux de glace de même, y'en a-t-il sur le fleuve ?

–Ben non voyons... c'est des morceaux de banquise qui viennent du nord pis qui descendent...

Napoléon poursuivit ses explications, mais Marie-Anne dormait déjà et il parla tout fin seul. Comme toujours.

*

Leur naquit un autre fils au commencement de juin.

Napoléon eut de l'aide aux foins de son beau-père Trefflé et son beau-frère Willie.

Août fut beau et sec.

Le temps vint de faire pacager un taureau avec les vaches. Il en fut emprunté un au troisième voisin que l'on récompenserait plus tard avec des tartes à la citrouille de Marie-Anne dont la réputation était égale à la grosseur des citrouilles qu'elle faisait pousser dans le jardin.

Mais lorsqu'il fallut le reconduire, Napoléon frôla la mort. Plutôt de faire entrer les vaches dans l'étable afin d'isoler l'animal, il commit la maladresse de vouloir entrer dans le clos de pacage pour enfiler un câble aux cornes de la grosse bête et de préférence à l'anneau de fer passé dans ses narines.

Dans le jardin jouxtant l'enclos, Marie-Anne arrachait des mauvaises herbes lorsque tout à coup elle entendit un énorme "wô !" étiré et qui se termina en cri rauque. Se redressant, elle aperçut Napoléon encorné par le boeuf; l'animal charriait l'homme parmi les vaches en renâclant comme une locomotive.

Chez la jeune femme, une seconde de peur fut arrosée par une sorte de grande vibration qui lui tournoyait à l'épigastre. Le taureau rouge s'arrêta net, les sabots soulevant de la poussière de terre et de bouse séchée. Son fardeau se détacha de sa tête et le jeune homme s'écrasa sur le sol rude mais heureusement très meuble et mou.

Fascinée, Marie-Anne s'approcha doucement de la clôture, s'accrocha à la broche, l'oeil aussi enflammé que celui du boeuf.

«Relève-toé donc, espèce de bon-à-rien !» lui disait méchamment une petite voix intérieure.

L'homme était en proie à une grande douleur à l'abdomen qu'il tenait d'une main tandis que de l'autre, il s'aidait à se traîner en reculant vers le mur de l'étable, croyant que le taureau ne foncerait pas sur la grange, si stupide puisse être un mâle en présence de sa ou ses femelles.

«Envoye, le gros boeuf, envoye donc !» enchérissait la voix maligne dans Marie-Anne qui se pâmait presque, noyée par ce magnifique remous dans son ventre.

Le taureau grattait le sol et renvoyait de la terre poussiéreuse derrière lui. Sa tête rasait les mottes. Napoléon put retraiter comme il le voulait. Incapable d'enjamber la barrière, il attendit que la bête se calme et s'éloigne un peu tout en appelant sa femme à l'aide. Marie-Anne fut un bon moment sans bouger. Il la crut sidérée, effrayée. Enfin, elle sortit de sa torpeur et vint ouvrir la barrière vers laquelle il se glissa en rampant dans les bouses.

–C'est que t'as donc fait là ? demanda-t-elle en riant.

–Me suis fait défoncer le ventre.

–Ben voyons donc !

–Attelle pis montons voir le docteur Chartrand.

–J'ai pas le temps. Vas-y tout seul. Faut que j'arrache mes mauvaises herbes...

–Oui, mais la mère, aimes-tu autant que je crève icitte comme un chien ?

Elle le trouvait si minable, cet homme rampant comme un ver qu'il lui vint le goût de lui marcher sur le corps. Sa voix secrète lui fit regretter d'avoir choisi pour mari un pauvre mollasson, un homme de deux cordes de bois par jour tandis que les autres rôdaient entre trois et quatre...

Une fois installé tout de travers dans la voiture, Napoléon, par une conjonction de la douleur et de la peur, perdit conscience. Il divagua tout le long du chemin qui s'éternisa.

–J'ai pris le temps qu'il fallait pour monter, dit-elle au docteur quand il accourut auprès du blessé.

–Le pauvre n'a pas sa connaissance...

–Ah ! ça, c'est pas grave : il parle tout le temps tout seul. La nuitte. Pis en plein jour, ben réveillé. C'est un homme qui agit drôle, vous savez...

*

Napoléon en réchappa.

Il put même se rendre à Fortierville deux semaines plus tard et il en revint avec une nouvelle que Marie-Anne jugea bien plus importante que le naufrage du Titanic. Un nouveau curé, l'abbé François Blanchet, avait pris charge de la paroisse.

L'automne infiltra ses fraîches dans toutes les terres du pays. Il roussit les herbes des champs, détacha les feuilles des arbres. Le peuple se faisait de la confiture. Une courte inquiétude précédait la longue quiétude hivernale. Comme si le pays faisait son lit en bâillant avant de se coucher.

Un onze novembre aux ciels mélancoliques souffla fort

dans un même rain-de-vent toute la journée. Alors se produisit l'annonce d'une catastrophe nationale. La nouvelle se répandit comme une traînée de poudrerie, s'infiltrant dans tous les cerveaux et aux trente-six coins de la province.

Innommable, pire que la défaite de Laurier, plus frappante que l'annonce de l'écroulement du pont de Québec et la tragédie du Titanic réunis, plus attristante que la mort d'un pape et même deux si cela eût seulement été possible, la nouvelle balaya toute la province comme le pire des ouragans.

Pour retenir leur douleur derrière la gorge, les hommes bandèrent tous leurs muscles. Et les femmes penchèrent la tête un peu plus que d'habitude, et plusieurs même allèrent jusqu'à s'agenouiller en plein jour de ce si grand deuil.

Le peuple pleurait.

Laurier battu, on avait quand même pu trouver un grand aliment à la fierté nationale, mais maintenant à quel saint se vouer ? On pria. Dieu entendrait...

Âgé de quarante-neuf ans, était mort la veille l'homme le plus fort du monde, le Canadien français Louis Cyr.

******

Chapitre 13

1913

–Un mille, c'est rien, je vas m'en aller à pied, dit Louise à Gédéon et Télesphore rentrés lui dire que tout était chargé dans la voiture de ce qui restait encore de leurs biens à emmener dans leur nouvelle demeure au village.

–On peut aller porter ça pis revenir vous chercher après si vous voulez, suggéra Télesphore.

–Pantoute ! Je vas m'en aller à pied : je suis toujours pas au boutte du boutte de mon âge encore.

–Le vent d'automne a du mordant si tu veux savoir, souleva Gédéon.

–Ça fait soixante ans que le vent d'automne, je le connais pis j'en ai pas plus peur que j'ai peur du vent d'hiver, tu sauras, Gédéon Gagnon.

–Ben bon comme ça, se résigna-t-il.

–Pis je veux parler tuseule avec Marie-Anne : c'est-il péché ?

Les hommes sortirent en haussant les épaules.

–Les femmes veulent brailler un peu : ça leur fait du bien

213

de temps en temps, dit Gédéon quand la voiture se mit à rouler sur ses quatre grandes roues dont les bandages de fer s'imprimaient sous le poids dans la terre du chemin.

Télesphore ne dit rien. Il pensait à ce départ.

"Il avait toujours respecté ses parents comme le voulait le commandement de Dieu, mais il vient un temps où les enfants doivent filer leur chemin sans eux. Des grands-parents, c'est trop mous avec les petits-enfants pis ça défait l'ouvrage des parents. Pis un homme, avec les vieux dans la maison, ne se sent pas le maître qu'il doit être, ni de jour pis pas plus de nuitte..."

–Vous êtes certaine que vous voulez pas emporter le vieux banc d'en haut itou ? demanda Marie-Anne à sa belle-mère alors que la voiture quittait la cour.

–J'te le laisse pas comme cadeau, ce banc-là, j'sais ben que tu l'aimes pas. T'auras juste à le faire débiter pis de chauffer le poêle avec.

Marie-Anne marcha en silence jusqu'au poêle. Elle s'était faite élégante pour dire un dernier au revoir à ses beaux-parents. Fine à la taille, sa robe beige pois s'évasait jusqu'au plancher sur de beaux plis amples. Et la jeune femme avait redonné à sa chevelure une allure de noce, y ajoutant même le ruban de ce jour-là qui dormait au fond de son coffre depuis sept ans, et qui, ainsi ourlé, faisait oublier par ses joyeuses frisures l'extrême pâleur de son visage.

–La maison va être ben grande sans vous autres icitte-dans.

–Tu vas t'accoutumer, dit Louise qui prit place sur la seule berçante qui restait dans la grande cuisine.

–On s'accoutume à tout, même à mourir à ce qu'il paraît.

–Faudrait pas que tu te morfondes de même; on sera pas au bout du monde.

–Je me sens le coeur tout débiscaillé. Y a plus rien qui va être pareil icitte : ça va être comme de recommencer à zéro.

–Tu vas t'accoutumer que je te dis.

–Pis j'ai de la peine pour la petite Aurore itou. Elle a trouvé ben de la consolation dans vos jupes, madame Gagnon. Marie-Jeanne, elle va faire son chemin : elle a pas trop frette aux yeux, elle. Mais Aurore...

214

Louise rit :

–Le Gédéon qui s'inquiétait pour moé parce que j'ai un mille à faire : une grosse femme forte comme moé. Tandis que la petite Marie-Jeanne fait quasiment autant de chemin tous les jours pour aller à l'école, pis elle a juste six ans.

Le sujet à peine effleuré, l'échange avait vite dévié à côté d'Aurore, mais son nom se rendit chercher la curiosité de la fillette qui jouait avec des riens dans le fournil derrière le drap qui cachait les baigneurs lorsque requis, un endroit où elle trouvait refuge pour s'éloigner des yeux de son père quand il se trouvait dans les environs.

Elle s'approcha de la porte entre les deux maisons et mit la moitié de sa personne sur le bord du chambranle comme pour voir et se cacher en même temps. Ni sa mère ni sa grand-mère ne regardaient dans sa direction. Elle les écouta...

–Y a les années qui passent pis j'espère toujours que je vas me remettre à filer plus forte, mais on dirait que c'est le contraire qui se produit.

–C'est les enfants que t'as portés qui ont trop demandé de ta personne.

–Mais là, j'en porte pas c't'année.

–C'est justement parce que t'es pas forte. T'as des grosses périodes pis malgré tout, y a des bons effets : ça t'empêche de repartir pour la famille. Le docteur te l'a dit de pas t'inquiéter. Pense à te reposer le plus que tu le pourras...

–Mais vous partie...

–Je vas revenir quand t'auras besoin : n'importe quand.

–Vous allez avoir votre propre maison à vous occuper.

–Tuseule avec Gédéon : on va s'ennuyer à rien faire en toute, tu penses.

Aurore attrapait des expressions éparses : "les enfants que t'as portés", "repartir pour la famille"... Mais elles disparaissaient aussitôt dans sa confusion mentale enfantine et ressurgiraient un jour quand elle les entendrait de nouveau.

Marie-Anne frissonna. Il fallait ou bien chauffer le poêle ou fermer la cuisine d'été pour l'hiver à moins que ne survienne un long été indien. Alors elle prit conscience de la présence de la petite fille.

–Falloir faire attention à ce qu'on dit, on a deux petites oreilles de souris qui nous écoutent, marmonna-t-elle à l'endroit de sa belle-mère.

Louise s'écria les bras tendus dans un sourire qu'elle échappait rarement :

–Mais c'est que t'as fait avec elle : un vrai petit coeur de sucre ! Viens, viens voir grand-maman, Aurore.

La petite hésita un moment, mais puisque c'était l'amour qui s'intéressait à elle, elle fit des pas de confiance sur le bout des orteils. Les yeux de Louise s'agrandirent et elle redemanda :

–Mais c'est que t'as donc fait avec elle ?

–Me suis levée aux aurores pis elle itou, pis j'y ai fait des boudins dans ses cheveux. Pis je l'ai lavée comme il faut. Pis j'lui ai mis sa petite robe du dimanche.

Aurore espaça d'autres petits pas dubitatifs.

–Viens me voir pis fais-moé une joliveté...

La fillette s'approcha jusque devant sa grand-mère qui abaissa les bras un moment pour la mieux voir, cette enfant si lumineuse dans cette clarté d'automne que les fenêtres dispensaient en abondance dans la pièce.

–Des fois, j'peux par crère qu'on doive corriger une si belle petite fille.

–Madame Gagnon, vous savez ben comme moé que c'est écrit dans le Testament... Télesphore le répète souvent : «La folie est attachée au coeur de l'enfant. La verge de la correction l'éloignera de lui.» C'est clair. Faut les redresser pour leur propre bien.

–C'est entendu que ce que nous dit la bible, c'est sacré, pis que personne peut revenir là-dessus.

Aurore écoutait chacune sans rien faire, sans rien dire, craintive comme toujours. Exilda continuait de soutenir que la petite possédait le plus beau visage de tous les enfants du voisinage et même de ceux du village. Mais il ne fallait pas révéler cela en présence de l'enfant de crainte qu'elle ne s'enorgueillisse et que sa tête s'enfle, envahie par le démon de la coquetterie coupable. Louise elle-même avait dû réprimander subtilement la voisine sur le sujet, mais voilà qu'en ce jour de son départ, elle sentait le besoin et le désir de s'abreuver à des souvenirs souriants. Pour la même raison, pour lui plaire, Marie-Anne s'était levée de grand matin et avec toute son habileté et son goût sûr, elle avait transformé Aurore en jolie poupée.

–Viens t'assire su' memére. Aujourd'hui, c'est pas pareil, on va s'aimer comme il faut.

Et la femme tendit à nouveau les bras. Aurore se laissa emporter par eux et prit place comme la femme le voulait.

–Pis ton petit gars, où c'est qu'il est ?

–Lui, il est tout le temps dehors. Comme son père. Il a déjà des bonnes griffes pis il va savoir se défendre. Suis pas trop en peine pour lui.

–Ah ! pis crains pas, la petite Aurore itou va sortir ses griffes quand il faudra. Hein, Aurore ?

Pas moins éveillée qu'une autre, l'enfant n'avait pourtant jamais entendu l'expression. Sérieuse, elle se regarda les doigts tout en les comparant aux pattes du chien et du chat; mais là s'arrêta son approfondissement.

-Grand-maman, elle voudrait entendre ta petite prière avant de partir, dit Louise en lui appuyant son menton rude sur la tempe. Tu veux la faire ?

Aurore acquiesça et fit le signe de croix. Sa voix sortit comme ce doux filet harmonieux de sa mère quand elle fredonnait un air :

–Au nom du Père, et du Fils, et du Saint-Esprit. Mon Dieu je vous donne mon coeur, mon âme; prenez-les s'il vous plaît afin que jamais aucune créature ne puisse les posséder que vous seul, mon bon Jésus, Sacré-Coeur de Jésus qui m'aimez sans retour. Au nom du Père, et du Fils, et du Saint-Esprit. Ainsi soit-il !

Elle zézaya sur le mot Jésus ce qui décupla le charme de sa déclamation au cours de laquelle elle ne se permit pas le moindre souffle.

Marie-Anne se tourna et regarda sa fille. Une lueur triste et lointaine émana du fond de son âme. Elle hocha la tête. Son sourire se figea.

*

Au village, Télesphore rencontra Napoléon Gagnon venu

exprès de Sainte-Sophie pour le voir et en profiter pour admirer la première automobile du coin achetée quelques jours auparavant par Oréus Mailhot.

Il y avait de nouveaux chantiers ouverts depuis l'année d'avant pas loin au nord, dans Portneuf. Les bûcherons avaient donc loisir de descendre pour les fêtes. Les gages étaient aussi bonnes là qu'ailleurs. L'idée plut au jeune homme et l'on s'entendit pour y donner suite.

Sur le chemin du retour, il brassa diverses choses dans sa tête. Tout adonnait pour donner un gros fricot au jour de l'an. Il serait au bord. On inviterait tous les Gagnon, les proches voisins, les parents de Marie-Anne et même, pourquoi pas, Napoléon et sa femme, lui en tant qu'ami et compagnon d'ouvrage occasionnel. Et cette fête serait en l'honneur de ses parents, Louise et Gédéon, un honneur tout à fait remarquable.

On inviterait même le nouveau curé.

Quand il rentra dans sa maison, Télesphore en fit le tour. Pour la première fois, il la sentait à lui sans réserve, cette demeure de toujours. Voilà qu'à trente ans, dans le meilleur de l'âge, il était maintenant le seul maître à bord. À lui aussi, elle parut plus grande, mais il attribua cette impression à l'absence de deux adultes et aux quelques meubles partis.

Sa tournée s'arrêta dans l'embrasure de la porte entre les deux cuisines. Il fabriquerait des chaises. Marie-Anne lui réclamait un farinier depuis longtemps; il trouverait bien le temps de le faire. Construire un pareil grand tiroir à bascule à même le comptoir ne l'effarouchait pas trop, lui pour qui maintenant aucun métier manuel n'avait de secret.

Assise à table dans toute sa fragile grâce précieusement gardée, Aurore suivait du doigt le tracé des fleurs sur le tapis de toile. Elle leva les yeux sur lui. Il la regarda. Aucune lueur ne passa. Ce fut comme un néant qui s'éleva entre les deux. L'enfant eût voulu s'en aller en haut par l'escalier, mais il fallait passer devant le géant debout dont l'ombre la terrifiait. Alors de crainte que son jeu ne soit quelque chose de méchant, elle se laissa glisser hors de sa chaise et courut s'asseoir près du poêle, presque à l'arrière, dans un angle où son père disparaissait à sa vue, et elle se mit à flatter la douce fourrure noire et blanche du chat endormi. L'animal aussitôt commença à ronronner d'aise.

Tout à coup, brusquement, la porte s'ouvrit à quelques pieds d'elle. Marie-Jeanne revenait de l'école.

–Maman, maman, y a monsieur le curé qui est venu nous bénir à l'école... Regardez, on a eu un cadeau. Une belle image...

Cette intrusion sans politesse provoqua l'ire de son père.

–Wo ! wo !... on rentre pas dans la maison sur une ri-pousse comme ça, là, toé...

Pour lui éviter une correction, Marie-Anne intervint aussitôt :

–Marie-Jeanne, sors sur la galerie pis rentre comme du monde.

L'enfant obéit.

Elle n'aurait pas été punie de toute façon car son père avait le coeur à la fierté. Dans peu d'années, il serait le plus gros cultivateur des environs.

Quand elle eut exhibé son image devant sa mère qui vanta la bonté de monsieur le curé, Marie-Jeanne se rendit la montrer à sa petite soeur qui fut éblouie devant cette illustration pieuse d'un enfant auréolé tenu par la main par deux grandes personnes. Elle sourit un peu. Cela lui rappelait vaguement quelque chose.

–C'est le petit Jésus avec sa maman pis son papa, dit Marie-Jeanne qui se redressa aussitôt, laissant sa cadette sur sa faim d'admiration.

*

Marie-Anne se désâma pendant plusieurs jours pour préparer la fête du jour de l'an. Comme on avait décidé de garder secret en qui l'honneur, elle se passa de l'aide de sa belle-mère. Exilda était bourrée d'ouvrage elle aussi, mais elle put lui donner une journée. Et comme Victoria se trouvait enceinte et souvent malade, elle jugea bon ne pas la déranger.

Vingt-deux grandes personnes plus les enfants, il en faudrait de la tourtière et du ragoût de pattes pour nourrir une pareille chipotée.

Télesphore fit une boucherie le lendemain de Noël, aidé par Anthime. Il se rendit au magasin et acheta tout ce que

Marie-Anne désirait plus d'autres effets de son choix. Pas question de fafiner ! La ronne d'avant les fêtes avait été bonne. Le conseil de Napoléon qui les avait conduits dans le bois du bout de Portneuf avait été heureux et profitable. Meilleures gages ! Bonne couquerie. L'écurie des chevaux séparée du camp des hommes tandis qu'au lac Caribou on pouvait entendre les bêtes manger, hennir et pisser de l'autre côté d'une cloison de planches ajourées. Sans compter les odeurs pas toujours estivales.

Il serait de la fête, le Napoléon et enfin on connaîtrait sa Marie-Anne, une femme qui n'était pas de tout repos. Télesphore pourrait ensuite mieux faire étriver le Poléon qui ne se gênait guère pour conter comment il se faisait mener par le bout du nez par sa créature.

Le froid prit à bras-le-corps cette dernière semaine de l'année 1913. Et avec elle, il souleva de terre tout le pays comme Louis Cyr de son vivant l'aurait fait d'un adversaire présomptueux osant l'affronter, lui et ses prises de l'ours. Il fallait s'habiller épais et marcher vite sans trop se laisser porter sur ses chaussures.

Mais les chemins restèrent de première classe. Un bon fond de neige durcie. Et deux voies à pleine largeur tout comme l'été.

Les premiers venus furent les parents de Marie-Anne. Tel qu'entendu, ils vinrent coucher la veille du jour de l'an de sorte qu'Arzélie et Véronique maintenant âgée de dix-huit ans puissent donner un coup de main à la maîtresse de la maison.

C'est avec un bonheur incomparable que Marie-Jeanne, Aurore et leur frère pendirent leur bas à une berçante neuve fabriquée à l'automne par Télesphore. Et c'est le coeur bourré d'espérance qu'ils se couchèrent et se laissèrent emporter dans les rêves les plus dorés.

Aurore prit une minute de plus à s'endormir. Elle croisa les doigts, les yeux grand ouverts dans la clarté de la lune, et récita deux fois la seule prière qu'elle savait par coeur. Mais qu'elle connaissait si bien et qui lui avait valu toutes sortes de bonnes paroles d'encouragement de la part de tous ceux qui l'avaient entendue la dire, même de son père qui avait déclaré que c'était bien de prier le bon Dieu et qu'elle devrait apprendre aussi d'autres prières comme le Pater et l'Avé. Puis elle se recroquevilla sous le drap et la courtepointe afin de ramasser et conserver toute sa chaleur, ses mains frileuses entre ses jambes.

Ce qui lui parut peu de temps après, elle se réveilla à peine et sentit une grande main d'adulte lui flatter les cheveux. En montant se coucher, leur grand-mère Caron s'était penchée sur chacun des enfants pour leur donner à tous une petite tendresse du jour de l'an.

*

L'aube se leva sur 1914.

Aurore fut réveillée par la chair de poule. Elle se colla contre sa soeur aînée pour lui voler un peu de chaleur. Et le souvenir de son bas accroché vint lui réchauffer l'âme. Elle perçut du bruit venu de la cuisine. On allumait le poêle. Sûrement son père qui se débarrasserait tôt de la corvée du train pour mieux se consacrer aux préparatifs de la fête : monter des tables pour tout le monde, peut-être finir de polir des cadeaux qu'il avait préparés pour tous les invités, objets faits en bois, coffrets, plaques murales décoratives, statuettes sculptées.

Elle se rendormit.

Une voix de fée la réveilla.

–Aurore, Aurore, lui disait sa grand-mère Caron, viens-tu voir c'est que y'a dans ton petit bas ?

Déjà réveillée, Marie-Jeanne attachait ses chaussons. Arzélie s'agenouilla devant Aurore et lui mit les siens qui n'étaient que des pieds de bas de grosse laine jaune et piquante, troués en plusieurs endroits, mais cent fois plus confortables encore que la froideur pénétrante du plancher.

Les trois enfants furent réunis dans la chambre voisine qui donnait sur l'escalier et ils descendirent, précédés de leurs grands-parents et suivis de Véronique à l'oeil truffé d'espièglerie.

Les femmes déjà toutes endimanchées se mirent debout le dos au poêle pour en accepter la chaleur et Nérée demeura au pied de l'escalier.

–On commence par Georges-Étienne, dit Marie-Anne qui incita le garçonnet à décrocher son bas et à trouver ce qu'il contenait.

–Ah ! Marie-Jeanne, la pressée, attends un peu, lui dit sa mère...

La petit homme en jaquette décrocha le bas suspendu à un crochet de bois mis en place par son père. Il y mit aussitôt le nez et s'apprêtait à y plonger le bras.

–Va sur la table, lui conseilla son grand-père.

Ce qu'il fit avec l'aide de Véronique qui lui tira une chaise et l'assit. Et il sortit les trésors un à un sous les regards barbouillés d'espérance et d'émoi des fillettes.

Des bonbons clairs. Des rouges, des jaunes, des verts. Une féerie de couleurs. Une petite statuette gossée exprès par Télesphore et qui représentait Jésus enfant. Deux belles grosses oranges.

–Asteur, c'est Aurore, dit Marie-Anne.

–Pis moé ? pleurnicha Marie-Jeanne en trépignant.

–Les plus petits d'abord, chantonna Arzélie.

La fillette prit son bas depuis l'autre chaise. À l'oeil, il paraissait mieux rempli que celui de son petit frère. Elle courut à l'autre bout de la table et en sortit à son tour les surprises une à une mais si lentement...

Des bonbons clairs dont les éclats rouges, jaunes, verts plongèrent dans ses yeux comme dans des miroirs éblouis. Une petite statuette pareille à celle de son frère. Elle la regardait, la regardait...

–Avec elle, ça prend toujours assez de temps, dit Marie-Anne, on dirait qu'elle mange tout avec ses yeux.

Puis une orange...

–Envoye toié itou, dit sa mère à Marie-Jeanne qui ne se fit pas prier et occupa le côté de la table.

Au lieu d'une deuxième orange, Aurore trouva de beaux chaussons neufs en laine 'teindue' en vert. Elle ne sourit pas tant son coeur était figé...

–Pis on se demande toujours si ça lui fait plaisir, dit Marie-Anne à sa mère.

–Ça, crains pas... Y a des enfants comme ça qui se laissent pas voir. Tiens, ton frère Charles quand il était petit, tu dois te souvenir qu'il restait toujours dans son coin...

–Il a changé en grandissant, lança Véronique dans un rire endossé par tous.

–Les chaussons, c'est grand-maman Caron qui les a tricotés, dit Marie-Anne à Aurore. Dis-lui merci pis va lui donner un gros bec.

Aurore le fit. Cela parut froid. Elle était si emberlificotée dans ses sentiments, retenant ses larmes autant que ses rires, craignant tellement de se mal comporter et de subir une correction. Puis elle entra son bras jusqu'au fond du bas et palpa autre chose. Sortit l'objet. C'était un crayon.

–C'est maman qui te le donne pour que tu commences à écrire, lui dit sa mère.

Aurore l'examinait dans tous les sens comme si l'objet avait été parfaitement inconnu pour elle tandis que c'est avec le fait de le posséder qu'elle tâchait de se familiariser.

Et pendant ce temps, Marie-Jeanne finissait de vider son bas à son tour. Elle eut les mêmes choses que son petit frère plus des mitaines tricotées par Arzélie. Pendant un moment, elle perdit son sourire de voir qu'Aurore avait reçu plus. Des chaussons, c'était plus gros que des mitaines et sa mère ne lui avait rien donné à elle. Marie-Anne comprit son inquiétude et lui expliqua :

–Aurore, elle avait rien que des vieux chaussons. Pis toé, Marie-Jeanne, t'avais déjà un crayon pour aller à l'école. C'est pour ça que ta petite soeur, elle a un cadeau de plus que toé. Tu comprends ? Mais elle a une orange de moins... Y a une orange de grand-papa pour chacun et une de moé pour Georges pis pour toé. Pis au lieu d'une orange, ben j'ai donné un crayon à Aurore.

Marie-Jeanne acquiesça aussitôt, tant le ton de sa mère était persuasif et doux.

Puis les enfants purent monter en haut avec leurs bas remplis et la recommandation de ménager leurs cadeaux pour les faire durer longtemps tandis que les grands se souhaitaient la bonne année une première fois.

Aurore se rendit droit au vieux banc de bois dans la clarté du matin et réexamina longuement chacun de ses cadeaux. L'un avait plus de valeur que tous les autres pour elle : la statuette de l'Enfant-Jésus qui lui rappelait l'image que Ma-

223

rie-Jeanne avait posée au mur dans leur chambre. Peut-être que son père ne la haïssait pas comme quelque chose le lui redisait toujours au fond d'elle-même ?

*

Au retour du train, Télesphore se mit à table. On lui dit que les enfants étaient très contents. Il ne broncha pas. Puis on discuta de la messe. À cause de la distance par ce froid, le mieux, proposa-t-il, serait d'atteler sur une waguine afin que tous puissent monter à la fois. On détellerait chez Anthime comme c'était devenu l'habitude et on ferait le reste du chemin à pied. Sinon, à huit, on serait tassés comme des allumettes, même dans le berlot à deux sièges.

Juste avant le départ, Télesphore jeta un coup d'oeil au poêle qui chauffait égal grâce à du bois d'érable pas trop sec mais qui avait le défaut par contre d'encrasser plus vite la cheminée. Il palpa la brique rouge de la cheminée pour en vérifier la chaleur. Tout était normal. Pour la première fois depuis qu'il se souvienne, la maison serait absolument déserte excepté le chien et les chats. S'il fallait que ça flambe en leur absence, la maison y passerait comme en 1906. On parlait encore du grand feu de Saint-Eustache. La pire calamité qui pouvait arriver à un homme dans sa vie, pensait-il, c'était de passer au feu. Et dans le temps des fêtes, il y avait souvent de ces incendies dans lesquels mouraient parfois des enfants.

Il jeta un dernier coup d'oeil à la maison avant de bifurquer pour prendre la rue du village. Sa fierté n'avait d'égale que son inquiétude.

La voiture, comme d'autres la précédant et la suivant, paraissait occupée par une famille d'ours tant chacun était bien emmitouflé. La tirait une jument qui allait bon pas sans jamais trotter. Les calculs de Télesphore d'après sa montre avant de partir lui disaient maintenant que l'on arriverait à l'église dix minutes peut-être douze avant le commencement de la messe de neuf heures.

Marie-Jeanne faisait l'indépendante, seule devant, assise près de son père qui, jambes écartées, debout comme un soldat conduisait l'attelage. À côté d'elle, Véronique lui parlait de patinage sur glace comme il s'en faisait sur la rivière au village de Leclercville. Puis les grands-parents retenaient

Georges-Étienne entre eux tandis que derrière la voiture, Marie-Anne gardait avec elle Aurore dont les jambes gambillaient en bas de la fonçure.

La mère obtint beaucoup de signes de tête et de "oui" de la part de la fillette et quelques sourires aussi mais pas les grands rires cristallins qu'échappait son aînée à l'occasion.

–Tout le monde descend, lança soudain Télesphore qui fit s'arrêter l'attelage avant d'entrer dans le cour chez son frère.

–On va t'attendre, dit Nérée.

–Mais non, fit Marie-Anne. Avec ses grandes jambes, il va dételer pis pouvoir nous rattraper avant qu'on arrive à l'église.

–Certain ! fit-il content. Je vas vous montrer ce que c'est, un homme de chemin.

On se mit en marche sur la voie de gauche pour laisser l'autre libre et disponible aux voitures qui allaient plus loin, Véronique et Marie-Jeanne devant, les grands-parents encadrant et tenant le garçonnet par la main, Marie-Anne et Aurore fermant le convoi.

Comme si ces rares minutes de grand bonheur devaient être les toutes dernières de sa vie, Aurore abandonnait sa main à celle de sa mère, un profond sentiment de sécurité traversant la laine des mitaines, elle regardait les maisons encapuchonnées par la neige et qui fumaient lentement dans le glacial matin, et l'image de son frère lui rappelait le Jésus du mur de sa chambre et celui de la statuette qu'elle palpa là dans sa petite poche de manteau.

Au moment de tourner vers le perron de l'église après les autres, Marie-Anne regarda au loin. Pas de Télesphore encore ! Rien de surprenant, il devait s'être accroché les pieds à placoter avec Anthime ! On ne l'attendrait pas à se faire geler tout rond dehors. Elle le dit. L'on entra. Elle conduisit ses parents à leur banc où ils seraient avec le garçonnet, Marie-Jeanne et Véronique, puis revint vers l'arrière où elle prit place vis-à-vis le confessionnal dans la section des bancs publics. Il eût été bien malséant de ne pas offrir le banc familial à son père et sa mère. Ainsi, Aurore assisterait à la messe, encadrée par ses deux parents et ça, pour la première fois de sa vie. Si, bien entendu, Télesphore venait se mettre là aussi.

Juste après le regard exploratoire de Marie-Anne, Télesphore était apparu sur la grand-rue. Elle lui eût trouvé un air de grand paquebot ou peut-être d'iceberg tant il prenait d'espace dans ses longues enjambées. Des dizaines d'autres personnes progressaient depuis l'autre bout du village en direction inverse, vers lui, vers l'église. De près, il les auraient toutes reconnues puisque c'étaient des citoyens de la place. Tous sauf une seule personne. Une femme. Mais à voir son mari, il aurait su.

Il n'aperçut le couple qu'au dernier moment, au pied des marches et faillit se cogner à eux. L'homme s'exclama :

–Maudit Télesphore, tu vois pas clair encore. Faut-il être si grand pour pas voir plus loin que son nez. Moé, avec mes lunettes, pourtant...

–Tais-toi donc ! lui dit sa femme avec une bourrade aux côtes qui fut tout à fait amortie par le capot de chat.

–Poléon ? Mais c'est que tu fais icitte à pied ?

–On a un oncle, nous autres, icitte dans le village; je te l'ai déjà dit...

–Ben oui : monsieur Anthime Lemay, coupa Marie-Anne d'une voix qui attira l'attention des arrivants.

–Ah ! pis c'est vous, la madame Gagnon...

–Marie-Anne, dit-elle, comme votre femme. Pis mon mari, c'est un Gagnon comme vous. Ils diront qu'on n'est pas du même monde, tout nous autres, par icitte.

Télesphore tendit sa main après l'avoir retirée de sa mitaine. Elle lui donna de la mitaine en ajoutant :

–Ben contente de vous connaître ! Depuis le temps que Poléon parle de vous. Ah ! pis tant qu'à faire, autant se souhaiter la bonne année, vous pensez pas ?

Sa voix joyeuse et piquante, sa proposition imprévue n'eurent de véritable effet qu'après le bec, puisqu'elle en prit l'initiative.

–C'est vrai que vous êtes grand, mon doux Seigneur !

Télesphore remarqua ses parfums que les vêtements pourtant épais ne parvenaient pas à emprisonner. Il lui trouvait pas mal de toupet à cette petite bonne femme; dommage que son visage soit si fade et quasiment laid à offenser le bon Dieu par son aspect terreux, son teint pisseux, ses traits cir-

226

conflexes. Bizarre, rit-il intérieurement, elle lui rappelait vaguement une lucarne de maison avec ce chapeau comme un comble anglais sur une chevelure cornue et les yeux comme des vitres poussiéreuses.

–Vous êtes venus de bonne heure...

Elle se dépêcha de le rassurer à grande voix vaguée :

–Ah ! à midi, on mange su' l'oncle Anthime... On sera pas chez vous avant la fin de la journée...

–Ah ! je disais pas ça pour ça. Vous viendrez ben quand vous serez prêts.

Les hommes se donnèrent la main. Il fut décidé d'entrer aussitôt. Télesphore leur montrerait la section des bancs publics où d'ailleurs il était prévu qu'il prendrait place lui-même.

Le couple s'agenouilla derrière Télesphore. Les deux Marie-Anne se sourirent en guise de salutation, car chacune comprit qui était l'autre. Aurore tourna la tête et regarda l'arrivante avec ses grands yeux foncés bourrés de questions. Marie-Anne Houdc la gratifia d'un sourire long comme la nef, brillant comme l'autel, haut comme le ciel. Mais la petite ne le supporta pas et son embarras lui remit les yeux en avant.

La messe commença.

Aurore se laissa emporter encore une fois. Par les puissantes réponses de l'orgue et du choeur de chant aux prières pointues du jeune prêtre, un curé que l'on disait admirable d'amabilité. Surtout par ce bien-être quasiment absolu qui l'environnait. Elle se savait dans la maison du bon Dieu qui aime tous ses enfants. Et se trouvait entre sa mère protectrice et son père dont la main qui la frappait parfois avait fabriqué un Jésus de bois pour elle.

Et voilà qu'à son tour, elle se trouvait comme le Jésus de l'image de Marie-Jeanne entre ses deux parents : bien.

Marie-Anne Houde examinait toutes les coutures du petit manteau noir de l'enfant et se disait qu'elle pourrait faire mieux. Et elle trouvait bien grises les mitaines que la fillette avait dans sa poche droite, du côté de sa mère.

"Une ben belle créature !" avait rapporté Poléon après avoir vu la femme de Télesphore une fois l'année d'avant. Tornon de Gagnon, se dit-elle, une créature ben ordinaire. Son attention revint à Aurore. Elle aperçut un objet dans sa poche gauche peu profonde...

Mais l'enfant bougeait déjà beaucoup ainsi agenouillée et sa mère la fit asseoir. Marie-Anne Houde sourit et se glissa comme pour ne pas incommoder l'enfant. Et de temps à autre, elle jetait un coup d'oeil à ses vêtements que les montants ajourés du dossier du banc laissaient voir. L'objet se mit à sortir de la poche, poussé par les mouvements de la petite et il apparut être bien plus qu'un bout de bois quelconque comme l'observatrice l'avait précédemment supposé. Elle vit bien qu'il finirait par tomber et le surveilla de plus près. Elle n'aurait pas voulu passer pour voleuse, mais d'un autre côté, elle ne voulait pas le prendre et le redonner aussitôt à la mère en la prévenant du danger de le perdre.

Un bon prédateur reste à l'affût.

L'objet glissa pour de bon. Elle l'attrapa au vol d'une main aussi rapide qu'une langue de crapaud qui vient de capturer un moustique. Pas même Napoléon ne remarqua le geste ou une partie du geste, ni dans sa vision directe ni dans sa vision périphérique. Elle serra un moment la statuette, s'imaginant qu'il s'agissait d'une souris ou bien d'un petit animal sculpté tout en gardant au bord des lèvres un immense sourire de réserve en cas de besoin.

Mais Marie-Anne Caron gardait souvent les yeux fermés pour prier et Télesphore ne bougeait pas d'une ligne tout le temps que la liturgie commandait de garder une position. Après un moment assis, l'on reprit l'agenouillement et alors elle jeta un oeil discret à la statuette qui prit ensuite le bord d'une poche intérieure de son grand manteau vert bouteille.

*

Il neigeassait quand on sortit de l'église.

Les hommes prédirent du temps plus doux qui entrait sur le territoire.

Sur le chemin du retour, Aurore ne pensa plus à son Jésus. Et dès qu'elle fut à la maison, comme Marie-Jeanne et toute la famille, elle fut emportée par les émotions joyeuses rattachées à tout ce brouhaha. Les voix des hommes se faisaient plus fortes. Elle l'ignorait, mais ils prenaient un coup par ci par là. Anthime arriva avec sa femme. Ils étaient dans les premiers. Parfois Aurore s'asseyait en haut de l'escalier et regardait les embrassades quand des personnes nouvelles entraient, d'autres fois, elle allait se cacher avec le chat derrière le poêle pour mieux écouter, et il lui arrivait aussi de retourner dans sa chambre pour admirer ses bonbons clairs qu'elle remettait ensuite soigneusement dans le bas jaune et cachait sous sa paillasse. Elle portait maintenant ses chaussons neufs et les regardait souvent, admirative devant leur brillance et leur belle couleur foncée.

Séverine et Arthur arrivèrent au milieu de l'après-midi en même temps que Léon, sa femme et sa ruine-babines. Les voisins Arcadius et Exilda s'étaient peut-être donné le mot avec leur voisin Adjutor Gagnon et sa femme : toujours est-il qu'ils s'annoncèrent avec éclat peu après.

Sur le lit de Marie-Anne, les capots s'accumulaient. Aurore qui aimait beaucoup Exilda se faufila dans la chambre et faillit ne pas être remarquée derrière cette montagne de linge.

-Quen, si c'est pas la petite Aurore ! Hey, que ta maman t'a mis belle ! Ben viens icitte que je te donne ton bec du jour de l'an.

L'enfant s'approcha en se demandant ce qui lui valait autant de considération.

–Cayus, Cayus, dit la femme à son mari, viens donc embrasser la petite Aurore toé itou.

Arcadius, un jeune homme de pas trente ans, haussa les épaules en voulant dire pourquoi pas ? Après tout, on était le jour de l'année où tout le monde embrasse tout le monde. Pas que la fillette soit repoussante, bien au contraire, il la trouvait "belle à emprunter" comme le répétait sa femme, mais parce qu'en homme de son temps, il n'aimait guère se livrer à des manifestations sentimentales réservées à la gent féminine.

Exilda se pencha, pinça les joues enfantines entre ses pouces et ses index et elle lui fit un gros bec avec un bruit de succion à faire rire toute la maisonnée si on avait été dans la grande cuisine.

–À mon tour ! dit Arcadius que le jeu amusait.

Cette fois, Aurore eut un rire à deux éclats qu'elle ne se connaissait pas et qui l'étonna. Tout était si beau, si bon, si merveilleux depuis qu'elle s'était endormie la veille que le souvenir de cette journée resterait à jamais dans sa mémoire.

Elle retrouva son chat près du poêle. L'animal se frotta, s'étira le long de ses mains. Tout près et qui la fit sursauter des suites d'un cuisant souvenir de jadis, la voix paternelle se fit entendre :

—Je m'en vas atteler pis aller chercher le père pis la mère avec monsieur le curé, dit-il.

—Il manque plus rien qu'eux autres, dit une autre voix.

—Je pense qu'il manque encore Poléon pis sa petite femme, des gens de Sainte-Sophie...

*

Télesphore sortit. Il se rendit atteler le beau berlot qu'il emmena près de la maison. Napoléon et sa femme arrivaient à pied.

Marie-Anne Houde écarquillait les yeux chaque fois qu'elle levait la tête pour regarder de plus près la maison de Télesphore. Du dehors, elle lui apparaissait comme une co-pie conforme de celle où elle-même était née et avait grandi à Sainte-Sophie. Des souvenirs hallucinants se bousculaient dans sa tête. Des bribes de son vieux cauchemar revenaient, mêlées avec de la peur pour son avenir aux côtés d'un être si minable que son homme et les joies anticipées de la fête dans laquelle on allait bientôt entrer.

—Ben si j'avais su que vous étiez pour venir à pied, je vous aurais dit d'attendre. Je m'en vas justement chercher monsieur le curé pis mes vieux parents au village.

—Ah ! mais c'est rien, ça fait juste du bien, dit la femme par-dessus les mots mous de son mari qui se perdirent dans la neige.

Le froid diminuait, mais il devenait plus humide. Marie-Anne leva les yeux sur le comble de la maison; et la fenêtre sur le côté de la grande partie ramena son esprit loin en ar-rière pendant un moment. Elle se vit le corps sorti dehors dans sa robe de noce et en train de dénicheter les hirondelles avec une fourche à foin.

—Ça ressemble à chez vous, hein ? fit Napoléon quand il le put et qui en même temps, changea de bras la boîte qu'il transportait avec lui, et que la distance avait rendue plutôt lourde.

Elle se hérissa vite et déclara net dans un hochement sec de la tête semblable à celui d'un oiseau :

–Tu fou ? Pas une miette. C'est pas pareil pantoute !

–Ben moé, j'trouve, marmonna-t-il.

–Monsieur Gagnon, c'est un beau chez-vous que vous avez là...

–Ben... appelez-moé donc Télesphore... comme votre mari étant donné que... ben vous êtes pas mal plus jeune que moé, hein !

–Ah ! je demande pas mieux. Pis pour toé, ça sera pas dur de m'appeler Marie-Anne...

–Restez pas là à geler. Je vas vous reconduire en dedans pour vous présenter à mon monde.

Ce fut Marie-Anne Caron qui accueillit la première les arrivants. Elle s'approcha jusque devant eux. Les présentations furent conduites par Télesphore. Marie-Anne Houde qui finissait de déboutonner son manteau fut exclamative comme jamais dans sa vie :

–Comme ça, c'est vous la belle madame Télesphore ! J'sus assez contente de vous connaître...

–Laissons donc tomber tusuite les grands "vous" là, suggéra Télesphore.

–Ben correct ! dit Marie-Anne Caron.

–Ben... souhaitons-nous donc la bonne année si vous avez pas d'objection, fit Marie-Anne Houde avec un petit rire du jour de l'an.

–Ah ! mais ben sûr, ben sûr !

Et les deux Marie-Anne s'embrassèrent sur chaque joue tandis que Napoléon déposait sa boîte sur le comptoir près de la pompe à l'eau. Marie-Anne Houde prit dans ses mains les coudes de l'autre et, comme s'ils avaient été des mains, les serra un peu dans un signe de solidarité féminine.

Télesphore trouvait sa femme exceptionnellement belle dans sa robe des grands jours et plus encore devant ce petit être au visage en quartier de bois qu'était à ses yeux la femme de son ami des chantiers.

Marie-Anne Houde se tourna aussitôt vers lui et tendit la main qu'il accepta. Elle dit en même temps qu'elle présentait la joue :

–Une ben bonne année pour toé itou, cher monsieur Télesphore...

Napoléon fut sur le point de dire que sa femme était pas regardante sur les becs puisqu'on s'était déjà souhaité la bonne année sur le perron de l'église, mais Marie-Anne Caron le fit taire sans le vouloir en accaparant son attention par une poignée de mains et un bec.

Télesphore fut doublement envahi par les parfums de la jeune femme que libéraient maintenant son vêtement ouvert et la chaleur de l'intérieur de la maison. Et puis ça le fit s'enorgueillir un peu de se voir embrassé deux fois le même matin par la même créature.

Puis, tous les gens de la maison à part les enfants vinrent à leur tour accueillir avec la chaleur des habitants ces gens nouveaux que la plupart ne connaissaient pas. La "bonne et heureuse" circula de bouche à oreille sur tous les tons et, dans sa retraite entre le poêle et la porte de la chambre, Aurore redisait les mots à son chat chaque fois qu'elle les entendait.

La femme de Napoléon rappela à Anthime Gagnon par deux ou trois mots l'incident du cheval échappé. Un peu sur la ripompette et à cause de son tempérament de bon vivant, Anthime cacha l'inquiétude profonde qu'il ressentait une fois encore en présence de cette petite femme qui lui paraissait aigre et cassante.

–Dans la boîte, y a huit tartes à la citrouille, dit Marie-Anne Houde à la maîtresse de maison. Gelées ben entendu, mais dans le fourneau, ça dégèle le temps de le dire. Pis il paraît qu'elles sont ben mangeables; j'sais pas, c'est ça que le monde disent...

–C'était pas nécessaire, voyons, c'était pas nécessaire...

–C'était le moins que je fasse d'accommoder un petit quelque chose pour vous remercier un peu de votre belle invitation.

Télesphore partit.

Marie-Anne Caron invita le couple à se déshabiller dans la chambre. Au moment d'y entrer, quand elle aperçut Aurore, la femme Houde se pencha sur elle et chantonna :

–Bonjour toé, comment tu t'appelles donc ?

232

–Aurore, murmura la petite.

–J'ai pas compris.

–Aurore, dit sa mère pour elle. C'est notre deuxième. L'autre est là-bas, c'est Marie-Jeanne.

–Pis le petit gars, c'est Georges-Étienne : y a quelqu'un qui me l'a dit.

–Ben moi, je voudrais ben lui donner un beau petit bec du jour de l'an, à la petite Aurore, dit Marie-Anne Houde en hochant la tête de manière faussement affectueuse.

–Lève-toé deboutte, Aurore, lui dit sa mère.

L'enfant obéit et la femme lui pinça les joues trop fort, mais personne ne put apercevoir la grimace provoquée, et elle reçut un bec.

–T'es une ben belle petite fille pis ben habillée à part de ça !

Marie-Anne Caron qui avait gardé une bizarre impression de l'autre depuis leur croisement de regards à l'église, réalisa qu'elle se trompait et que cette jeune personne était pleine de gentillesse envers tout le monde.

À la dérobée, Anthime capta l'image de la petite femme qui embrassait Aurore et cela remua en lui des choses lointaines et enchevêtrées. Mais indescriptibles.

Il était exceptionnel que l'on chauffât le poêle si fort, mais la porte s'ouvrait si souvent et surtout, il fallait réchauffer la cuisine d'été où aurait lieu le fricot lui-même puis la veillée dansante.

Aurore n'en pouvait plus supporter la proximité et, se sentant de trop dans les jambes de tous, elle s'en alla en haut et se rendit une fois encore aimer ses merveilleux cadeaux cachés dans son bas sous sa paillasse.

Elle les étendit sur le lit près duquel elle s'était agenouillée et fut étonnée de n'y pas trouver sa petite statuette. Se serait-elle souvenu de l'avoir mise dans sa poche de manteau avant de partir pour l'église qu'elle n'aurait jamais imaginé l'avoir perdue. Elle leva les yeux, regarda tout autour et enfin l'aperçut sur le coffre de l'autre côté du lit, du côté de Marie-Jeanne...

Elle se rendit la prendre et, son bonheur retrouvé, elle la mit dans son bas qu'elle cacha soigneusement une autre fois sans prendre un seul bonbon et après avoir caressé la peau de son orange.

*

Les quatre aînés Gagnon et Caron, furent regroupés d'un côté de la table près du jeune curé à qui on attribua la place d'honneur comme il se devait. Du côté gauche du curé, après Gédéon et sa femme, il y eut Anthime, sa femme, la femme de Léon, Léon, Arcadius Lemay et Exilda qui elle pourrait aider Marie-Anne et qui pour cette raison avait choisi de se placer au bout.

De l'autre côté, à partir du curé, après Arzélie et Trefflé Caron, se suivaient Télesphore, Véronique qui serait pas loin de la table des enfants, Adjutor Gagnon puis sa femme, la femme du musicien-gigueux, le musicien-gigueux, Napoléon Gagnon et enfin sa femme, Marie-Anne Houde qui voulait absolument, tout comme Exilda, aider Marie-Anne Caron à servir la table.

Et à la droite du curé, au fond de la pièce, il y avait une petite table où l'on fit manger les trois enfants.

Aurore se sentait bien dans ce monde qui l'enveloppait, qui riait, qui criait, qui se passait les plats... Elle entendait des racontages, des mots respectueux servis au prêtre avec le ragoût de pattes, des "passe-moi donc le pain, Anthime" que croisaient des "c'est ben bon, Marie-Anne" accompagnés de ragoûtantes félicitations allant de "ta cuisine, c'est pas piqué des vers" jusqu'à des "on va se bourrer la panse" en passant par "moi au jour de l'an, je mange comme un cochon pis ça m'empêche pas de giguer comme un veau du printemps".

Au coeur du repas, Télesphore réclama l'attention; quand il l'obtint, il demanda la bénédiction du curé et de son père.

Le prêtre, un homme de la mi-trentaine à la mince chevelure claire et au regard sûr de lui quoique paternel, se livra d'abord à un laïus de circonstance au cours duquel il fallut faire taire les enfants. Il vanta les mérites de Gédéon et de sa femme, la joliesse de la fête, la chaleur de ses paroissiens qu'il était loin de connaître tous très bien puisque pas deux ans de cure à Fortierville ne le caractérisaient encore et que la paroisse était grande et importante, voisinant les deux mille personnes.

–Puisque nous sommes au coeur d'un si magnifique repas, je vous dispense de vous agenouiller pour recevoir ma bénédiction, fit-il en fin d'adresse.

Le mot dispense rappela à Télesphore qu'il lui en avait coûté vingt piastres au bout du compte pour faire revalider son mariage deux ans plus tôt. «L'Église ne punit pas, avait dit l'abbé Grondin, elle fait en sorte d'éloigner les gens des mariages consanguins dont parfois naissent des êtres monstrueux...» À part l'avorton qui paraissait normal, soliloqua Télesphore, ses enfants n'étaient pas les pires, bien qu'il trouvât la petite Aurore plus dure à corriger que les deux autres.

Alors même que sa réflexion l'absorbait, la tablée fut bénie par son père dans des gestes et des mots qui paraissaient doublement gauches après ceux si raffinés du curé Blanchet.

Aurore fit son signe de croix pour la deuxième fois un peu après les autres et les imitant. Son Jésus de bois lui vint en tête un petit moment et elle regarda à la table des grands vers son père.

Marie-Anne Houde sentait de la gêne chez sa voisine d'en face, Exilda Lemay dont les sourcils tout comme ceux de Louise étaient souvent froncés, donnant l'impression qu'une menace planait au-dessus de son âme. Elle entreprit de la mettre à son aise en lui parlant le plus possible comme elle l'avait fait avec Marie-Anne entre son arrivée et la mise à table.

Et la maîtresse de maison surveillait tout. Aurait-on assez de ragoût, de pain, de tourtière ? Fallait-il mettre du bois dans le poêle ? Et les enfants, Véronique y voyait-elle ?

Elle se levait souvent et parfois sans raison, juste pour embrasser toute la table du regard jusqu'au curé qui, par sa retenue, empêchait les autres de manger. Et quoique en manches de chemise, leur bienséance portait col dur et cravate.

Peu après les bénédictions, aidée par Marie-Anne Houde, Marie-Anne Caron remplit le fourneau de tartes. Des siennes à la framboise, des framboises qu'on avait ramassées au bout de la terre à l'automne et transformées en confiture. Des autres à la citrouille dont l'odeur supplanta vite celle des premières.

Le temps venu, elles furent divisées en pointes.

–De quelle grosseur, Marie-Anne, demanda l'autre femme avant de couper la croûte.

–Comme tu voudras...

–Quatre par... tat... Mon doux Seigneur de cré tornon, c'est pas facile à dire ça...

Et les deux femmes s'esclaffèrent au-dessus des assiettes brûlantes. Marie-Anne Houde recommença, le rire au bord de la gorge et dans le ton :

–Quat' par tarte...

La fatigue et le rire installèrent un début d'amitié entre elles. Il y avait un sérieux de la tâche et du moment comparable au décorum dans une église et cela augmentait leur envie de s'amuser comme des fillettes folichonnes, elles qui à vingt-trois ans avaient déjà accouché quatre fois chacune.

Les mauvais sentiments désertèrent tout à fait Marie-Anne Houde, aucune peur ne les alimentant plus pour le moment mais aussi parce que l'autre femme paraissait dépourvue de toute agressivité.

Chacune prit son côté de la table pour servir les invités. Toutes deux se rendirent tout d'abord au curé, une tarte à la main, celle aux framboises servie par Marie-Anne Houde et l'autre par la femme de Télesphore, lui qui trouvait amusant de les voir ainsi de chaque côté du prêtre avec une invitation dans l'oeil et une spatule de bois dans la main prête à poser dans son assiette un large morceau sucré...

–La mienne, dit Marie-Anne Caron, c'est aux citrouilles pis celle à madame Gagnon, c'est aux framboises. C'est que vous aimez le mieux, monsieur le curé...

–Mais les deux, voyons, les deux. Alors... allons-y pour celle... –il changea de ton et se fit interrogateur– à la citrouille ?

Les tartes eurent un succès égal et la maîtresse de maison finit par dire que celle à la citrouille était en réalité de la main de Marie-Anne Houde.

Anthime lui avait trouvé un goût amer.

Aurore avait mangé de la tarte aux framboises.

Puis le curé fit son fin avec les enfants dont la table était tout près. Il trouva des images dans une poche de sa soutane et en donna une à chacun. Alors il voulut savoir ce qu'ils avaient reçu en cadeau du jour de l'an.

—Allez chercher vos bas, leur dit Télesphore qui était déjà fier à l'idée que le curé verrait ses trois Jésus de bois.

Marie-Jeanne courut les pattes aux fesses. Aurore suivit. Et Marie-Anne qui avait gardé dans sa commode de chambre le bas du garçonnet, se rendit le chercher avec lui de sorte que le petit fut le premier à le vider sur la table devant le curé. Marie-Jeanne revint vite. Elle commençait à vider le sien lorsque le prêtre vit la statuette de Georges-Étienne. Il en fit un examen. Marie-Anne dit que Télesphore en avait sculpté une pour chaque enfant...

Marie-Jeanne se dépêcha pour montrer la sienne, mais elle ne la trouvait pas. Elle eut beau plonger son bras jusqu'au coude dans le bas : rien. Grimacer : rien. Trépigner : rien.

—Qu'est-ce qu'il y a ? dit sa mère.

Elle se mit à sangloter :

—J'ai pas mon p'tit Jésus...

—Tu l'as peut-être laissé en haut, sur ton lit ou ben sur ton coffre ?...

La fillette repartit en trombe. Dans l'escalier, elle croisa sa petite soeur qui revenait avec son bas plein de beauté et de fierté.

Aurore sortit calmement ses cadeaux. Le prêtre compta ses bonbons pour elle. Il dit, la voix pétillante :

—Quand tu auras fini de les manger, tu auras les joues rouges, jaunes, vertes...

Et elle montra sa statuette qu'elle aimait tant déjà.

—C'est beau, hein ! C'est bien sculpté, monsieur Gagnon, je vous en félicite. Voilà une bien belle et louable manière d'inculquer nos valeurs catholiques aux petits enfants !

Ayant regardé sur son lit et sur son coffre comme le lui avait dit sa mère, Marie-Jeanne revint comme une ripousse retrouver Marie-Anne en sanglotant.

—Je sais pas, dit doucement la femme. On la trouvera plus tard.

Télesphore fut pris d'un doute devant cet état anormal

des choses. Il allongea le bras vers la table des enfants, s'empara du Jésus du garçon et le lui remit. Puis il examina celui d'Aurore. Son regard s'endurcit et, devant toute l'attention des gens réunie, il déclara :

–Aurore, c'est pas ton Jésus, c'est à Marie-Jeanne.

–Comment tu sais ça ? demanda Marie-Anne qui aussitôt s'approcha.

–Simple. J'ai fait une coche sous les pieds de la statue à Marie-Jeanne; deux sous celle à Aurore; trois sous l'autre. Pis c'est le Jésus à Aurore qui manque. Celui-là, c'est à Marie-Jeanne. J'ai vérifié moi-même quand je les ai mis dans les bas justement pour empêcher qu'ils se les volent. Pis j'ai ben fait parce que tu vois : ça arrive la journée même. C'est que t'as fait avec ton Jésus, Aurore ?

La fillette était complètement figée. Elle comprenait qu'elle avait volé le Jésus à Marie-Jeanne, mais où donc était le sien ? Pas un mot ne jaillissait de sa faible pensée ni ne pouvait sortir de sa bouche qu'elle gardait grande ouverte, les yeux agrandis par la peur.

–Je vous dis monsieur le curé qu'on a de la misère avec celle-là des fois, dit Télesphore au prêtre.

La plupart donnèrent le bénéfice du doute à l'enfant. Elle retrouverait le Jésus. Elle ne l'avait pas fait exprès. Près du poêle, les bras croisés, une mince lueur perverse au fond du regard, Marie-Anne Houde regardait la petite fille. Ses mauvais sentiments lui revenaient en force...

*

Sans pleurer, sans dire, Aurore remit ses choses dans son bas. Elle se glissa hors de sa chaise et s'en alla en haut. Alors elle chercha partout, sans jamais s'arrêter : sous le lit, dans les couvertures, derrière le coffre, dans la chambre voisine, dans les autres parties de la maison. À force de souffrir dans son âme lui revint le souvenir d'avoir son Jésus dans sa poche de manteau tandis qu'elle allait à la messe; alors elle redescendit en bas et trouva sa mère...

Mais il n'y avait rien dans les poches du petit manteau accroché contre la soupente sous l'escalier. Marie-Anne lui donna quelques minutes pour chercher avec elle. Ce fut peine perdue et la femme dut retourner à son monde après avoir dit à Aurore qu'elle avait dû perdre la statuette et qu'elle demanderait à son père d'en gosser une nouvelle.

L'enfant retourna dans sa chambre. Elle ne chercha plus. Se coucha sur le côté. Se mit à pleurer doucement. Et pleura. Et pleura.

Sans savoir et dans sa cruauté d'enfant, Marie-Jeanne vint dans la chambre par hasard plus tard et dit :

—T'es rien qu'une voleuse, Aurore !

—Va t'en ! marmonna la petite.

Les voix formaient un pan de bruits confus lui parvenant. Les violoneux commencèrent à s'accorder. Le gigueux tapa du pied. On entendit des coups de rire comme des coups de tonnerre. C'était Anthime qui contait un fait. Les odeurs de tabac à pipe rôdaient partout, fortes et amères.

Longtemps après, au bout de ses pleurs, au bout de sa fatigue, Aurore s'endormit. Délivréc !

La terre entière ignorerait à tout jamais son immense chagrin.

*

Peu de temps après, il y eut une confession générale à la sacristie. Après avoir fait son signe de croix au bout de l'absolution, Louise Lord s'effondra.

Morte.

******

Les curés de naguère

Chapitre 14

Boueux de la tête aux pieds, graissé de vase humide adhérant à une couche de terre durcie recouvrant tout son corps après un séjour de près d'un mois dans les tranchées à y ramper, à y dormir, à y voir mourir des hommes, Charles Caron était sur le point de se glisser dans un blindage individuel près d'un vague escalier de terre permettant de sortir à l'air libre sans risquer de se faire automatiquement abattre par la mitraille boche.

L'on n'avait pas reçu à manger depuis cinq jours. Quatre hommes traqués là, tous des Britanniques sauf lui qui tout en étant citoyen de l'Empire en tant que Canadien, n'en maîtrisait la langue qu'en la fêlant de deux manières : comme un parlant français d'origine et comme un parlant américain d'adoption.

Las du Montana, emballé par la perspective d'aller jouer au soldat en Europe, le jeune homme, dès l'annonce de l'entrée en guerre de la Grande-Bretagne contre l'Empire austro-hongrois et l'Allemagne du kaiser, avait pris le train pour Montréal où il s'était engagé comme volontaire; et sans même être capable de se rendre chez lui à Leclercville, il était parti pour l'Angleterre où, parvenu douze jours plus tard, on l'incorpora aussitôt au premier corps expéditionnaire britannique sous la conduite du maréchal French et qui fut envoyé seconder les Français sur la Marne.

Les grandes premières batailles du conflit mondial étant déjà livrées fin août, début septembre, Charles se retrouva avec des centaines d'autres en devoir de tenir et consolider des positions déjà acquises. Une tâche qui au premier abord semblait beaucoup plus facile que de participer à une offensive ou à une retraite, mais qui portait en elle les mêmes dangers en les étirant sur de longues semaines, et auxquels s'ajoutaient l'isolement, la faim, le froid, les risques de blessure, de mort par balle car le tir ennemi s'il se faisait plus clairsemé que lors d'une bataille, ne cessait pourtant jamais, la soif, la peur constante, le risque de se faire blesser ou tuer par un éclat d'obus ou pire, enterrer vivant par un éboulis causé par une explosion.

Le visage gris noir dans lequel ne perçaient que des yeux rougis par la fatigue et le manque de sommeil, l'homme regarda encore une fois vers le ciel, mais ce n'était pas pour rêver; en fait, il avait vu passer qui trottinait le long du bord de la tranchée un gros rat qui, pour un Canadien avait allure de rat musqué, mais hélas ! n'en était pas un.

L'homme affamé avait son plan. Ainsi déguisé de boue et à l'abri du blindage d'acier, il tâcherait de louvoyer pour d'attraper la bête par la ruse sinon il chercherait à l'abattre, visant la tête pour ne pas éparpiller et gaspiller les morceaux.

Derrière lui se tenait un autre soldat qui avait en mains deux fusils coiffés de leur baïonnette, le sien et celui de Charles qu'il lui remettrait quand il serait sorti. Car il était impensable affublé de cet appareil d'acier très lourd de traîner son arme pour émerger de la tranchée sans risquer de se blesser, de s'enfarger, de tomber à la renverse ou quoi encore. Quant à mettre le fusil d'abord à l'extérieur, il fallait s'exposer au tir ennemi pour le faire.

Il se mit à quatre pattes et entra dans le blindage qui présentait vaguement l'allure d'un char romain renversé. Constitué d'une boîte de métal au devant pyramidal percé de trous pour y voir dehors, de roues d'acier qui portaient le poids quand le soldat rampait, d'extensions de fer pour protéger les hanches et les cuisses, l'appareil ne possédait de grande vertu que pour faire ricocher les balles et il faisait piètre figure contre les obus.

Puis il se redressa en s'aidant d'une pierre émergeant de la paroi. Il n'avait plus l'air d'un homme, d'un soldat, pas plus qu'il ne possédait les apparences d'une bête quelconque, mais celles d'un martien sorti tout droit d'un roman de H.G. Wells, et venu de sa planète pour envahir la terre.

Il eut alors une pensée pour sa soeur Marie-Anne. Pourrait-elle seulement imaginer que lui, le joyeux aventurier en quête d'avenir se trouverait après quelques années d'un exil profitable, au lieu de labourer une terre paisible au bord du grand fleuve, en train de courir sous la menace constante d'éclater lui-même comme un obus, derrière un rat pour le capturer et s'en nourrir ensuite ? Et il n'avait même pas eu la chance de monter dans la tour Eiffel comme il en avait fait le rêve pour elle un jour.

Et l'image de la petite Aurore qu'il embrassait devant une flamme minuscule, lisse et douce, lui traversa l'esprit; mais elle s'effaça aussitôt car il se lançait dans l'escalier grossier que ses bottes grugèrent malgré les jambes qui flageolaient en raison d'un affaiblissement général.

Aussitôt parvenu à la surface, il s'affala comme il l'avait prévu et les roues touchèrent le sol mou dans un bruit mat. Il demeura un long moment sans bouger. Il fallait bien voir. Se ferait-il arroser de projectiles ? Les boches aussi devaient avoir la trouille dans leurs retranchements. De plus, l'artillerie amie restée derrière avec tout l'impedimenta lui faisait aussi courir des risques. Il ramassa son fusil et l'entra dans sa drôle de cabane où il l'accrocha à des montants faits exprès à cette fin, et qu'il finit par repérer en cherchant à tâtons dans la pénombre.

La grande crainte de l'homme à ce moment ne lui venait pas des Allemands ou de leurs balles, mais de ce que le rat se serait sûrement enfui...

Mais un rat de campagne est naïf. Apatride, il marchait sans se presser, indifférent à la guerre qui s'apprêtait pourtant à modifier son destin, brimbalant de son arrière-train potelé aux allures d'une grosse grand-mère négresse comme son prédateur en avait vu à Chicago. Charles le suivit en poussant son appareil roulant avec les bras sur les poignées intérieures et s'arc-boutant des genoux pour se donner plus de puissance.

Pas une seule fois le petit animal au corps confortable et cossu ne s'arrêta pour se retourner. Il donnait l'air de suivre un instinct ou un chemin connu de lui seul. La distance roula sous le blindage, visqueuse, mouillée, et transportant parfois des relents bizarres, jusqu'à une dénivellation qui étonna le soldat tout d'abord puis qui lui parut être une tranchée aux trois quarts comblée. Le rat s'y engagea et l'homme le perdit de vue. Rendu lui-même au bord du fossé, il aperçut un trou ressemblant à un tunnel de siffleux par lequel vraisemblablement l'animal avait disparu. Son estomac regretta au plus haut point qu'il n'ait pas tué la bête d'une balle, mais il était trop tard. Il s'appuya la tête contre le métal du blindage et fut pris d'une forte envie de pleurer comme un enfant.

Un raisonnement simple le récupéra toutefois. Qui entre sort, se dit-il. Et puisque pas un seul coup de feu contre lui n'avait été encore tiré, il jugea bon de rester à attendre. Et il demeura là, à genoux, les yeux rivés aux orbites de tôle. En même temps, il prépara son fusil qu'il accota à la paroi, prêt non pas à tirer mais à assommer ou bien à éventrer.

Sa patience fut récompensée. Les tirs restèrent lointains et le museau renifleur du rat reparut au bord du trou. Le coeur de Charles se mit à battre la chamade et si fort qu'il craignait que l'animal et même les boches l'entendent. En d'infinies précautions, il se laissa retomber vers l'arrière jusqu'à s'asseoir sur ses jambes puis glisser dans la boue pour ensuite se coucher sur le côté vers l'arrière de la cabane tout en ayant pris son fusil qu'il tenait à deux mains au-dessus de la vase.

Le rat parut collaborer. Il longea la roue du blindage et vint passer à un pied du nez du soldat qui l'éperonna d'un coup de baïonnette sec, efficace et mortel, en pleines tripes. Excité par sa capture, Charles fit faire demi-tour à son appareil et il se remit en route après avoir attaché sa prise par la queue à un anneau de fer. À peu de distance l'attendait une surprise qui ne lui posa pas de questions sur le moment tant l'idée de manger le travaillait. Vissé à la progression de l'animal, il n'avait pas remarqué plus tôt dans la dénivellation six baïonnettes jaillissant du sol çà et là...

De retour à la tranchée, il siffla le signal convenu et avant d'y entrer, il finit d'éventrer sa prise afin que ses restes en attirent d'autres.

Et il rentra à la maison, aidé dans l'escalier qu'il refit à reculons, heureux d'entendre des voix amies anglaises.

–The fritz... they must be sleeping...

–I got som'tin de' eat...

Il écorcha lui-même la carcasse que l'on se divisa ensuite en parts égales et que chacun fit cuire à sa façon sur la flamme de sa lanterne.

Quand il eut fini de manger, que sa faim loin d'être apaisée revenait en force mais qu'en même temps les haut-le-coeur lui rôdaillaient dans la poitrine, Charles s'éloigna quelque peu des trois Anglais qui avaient tendance à parler trop vite à son goût, et s'assit à l'endroit qui lui servait de lit depuis vingt-deux jours, un coin qui lui appartenait mais que rien ne différenciait des autres : terreux, noir, humide. Mais c'était le sien et pour un peu plus, il ne l'aurait pas troqué, même pour une cuisse de rat. Les petites pierres n'étaient pas tout à fait les mêmes qu'ailleurs; ni les araignées non plus ou les vers qui passaient par là le soir. Et puis quand il y parlait tout seul, douce consolation pour un Canadien errant en exil, il entendait sa propre langue.

Alors il fouilla dans une poche de sa veste dont il restait des espaces kaki à l'intérieur des pans sales, et en sortit un harmonica qu'il avait acheté au Montana et sur lequel pendant des années, à la garde des troupeaux, il avait pratiqué des airs connus.

Son favori depuis quelques jours était *Le Baiser promis* qu'il savait par coeur depuis l'enfance et entreprit de jouer dans des notes lancinantes. Il s'arrêta et reprit l'air dans un filet de voix d'une suave harmonie. Car dans l'ouest, il avait trouvé une voie à sa voix graillonnante, l'avait canalisée, encadrée, rapetissée. De retour au pays, il ne lui manquerait plus que quelques lettres pour devenir un grand troubadour canadien, peut-être un barde national admiré. Il avait dans sa tête et dans ses lèvres toutes sortes de complaintes de sa composition : celles de Louis Cyr, du géant Beaupré, de Laurier, et surtout La Ballade de Buffalo Bill.

paroles de J. Abel

Dans un petit village de Lorraine,
Un bataillon s'avançait à grands pas;
Une jeune fille ayant vingt ans à peine
De ses doux yeux regardait les soldats.
Un beau sergent s'approchant de la belle
Lui demanda un baiser doucement.
«Ami sois brave et tu l'auras, dit-elle
Quand reviendra ce soir ton régiment.
Ami sois brave et tu l'auras, dit-elle
Quand reviendra ce soir ton régiment.»

Le beau sergent part et rejoint l'armée
Qui se battait tout à côté d'un bois.
Il disparaît bientôt dans la fumée
Et des canons seuls on entend la voix.
La nuit tomba sur le champ de bataille
La jeune fille attendit, vain espoir.
Le bataillon fauché par la mitraille
Ne revint pas au village le soir.
Le bataillon fauché par la mitraille
Ne revint pas au village le soir.

Le lendemain, quand l'aube épanouie
Vint éclairer la place du combat,
La jeune fille s'en fut dans la prairie
Chercher celui qui ne revenait pas.
Elle aperçoit au bord de la Moselle
Le sergent mort, les traits déjà pâlis.
«Tiens beau sergent, je t'apporte, dit-elle
Le doux baiser que je t'avais promis.
Tiens beau sergent, je t'apporte, dit-elle
Le doux baiser que je t'avais promis.»

Lorsque le dernier son fut émis, que peut-être il s'éleva

pour traverser le no man's land de quelques centaines de pieds pour atteindre les tranchées allemandes et rassurer un peu les boches sur les valeurs humaines de l'ennemi, que les compagnons anglais se laissant bercer par la ballade, se partageaient divers désirs dont ceux de manger plus et mieux et de fumer du bon tabac, Charles se souvint. Il pensa aux trois soldats de son groupe de sept au départ, et qui avaient été abattus, et qu'on avait dû enterrer. Puis il raisonna sur les baïonnettes qui dans l'autre tranchée comblée, pointaient vers le ciel leurs aciers ternis..

Alors ses vagues haut-le-coeur se réunirent en un raz-de-marée irrésistible. Il vomit le peu que son estomac contenait puis en répéta longtemps les symptômes même sans rien à évacuer. Et cela dura tant que l'image du rat en train de se repaître du cadavre d'un des soldats que la mort avait surpris là-bas ne fut pas voilée par l'épuisement le plus total et le rire qu'au bout lui valut l'idée que les Anglais digéraient bien leur repas, eux.

*

À chaque bout de la table dans la maison tranquille, Marie-Anne et Télesphore échangeaient sur la guerre à la lueur dansante de la lampe qui les séparait. La jeune femme achevait de lire pour la troisième fois la lettre de Charles qui leur apprenait son départ pour la guerre.

Il l'avait écrite quelques jours après son arrivée en Angleterre pour bien montrer que l'un de ses plus grands rêves se réalisait enfin : il voyait les vieux pays.

–J'sais pas pourquoi, j'sais pas pourquoi c'est faire qu'il agit de même ? soupira Télesphore entre deux poffes de fumée de sa pipe blanche.

–Ben, c'est son idée à lui !

–Il peut se faire tuer à tout moment.

–On va tout' mourir un jour ou l'autre.

–Mourir de vieillesse, c'est pas pareil.

–Mal vivre : c'est-y mieux ? soupira Marie-Anne qui était entrée depuis deux mois dans une cinquième grossesse et qui parfois se laissait aller à trouver sa féminité aussi lourde à porter que ses bébés.

–Sans compter qu'il peut avoir de la ben grosse misère...

La guerre, c'est dur pour un soldat ! La faim, la soif, se faire estropier, le frette surtout. Un cheval traverserait pas ça, pis c'est demandé à du monde !...

Marie-Anne regarda les arabesques grimaçantes sur les choses et les murs.

Soudain elle dit :

–Bon ben, tout ce qu'on peut faire, c'est de prier pour lui. On va dire une dizaine de chapelet de plus à soir si tu veux.

–C'est sûr que je veux; j'ai jamais refusé de prier le bon Dieu qui m'entend.

Pour rompre un long silence que Marie-Anne ne voulait pas briser, il reprit :

–En tout cas, c'est à espérer que le Tit-Charles, il pogne pas une grosse maladie des poumons à force de misère sur le champ de bataille de l'Europe !... Pis je me demande ben pourquoi c'est faire qu'ils se chicanent tant, eux autres, par là, dans les vieux pays; nous autres icitte, on s'accorde avec les Anglais...

*

La voix du curé, profonde et douce, s'étendait par toute l'église.

–Mes bien chers frères, je sais bien que vous aimez votre peuple, que vous aimez vos soldats qui se battent héroïquement en France, la belle France, pour la défendre contre les boches. Vous croyez peut-être que vous ne sauriez qu'espérer pour eux, que pleurer sur leur sort, et même que prier à leur intention. Eh bien ! vous pouvez plus encore. Oui, mes frères dans le Seigneur, vous aussi pouvez participer à l'effort de guerre en soutenant une belle oeuvre qui est celle du tabac. Cette semaine, l'on ramasse du tabac pour nos pauvres soldats. Pour leur soutenir le moral. Du tabac que nous allons bénir et arroser de nos prières avant de le leur faire parvenir. Cette oeuvre est lancée dans toute la province de Québec. Vous avez votre provision pour l'hiver qui est à sécher dans les greniers ou sur les entraits des hangars, partagez-la. Soyez généreux. Aidez les soldats, c'est aider votre prochain, c'est aider la France aussi. Un peu de votre tabac et vous soulagerez leurs peines et leur misère...

Télesphore était pénétré par ces propos. Il apporterait la moitié de sa réserve d'hiver à l'église dès le lendemain. Qui sait si Tit-Charles n'en profiterait pas ? Et puis son exemple inciterait d'autres paroissiens à se montrer généreux aussi. On avait sept jours pour apporter sa contribution. Tout le tabac ramassé serait mis à l'arrière de l'église sur des tables comme on le faisait pour les rameaux dans le temps de Pâques et le curé Blanchet procéderait à sa bénédiction officielle le dimanche suivant.

Le prêtre conclut sur ce sujet :

–Et en bénissant le tabac des soldats, le Seigneur, par les mains de votre curé, bénira aussi tout celui-là qui restera chez vous à sécher joyeusement sur les entraits dans l'attente de brûler plus joyeusement encore dans vos pipes et dont la fumée, quand vous l'aurez enflammé dans vos dites pipes, ce bon tabac solide, s'élèvera vers le ciel comme un hommage rendu au bon Dieu, semblablement aux offrandes d'Abel. Et puis, comme nos soldats s'en porteront mieux à cause de vous et de votre générosité proverbiale de Canadiens français ! En enverrons-nous plus que les Anglais outre-mer de notre bon canadien fort ? C'est à espérer ça aussi ! Et que les flammes de votre tabac rappellent à Dieu votre sacrifice; mais si vous refusez votre contribution, alors je souhaite seulement qu'elles ne vous rappellent pas les flammes de l'enfer! Et c'est la grâce que je vous souhaite de tout mon coeur. Au nom du Père, et du Fils...

******

Chapitre 15

1915

Mai.

Joseph finit de prélever son dû à même le sang et les énergies de sa mère, et il naquit.

Ce fut un très beau jour pour Télesphore. Car il avait maintenant autant de fils que de filles. Marie-Anne ne semblait pas plus malade qu'à ses autres accouchements. L'hiver avait été bon pour lui, profitable, et voilà que le temps du printemps garantissait du foin à pleines clôtures, une bonne récolte à l'automne et même du jardinage intéressant.

Aurore marchait sur ses six ans qu'elle aurait dans quelques jours. Tandis que Marie-Jeanne se trouvait à l'école, sa cadette et Georges-Étienne furent envoyés chez Anthime au village où leur soeur les rejoindrait d'ailleurs à la fin de sa classe. Ils y seraient tous les trois jusqu'au lendemain.

La fillette avait un sens profond qui lui faisait déceler la bonté intérieure des gens, et l'oncle Anthime, même s'il était un géant, ne l'effrayait pas du tout. C'est pour ça qu'une fois couchées ce soir-là, elle et Marie-Jeanne, excitées par cette visite qu'on leur faisait faire sans qu'elles en comprennent les raisons, s'amusèrent à se poussailler et à rire dans leur lit. Il est vrai qu'une lampe dans la pièce voisine, pratiquement hors de leur portée et que leur tante viendrait éteindre plus tard, leur procurait une lumière instigatrice et qui retardait la venue de leur sommeil.

Soudain un pas lourd se fit entendre dans l'escalier...

—Tais-toi, c'est mon oncle qui s'en vient, dit Marie-Jeanne qui aussitôt se cacha toute sous la couverture.

Aurore garda sa tête sortie, mais elle ferma les yeux et riva ses paupières. Anthime poussa leur porte entrebâillée et jeta un coup d'oeil à ses nièces qu'il savait faussement endormies puisque dans l'escalier encore, il les entendait rire et se crier à voix retenues. Il résolut de les faire se dévoiler et parler.

—Comme ça, vous dormez toutes les deux, hein ?

Silence.

—Pis si je vous dis de quoi de drôle, ben sûr que vous rirez pas, hein ?

Rien.

Il chantonna :

-Aurore, tu dors, ton moulin va trop vite; Aurore, tu dors, ton moulin va trop fort...

Motus et bouches cousues.

Sur un débit impossible tant il était rapide, Anthime chanta à mi-voix :

—Ton moulin, ton moulin, ton moulin, ton moulin va trop vite, ton moulin, ton moulin, ton moulin, ton moulin va trop fort...

Puis il ajouta quelques pas de gigue à la suite :

—Ton moulin, ton moulin, ton moulin, ton moulin va trop vite, ton moulin, ton moulin, ton moulin... Ayoye donc maudit torrieu ! Me suis cogné la tête au plafond...

Dans un geste éclair, Aurore monta la couverture sur sa tête et chercha sans grand succès à étouffer ses rires qui lui chatouillaient le ventre et les épaules. Emportée à son tour, Marie-Jeanne se comporta de la même manière...

—Ah, ha ! les petites filles dorment pas encore, hein ? Mais ça fait rien parce que là, je vas vous fermer la lampe au nez... Bonne nuitte !

Elles restèrent muettes.

–Ben oui, mais faut répondre ! dit-il.

Il écouta, reprit :

–Bonne nuitte, beaux rêves pis pas de puces !

–Nnn' nuitte ! fit Marie-Jeanne sans se montrer.

–Bonne nuitte ! dit Aurore en se montrant le visage.

Le jeune homme se frotta la tête en grimaçant, mais il n'avait pas mal car il n'avait que frôlé le plafond avec ses cheveux.

*

Entre Télesphore et Napoléon, les relations se poursuivirent à raison d'une visite par année par famille à l'autre plus, bien entendu, leurs hivers dans les chantiers. Pour en discuter, car Télesphore avait bien envie de retourner au lac Caribou, il fut décidé de se rendre à Sainte-Sophie ce premier dimanche de septembre.

Les feuilles commençaient à changer de couleur. La route était bonne, nulle part défoncée et les milles roulaient sous le boghei : droits, plats et monotones. Les enfants étaient tous restés à la maison et le dernier-né passerait la journée chez Exilda.

Marie-Anne avait du mal à suivre, mais elle ne le montrait pas. Le soleil d'été dont elle se protégeait du mieux qu'elle pouvait avec des immenses chapeaux de paille quand il fallait travailler aux champs, n'avait pas réussi à enterrer son teint olivâtre qui transparaissait à travers la pigmentation un peu plus foncée de sa peau estivale. Des forces se battaient en elle depuis la naissance de Joseph. Des forces vitales parmi lesquelles se trouvaient celles de la mort; car la mort aussi est une vie, une survie. Elle était moins malade que lors de sa fausse couche, mais se sentait plus faible, comme si son combat avait été en train de se dérouler à un étage inférieur dans son âme.

Soudain, sans crier gare, elle perdit conscience et tomba sur son mari, la tête contre son épaule puis qui glissa sur lui jusqu'à ses genoux, son chapeau soulevé comme une soupape et resté accroché par la broche.

–Maudit torrieu, c'est qu'il t'arrive ? Wo !, cria-t-il au

cheval en tirant sur les guides.

Il releva Marie-Anne qui déjà reprenait ses esprits.

–Coudon, fais pas ta gesteuse, là !

–Sais pas ce qui m'arrive...

Il la secoua un peu, refusant de croire qu'elle avait eu une faiblesse, rajusta son chapeau sur sa tête.

–Tu t'es endormie, on dirait.

–Me suis effondrée sur toé, on dirait.

–Ça fait rien : tu te coucheras tantôt. On arrive là. Un petit mille pas plus. Tiens-toé solide, là...

–J'vas faire de mon mieux.

S'étant annoncés par lettre dix jours plus tôt, on les attendait à Sainte-Sophie. Marie-Anne Houde s'y était fébrilement préparée. Pas que la visite demandât autant d'énervement mais parce qu'un souci de perfection s'était emparé d'elle.

Déjà une femme à l'ordre, elle avait quand même fait du ménage partout comme au printemps. Puis de la mangeaille. Des tartes. Du bon pain frais de la veille. On aurait des légumes à pleine table comme il y en avait à pleines clôtures dans le jardin potager. Des confitures quasiment aussi fraîches que si les pots avaient poussé dans les framboisiers. La meilleure crème de la meilleure vache.

«Pis si t'étais pas si gauche, Poléon, on aurait eu du poisson itou. Une journée de temps à pêche pis revenir avec trois fois rien. Bon à rien...»

–Marie-Anne Houde fut la première dehors. En fait, elle surveillait le chemin et quand elle aperçut l'attelage avec ce géant dans le boghei, pas besoin de plus pour savoir...

Napoléon piochait dans un rang du champ de patates. Il cherchait les plus jeunes plants ou qui le paraissaient tels par les tiges afin d'obtenir les plus petits tubercules.

«C'est les gorlots les meilleurs pis c'est ça qu'on va servir avec de la petite salade pis de la crème...»

Elle s'écria dans un rire excessif :

–Ben salut le monde de Fortierville ! Comment ça va, ma belle Marie-Anne ? Attends que je t'aide à descendre.

Télesphore apprécia son geste; l'évanouissement de sa

femme l'inquiétait un peu encore.

–C'est la première fois que je viens par icitte, dit Marie-Anne Caron qui accepta le bras de l'autre pour mettre le pied à terre.

–Bah ! tout se ressemble partout, hein, avec des petits changements...

–Justement, dit Marie-Anne Caron, y a une maison un peu plus loin qui ressemble à la nôtre comme deux gouttes d'eau...

–C'est mon père qui reste là. Mais en dedans, c'est pas pareil pantoute.

Aussitôt, elle cria à son mari d'une voix si pointue et qui porta si loin ainsi lancée entre ses mains en cornet sur sa bouche que des vaches dans le lointain tournèrent la tête. Il répondit puis se mit en route pour revenir avec son seau rempli.

–Hé, de ce que t'as un beau teint ! dit Marie-Anne Caron à l'autre, tandis que Télesphore continuait vers l'étable. Moé, faut pas que je me regarde dans le miroir parce que j'ai l'air d'une vraie morte.

–Ben... non... c'est pas si pire, dit Marie-Anne Houde qui à ces mots funestes ressentit l'étrange tourbillon dans le haut de son ventre.

–Dépêche-toé pour aller t'assire, lança Télesphore qui s'était retourné sur son siège.

–Il dit ça parce que j'ai perdu la carte en venant. Sais pas pourquoi... une faiblesse inattendue comme ça...

–Ben rentre tusuite ma pauvre toé. Je vas te donner des remèdes. Le docteur, il me fait prendre des lithinés; ça va te faire du bien à toé itou.

Marie-Anne accepta les sels dilués dans de l'eau fraîche, mais elle demeura debout un moment, écoutant aussi bien le calme intérieur que les petites phrases de l'autre jetées drues et à propos de n'importe quoi.

–Pis tes enfants, sont pas là ?

–Ah ! ben oui. Y a mon bébé dans son ber. Il dort comme une pierre. Viens voir si tu veux...

Ce fut plutôt le lit qui retint l'attention que l'enfant.

–Un beau ber que t'as là.

–C'est mon frère Willie qui l'a fait. Il reste avec nous autres pour un bout de temps. Pour aider Poléon. Le Poléon, il est mollasse comme de la mélasse.

–Est peut-être ben comme moé : pas beaucoup de santé ?

La femme n'ajouta rien sur la question et revint au sujet des enfants :

–Pis les autres, ben sont à l'étable. Ont une table dehors pis le temps venu, vont manger là. Comme ça, on va pouvoir passer du temps en paix entre nous quatre. Je dis les autres, ben c'est le plus vieux, Georges. Il a sept ans, celui-là. Pis Méo... Il a six ans. Il est de l'âge de ton Aurore justement. Pis après, y a Gérard. Lui, a fallu que je le mette dans le petit clos parce qu'il s'est fait arroser par une bête puante, imagine-toi donc.

–Quel âge qu'il a ?

–Trois ans.

–Y a une bonne différence entre le p'tit Méo pis lui ?

–Ah ! mais j'ai perdu une petite fille entre les deux. Morte à une semaine. Pis après Gérard, j'en ai une autre de morte : je t'en ai parlé quand on a veillé chez vous au jour de l'an. Elle était venue au monde en 1913 pis elle est morte au bout d'un mois. Ça fait que... ça me fait six enfants en tout. Pis là, ben je me laisse reposer. Je vas allaiter le dernier encore deux mois pis là, ben, Poléon va s'en aller dans le bois...

Estomaquée par les deux dernières phrases qui avaient l'air de dire qu'elle menait à sa guise son devoir conjugal, Marie-Anne Caron revint sur la beauté du berceau :

–C'est ben gossé, pas mal ben gossé.

–Écoute, Willie est pas mal moins adrette de ses mains que ton mari, par exemple, là. Je me rappelle des petits Jésus de bois... La petite Aurore a-t-il retrouvé le sien, toujours ?

–Non, elle l'a perdu pis son père a jamais voulu en refaire un autre. En plus qu'il l'a punie comme il faut le lendemain du jour de l'an.

–Ah ! il fallait ben. On peut pas le blâmer. Les enfants, ça perd tout. La prochaine fois, elle va faire attention.

Marie-Anne Caron n'était pas d'accord, mais elle n'osa l'exprimer. L'enfant de trois ans, prisonnier dans son enclos,

256

lui fit dire :

–Mais le petit Gérard, pourquoi c'est faire que tu lui frottes pas le corps avec des tomates écrasées ? Toute l'odeur va s'en aller ?

–Ben voyons, Marie... je gaspillerai pas dix, quinze tomates pour ça tandis que le vent va faire autant.

–Oui mais le soir, la nuitte...

Marie-Anne Houde rassura l'autre sur un ton de grande bienveillance :

–On le fait coucher dans l'étable. Dans un petit "parc". Il dort sur de la paille, avec une bonne grosse couverte à cheval. Il est à l'abri des pattes des chevaux, pis toute...

On quitta la chambre sur ces paroles. Alors Marie-Anne Houde invita l'autre à visiter son jardin où l'on se rendit tandis que les hommes se parlaient en dételant le cheval qui fut laissé à brouter l'herbe dans un champ voisin.

Marie-Anne Caron aperçut Gérard en passant. En fait elle n'en vit que les doigts blancs et les yeux noirs par un ajour entre les planches du petit enclos. Il avait le regard curieux et indifférent à la fois. Elle l'entendit dire des "maman" mais sans grande force dans la voix. Le garçonnet avait l'habitude de l'inutile. On ne le laissait pas avoir faim ni avoir froid et la peur n'aurait pas pu l'atteindre non plus puisque les planches le protégeaient tout à fait. Et puis personne ne le battait depuis qu'il puait autant. Ni ses frères, ni sa mère. Et son père venait souvent le voir, lui parlait de loin, lui fredonnait des airs tout tordus mais apaisants quand même. D'autres fois, le chien s'approchait, reniflait, silait, hésitait puis s'en allait, interpellé ou invectivé...

–Ben t'as pas mal de quoi de beau ! s'exclama Marie-Anne Caron en parcourant les rangs.

–Excepté mes tornons d'oignons ! As-tu vu ? Regarde-moé donc ça.

Elle se pencha pour en arracher un : chétif, rabougri, pourrissant.

–Je regrette quasiment mon ouvrage icitte. Je te dis qu'ils se font tirer les oreilles, ceux-là. Ah ! un jardin, c'est comme une famille : y a des vigoureux pis y a des ragotons. Des légumes en santé pis des pourris par dedans...

–Des moutons blancs pis des noirs...

–En plein ça, Marie, en plein ça !

Il y avait haut dans le ciel quelques nuages effilochés mais le soleil de toute fin d'été ne dardait pas durement. Et l'air était bon.

Marie-Anne Houde soupira :

–On est sur le bord d'arracher tout ça parce que les petites journées sécotes sont à la veille de commencer, pis c'est le temps le plus traître pour les gelées matineuses parce qu'on se méfie pas.

Babillage puisque l'autre Marie-Anne savait toutes ces choses depuis toujours. On quitta l'enclos pour se rendre à l'étable voir les enfants avant de retourner à l'intérieur de la maison.

–On rentrera pas parce qu'on va beurrer nos bas de robes, dit Marie-Anne Houde près de la porte. Poléon écure mal comme un tornon...

Elle se pencha à l'intérieur où se trouvaient les hommes

–Hey, les petits infâmes, où c'est qu'ils sont ?

Domptés à répondre sur-le-champ, les gamins arrivèrent quelques secondes plus tard, essoufflés.

–Bon, ben, v'là mon plus vieux, pis lui, c'est Méo.

Les deux garçons demeurèrent sérieux, attentifs.

–Deux beaux grands gars ! dit Marie-Anne Caron pour s'en faire aimer plus que pour dire la vérité.

Têtes rondes, cheveux noirs, raides, yeux froids, les gamins ne réagirent pas. Ils attendaient un ordre.

–Bon, ben, retournez-vous-en en dedans...

Ils disparurent. La femme se pencha à nouveau. Elle eut l'envie d'entrer, de s'approcher de Télesphore qui discutait plus loin avec son mari.

–C'est pas trop sale, dit-elle à l'autre en se retournant. Je vas aller voir mon gnochon de Gagnon, ajouta-t-elle sur le ton de la blague.

Et elle releva sa robe et entra, suivie de sa compagne qui l'imita.

–Depuis le temps que tu parles de régrandir le bâtiment, dit Marie-Anne Houde, c'est le temps d'en parler au meilleur charpentier de Fortierville, là.

–C'est justement ce que j'suis en train de faire.

–Pis ?

–Pis quoi ?

–C'est que t'en penses, Télesphore ? C'est-il faisable ?

–Tout est faisable quand on se retrousse les manches.

Il n'y avait pas un seul animal encore dans l'étable. Les vaches et les chevaux paissaient au loin et les porcs pataugeaient dans leur enclos derrière la grange, tandis que les poules caquetaient au grand air en picorant le sol partout où leurs chances de trouver des graines étaient les meilleures, ce qu'elles savaient d'instinct malgré leur étourderie apparente.

Marie-Anne Houde contourna Télesphore dans l'allée pavée de bois et se mit en face de lui, devant, utilisant l'espace de manière à ce que son mari recule ou bien s'éloigne un peu, ce qu'il fit en direction de Marie-Anne Caron qu'il salua puisqu'ils ne s'étaient pas encore vus.

Avec son regard le plus fleuri, elle pénétra celui de Télesphore dans la pénombre. Et dit suavement comme son parfum :

–C'est un bon homme comme toé que ça va nous prendre pour nous faire une grange de service.

–Ah ! quand je m'engage, je gagne mes gages.

–Ça, j'sus sûre !

En l'homme, les charmes de la laideur opérèrent. L'odeur des divers fumiers, de vache, de cheval, de poule, de porc, s'ajoutant à celle du foin d'un espace en contenant et qui donnait sur le fenil, se mêlaient à ces senteurs de femme parfumée. De l'eau lui vint à la bouche. Il avait déjà fait son devoir conjugal à ce même endroit de l'étable chez lui, et souvent du temps où ses parents vivaient encore à la maison. Des lueurs naquirent dans les tréfonds de sa substance et s'échappèrent par ses yeux. La femme les guettait. Les vit éclater. Les fouetta.

–Fais faire une bonne ronne à Poléon cet hiver, pis au printemps, peut-être ben qu'on régrandira.

Télesphore se souvint de l'histoire du roi David et du

neuvième commandement qui interdit de convoiter la femme de l'autre. Mais ça n'avait été qu'une pensée fugitive, spontanée, de celles qui arrivent à tout homme, qui arrivent sans qu'on le veuille, soufflées dans la chair par l'esprit malin, et dont il suffisait de se débarrasser aussitôt pour n'avoir même pas à s'en confesser.

Malgré le coup de poing qu'il donna à sa chair démone, en dépit des paroles d'ouvrier qu'il prononça, la folie courut sur tout son corps. «On peut pas s'arrêter le coeur de battre,» pensa-t-il.

Mais il dit :

–Quand ça sera le temps, Poléon me le dira pis je vas vous lever ça, c'te rallonge-là. Pis ça va être ben droitte pis solide...

–J'en doute pas.

Alors Marie-Anne jugea que le moment avait assez duré. Elle retourna vers l'autre femme en s'exclamant :

–Mon doux Seigneur, que t'as des beaux cheveux soyeux, Marie.

Elle toucha une mèche qui se balançait hors du panier que formait la chevelure de Marie-Anne Caron.

–Allons-nous en d'icitte parce que nos robes vont sentir le 'yable'.

L'autre la précéda. Marie-Anne Houde suivait en lui jetant les yeux sur la nuque, le regard sagitté.

Dehors, Marie-Anne Caron s'inquiéta à la vue des petits doigts de Gérard agrippés aux planches.

–Tu voudrais pas que j'essaie de le frotter avec des tomates. Ça en prendrait rien que deux ou trois.

Marie-Anne Houde ouvrit les bras devant elle comme une madone en répondant :

–Là, faudrait pas que tu penses que je magane mes enfants. C'est pas ça pantoute. Il est ben, le petit Gérard où c'est qu'il est. Un, il va s'éventer. Deux, il va se corriger de jouer avec les bêtes puantes. Trois, il est pas malheureux pantoute là. C'est pas l'idée des trois ou quatre tomates...

Elle rit :

–Te souviens-tu de nos "quat" par tart'... J'ai jamais autant ri de ma vie.

—On était des personnes fatiguées, je pense.

—Justement, t'as l'air de l'être. Viens t'assire en dedans, on va jaser de toutes sortes d'affaires...

Marie-Anne Caron entra après un ultime regard aux petits doigts pendus à la planche en imaginant les beaux yeux noirs qu'elle ne voyait plus...

Aussitôt à l'intérieur, Marie-Anne Houde invita l'autre à s'asseoir dans une profonde berçante brune puis elle se rendit dans sa chambre. Marie-Anne Caron crut que c'était pour voir à son bébé, mais la femme revint vite avec quelque chose qu'elle tenait dans les replis de sa robe et un éclair dans les yeux.

—J'ai un petit cadeau pour toé, Marie.

—Ben voyons, tu folle ?

—La, la, la...

Et elle exhiba une paire de mocassins.

—Je les ai faits de mes propres mains.

Aussitôt, malgré les protestations joyeuses de Marie-Anne Caron, elle s'agenouilla, s'empara de ses pieds qu'elle déchaussa de ses bottines et les enroba de ce cuir odorant, confortable et beau, beige comme du bois d'aulne et percé d'oeillets multicolores par où passent les lacets du même cuir longtemps mouillé et ciré.

—Mais... en quel honneur ?

—Pour vous remercier de votre visite tous les deux, c'est ça l'honneur. Disons que j'ai rien pour Télesphore ben sûr ! C'est pour se dire entre nous autres, qu'on a du mérite pis que faut pas trop attendre après nos hommes pour nous le dire, hein ?

Marie-Anne Caron se mit à rire.

Et l'image du petit Gérard prisonnier dans son clos étroit disparut de son âme.

*

Marie-Jeanne marchait bien plus vite que sa jeune soeur. Le plus souvent, elle sautait d'un dormant créosoté à son deuxième voisin. Les fillettes passaient toujours par la voie ferrée pour rentrer chez elles avec leur petit seau à victuailles et leur sac d'école en toile de lin.

Par bonheur, Aurore avait apprivoisé la distance tout comme elle s'était adaptée à l'école dès le mois de mai. Car alors, après la naissance de Joseph, elle comme d'autres qui commenceraient leur première année à l'automne, avait été envoyée à l'école quatre semaines au printemps pour se familiariser et faire en sorte que la maîtresse ne soit pas obligée de donner tout son temps de septembre aux tout-petits de sa classe. Après quelques journées tristes, elle avait été amadouée par les gentillesses de la maîtresse.

Mais ce jour-là, Aurore se sentait petite, peureuse, seule. Le coeur lui serrait au souvenir de ce qui s'était passé à l'école. Ce n'était pas la même maîtresse que l'année d'avant et la nouvelle, une jeune fille de pas dix-huit ans encore, se montrait sévère avec les enfants.

Un gamin de première année fut tapé et mis au coin dans sa peine et dans sa peur. Si profondément marquée dans sa sensibilité trop grande par les corrections qu'elle avait reçues, Aurore se sentit comme pétrifiée, désespérée, elle qui croyait à tort qu'à l'école, la maîtresse qui n'était pas un homme, se montrerait toujours aussi bonne que sa mère pour elle et pour les autres.

Alors elle se disait qu'elle se ferait toute petite, toujours, qu'elle obéirait en tout, qu'elle s'appliquerait, qu'elle prierait avec tout son coeur pour sa maîtresse, pour éviter de se faire taper elle aussi...

Marie-Jeanne qui regardait surtout ses pieds, s'arrêta net tout à coup. Il y avait devant, sur le bord de la voie, assis sur le bout d'un dormant, un personnage qui donnait tous les airs d'un bonhomme sept-heures. Assis près d'une valise grise, l'étranger semblait vieux dans son dos rond et sa barbe hirsute. La fillette fut envahie par l'angoisse et ses yeux se remplirent d'eau. Elle poursuivit lentement puis à quelques pas de lui, elle se mit à la fine course pour passer dans son dos. L'homme qui ne l'avait pas vue venir tressaillit et la regarda aller comme une ripousse.

D'autres sentiments se ruèrent alors sur la petite. Il y avait sa jeune soeur dont sa mère l'avait rendue responsable. Elle s'arrêta, se tourna, prête à redémarrer. Mais le personnage semblait figé comme une vraie statue de bois. Elle pensa qu'il pouvait s'agir d'un quêteux.

−Aurore, Aurore, cria-t-elle de toutes ses forces, dépêche-toi. Cours, Aurore, viens !...

Aurore qui n'était en ce moment qu'un petit animal tout fait d'obéissance, se mit à courir sans voir l'effrayant étranger qui ne bougeait pas mais prêtait sérieusement l'oreille dans sa direction. Et quand il la sut presque rendue à sa hauteur, il tourna brusquement la tête vers elle qui arrêta sa course et qui se mit dans une marche hésitante à l'instar de son aînée plus tôt.

Le clochard disparut alors derrière son seul regard intense, immense, et qui derrière son vernis mat, contenait des flammes brûlantes. Des tempêtes de feu dans la nuit noire. La rage du tonnerre et des éclairs. La folie furieuse déchirant le ciel et assassinant les étoiles; la démence déchaînée qui fait éclater les crânes et les vide de leur contenu, et qui répand hors de leur coquille sanglante les cerveaux qui, encore palpitants, ressemblent à des noix géantes. Les cris béats gelés dans les bouches figées des corps vidés.

Le raz-de-marée des images enflammées déferle dans les profondeurs de l'homme et brûle ses yeux de sa féerie infernale, s'empare de son âme, l'empoigne, la rend semblable à ses effroyables splendeurs, y coule le plomb fondu de l'affliction éternelle...

Mais rien, ni le feu, ni le fer, ni la faim, ni le froid, ni la folie, ni la fièvre, rien n'efface, n'affaiblit une frêle et fragile flamme qui brille toujours au fond de son coeur et autour de laquelle dansent des yeux heureux.

Aurore poursuivit doucement, dormant par dormant, sans aucune peur, les yeux agrandis par l'insolite, bruns et luisants, doux et confiants. Puis ce fut tout. Leurs regards se perdirent de vue. Elle passa à deux pas de lui dans son dos. Il pencha la tête en avant, toussa, toussa...

Les fillettes se rejoignirent et se tournèrent plusieurs fois vers lui, mais leur oncle Charles qu'elles n'auraient pas pu reconnaître, demeura prostré.

Quand il se crut assez d'énergie pour franchir un autre demi-mille, Charles se remit en marche. Comme un mort-vivant. Le souffle sibilant. L'oeil rougi par la maladie, exorbité par la misère, alangui par les regrets.

—Maman, maman, le quêteux qu'on a vu sur la track des chars, il s'en vient icitte, annonça Marie-Jeanne à sa mère occupée aux préparatifs du repas du soir.

—Ben qu'il rentre, on va lui donner la charité comme à tous les quêteux qui passent icitte.

En haut, Aurore faisait son devoir à une petite table qu'elle partageait avec sa soeur à cette fin et à d'autres. Marie-Jeanne avait fini le sien la première et elle était sortie de la maison. Aurore entendit ses cris et courut à la fenêtre. Il entrait dans la cour, l'étranger qui ne l'effrayait pas. Mais il resta au pied de l'escalier un moment puis s'assit sur la dernière marche et reprit l'air qu'il avait sur la voie ferrée.

—Maman, maman, il reste dehors...

Marie-Anne s'approcha de la fenêtre et vit de côté le personnage qui avait l'air d'attendre.

—Il aura vu Télesphore dans le bout de l'étable pis il l'attend, se dit-elle tout haut.

Depuis qu'elle avait perdu connaissance sur le chemin de Sainte-Sophie, Télesphore l'exemptait de l'aider au train. Elle aurait un hiver dur à devoir s'en charger toute seule avec Marie-Jeanne; il fallait qu'elle se refasse de la santé. Et même les journées où il s'engageait ailleurs comme charpentier ou maçon, il s'occupait du train au bout de sa journée d'ouvrage qu'il commençait le matin une heure avant le temps pour finir une heure plus tôt le soir.

Le dessein de Charles consistait précisément à demander asile à Télesphore sans se laisser aconnaître. Pour une nuit pas plus. Et surtout pas dans la maison, mais dans la grange. Et si son beau-frère en venait à savoir à qui il avait affaire, il lui ordonnerait de se taire jusqu'au lendemain matin alors qu'il saluerait de loin Marie-Anne et les enfants avant de se faire reconduire à Leclercville ou bien de s'y rendre à pied par petites étapes miséreuses.

L'homme était tuberculeux.

Quand il avait été possible de le sortir de sa tranchée avec les autres, on avait dû l'hospitaliser. Le mal le rongeait déjà. Il fut démobilisé, retourné en Angleterre où l'on déclara que ses plus grandes chances de guérison, il les aurait chez lui au Canada, au grand air, au grand froid qui tue les bacilles. Soldat perdu, on s'en débarrassa donc pour sa protection.

Marie-Anne l'observa mieux. Elle marmonna :

–C'est drôle pour un quêteux : il cogne pas à la porte pis au lieu d'un pocheton, il a une valise... pis en plus qu'il a pas des habits de quêteux... On dirait un monsieur, mais un monsieur tout fripé... En tout cas, c'est pas lui qui va m'aider à éplucher les patates...

Et elle retourna à ses travaux, tracassée.

Aurore n'arrivait pas à se détacher de l'image qu'elle voyait en plongée. Il lui semblait si naturel que cet homme-là fût là. Et elle attendait sans chercher à savoir autre chose, oubliant tout à fait ses AAAA et ses BBBB à écrire dans son cahier avant la grosse noirceur.

Marie-Jeanne aussi resta le nez dans la vitre, mais en bas, tout près du vagabond qui changeait le cours de la journée et ne pouvait donc que l'intéresser hautement, surtout qu'elle avait été la première à l'apercevoir.

–Maman, maman, il s'en va à l'étable...

–C'est bon de même, dit Marie-Anne, ton père va s'occuper de lui pis lui donner la charité.

–Pourquoi qu'il demande la charité, le monsieur ? Pourquoi que papa, il demande pas la charité, lui ?

–C'est parce qu'il est pauvre.

–Nous autres, on est pas des pauvres ?

–Ben... oui... pauvres un petit brin, mais pas dans la misère. On mange. On a une maison pour dormir, un poêle pis du bois pour se chauffer. Lui, il n'a rien... rien de plus que le grand chemin pis les bonnes âmes qu'il rencontre

–Il a pas de maman pis de papa ?

–Peut-être qu'il est parti de chez eux... peut-être qu'ils sont morts ? Je le sais pas, moé... Peut-être que c'est un orphelin ? Il a pas l'air vieux mais des orphelins, y en a à tous les âges, hein !

Aurore écoutait la conversation qui lui parvenait par l'escalier. Elle cherchait à tout comprendre. Et comprenait.

–Il prie le bon Dieu, le monsieur ?

–Probablement ! Pis vous autres itou, vous devriez le prier pour le remercier d'avoir des parents. Parce que c'est pas drôle, d'être orphelin.

–Oui mais vous, vous mourrez pas, maman ?

–Un jour... comme tout le monde.

–Quand vous allez être vieille, vieille, vieille ?

–Quand je vas être vieille, vieille, vieille...

Charles laissa sa valise à côté de la porte ouverte. Il entra dans l'étable où Télesphore achevait de traire la dernière vache. S'approchant de quelques pas seulement pour rester dans l'ombre, il fut entendu, perçu par son beau-frère qui crut qu'il pouvait s'agir d'un enfant. Craignant de se faire trahir par un accent américain, l'homme adopta une voix de camouflage. Il dénatura la sienne en nasalisant mais aussi en hachant les mots dans l'espérance qu'il n'aurait pas à répéter, ce qui augmenterait les risques d'être reconnu :

–Mon bon ami, j'peux-t-il... coucher... dans vot' grange... pour une nuitte ?

Malgré tout, la voix sonna étrangement à l'oreille de l'autre qui tourna la tête, mais ne put préciser l'image qui ne révélait rien de plus qu'un visage barbu.

–Dans la maison si vous voulez... On refuse jamais asile à un passant.

–Non... non... Merci ben !

Charles tourna aussitôt les talons et repartit de son pas égrotant. Télesphore n'acheva pas de vider le paire de la vache et, avec un prétexte pour mieux voir l'homme, il sortit de l'étable pour lancer :

–Je vous emporterai de quoi manger pis un fanal plus tard.

L'étranger s'arrêta mais ne se retourna pas. Il refusa d'un signe de tête et de quelques mots simples et nets :

–Pas nécessaire ! J'ai ce qu'il faut.

Puis il disparut au coin de la grange en direction du gangway qui le conduirait à la porte donnant sur la batterie.

De retour à l'intérieur et alors qu'il s'affairait à l'écrémage du lait, Télesphore s'interrogeait sur le passant qui, à lui non plus, ne laissait pas l'impression d'être un mendiant, lorsque soudain l'image de sa valise lui revint en mémoire. Par delà son usure apparente, elle possédait des particularités presque familières : ces ferrures aux coins, ces lanières très larges l'entourant... Mais il ne se rappela pas l'avoir vue souvent dans la cabane quand il avait travaillé au pont de Québec non plus que de l'avoir transportée sur le quai de la gare au départ de Charles pour le Montana.

Plus surprenant encore, l'image de ce songe-creux de Charles Caron lui revint ensuite en tête sans qu'il ne fasse un lien entre lui et ce revenant aux jambes cotonneuses. Il les oublia l'un et l'autre pour songer une fois de plus à sa décision de retourner au lac Caribou durant l'hiver avec Napoléon et donc de devoir passer les fêtes dans les chantiers...

Mal nourri mais privé de la faim par sa maladie, Charles ne supportait plus guère les efforts et celui de monter la petite pente avec cette valise qui lui pesait de plus en plus après une longue journée de fatigue, d'ouvrir le portillon dans la grande porte et de se transporter à l'intérieur dépassa les limites de sa faible résistance. Dès qu'il eut les deux pieds dans la batterie, il chancela; la pénombre se mit à tourner au-dessus de sa tête et il s'affaissa, la conscience partie.

Télesphore fut sur le point de rentrer à la maison en se disant qu'il visiterait l'étranger plus tard, mais il se ravisa et, après le gros de ses tâches, il se rendit à la grange où la première chose qu'il aperçut par la porte dans la clarté du jour déclinant fut le visage de Charles. Mais ainsi ramassé dans un petit tas, quasiment l'air d'un avorton et les yeux fermés, l'homme couché ne se laissait toujours pas reconnaître. D'abord il le crut endormi puis aussitôt, il comprit que l'autre était, sinon engourdi dans une demi-conscience, entré dans un mystérieux coma. Il pensa immédiatement à une thrombose.

Pour entrer, Télesphore dut l'enjamber et même pousser du pied la valise qui, un peu de clarté revenue, lui parla presque. Il devait savoir à qui il avait affaire et il l'ouvrit. Sur le dessus, il y avait une veste de soldat qu'il souleva; et alors apparut un portrait archi-familier, celui de la famille Caron sur lequel se trouvaient Marie-Anne et tous les autres.

–Maudit torrieu, mais c'est notre Tit-Charles !

Il crut à une blague. Le jeune homme l'avait fait exprès et maintenant, il faisait semblant d'avoir perdu connaissance.

–Mon maudit Tit-Charles, arrête de rire de moé ! dit-il en poussant son beau-frère du pied.

Au bout de quelques ruades inoffensives, l'évidence leva la main, et l'idée d'une crise cardiaque revint en force à l'esprit de Télesphore qui s'empressa d'ouvrir les grandes portes. Il se pencha, ramassa le corps et le transporta à la maison où, alertée par Marie-Jeanne, Marie-Anne sortit sur la galerie.

–Mais c'est quoi ça, mais c'est quoi donc ça ? demandait-elle les yeux agrandis dans une surprise mêlée d'appréhension.

–C'est ton frère Tit-Charles. Pour moé, il a fait une thrombose. Ouvre-moi ben grandes les portes, je vas le monter en haut pis courir chercher le docteur si il reprend pas ses idées assez vite. Monte un plat d'eau frette pis des linges en masse...

En entrant le frère de Marie-Anne dans sa maison, Télesphore sans le savoir entrait la maladie, la mort et le drame chez lui. Le bien porte le mal en lui et vice-versa...

Quand il se réveilla dans la pièce éclairée par deux lanternes, Charles se reconnut dans la chambre même où cinq ans plus tôt il avait rêvé aussi bellement de nuit que de grand matin, ce jour de son départ pour les États. Marie-Anne et Télesphore étaient assis tout près tandis que les enfants curieux, alignés au pied du lit, achevaient d'écouter ce qu'on leur disait de leur oncle, de la guerre lointaine, du pont de Québec...

Sa perte de conscience n'avait pas été très longue et Télesphore serait parti pour Parisville une demi-heure plus tard pour en ramener le docteur comme il se l'était proposé si le malade était resté dans son coma.

–C'est toé qui m'a monté icitte, pourquoi c'est faire, Télesphore ?

–J'étais pas pour te laisser crever dans la grange au frette.

–C'est rien que le mois de septembre...

–Les nuittes, il gèle quasiment...

–Faites sortir les enfants... laissez-les pas icitte...

Télesphore dit aux enfants :

–Allez-vous en. Mon oncle Tit-Charles, il aime mieux rester tuseul avec nous autres, allez-vous en...

Ils quittèrent à la queue leu leu.

Alors Charles révéla qu'il souffrait de tuberculose et que personne ne devait donc l'approcher de trop près, se servir de ses tasses, de ses couvertures ou de ses linges à moins de les faire bouillir une demi-heure au moins. Les recommandations n'auraient pas à être longtemps observées puisque le lendemain même, si Télesphore le voulait, il se ferait reconduire à Leclercville chez lui.

–T'aimerais pas mieux aller chez le docteur ?

–Il va me dire... la même affaire qu'ils m'ont dit en Angleterre. Il me faut du grand air, du frette, du repos pis surtout du temps...

Il exigea que sa sœur et son beau-frère s'éloignent puis il raconta le Montana et les tourments de la guerre tout en tâchant de manger un peu de ce que Marie-Anne lui avait apporté sur un plateau : des patates écrasées avec des oeufs à la coque, du pain frais et de la confiture aux framboises.

Puis il demanda à revoir les enfants à condition qu'ils restent dans la porte et ne viennent pas dans la chambre. Et il leur parla en reposant ses poumons à l'occasion. Il rappela leur folle danse autour de la cuve, de la chandelle et des ustensiles. Une lueur s'alluma dans les yeux d'Aurore.

–Moé, je m'en rappelle, mentit Marie-Jeanne.

Une lueur s'alluma aussi dans les yeux de Télesphore. Il se souvenait avoir pensé que cette danse paraissait un mauvais présage, comme une invocation du diable...

*

Avant leur départ pour l'école, les fillettes furent emmenées par leur mère à la porte de la chambre du malade. Charles avait averti qu'il ne se lèverait que pour s'en aller et ne mangerait même pas à la table en bas.

–Bonjour mon oncle Tit-Charles, lança Marie-Jeanne qui tourna aussitôt les talons et disparut.

–Je vas vous faire acheter des cadeaux... des beaux patins à quatre lames, lui cria-t-il, mais elle n'entendit pas.

–Bonjour mon oncle Tit-Charles, répéta Aurore comme un perroquet et qui, pour bien faire, voulut repartir aussi.

–Aurore, aimerais-tu ça, toé, des patins pour patiner sur la glace ?

Remise en direction de Charles par sa mère, l'enfant acquiesça d'un signe de tête sans sourire.

–Ben Tit-Charles, il va vous en acheter à toé pis à Marie-Jeanne. Es-tu contente ?

Elle fit signe que oui, interrogeant sa mère pour savoir quoi faire maintenant.

Alors il dit, mais en regardant Aurore seulement, ce qu'il n'avait même plus osé penser depuis plusieurs mois :

–Pis quand c'est que je serai pus malade pis installé sur ma terre au bord du fleuve, vous allez venir vous promener, pis la maison va être pleine de bonbons pis de belles oranges.

Aurore sourit un peu et regarda sa mère, incrédule.

–Ben asteur, va t'en à l'école.

*

Télesphore jugea son beau-frère trop faible pour monter tout seul dans la voiture et se rendit l'aider.

–C'est dangereux pour toé, c'est que tu fais là, protesta Charles.

–Suis en bonne santé pis j'ai pas eu la misère que t'as eue à la guerre, moé, ça fait que t'inquiète pas pour moé, inquiète-toi plutôt de toé-même...

Si Télesphore était désolé de voir Charles si malade, quelque chose en son for intérieur le poussait à défier, lui, la maladie. Une sorte d'orgueil, de besoin de montrer à quel point il avait raison quand il réprouvait l'autre dans ses décisions d'aller à l'aventure de par le monde, risquant d'y récolter le pire.

Marie-Anne salua de quelques mots mal prononcés et d'un vague signe de la main, le sourcil inquiet. Il y avait déjà sur le poêle un petit réservoir plein d'eau qui commencerait bientôt à bouillir. Elle monta en haut et prit toutes les choses qui avaient été en contact avec son frère et les emporta pour les désinfecter.

Les bacilles entrèrent en elle par milliers.

Mais surtout, Télesphore en rapporta en quantité avec lui. Il n'aurait aucune difficulté à les combattre... lui...

******

Maison où naquit et mourut Aurore
À 12 minutes de l'autoroute 20,
c'est la première en arrivant à Fortierville

Chapitre 16

Le bacille de Koch fait son nid lentement, insidieuse-ment, en patience, surtout chez les êtres les plus faibles qu'il sait devoir finir par vaincre tôt ou tard.

Une armée de défenseurs s'éleva en Télesphore et le mi-crobe de la tuberculose fut arrêté, enchaîné, jeté en prison à tout jamais.

Mais en Marie-Anne, les protecteurs étaient aussi épui-sés et apathiques qu'elle-même. Leur espace se réduisit peu à peu, jour après jour, d'heure en heure. Et la jeune femme perdait du poids, elle qui n'avait pourtant rien à perdre. Une toux sèche et sporadique revenait la secouer dans les mo-ments les plus inattendus. Son âme sombra dans la moro-sité.

Télesphore partit de reculons pour les chantiers. Il passe-rait les fêtes dans le bois, mais reviendrait tôt au printemps.

La jeune femme s'occupa du mieux qu'elle put du train mais en ne vaquant qu'au strict minimum. Marie-Jeanne as-sumait une tâche que des voies respiratoires malades ne pou-vaient plus tolérer, celle de débouler le foin du fenil et de le distribuer aux animaux.

273

Pendant les heures de ce travail à la grange, Aurore voyait à ses frères et veillait à préparer ce qui était accessible à l'habileté d'une fillette de six ans et demi.

Et les semaines s'égrenèrent, interminables, froides, pénibles, opiniâtres et mélancoliques.

*

De rechute en rechute, de l'espérance la plus folle à l'état dépressif le plus profond, des crachats sanguinolents à la complète absence de toux, Charles vivait lentement dans sa chambre isolée.

Il se rappelait.

Se souvenait qu'il n'avait jamais vu le vrai Buffalo Bill. Ni la tour Eiffel que même une fois guéri, il ne verrait jamais non plus. Car alors, il consacrerait le restant de sa vie à cette terre à la mesure de ses capacités, juchée sur un magnifique promontoire, un lopin qu'il pouvait maintenant acheter puisqu'il avait accumulé un bon petit pécule à cette fin. Il en savait deux à vendre. L'une vers Lotbinière, l'autre vers Deschaillons. Que se lève le printemps après un hiver rigoureux et vigoureux qui aurait tué le mal en lui et il y mettrait enfin les pieds sur sa petite terre bien à lui...

Et ses vieux rêves renouvelés raccrochaient à son visage les sourires d'antan qu'il dispensait aux passants depuis cette lucarne qui donnait droit sur le chemin du village. Ainsi, on ne le voyait guère à l'aller, mais en revenant, on ne pouvait presque pas manquer ses signaux de la main.

À mesure que la nouvelle de son retour et de sa maladie se répandit, on en vint à tourner le coin du rang Castor en trottant sans lever la tête de crainte que les microbes ne soient transportés par des sourires volants ou de simples salutations de la main.

Arzélie prit soin elle-même et elle seule de son fils malade, et suivit non seulement les recommandations du médecin mais aussi celles de Charles qui paraissaient encore meilleures puisqu'elles venaient d'Europe.

Et les semaines s'égrenèrent, endurables, entêtées, faites de hauts et de bas. Comptant sur un moral d'acier que la guerre avait contribué à lui forger, Charles avait de grandes chances de guérison. Et il se montrait si déterminé quand de rares visiteurs lui parlaient, sans entrer mais depuis leur voiture dehors, devant, que la rumeur courut autour des fêtes qu'il achevait sa convalescence.

*

Napoléon Gagnon donnait l'air d'un homme anéanti, à moitié éteint comme les flammes des fanaux accrochés dans ce vieux camp forestier du lac Caribou où il avait connu Télesphore plusieurs années auparavant déjà et qui s'y trouvait aussi encore cet hiver-là puisqu'on y avait monté ensemble comme d'habitude.

«Ça serait-il ta bonne femme qui te fait te morfondre d'ennuyance ?» jetait parfois Télesphore.

«T'ennuierais-tu d'un bâton de dynamite qui t'explose dans face pis qui se raccommode tusuite après pour exploser encore ?»

«C'est pas déplaisant de sauter de temps en temps.»

«Je la souhaiterais pas à mon pire ennemi, la Marie-Anne Houde, Télesphore !»

«Peut-être ben que tu sais pas t'y prendre ?» répondait Télesphore emporté par un sentiment de supériorité.

Les journées de Napoléon s'éteignaient, elles aussi. Il en vint à ne plus pouvoir atteindre ses deux cordes par jour. Craignant qu'il ne soit clairé et renvoyé au bord avec l'humiliation dans son paqueton, Télesphore s'arrangea pour qu'on lui octroie de ses cordes à lui.

«Jamais j'accepterai ça !»

«Il sera jamais dit qu'un Gagnon de par chez nous, de quasiment Fortierville est pas capable de couper ses deux cordes de bois par jour, jamais. Tu me le remettras ton tour venu...»

«J'sais pas si j'vas pouvoir toffer l'hiver.»

«Tu vas toffer si tu veux qu'on régrandisse ton bâtiment le printemps qui vient.»

«C'est pas dit qu'on va pouvoir... que je vas pouvoir...»

*

Un paquet enveloppé avec du papier brun du magasin arriva quelques jours avant Noël. Il n'était pas venu par la malle, mais par une occasion, un homme du village, qui l'avait ra-

275

mené de Leclercville. Marie-Anne reçut la boîte en mains propres alors que les fillettes se trouvaient à l'école, la secoua un peu pour mieux la soupeser, la questionna.

À cause de Charles, on ne se verrait pas du temps des fêtes, la tuberculose étant une maladie beaucoup trop dangereuse et galopante pour s'y exposer inutilement. Les Caron envoyaient sans doute des cadeaux aux enfants. Marie-Anne fut sur le point de la monter en haut pour la cacher dans les ravalements en attendant le jour de l'an puis elle se ravisa; l'effort à faire la démoralisait.

Elle ouvrit donc la boîte sur la table et y trouva trois paires de patins à glace à quatre lames : neufs, brillants, séduisants. La promesse de Tit-Charles aux fillettes lui revint en mémoire et elle sourit un peu. Une paire pour Marie-Jeanne et une paire pour Aurore, mais Georges-Étienne était encore un peu jeune, pensait-elle en même temps qu'elle découvrit une lettre écrite par sa mère en partie au nom de son frère.

La troisième paire, ce n'était pas pour Georges-Étienne mais pour elle, Marie-Anne. Aucune faiblesse n'aurait pu l'empêcher de sourire encore une fois.

Elle ne recevrait pas au jour de l'an. N'irait nulle part non plus. La parenté savait déjà. Ce n'était pas pour faire sa sauvage mais au nom de sa santé à rebâtir, de ses travaux pour elle exigeants. Entre les deux fêtes, Anthime et Gédéon viendraient faire boucherie pour elle. On s'échangerait de la viande mais là cesserait la communication pour cette fin d'année 1915.

«Si Aurore fût un gars, tout marcherait mieux icitte,» redisait souvent Télesphore. Marie-Jeanne serait plus profitable en dedans de la maison alors que ce fils hypothétique servirait mieux à l'étable.

Comme il faisait un gros doux temps, elle remit au jour de l'an comme il se devait sa décision spontanée de donner tout de suite aux enfants leurs patins, décision commandée par un besoin dur à expliquer de gagner du temps, comme si le temps était devenu une denrée plus précieuse que tout pour elle.

Par-delà sa santé débile, elle trouva du plaisir à aiguiser

leur désir jusqu'au jour exaltant pour les fillettes.

«Vous allez avoir le plus beau cadeau de votre vie.»

«Une orange ?»

«Ben plus beau.»

«Un traîneau ?»

«Pourquoi c'est faire, y'a pas de côtes par icitte.»

«Chacune une robe...»

«Pourquoi c'est faire, vous en avez déjà une de semaine pis une du dimanche.»

«C'est dur ! ! !»

«Ça oui, c'est ben dur...»

Marie-Jeanne n'avait jamais entendu la promesse de l'oncle Charles, et Aurore n'en avait saisi que l'intention bienveillante, pas la réalité tangible.

«Ah ! je le sais... un beau livre d'images.»

«... peut-être... Tu commences à brûler...»

«Pourquoi c'est faire vous nous le dites pas tusuite maman, bon ?»

«Parce que c'est un cadeau du jour de l'an.»

Marie-Anne se leva à l'aube de peine et de misère. Elle alluma le poêle qui avait fini de dévorer depuis longtemps la dernière attisée du soir. Aurore avait oublié de rentrer du bois d'allumage depuis la remise. La femme s'y rendit. Ses poumons furent chatouillés par l'air glacial et elle toussa longtemps avant de pouvoir prendre des rondins frisés qu'elle rapporta et entassa sans les trop tasser sur un bout de papier froissé de l'emballage de la boîte des patins, imbibé d'huile à charbon. Puis elle s'encabana sur une chaise berçante dans une couverture de laine en attendant que le feu devienne plus sûr de lui. Alors elle y ajouta des quartiers d'érable sec et retourna s'étendre pour quelques minutes encore.

La journée lui pesait lourd. Pourtant rien de plus ne l'appesantissait que d'avoir à faire à manger et s'occuper du train le matin et le soir et envoyer les fillettes à l'église où elle-même n'irait pas faute de forces. D'un autre côté, le bonheur anticipé des fillettes stimulait son courage; elle se leva à nouveau pour mettre la table et préparer de la pâte à crêpe.

En travaillant, elle jetait un oeil maternel parfois aux bas accrochés aux chaises : trois petits bas remplis de toutes sortes de beaux rêves multicolores.

C'était le jour de l'an matin.

Il n'avait pas neigé depuis le doux temps, mais le froid cinglait dehors. On était à l'époque de la pleine lune et le vent n'avait même pas besoin de frapper à la porte pour entrer. Il le faisait effrontément par tous les interstices qu'il rencontrait sur son chemin, un chemin que pas une pente et fort peu d'arbres ne barraient.

Quand la chaleur commença à se répandre, des bruits de pas lui parvinrent et des pieds apparurent dans l'escalier. C'était Marie-Jeanne. Sa mère lui dit de réveiller Aurore et Georges-Étienne. Se suivraient pour les fillettes la minute des cadeaux, le quart d'heure du déjeuner, l'heure du train, les deux heures de la messe et le restant de la journée.

Ce fut un grand moment que celui des cadeaux. Les petites furent transportées au septième ciel quoique le tableau ne fût pas parfait. On ne savait pas patiner.

«Je vas vous le montrer.»

«Quand c'est ?»

«Aujourd'hui !»

«Où ça ?»

«Y a une belle grande plaque de glace reluisante entre le chemin pis la grange.»

«Qui c'est qui va garder Joseph ? C'est Aurore ?»

«Non.»

«Ah ! ! ! !»

«Ni toé non plus, Marie-Jeanne, t'inquiète pas ! Georges-Étienne est assez grand asteur pour veiller comme il faut sur le petit Joseph, pis il nous perdra même pas de vue par le châssis...»

C'est en sautillant que les fillettes promenèrent leur bonheur sur la voie ferrée et le chemin de l'église. Avec personne dans le banc pour les rappeler à l'ordre, elles regardèrent souvent tout autour, s'imaginant que toute l'assemblée devait savoir qu'elles avaient reçu, chacune, le plus beau cadeau du monde.

On s'habilla chaud. Des crémones tout le tour de la tête. Les fillettes avec des culottes d'étoffe sous leur robe longue. Et elle-même, Marie-Anne, dans le plus grand secret, endossa une combinaison d'homme en plus de ses propres sous-vêtements, de sa robe et de son manteau. Le pays aurait beau se désâmer, il ne les traverserait pas.

L'effort lui fut pénible, mais elle se sentait plus solide qu'au matin. Peut-être les effets du lard dont elle avait bourré de force son manque d'appétit.

Bien nourri, Joseph dormait quand elles sortirent de la maison après avoir chaussé leurs patins. Georges-Étienne babouna bien un peu, mais sa mère lui poussa la table au châssis pour qu'il puisse y grimper et tout voir au-dessus de la feuillée de givre qui enterrait le bas des vitres. Il se résigna, sachant que le contraire n'aurait servi à rien.

Et Marie-Anne marcha en précaution, revivifiée par l'air froid, tenant chaque fillette par la main.

«On va-t-il être capables, nous autres ?»

«Ben oui, vous allez être capables.»

«On va-t-il patiner longtemps ?»

«À s'en tanner.»

«Pourquoi c'est faire que mon oncle Charles, il nous a donné des patins ?»

«Parce qu'il vous aime...»

«Pis papa... il nous aime itou ?»

«Mais il a pas les moyens. Mon oncle Charles, il a fait beaucoup d'argent aux États...»

«Pis à la guerre itou ?»

«Ben... non, pas là...»

«C'est quoi, la guerre ?»

«C'est heu... mettons quelqu'un qui viendrait pour nous tuer avec un fusil... ben faudrait se défendre pis pas se laisser faire... Pis là, ben, ça serait la guerre. Ah ! une petite guerre, mais la guerre pareil.»

«Y a-t-il quelqu'un qui a voulu tuer mon oncle Charles pour qu'il se batte à la guerre ?»

«Non mais... Vous allez comprendre ça plus tard...»

On arriva à la plaque de glace. Un petit coup de vent y

279

fit tourbillonner un peu de neige sèche. Les rayons obliques d'un soleil lointain glissaient sur la patinoire improvisée. Marie-Anne se regarda dans le miroir de son imagination en additionnant plusieurs coups d'oeil sur ses filles, sur la nature, sur les bâtisses. Le moment lui parut délicieux, divin, unique.

On s'engagea sur la surface dure en marchant à petits pas prudents. Les mains serrèrent plus fort les siennes. Mais il fallait qu'elle les lâche pour leur montrer quoi faire. C'était la loi.

Aussitôt qu'elle les eut abandonnées, elle-même perdit pied et fit une chute spectaculaire en plein sur les fesses. Tout à fait absorbé par l'épaisseur du linge, le coup ne la laissa qu'un tantinet étourdie. Les fillettes agrandirent leurs yeux. Aurore figea. Marie-Jeanne fut la première à comprendre le sourire maternel et à rire.

–Envoye donc, toé, d'abord que c'est drôle !

Marie-Jeanne bougea et s'écrapoutit vite à son tour en s'éjarrant.

–Pis toé, Aurore ?

Aurore avança un pied. Quelque chose de fort lointain lui disait que cela suffirait et que l'autre avancerait de lui-même, mais il n'en fut rien. Ses jambes s'écartèrent et elle tomba aussi. Ce fut un rire sans réserve de Marie-Jeanne et sa mère auquel Aurore participa avec un peu de retard.

–J'ai déjà patiné, mais ça fait plus que l'éternité de ça.

–C'est quoi l'éternité ? demanda Marie-Jeanne.

–C'est tout le temps... Non, j'veux dire que c'était quand j'étais quasiment aussi petite que vous autres.

Aurore fut la première à réussir à se remettre sur ses jambes. Elle concentra toute sa pensée sur elle-même et après avoir hésité, vacillé, elle poussa son corps vers le pied droit puis se dépêcha de ramener l'autre puis se hâta de faire rattraper celui-ci avec le premier...

–Mais elle sait déjà patiner ! s'écria Marie-Anne qui n'en croyait pas ses yeux.

Les quatre lames permettaient d'apprendre vite, car l'équilibre mieux assuré ainsi exigeait peu de pratique. Pourtant, Marie-Jeanne recommença et recommença. À s'en fâcher, surtout de voir que sa cadette avait réussi presque du premier coup.

Marie-Anne retrouva de l'aisance. Puis, de multiples façons, en la tenant et la poussant, en la tirant, en la tenant par la main, en lui prodiguant des conseils pour la jeter fine seule dans son apprentissage, elle aida son aînée qui finit par y arriver à son tour.

Et la première à s'en tanner fut Marie-Anne elle-même. À s'en fatiguer surtout. Elle reprit les enfants par la main et ensemble, on traversa toute la plaque où, en voulant tourner, on tomba pêle-mêle dans des rires tout aussi enchevêtrés.

Et la jeune mère voulut rester là un moment pour goûter la vie. Une vie amère qui rendait divins certains instants. Puis elle dut prendre son courage à deux mains pour réunir ses énergies. Et elle rentra à la maison seule car les fillettes voulaient s'amuser encore.

Moins d'une demi-heure après, elle fut obligée de les faire entrer. Marie-Jeanne aurait à l'accompagner à l'étable et Aurore, comme d'habitude, veillerait sur ses petits frères.

«On va-t-il y retourner patiner ensemble, maman ?»

La question lui fut répétée dix fois avant, pendant et après le train, avant, pendant et après le souper, autant par Marie-Jeanne que par Aurore. Les enfants ne savent lire que la tendresse dans les yeux de leur mère, pas la détresse.

«Il faut tuer le temps avant que le temps nous tue,» se rappela Marie-Anne qui avait entendu la blague souventes fois répétée par Charles naguère et dont le souvenir lui revenait en mémoire... quand elle avait le temps de penser.

«Je vas coucher les bébés pis on va y retourner drette à soir, au clair de lune.»

Toutes trois capables de se tenir debout toutes seules maintenant, encore plus solides à se réunir par la main, elles faisaient des allers et retours d'un bout à l'autre de l'éclatant miroir gelé jaune.

Les rires menus des fillettes trottinaient sur la glace, couraient vers la grange qu'ils enjambaient pour finir de l'autre côté, perdus dans les neiges sombres des champs cachés.

Et Marie-Anne pleurait.

Mais on ne voyait pas ses yeux. On n'entendait pas son âme. On ne pouvait même pas sentir la maigre chaleur de ses mains dont les petites mains de ses filles étaient séparées par deux épaisseurs de mitaines.

Marie-Anne Caron était seule comme tout être humain, mais entièrement offerte au bonheur éphémère de ses petites, et cela diluait dans ses larmes un goût d'éternité, mélange d'amertume et de grâce.

Il lui arriva de s'asseoir sur un banc de neige et de regarder les petites promener leurs ombres chinoises ricaneuses dans tous les sens, se croisant, se suivant, se tenant la main, s'affalant de tout leur long sur la glace et y demeurant jusqu'à ce que leur mère les relève de loin par ses mots d'encouragement pour remettre en mouvement sur l'horizon noir pâle leurs profils de lutins joyeux.

Quand Marie-Anne perçut qu'une heure avait passé, avait fui, disparu, elle fit quelques tours qui dans son inconscience avaient allure de baroud d'honneur puis on se dirigea main dans la main vers la maison dont le délinéament noir sur le ciel clair constellé d'étoiles angoissait Aurore.

–Pourquoi vous pleurez, maman ? demanda-t-elle quand, à l'intérieur, des reflets de la lampe dansèrent sur le visage de Marie-Anne.

–Ben... je pleure pas, Aurore, c'est le frette qui piquait mes yeux dehors.

–Ah bon !

*

La mort de Charles Caron fut pour Marie-Anne la petite poussée dont un arbre, encoché et entaillé à la hache jusqu'en son coeur, a besoin pour s'abattre au sol.

Avec Télesphore, elle assista à son service funèbre au début du mois de mai. Au sortir de l'église derrière le cercueil, elle s'arrêta un moment comme le matin de son mariage, pour regarder le fleuve. Qui aurait pu voir le grand remous dans ses yeux, qui aurait pu lire à cet instant dans son propre visage de femme si jeune les mêmes rides de si funeste augure qui avaient établi leur empire sur le front de Charles dans les tranchées d'Europe ? Un voile noir la cachait. Signe de deuil, signe de défaite, signe de honte.

Pourtant, le rêve visionnaire de Charles se réalisait. On le conduisit à son petit lopin de terre près de l'église, un lot de trois pieds sur huit avec pleine vue sur le grand fleuve tout comme Chateaubriand possédait la sienne sur la mer. Mieux, mais ça, les vivants aveugles l'ignoraient encore eux, mais il connaîtrait personnellement Buffalo Bill dans les prairies célestes car il ne restait plus que neuf mois à vivre au célèbre tueur de bisons et, par voie de conséquence, d'Indiens... Quant à la tour Eiffel, comme elle lui paraîtrait dérisoire, vue de si haut !

Quand on descendit la côte de l'église ensuite, Marie-Anne fut jetée tout entière dans une quinte de toux si violente et qui demanda tant à ses forces que Télesphore dut la soutenir pour l'empêcher de s'affaisser tout comme en 1905 à ce même endroit, mais au coeur du froid, de la nuit et dans la direction inverse, il l'avait empêchée, ce soir merveilleux du vingt-quatre décembre, de tomber et peut-être de s'assommer et de se tuer raide.

*

Le matin suivant, Marie-Anne se leva et tomba. Télesphore la remit dans son lit. Jusqu'à ce jour, elle s'était farouchement opposée à la venue du docteur. Son attitude lui était commandée par sa peur morbide du diagnostic que pourtant son inconscient connaissait, lui.

Quand elle eut repris ses esprits, son mari courut chez la voisine qui vint, puis il se rendit à Parisville.

C'est lui qui reçut le terrible verdict et après, il se cacha dans la grange pour pleurer. La consomption qui avait tué Charles menaçait terriblement sa femme qu'au fond de sa dureté d'homme, il aimait.

Simplement.

*

Il en prit soin comme il put à travers les travaux exigeants des mois d'été. Les enfants constituaient un problème de taille. D'une part, bien qu'il fût un homme de plusieurs talents, il n'était pas plus habile qu'il le fallait pour fricoter à manger. D'autre part, il eût fallu quelqu'un en permanence à l'intérieur pour les empêcher, surtout les derniers, d'entrer dans la chambre de leur mère comme le docteur l'avait ordonné.

Aussi il y avait une forme de déshonneur à posséder la consomption sous son toit. Télesphore n'osait demander d'aide à qui que ce soit. Même s'il l'avait fait auprès des femmes du voisinage ou de la parenté, des refus désolés lui auraient été répondus. Pas que les gens aient été dépourvus d'humanité mais parce qu'ils devaient penser d'abord aux leurs. Des femmes comme Exilda qui auraient voulu se porter volontaires pour donner de leur personne à travers leurs propres devoirs familiaux si vastes en auraient été empêchées par leur mari. Et si elles-mêmes attrapaient la consomption et la ramenaient aux enfants ? D'autant qu'on se racontait que c'était le soldat de la famille Caron de Leclercville qui avait infecté sa soeur.

Il fallait éloigner les enfants. Il fut décidé d'envoyer Marie-Jeanne et Aurore chez leurs grands-parents Caron à Leclercville où elles iraient à l'école à compter du mois de septembre. La demi-soeur de Télesphore, Rose-Anna, vivant à Sorel et mariée à Octave Hamel, offrit et obtint de prendre la garde de Georges-Étienne qui fut le premier à s'en aller à la fin de juillet. Quant au dernier, il se trouvait déjà chez la voisine Exilda qui le "mêlait aux siens"; elle l'abriterait aussi longtemps que nécessaire.

Chaque départ arracha un morceau du coeur de leur mère. Au milieu d'août, un dimanche au ciel incertain, eut lieu le départ des fillettes que Véronique vint chercher en voiture.

Le coffre de Marie-Anne fut vidé de ce qu'il contenait encore et on mit les choses dans un coffre en cèdre fait par Télesphore deux ans plus tôt, et qui n'était rempli qu'à moitié. Le linge d'hiver, leurs chaussures, leurs livres et cahiers, tout le maigre bagage des petites fut placé dans le vieux coffre que Télesphore, le teint blafard, le sang figé, transporta et déposa sur la fonçure qui s'étendait, longue, derrière le siège à ressorts.

Leur chapeau sur le dos, accroché à leur cou par un élastique, les fillettes furent conduites par leur tante jusque dans l'embrasure de la porte de la chambre de leur mère aux fins de lui dire bonjour.

Un bonjour qui, avec ses allures d'adieu, coula comme du plomb dans l'âme de Marie-Anne.

Elle reposait, engoncée dans plusieurs oreillers, relevée

sur son séant, presque assise. Concentra toutes ses forces physiques et morales pour se donner une voix, un sourire chan-
celant, une contenance.

—Vous allez être ben fines pis ben sages, là, vous autres.

Elles acquiescèrent de signes de tête muets, cherchant en
vain à en dire plus. Pour Marie-Jeanne, ce départ avait son
côté excitant car elle n'en mesurait la portée ni consciemment ni autrement. Et se promener chez ses grands-parents
pour y aller à l'école, l'attirait en lui souriant. Mais dans la
profondeur des yeux d'Aurore rôdaient des êtres inconnus,
étranges et effrayants.

—Pis vous me promettez que vous mènerez pas le diable à
ma tante Véronique, hein ?

—Sont mieux pas, dit dans une menace affectueuse leur
tante qui retenait chacune par l'épaule contre elle, parce que
je vas les accrocher dans la grange avec les peaux de castor.

—Pis toé, tu seras pas trop dure avec eux autres.

—Tu sais ben que non, Marie !

Se faire ainsi désigner par juste la moitié de son prénom
lui rappela Marie-Anne Houde de qui elle avait reçu une lettre la veille et qui s'informait de sa santé et qui parlait du
grand état de faiblesse qui assaillait aussi son propre mari.
Mais le moment était trop important pour qu'elle s'arrête à
cette pensée et elle dit à son aînée :

—Marie-Jeanne, tu veilleras ben sur ta petite sœur Aurore,
là. Pis laisse pas faire les petits gars à l'école qui voudraient
la disputer ou ben rire d'elle. Dites-le pas aux autres que
votre maman est malade au lit. Dites rien pantoute. Répon-
dez pas si ils demandent pourquoi c'est faire que vous restez
avec vos grands-parents. Dites rien.

Marie-Jeanne acquiesça; Aurore demeura songeuse.

Télesphore arriva derrière elles.

—Risque de se mettre à mouiller, là : feriez mieux de partir tusuite.

—Attends rien qu'une minute ! demanda Marie-Anne.

Et l'espace d'un éclair, elle se revit en train de patiner au
clair de lune en tenant chacune par la main. Elle regrettait de
ne pas les avoir serrées fort dans ses bras ce soir du jour de
l'an, de ne pas les avoir embrassées, de ne pas leur avoir dit

toutes sortes de beaux mots, si beaux qu'ils soient capables de les tenir au chaud toute leur vie.

Comme elle les trouvait jolies ainsi, ses petites filles, dans leur habillement du dimanche à couleurs diaprées ! Vivantes et fortes : Marie-Jeanne surtout ! Elle crut lire beaucoup de tristesse craintive dans le regard perdu d'Aurore et ses derniers mots furent pour elle seulement, même si par les pronoms, ils s'adressaient au deux :

–Pis dès que maman va être guérie, on va aller vous chercher pour vous ramener icitte. Pis l'hiver, on ira patiner souvent...

Aurore sourit enfin. Rien qu'un peu !

Marie-Anne fit un signe de tête à Véronique.

–Bon, ben, en route sur la croûte ! dit la tante à ses nièces pour les piquer d'enthousiasme.

Et ses enfants disparurent au regard de leur mère anéantie.

Quand elles eurent quitté la maison, Marie-Anne demanda à son mari de l'aider à se rendre à la fenêtre de la cuisine par laquelle il lui serait possible de les voir aller sur le chemin jusque dans le bois.

Il la porta carrément, et rendu au châssis, la déposa tout en la retenant par un bras solide dont il lui entourait le dos.

Sa peau frissonna sous la jaquette fripée et pourtant, il faisait chaud et humide. Le spectacle qui s'offrait à sa vue demeurerait inoubliable autant par sa beauté que par la souffrance qu'il tirait d'elle.

De Véronique et Marie-Jeanne, on apercevait le dos seulement car elles avaient pris place sur le siège. Véronique avait mis sa belle robe bleu ciel exprès pour que les garçons la regardent avec émoi, elle le savait bien pour l'avoir lu souvent dans leurs yeux déjà. Et Marie-Jeanne lui parlait comme à une nouvelle mère.

Derrière, adossée au siège, Aurore avait mis son petit chapeau tout rond sur sa tête, pour ne pas l'écraser contre le dossier. Marie-Anne le lui avait fabriqué elle-même, ce galuron lilas, à partir d'un de ses chapeaux de jeune fille. Après avoir rapetissé le bonnet, elle lui avait recousu son contour avec de la paille blanche qui en plus de servir décorait. Et un ruban rose piqué derrière tombait en deux bouts jusqu'à ses cheveux bruns. La tête secouée comme celle d'un mannequin, parfois le chapeau glissait, et l'enfant, le redressait inlassablement. Il lui arrivait de lever les yeux vers la maison mais sans apercevoir ses parents qui les regardaient sûrement s'en aller.

—J'sais pas pourquoi, Télesphore, mais y a quelque chose en dedans qui me dit que je les reverrai jamais.

—Bon... dis donc par des affaires de même. Un an, c'est pas l'éternité. Si tu te reposes comme il faut, si tu pries le bon Dieu comme il faut...

—C'est ben ça qu'a fait Tit-Charles.

—Tit-Charles, il a pogné son coup de mort à la guerre, c'est pas pareil.

—Misère pour misère !

Cette réflexion blessa l'homme. La misère de la terre n'avait aucune commune mesure avec celle de la guerre. Mais il ne dit mot.

Marie-Anne frissonna encore. Et bientôt la forêt engloutit dans ses longs bras verts et tristes la plus belle image qu'avec celle de la soirée de patinage au clair de lune il lui resterait dans l'âme éternellement.

*

Ensevelie dans la tristesse, Aurore avait du mal à s'accoutumer chez ses grands-parents malgré leur sollicitude. Elle ne parlait guère et ne jouait pas beaucoup non plus. Une chienne eut des chiots. On confia le plus petit, le plus faible, à la fillette. L'animal accapara tout son coeur, toute son attention et si l'âme de l'enfant demeura chagrine, des lueurs belles tombaient de son regard vers lui dont elle prit un soin méticuleux et tendre.

*

Pas de chantier cet hiver-là ni pour Télesphore ni pour Napoléon.

Marie-Anne traînait de la patte et...

—J'cré qu'il commence à râler ses derniers râlements, dit de son mari à Willie qui entrait dans la maison, Marie-Anne Houde dont l'oeil brasillait et pétillait comme de l'eau sur le poêle rouge.

287

C'était le quinze novembre, une journée de défaite et de victoire. Après un printemps et un été de misère et de débilité croissante, Napoléon, au premier froid lui servant de prétexte, avait claqué à sa femme et au monde une pneumonie double. Le docteur avait recommandé du sirop, avait donné des injections, fait appel au bon air frais... Et c'est surtout sur ce dernier remède que Marie-Anne avait compté pour redonner du respir à son homme.

En fait, elle l'enferma dans leur chambre et ouvrit bien grande la fenêtre. Il gela comme des cortons durant deux jours et deux nuits. Puis il se plaignit en claquant des dents. Alors elle ferma la fenêtre, ouvrit la porte de la chambre et chauffa le poêle au coton. Sans aucun répit jusqu'à obtenir un intérieur aussi chaud qu'un fourneau. Napoléon sua, souffla, son coeur pompa deux fois plus pour lutter contre la chaleur. Alors il se plaignit, le front perlé, tout le corps oppressé. Elle laissa mourir le poêle, ferma la porte de la chambre et ouvrit la fenêtre...

Malgré l'innommable remous qui l'engloutissait, l'homme réussit à se lever et à fermer la fenêtre. Marie-Anne l'entendit. Elle vint avec le manche à balai et cassa deux vitres en disant :

–Mon tornon de Gagnon, tu vas suivre les ordres du docteur ou ben tu vas crever.

Il n'avait pas le choix.

Et voilà qu'était venu son dernier jour.

Willie s'approcha. Il vit le moribond dont il entendait depuis l'embrasure de la porte les poumons siler comme un chien. Mais c'est la fenêtre qui attira son attention. À sa question, elle répondit :

–Ah ! les vitres, c'est des maudits oiseaux qui ont mangé du cormier qui sont venus s'écraser dedans. Ils sentent la mort eux autres itou, tu sais ça, hein !

La respiration diminua, diminua encore. On changea le malade de position. Chaque fois, il paraissait retrouver un peu de souffle. Quand elle en prit conscience, Marie-Anne envoya son frère chercher le docteur.

À leur retour, la femme se berçait dans la cuisine. Elle les laissa entrer sans bouger de là.

–Mon bon monsieur Carignan, c'est terrible, mais mon mari, il est parti pour le ciel.

Elle se mit la tête entre les mains. Mais aucune affliction ne la remuait et elle voulait seulement qu'on la prenne en pitié.

Le décès fut effectivement constaté.

Le docteur invita les deux autres à l'accompagner près du corps pour procéder à la récitation d'une courte prière des morts et de quelques invocations les plus usuelles. Marie-Anne s'agenouilla près du lit, elle prit la main de son défunt et la colla à sa joue tout le temps que dura le rituel. La chose lui parut froide et fort désagréable.

Puis elle demanda à Willie d'avertir la parenté en commençant par son père à deux maisons de là puis ensuite de se rendre à Fortierville faire part de la nouvelle à l'oncle Anthime Lemay, et, par la même occasion de se rendre chez celui qu'elle déclara être le meilleur ami de Napoléon, Télesphore Gagnon.

–Je sais que sa petite femme est ben malade, mais peut-être qu'il voudra venir aux obsèques... Étant donné qu'on va garder le corps sur les planches durant trois jours, dis-leur que l'enterrement sera le dix-neuf au matin.

*

Ce fut un choc pour Télesphore d'apprendre ça. Un homme comme lui, de son âge, à peine entré dans la trentaine, des mêmes occupations que lui et qu'il avait côtoyé durant des mois depuis plusieurs années chaque hiver, prenait le bord de la terre : ça n'avait pas la même signification que la mort d'un beau-frère soldat revenu du bout du monde ou qu'un enfant puisqu'il en mourait chaque mois à Fortierville trois ou quatre, soit dans les mêmes proportions que partout ailleurs, ou encore qu'une jeune femme décédant des suites d'un accouchement.

Après le départ de Willie, il rentra dans la chambre de Marie-Anne qui n'avait pas perdu un mot de la conversation par la porte ouverte.

–Tout le monde meurt, on dirait ben, soupira-t-elle à mi-voix.

–C'est quasiment pas crèyable, dit l'homme qui s'assit

sur une chaise droite au pied du lit et garda les yeux rivés au plancher, les coudes sur les genoux.

—J'sais pas pourquoi c'est faire que le bon Dieu met du monde sur la terre si c'est pour les rappeler à lui avant qu'ils commencent à vivre...

—Dis pas ça : le bon Dieu fait ben ce qu'il fait.

—Ah ! faut crère !

—En tous les cas... il reste rien qu'à l'enterrer, hein ! Qu'on braille, qu'on braille pas, c'est comme ça !

—Je voudrais ben être capable d'aller à ses funérailles avec toé... Si je peux donc me remettre sur le chemin de la santé, si je peux donc !

—Pas question pour moé d'aller à ses funérailles ! Qui c'est qui va rester avec toé icitte-dans ?

Marie-Anne s'étonna :

—Mais Télesphore, j'ai pas besoin de personne pour une journée !

—Une femme malade, ça se laisse pas tuseule une journée de temps. Je vas perdre mon nom...

—Écoute, là, j'ai pas trop de forces pour m'obstiner avec toé, mais je vas en trouver pour m'habiller pis monter à Sainte-Sophie, même tuseule... Ça fait que... vas-y parce que tu vas avoir encore plus honte que le monde me regarde passer pour aller à l'enterrement...

*

Télesphore avait bien calculé son temps. Il lui fut donné cinq minutes pour prier près du corps de son ami étendu sur les planches entre des cierges allumés dont l'odeur de cire brûlée se mêlait à celles de nombreuses personnes remplissant la cuisine qui servait de salon funéraire.

Sur la galerie, au bord de la porte, se trouvait debout le cercueil noir orné d'une croix blanche sur le couvercle; il y jeta un coup d'oeil puis il entra et se fraya un chemin à travers la sombre assistance jusqu'au corps exposé. Quand il tendit la main à la veuve au visage caché derrière un voile noir, il ne put lire les sentiments qui s'y trouvaient. Mais la voix éperdue de la femme pleura; dans les premiers mots du moins :

–Ça me console ben gros de te voir à matin, Télesphore. J'aurais compris que tu viennes pas avec ce qui se passe dans ta propre maison. La pauvre Marie, elle commence-t-il à relever un peu ?

–Elle traîne la ralle.

–Que ça me fait donc de la peine, que ça me fait donc de la peine !

–J'ai manqué tomber sur le dos quand Willie est venu me dire que...

–Ah ! il est parti vite ! Une pneumonie double. Des fois, ça pardonne pas, hein !

Marie-Anne retenait la grosse main qui n'osait se retirer. L'homme trouva à marmonner une redite pour s'en libérer :

–En tout cas, toutes mes condoléances !

–Ah ! j'ai eu beau brailler toutes les larmes de mon corps, c'est pas ça qui va le ramener. Ça fait que, aussi ben prendre mon courage à pleines mains pis foncer d'avenir... pour les enfants pis toute là...

Elle mit son autre main sur celle de Télesphore et dit :

–Sauve-toé pas trop vite après les funérailles parce que j'ai une lettre que je veux envoyer à Marie, pis je voudrais ben te parler à toé itou.

*

La terre n'était pas encore gelée malgré le froid vif et le vent sévère qui balayait les feuilles mortes. Napoléon entrerait donc dans sa dernière demeure là même. Son trou l'attendait. Les porteurs précédés par le curé chantant s'y dirigeaient. L'on s'attroupa autour du cercueil laissé un moment sur le tas de terre jaune et visqueuse.

Parfois Marie-Anne Houde plongeait sous son voile sa main qui tenait un mouchoir blanc. Rarement dans Sainte-Sophie n'avait-on vu les signes extérieurs d'un aussi profond chagrin. Et ça se comprenait : un beau couple si jeune avec autant d'enfants ! La veuve gardait la tête basse, mais les yeux levés que personne ne pouvait voir et qu'elle tenait posés sur Télesphore Gagnon de l'autre côté du tas, tâchant de lui transmettre un message de l'esprit.

L'homme serrait les mâchoires et comprimait donc de la douleur. Des Houde s'occupaient des enfants pour que la veuve puisse prier et pleurer en toute liberté et en pleine dignité.

Lorsque, retenu par des câbles, tanguant entre les parois humides, le cercueil s'enfonça lentement accompagné d'un ultime et lancinant miserere, le point culminant du vieux cauchemar de Marie-Anne Houde traversa son esprit en même temps qu'une douleur physique fulgurante. Un corps d'enfant chutait dans le trou clair de l'escalier, tombait, s'écrasait en bas... Elle dut secouer la tête pour chasser la souffrance. Ceux qui l'observaient transformèrent leur désolation en hochements de tête semblables aux siens.

Télesphore lui dit qu'il s'arrêterait en passant. Il prétexta avoir affaire à quelqu'un du village sans préciser davantage et il n'eut pas à le faire puisque ces gens qui entouraient une dernière fois Marie-Anne prirent toute son attention.

L'homme se rendit au magasin général en face de l'église. On le toisa comme on le faisait pour tous les étrangers. Il commençait tout juste à examiner un pied de fer de cordonnier lorsque le marchand, un homme blanc à moitié chauve lui posa une question sans détour :

–Vous êtes un parent du mort ?

–Non... On allait dans le bois ensemble...

–Un sapré bon gars pis un sapré bon homme itou !...

L'entretien continua. Des vieux fumant la pipe s'en mêlèrent. Leur peur de la mort fait que les vivants canonisent aisément les défunts. Non seulement Napoléon fut-il mis sur un piédestal mais on se livra à un éloge dithyrambique de sa petite femme si énergique qui avait pris si bon soin de lui.

C'est un peu cela que Télesphore était venu chercher. Des témoignages favorables sur la personne de la veuve. Car un vague projet était apparu dans sa tête en même temps que le cercueil de Napoléon disparaissait à jamais, livré à l'inexorable pourriture et à l'effacement.

«Une femme-dynamite.» «Je la souhaiterais pas à mon pire ennemi.» Télesphore tâcha d'enterrer des bouts de phrase de Napoléon avec le mort lui-même. Les gens du magasin donnèrent sans le savoir quelques coups de pelle avec lui.

*

292

Quand il frappa à la porte passé midi, elle lui cria d'entrer de sa voix la plus chantante. Il était intimidé à cause de ces pensées du cimetière qui lui parurent ensuite celles d'un ami qui tourne le dos à son ami dont la seule faute est d'être mort. Si embarrassé qu'il croyait devoir le laisser paraître dans son regard et que pour cette raison, il ne remarqua pas sur-le-champ, ce qui aurait dû sauter à pieds joints dans son questionnement : le tableau qu'offrait l'intérieur.

Parties les planches. Disparus tous les cierges. Aucun enfant en vue. Une table belle avec de l'argenterie, de la vaisselle du dimanche. Un poêle qui chauffe et cuit des légumes odorants. Et, qui s'approche de lui, une jeune femme tous sourires dehors, dans ses plus beaux atours, et dont la personne dégage des parfums prononcés.

—J'étais toujours pas pour te laisser t'en aller à Fortierville sans manger. Ça se fait pas !...

—Pis les autres ?...

—Sont tous partis chacun de leur bord. Les enfants vont rester avec mon père aujourd'hui. Tu vas prendre une demi-heure pour manger pis je pense que ça va être pour le plus grand bonheur de Marie parce que j'ai quelque chose à vous proposer qui ferait votre affaire pis la mienne en même temps... Viens t'assire, viens...

Elle lui enveloppa le bras de ses deux mains. Toutes ces odeurs, toutes ces chaleurs, toutes ces faims qu'il ressentait prirent sa volonté à bras-le-corps pour la remettre entre les mains de Marie-Anne; et Télesphore lui obéit.

—Tu veux un bon gros thé chaud avant de manger ? Ça va te faire du bien. J'en ai pris un, moé, pis je vas en boire un autre pour t'accompagner. Quen, assis-toé là ! C'est la place du maître de la maison, mais comme il est parti... Ah ! pauvre Poléon ! Trop bon pour vivre dans ce bas monde ! Faut savoir se défendre pis lui ben... Tu le sais, dans le bois avec son petit deux cordes. Des fois, il s'en prenait à moé parce que j'y poussais dans le dos : il pensait que je voulais y nuire... Crèrais-tu que je suis une femme pour faire du tort à son mari ? Suis une bonne chrétienne, plus dévotieuse que ben d'autres... Ah ! le tornon de Poléon, il faisait le matamore des fois comme ça, mais je le traitais ben pareil...

Elle parla en servant le thé, mais quand le jet coula chaud

dans la tasse de Télesphore, elle fit une pause et le bruit silencieux remplit l'atmosphère un moment puis elle dit :

–C'est bon du bon thé chaud. Ça nous va dans tout le corps... ahhhhh....

–Ah ! j'aime ben ça !

Elle échappa :

–Ouais, Poléon me le disait souvent que t'étais un gros buveur de thé...

Ensuite, elle le servit dans son assiette qu'elle remplit elle-même de soupe aux pois. Et chaque fois qu'elle eut à s'approcher de lui, elle le frôla de sa robe et de ses odeurs enivrantes pour un homme en appétit qui, depuis des mois, ne pouvait plus toucher à sa femme trop malade.

Enfin, elle alla au but, juste après lui avoir servi de la tarte aux framboises, celle qu'il préférait, elle le savait de ce jour de l'an inoubliable, à celle à la citrouille.

–Ben moé, je m'offrirais pour prendre soin de ta femme pis de ta maison... J'peux pas cultiver icitte tuseule. Pourvu que j'emporte mes enfants; faut comprendre que je peux pas les laisser... Ça ferait ton affaire, Télesphore, tu pourrais travailler comme tu voudrais sans crainte. T'en aller dans le bois si tu veux. Faire tes labours en toute paix. Sortir de la maison aussi longtemps que tu voudras... Tout... C'est dur à dire, mais le Poléon, il est quasiment mort à point nommé pour vous autres... si je peux vous aider naturellement.

Télesphore fut estomaqué. Il avait pensé exactement la même chose au cimetière, mais en avait rejeté l'idée à travers d'autres confuses... Une étrangère s'offrir pour avoir soin d'une consomption, c'était dur à se figurer, ça.

–Tu sais qu'elle est ben malade ?

–Oui, pis de tuberculose, pis j'ai pas peur de ça, moé, pas une miette. Y a du monde qui s'en défendent ben : toé, par exemple, Télesphore. Comment ça se fait que tu tombes pas malade à toujours vivre avec elle, à côté d'elle tout le temps, hein ?

–Ah ! tout le monde sait ça, en seulement tout le monde a peur pareil.

–Ben pas moé pis c'est tout !

–J'ai pas les moyens de payer pour une servante, une cuisinière, une garde-malade et pis toute.

—Je demande juste mon gîte pis mon couvert pis ceuses-là de mes enfants. Pis quand c'est que Marie retrouvera sa santé, ben je vas me trouver une autre place ailleurs. Peut-être ben dans un presbytère, j'sais pas trop. J'sus mal pris, moé itou, Télesphore. Il est mort vite, le Poléon. Ça me rendrait service pis à vous autres pareil. Pis qui serait pas content de ça ? Le curé de par chez vous le premier. Je dirais le bon Dieu le premier...

Télesphore se demanda ce qu'en penserait Napoléon du haut du ciel, mais il dit autre chose :

—Je me demande ce qu'en penserait Marie-Anne... ma femme...

—C'est à lui en parler que tu vas le savoir. Pis je lui fais ma proposition dans la lettre que j'ai pour toé...

La jeune femme se leva et se rendit vivement dans la chambre sombre d'où parvinrent à l'homme des éclats de voix imprécatoires. Suivit un cri :

—Télesphore, Télesphore, viendrais-tu m'aider un peu. J'ai encore un tiroir de coincé. Poléon devait toujours me les arranger, mais je pense qu'il connaissait pas trop ça...

Télesphore se sentit flatté. Comme il arrivait au meuble récalcitrant, Marie-Anne réussissait à ouvrir :

—Il t'a senti venir, hein, on dirait.

Elle sortit la lettre et la lui mit dans la main tandis qu'il examinait la pièce.

—Ah ! mes meubles, j'aurais rien qu'à les mettre en quelque part dans un hangar ou ben une grange quand la terre sera vendue icitte. En attendant, je laisse ça drette-là. Le lit, tu vois, c'est un bon lit... même pour un grand homme comme toé... Poléon est mort dedans mais tout est déjà changé, il reste pas de microbes. En plus que c'est pas la consomption qui l'a fait mourir...

Télesphore avait la tête qui tournait de tous les côtés comme une toupie tant les choses allaient vite. Après une brève pause, elle reprit en s'éloignant :

—J'ai dit ce que j'avais à dire; j'insisterai pas, c'est sûr. À vous autres de ben penser à votre affaire !... Si ça vous intéresse, je serai prête à rentrer à l'ouvrage chez vous enterci une couple de mois...

*

Malgré le bon sens qu'il y avait trouvé le premier, malgré la belle volonté de Marie-Anne Houde, Télesphore se promit tout le long de son chemin au retour que sa femme devrait consentir à cent pour cent à la venue d'une autre dans la maison. À plus que cent pour cent...

*

En passant au village, il fut sur le point de s'arrêter chez son frère pour jaser un peu et peut-être obtenir son opinion sur la question qui l'accaparait mais il se ravisa. Anthime, il s'en souvint, ne l'aimait pas, cette Marie-Anne Houde, et il n'aurait pu que s'opposer à lui dont, de toute manière, l'idée finale devrait passer par l'assentiment entier de sa femme.

Elle sourit quand il entra dans la chambre. Il lui jeta un coup d'oeil furtif, comme gêné par quelque chose. Tendit la lettre mais prit la parole avant qu'elle ne l'ouvre :

–Je vas te dire, la Marie-Anne, elle est ben désolée pour toé. Pis... d'après ce que j'ai pu voir, je pense qu'elle nous fait une proposition dans sa lettre. Elle serait consentante à te garder, je pense. Mais c'est à toé de juger de ça, pas à moé pantoute. Lis...

Il se retira et alluma le poêle mort.

–Télesphore ? Viens...

Il s'appuya au chambranle de la porte.

–Ben je pense qu'on devrait peut-être accepter son offre; c'est que t'en penses, toé ?

–Moé ? Rien en toute !

–Ah ! tu voudrais pas, dit la femme déçue.

–C'est pas ça que j'ai dit. Je dis que c'est pas à moé à penser dans ça. C'est à toé pis à personne d'autre.

–Ça nous aiderait. À toé, pas rien qu'à moé. Comme elle dit, tu pourrais aller dans le bois pareil, faire tous tes travaux sans craindre pour moé...

–Ça serait ben avantageux pour moé, c'est certain. Mais ça compte en rien. C'est toi qui compte, rien d'autre !

En ce moment, Télesphore disait la vérité. Jamais il ne mentait consciemment et il ne l'aurait pas fait dans une situation aussi grave.

–Emporte-moé le papier pis l'écritoire... On va répondre à sa belle lettre généreuse... Veux-tu la lire ?

–Pas besoin ! On sait tous les deux ce que y a dedans !

*

«Ben, disons que je la redoute un peu. Pas trop, là, mais un peu.» Télesphore répéta au curé Blanchet cette phrase qu'il avait prononcée à quelques reprises déjà au sujet de la veuve au grand coeur prête à soigner sa femme pour son gîte et son couvert et ceux de sa famille.

Le curé approuva.

À une seule condition : que Télesphore lui parle de l'évolution de la situation chaque fois qu'il viendrait à la confesse.

Le saint marché fut conclu.

******

Maison des grands-parents Caron à
Leclercville. Aurore y vécut durant
la maladie de sa mère.

Chapitre 17

À confesse, Télesphore avait aussi expliqué au curé par le détail qu'il diviserait l'intérieur de la maison en quelque sorte pour que la veuve et ses enfants se partagent le haut tandis que lui agrandirait la chambre du bas de façon à y ajouter un autre lit où il dormirait près de celui de sa femme malade. Ainsi, la morale serait sauve et la pauvre Marie-Anne pourrait compter sur une surveillance de nuit en cas de congestion des poumons.

Il fallut aussi avertir les voisins, la parenté, afin que toute la paroisse finisse par savoir que l'entente avait la bénédiction du curé, donc du ciel.

*

Télesphore attela sur une grand-sleigh à fonçure et il monta à Sainte-Sophie le jour convenu.

Chez Marie-Anne, tout était fin prêt.

Les animaux qui restaient dans l'étable ne lui appartenaient plus. Ses affaires étaient paquetées depuis plusieurs semaines et maintenant, elles se trouvaient au bord de la porte, prêtes à être déménagées. Jusqu'à son gros coffre noir qu'elle avait descendu dans l'escalier en le tirant par une poignée et en laissant l'autre bout chuter bruyamment d'une marche à l'autre.

Depuis qu'elle avait reçu la lettre des Gagnon, Marie-Anne Houde exultait. À Noël et au jour de l'an, elle avait bourré les enfants de bonnes choses tout en leur répétant sans arrêt que l'on partirait bientôt pour ailleurs. Ils en vinrent à l'espérer et le désirer autant qu'elle puisque le projet leur valait si grande considération.

–Bonjour monsieur Télesphore, comment que ça va ? Comme tu vois, je t'attendais, lui chanta-t-elle depuis la galerie à l'instant même où il entrait dans la cour.

Il déclara avec un grand regard paterne :

–Fait frette ! Ferez mieux de vous habiller chaudement, toé pis tes enfants !

–Crains pas, crains pas ! Y a-t-il ben des lames de neige sur le chemin ?

–Tant qu'on veut mais c'est ben durci; suffit de savoir mener son cheval.

–Je pense que y a pas grand-monde pour t'en remontrer là-dessus, hein ! Là-dessus pis sur ben d'autres choses itou...

Flatté, Télesphore ne sut que dire. Il se rendit tourner plus loin et après un grand cercle, vint mettre la sleigh en position près de l'escalier puis il sauta prestement et rejoignit la veuve sur la galerie.

Elle se tenait les bras croisés, mains sous les aisselles, frissonnante.

–Tu vas geler rond : rentre.

Derrière la montagne de bagages, les enfants étaient assis, alignés comme des soldats, devant le poêle mais face à la porte et dès que Télesphore eut mis le pied à l'intérieur, ils se levèrent et dirent en choeur :

–Bonjour monsieur Gagnon.

La veuve désirait lui montrer à quel point ils étaient disciplinés, ce qui voulait dire qu'ils ne mèneraient pas le diable chez lui.

–Êtes-vous ben habillés toujours ? demanda-t-il en guise de salutation.

Ils ne savaient quoi dire et regardèrent leur mère qui fit

un signe affirmatif.

–Oui, oui, dirent-ils ensemble dans des voix mêlées mais sûres d'elles.

–Faut surtout pas oublier de vider la pompe avant de partir parce qu'autrement...

–C'est la première affaire que je vas faire, dit Télesphore. Pis après, je vas aller dans le trou de la cave fermer le stop-cock. Les petits gars, ils peuvent toujours commencer à charger la voiture...

–Envoyez, envoyez, grouillez-vous, dit la mère, vive et sèche, et qui prit aussitôt une première boîte et la confia à son plus vieux.

Quand plus tard, il émergea par la trappe, elle avait un pied sur une chaise juste à côté, les jupes relevées et laçait une botte à mi-jambe qui laissait voir un mollet galbé par des bas noirs. Télesphore en fut abasourdi et embarrassé. Elle lui sourit. Il baissa les yeux.

–Je pense que je vas sonder une dernière fois le bonhomme...

–Le bonhomme ?

–Ouais, pour couper l'eau en-dessous de la terre. Autrement ça gèlerait.

Tout fut chargé, attaché. Un espace fut réservé au milieu pour la famille. Le seul meuble que la veuve emporta fut une chaise berçante où elle prit place avec les enfants assis à terre autour.

Elle regarda sa maison rapetisser doucement. Aucun regret ne la remua. L'avenir, c'était devant. Et derrière, debout comme un grand Seigneur, Télesphore dirigeait fermement et prudemment l'attelage qui montait et descendait au gré du vallonnement de la route enneigée.

Il fallait traverser le village de Fortierville d'un bout à l'autre et tous surent le même jour, que la veuve de Sainte-Sophie arrivait pour prendre soin de la pauvre femme se mourant de consomption.

Télesphore s'arrêta au magasin chez Oréus Mailhot sous le prétexte d'acheter de l'huile de charbon. Il voulait que le plus de monde sache au plus vite ce qui se passait.

–Ah ! mais c'est la petite femme qui a déjà échappé son

cheval icitte, dit le marchand qui osa un oeil par la vitrine.

–Justement ! Pis c'est Anthime qui l'a rattrapé pour elle.

–Ah bon !

Le marchand fronça les sourcils. Une bonne cliente occasionnelle, il s'en souvenait fort bien mais une personne pas comme les autres...

*

Comme sa maison avait rétréci dans son regard pour n'être plus qu'un point ridicule au loin et qui s'évanouit dans un tournant, celle de Télesphore s'agrandissait aux yeux de la veuve qui, depuis un bon moment, avait tourné sa chaise de bord et regardait devant.

Elle savait à quoi s'attendre. Sa tâche consisterait à voir à tout comme une femme de maison normale avec en plus le devoir de veiller sur la malade en lui prodiguant les soins les plus appropriés en accord avec les recommandations du docteur Lafond qu'elle ne connaissait pas encore.

Télesphore ne nourrissait plus le moindre doute à son sujet. Comme lui dans ses travaux d'homme, elle savait tout faire dans les siens de femme. De la bonne cuisine. Propre comme deux. Capable de coudre, de repriser. Maligne avec les enfants comme il fallait l'être. Surtout, elle avait de l'énergie à revendre et ne craignait pas les microbes de la consomption. Et avenante avec le monde !

Son premier geste en arrivant eut de quoi lui plaire au plus haut point.

–Écoute, je rentre tusuite pour dire à Marie qu'on vient d'arriver. Pis j'ai ben hâte de la voir !...

*

Son premier soin et le plus important dans les mois qui suivirent fut d'apprivoiser tout le monde. Elle se montra de la plus grande gentillesse avec Exilda Lemay qui voulait garder le petit Joseph au moins jusqu'à l'été. Amadoua les Gagnon du voisinage, le marchand et même répartit sa clientèle chez deux d'entre eux, Oréus Mailhot et Borromée Brisson dont la femme tenait un rayon de lingerie pour dames.

Mais sa toute première visite fut au presbytère. Elle s'y rendit seule. Le curé la reçut à bras ouverts. La fit asseoir dans son bureau et, par delà cette bénédiction qu'il avait déjà

302

pratiquement donnée à sa présence chez Télesphore, il jaugea du mieux qu'il put l'âme de la femme.

–Votre mari, madame... c'était un bon ami de Télesphore, je pense ?

–Oui, pis un aussi bon travaillant, vous savez. Je vous dis que sa perte m'a chaviré le coeur... Ah ! je pensais pas être capable de lui survivre, mais j'ai pensé au bon Dieu en me disant qu'il voudrait que je fonce d'avant... Vivre, c'est un privilège... mais c'est aussi un devoir.

–Ah ! fit le curé avec un grand geste de la main, moi qui croyais vous édifier et c'est vous qui le faites en me parlant ainsi.

–Pis je suis ben traité par madame pis monsieur Gagnon. Faut dire que j'étais amie avec elle déjà, autrement j'aurais pas voulu en prendre soin... Non, là, faut pas que j'exagère : une malade, c'est une malade, qu'elle soye une amie ou ben non. Je sais que vous aimez ben gros les malades de la paroisse pis je trouve ça ben beau chez un prêtre.

Les quelques mots réticents qu'avait déjà entendu le curé à son sujet s'évanouirent. Il s'enquit des enfants de Télesphore et Marie-Anne Caron.

–Ce qu'on pense, là, c'est de reprendre les deux petits garçons l'été qui vient pis d'attendre un peu pour les petites filles qui sont, comme vous devez le savoir, à Leclercville chez leurs grands-parents Caron.

–Attendre ?

–Ben... que leur mère revienne en santé...

Des lueurs sombres passèrent dans les yeux de chaque interlocuteur, mais elles n'étaient pas de la même nature et elles ne se comprirent point.

–Bien évidemment que vos propres enfants plus les quatre à Télesphore plus une malade à vous occuper...

–Ah ! mais c'est pas ça pantoute, monsieur le curé, j'ai pas peur de me cracher dans les mains pis de faire l'ouvrage qu'il faut faire. Mais c'est parce que Marie-Jeanne pis Aurore, elles vont à l'école. Pis comme leur mère souffre de consomption, voyez-vous... Les autres parents... aimeraient pas trop ça...

–N'avez-vous pas vous-même des enfants à l'école ?

–C'est pas pareil, eux autres, ils vont jamais dans la chambre de la malade.

Le curé trouvait que le raisonnement manquait de consistance, mais il pardonnait aisément à une femme d'un si jeune âge et sur les frêles épaules de qui retombaient soudain de si lourdes responsabilités.

Il lui apprit ensuite que deux cloches de l'église portaient son nom, l'une Marie et l'autre Anne, ce qui ne saurait que lui attirer les bénédictions du ciel.

–Ah ! pis à notre grande malade itou parce que madame Gagnon, elle s'appelle Marie-Anne comme moé...

Tout bien pesé, sans qu'il n'ait envie de sonner les cloches en son honneur, la femme lui laissa quand même une impression assez favorable et il se félicita d'avoir bien guidé Télesphore dans ses décisions.

*

Ces mois-là, Télesphore travailla comme jamais. Il fabriqua des manches de hache, des montants de sciotte, des chaises pour le bureau de poste. Et à la fonte des neiges, il s'engagea un mois au moulin des Laquerre où on lui confia aussitôt la responsabilité de scieur à la grand-scie, métier qu'il connaissait bien, mais qu'il n'avait plus voulu pratiquer depuis le terrible accident arrivé au curé Moreau et qui causait sa mort neuf ans auparavant. Marie-Anne Houde accepta sans maugréer de collaborer au train du matin et du soir.

La malade commença à prendre du mieux. Elle le dit à l'autre femme avec qui sa relation jusque là demeurait stable et plutôt bonne, bien que Marie-Anne Caron fût à découvrir une inquiétante sécheresse du coeur chez l'autre, surtout en matière d'éducation des enfants qu'elle bâtonnait trop aisément.

–Depuis que je me lève pis que je vironne dans la maison, on dirait que ça va mieux.

Elles étaient à chaque bout de la table à terminer le repas du midi au cours duquel on avait mangé du pain, des oeufs et du sirop.

–Ben c'est ben tant mieux.

Marie-Anne Houde était souvent la proie de volte-face intérieurs subits qui dépassaient même sa volonté du moment.

Néanmoins, elle possédait l'habileté de s'y adapter aussi vivement et de n'en rien laisser paraître.

Avec la phrase de l'autre venait d'entrer dans son cerveau une panique mêlée d'angoisse. Elle se vit dehors avec ses enfants, sans toit, sans nourriture, sur la charité publique ou pire...

–Pis du grand air, ça te ferait du bien itou. Tu veux pas que j'ouvre ton châssis, mais c'est pas ce qu'il faut...

–Tu le sais comme j'sus frileuse.

–Ça fait rien. Le docteur l'a dit qu'il te fallait de l'air le plus frette possible...

L'image des vitres brisées dans la chambre de son mari mourant lui revint en tête. Et s'arrêta...

*

En août, par un dimanche de soleil et de vent, Véronique vint voir sa soeur avec les deux fillettes. Cela procédait d'une certaine réunion familiale commandée par Télesphore. Ce jour-là, le petit Joseph revenait à la maison. Quant à Georges-Étienne, ses parents adoptifs avaient écrit de Sorel pour dire qu'ils voulaient le garder tant que leur mère serait malade, et faire savoir qu'ils ne pourraient se rendre à Fortierville.

Comme l'année d'avant, il ne fut pas permis aux fillettes de dépasser le pas de la porte de chambre. Mais le spectacle qui s'offrit à elles portait en lui de grandes consolations. Marie Anne demeura assise sur son lit, en belle robe du dimanche, de couleur brune comme les yeux d'Aurore; elle parla net, sourit, félicita chacune d'avoir tant grandi.

Marie-Anne Houde demeura dans l'ombre, mais elle prêta l'oreille de loin. Puis leur mère annonça aux deux soeurs qu'elles vivraient encore une année à Leclercville et qu'au bout de ce temps, probable qu'elle serait guérie et pourrait les reprendre.

Elle n'eut pas besoin des bras de Télesphore pour les regarder aller par la fenêtre de la cuisine et cette fois, la désagréable peur de ne jamais plus les revoir n'était pas au rendez-vous. Puisqu'elle avait eu tort l'autre année et parce que ses forces lui revenaient doucement, pour quelle raison craindre le pire ?

Derrière elle, l'autre femme regardait fixement sa nuque recouverte d'un panier de cheveux mal retenus dans un chignon lâche.

–Des belles filles que t'as là ! La petite Aurore, ah ! elle est assez belle qu'elle m'est tombée dans l'oeil...

–Maman, elle en prend ben mieux soin que de nous autres, ses filles, dans le temps. Ah ! c'était pas une marâtre, là, pense pas ça...

–Mais c'est connu : des grands-parents, ça défait l'ouvrage des parents... C'est à espérer pour toé qu'elles vont pas prendre trop de faux plis parce que ça va être dur à redresser ensuite...

Marie-Anne Caron soupira, se retourna en disant, l'oeil animé d'une petite étincelle d'espoir :

–J'espère ben pouvoir les revoir au jour de l'an. L'hiver passé, ça m'a crevé le coeur de pas les voir... L'année d'avant, on avait patiné, faut que je te conte ça...

Il y avait des lueurs de refus dans le regard de Marie-Anne Houde. Elle baissa les yeux et dit pourtant :

–Viens t'assire pis me conter ça.

*

Exilda Lemay était repartie sans se retourner malgré les pleurs inquiets du petit Joseph. Elle-même se sentait envahie par de l'angoisse difficile à expliquer. Quelque chose sonnait faux dans cette nouvelle voisine et ç'avait l'air d'échapper à tout le monde, même à Marie-Anne Caron qui la vantait souvent. Encore une fois, elle en glissa un mot à son mari qui l'accusa de gémir inutilement parce qu'elle souffrait d'avoir perdu l'enfant. Elle finit par le croire.

Sauf que personne ne lui ferait regretter d'avoir demandé et obtenu qu'on lui envoie le petit une journée de temps en temps.

«Ben, tu sais ben que oui !» s'était écriée Marie-Anne Caron.

«Un de moins pour une journée, ça me dérangera pas pantoute,» avait déclaré l'autre femme de la maison.

Pour Exilda, c'était là une garantie que le garçon serait bien traité.

*

Excitées, fébriles comme tous les enfants la première journée de classe de l'année, mais en plus rassurées par la grande amélioration de l'état de santé de leur mère qu'on leur avait présenté comme une bénédiction du ciel, Marie-Jeanne et Aurore coururent au moins sur la moitié du parcours pour se rendre à l'école. Une solide distance de trois quarts de mille sur le rang Castor.

Toutes sortes de questions se bousculaient dans leur tête. Aurait-on la même maîtresse ? Y aurait-il des nouveaux petits livres avec des dessins dedans ? Comme les autres enfants, elles adoraient lire les bonshommes mais chacune avait traversé depuis longtemps tout ce qui garnissait la petite bibliothèque de la maîtresse, et qui se limitait au contenu d'un simple tiroir de son bureau.

Marie-Jeanne commençait sa cinquième année; Aurore sa troisième. Vives et vigoureuses, tout leur souriait. Elles furent d'abord étonnées d'apercevoir une grande planche balançoire qui leur rappelait la cour de l'école du village à Fortierville. Puis elles se rendirent à un groupe d'élèves dont la moitié se dispersa aussitôt.

–Votre mère, elle est consomption, leur cria un gros gamin de loin. Pis c'est pour ça que vous venez à l'école par icitte.

Certains ignoraient ce que le mot voulait dire et il en indifférait d'autres que personne n'avait effrayés à ce sujet. Mais il piqua chacune au vif, elles qui toute l'année précédente avaient tenu leur langue et gardé leur terrible secret.

Marie-Jeanne fonça dans une phrase qu'elle avait souvent entendue dans la bouche des adultes. Elle cria aux enfants restés dans le groupe sans chercher à répondre à l'attaquant :

–J'sus assez contente de vous voir. Bonjour Laura. Bonjour Mélina, bonjour Exilia. Bonjour Marguerite...

Mais Aurore retraita dans une hésitation qui la rendit suspecte et les trois de sa division lui parurent avoir fermé leur petit cercle, ce pourquoi elle se tint à l'écart, faisant semblant d'examiner les lieux.

Après un premier mouvement de spontanéité cruelle vite oublié, l'on redonna naturellement aux deux petites étrangères leur place approximative de l'année précédente au sein du groupe.

De retour à la maison, Aurore se réfugia en haut près de la lucarne avec son petit chien jaune et blanc, un être sans race précise et qui ne grandirait pas bien plus. Il s'excitait, secouait la tête, "jappaillait". Elle s'assit sur une chaise et le fit monter sur elle pour le flatter. Lui parla sans rien dire d'autre dans sa douce éloquence enfantine que "mon beau petit pitou".

Lorsque plus tard vint une voiture, elle se leva et se cacha sur le côté de la fenêtre pour être sûre qu'on ne la voie pas.

Avant elle, sa mère encore jeune fille et l'oncle Charles durant sa maladie avaient souri à beaucoup de gens depuis ce même endroit.

*

Télesphore récolta de la belle avoine. Il fit la moitié de ses labours et remit la suite au printemps puis il s'engagea au moulin Laquerre où il abattait une fois et demie l'ouvrage des meilleurs hommes.

Comme les arbres perdaient leurs feuilles, Marie-Anne chaque jour se faisait dépouiller d'une petite portion de ses forces en lesquelles tout l'été tous ses espoirs avaient trouvé du réconfort.

Marie-Anne Houde se montra froide et sèche comme son âme, sans aucun artifice, pendant plusieurs semaines, comme en proie à du regret ou de la fatigue ou quoi encore que l'autre n'arrivait pas à cerner. Elle travaillait sans arrêt comme une armée de fourmis, passait deux cents fois par jour devant la porte entrebâillée de la chambre de la malade où Marie-Anne Caron restait la plupart du temps à prier en regarder par la fenêtre les caprices du ciel. Elle écoutait le langage des cloches et se mettait parfois le nez dans la porte pour dire :

«Un autre baptême : je me demande ben qui c'est.» Ou bien : «Un autre enterrement, qui c'est donc encore qui vient de mourir ?»

«J'ai pas le temps de savoir ça, faudrait demander à Exilda quand elle viendra,» lui était-il répondu. Ou bien : «Ça fait sept ans que le téléphone est rendu au village, monsieur Mail-hot me l'a dit, quand c'est qu'il vont nous emmener la ligne dans le rang sept ?»

Début novembre, la veuve devint encore plus fébrile, plus préoccupée que jamais auparavant. Elle sortit toutes les pail-lasses des chambres du haut une par une et se rendit à la grange les bourrer de paille neuve.

À chacune, elle redit à Marie-Anne Caron que c'était le bon temps, que la paille fraîche de la récolte d'automne était à son mieux, juste bien sèche...

–Pis je les bourre deux fois plus, trois fois même, pour que les enfants soyent mieux couchés pis que ça soye plus chaud pour eux autres parce que souvent ils se désabrient en pleine nuitte... Je voudrais pas qu'ils prennent une pneumo-nie comme le Poléon...

La dernière était si lourde à traîner que la femme dut se colletailler avec pour la porter jusqu'à la maison, pour l'en-trer et l'engager dans l'escalier où, histoire de reprendre un souffle qu'elle n'avait pas perdu, elle s'arrêta en criant de loin à la malade comme souvent :

–C'est celle-là du petit Joseph. Je te dis qu'il va être ben là-dessus, lui.

Et elle poursuivit sa tâche, pestant parfois comme si l'objet à trimbaler avait été une tonne de mélasse. Puis, redescen-dant, elle cria encore :

–La paille est pas tout à fait assez sech', ça fait que j'ai laissé la paillasse debout à ras le lit. Étant donné que le petit revient pas avant deux jours de chez madame Exilda...

Et ces deux jours-là, elle fut d'une affabilité, d'une affec-tion sans pareille envers Marie-Anne et les enfants. Ses plats eurent un goût généreux. Elle trouva moyen à travers ses courses incessantes de se laver deux fois avec son savon d'odeur tout en chantant sans arrêt.

Elle en fit tant que la malade elle-même se sentait revi-vre et retrouver des morceaux d'espérance dans les riens du quotidien...

*

–Arrié, arrié... wô !

Dans la cour du moulin, Télesphore tirait sur un bacul et

309

donc sur le harnais d'un cheval pour faire reculer la bête proche d'une bille qu'il attacha en la roulant sur la chaîne avec son cannedogue. Et, une fois encore, la quarantième depuis le matin, il approcha le tronc d'arbre jusqu'à le mettre en position de rouler sur les rails menant dans le moulin au convoyeur de la grand-scie.

L'odeur de résine, le bruit strident de la scie mordant l'écorce et l'aubel, les gestes répétés de conduire le cheval aller et retour depuis le tas de bois jusqu'au moulin, rien n'occupait l'esprit de l'homme autant que cette durée interminable de la situation chez lui. Dieu finirait-il par décider pour sa pauvre femme ? Qu'elle survive comme il faut ou bien qu'elle soit libérée une fois pour toutes de sa misère affreuse qui paraissait devoir durer l'éternité ! Car il ne pourrait garder indéfiniment la veuve chez lui. Des hommes souriaient à cela parfois et son orgueil s'insurgeait. Respectueux des commandements de Dieu, de tous les commandements, il ne pouvait empêcher les bavasseux de se faire aller les mâchoires.

En ce moment même, Exilda entrait chez lui avec le petit Joseph, le seul blondin à cheveux frisés de la famille. Un échappé, disait-on. Marie-Anne Houde accourut les bras tendus et elle prit l'enfant dans ses bras en s'exclamant :

–Si c'est pas le petit Joseph qui nous revient ! Viens voir ma tante Marie-Anne... pis viens voir ta bonne maman qui doit pas dormir...

Exilda la regarda faire. Tout cela avait odeur de trop. Elle et Marie-Anne Caron s'étaient dit dans une conversation que la veuve corrigeait ses propres enfants trop fort et trop souvent et qu'elle incitait même Télesphore à les reprendre à son retour de l'ouvrage pour des motifs toujours futiles. Comment s'en mêler puisqu'il s'agissait de ses enfants à elle ? Mais on veillait à deux, elle et la voisine, à ce qu'elle ne touche pas au petit Joseph, et la veuve se sentait surveillée d'où, son offensive sourire des quelques jours précédents et de celui-là, six novembre 1917.

Devant sa mère, le petit ne savait plus à quel saint se vouer. Il y avait là trois femmes qui semblaient toutes lui vouloir du bien. Sa gardienne près de la porte avec qui il eût voulu demeurer. Celle qu'on disait sa mère mais qui restait toujours si loin au fond de sa chambre. Et la madame qui le serrait affectueusement et alla même jusqu'à lui donner sur la joue un bec aspiré comme au jour de l'an.

—Pauvre lui, il sait plus trop vers quel bord se virer, rit la femme en faisant sautiller l'enfant dans ses bras.

Puis elle le mit par terre et dit à Exilda :

—Si tu veux parler avec Marie-Anne, gêne-toé pas pour t'approcher, hein !

—Je peux pas trop rester, mais je vas revenir que ça retardera pas.

Et elle cria des salutations à la malade. On se vit de loin par le trou de la porte. On se sourit. Exilda repartit, l'ombre au front.

Une demi-heure plus tard, Marie-Anne Houde reprit l'enfant dans ses bras et le montra de nouveau à sa mère en disant :

—Ben là, on va faire le gros dodo de l'après-midi. Je vas le coucher dans le lit des petits gars parce que sa paillasse, elle pas encore assez sec.

Durant son absence, Marie-Anne Caron se mit à l'écoute de la maison, mais les seuls bruits d'en haut lui parvinrent. Tout d'abord cette chanson jetée très haut par la veuve qui montait dans l'escalier :

> Partons la mer est belle
> Embarquons-nous pêcheurs,
> Guidons notre nacelle
> Ramons avec ardeur.

Puis les pas jusque dans la chambre du fond... Comme une ronde à travers des notes joyeuses... Un bruit sourd comme celui d'un genou qui s'agenouille trop fort... Une voix en prière... Une voix... petite ?... «Mon Dieu, je vous donne mon coeur mon âme, prenez-les s'il vous plaît afin que jamais...» Un gémissement, non le fredonnement lancinant de :

> Au mât, hissons les voiles,
> Le ciel est pur et beau

311

La veuve revint en bas. Elle se rendit dans la chambre de la malade qui se berçait devant la fenêtre en tricotant des bas pour ses filles.

–Je te dis qu'il était content de se coucher dans le lit des petits gars. Comme on dit : c'est toujours plus vert dans le pré du voisin !

–Oui, ça c'est vrai !

Quand les garçons revinrent de l'école, Marie-Anne Houde lui cria de loin comme pour que sa voix remplisse toute la maison :

–Georges, va réveiller ton petit frère Joseph parce que ça fait trop longtemps qu'il dort... Pis à soir, il va mener le diable si il dort trop...

Elle entreprit d'éplucher des patates en fredonnant :

«Dors, ma colombe,
Dors, le soir tombe,»
Chante la Vierge à l'Enfant Dieu.
«Dors, moi je veille.
Quand on sommeille
On voit s'ouvrir le grand ciel bleu.»

–Il est couché en dessour de sa paillasse pis il grouille pas, revint dire Georges dans le haut de l'escalier.

–Comment ça en dessour de sa paillasse ? Il est couché dans ton lit à toé.

–Non... osa dire Georges effrayé, il est... en dessour de la paillasse...

–En dessour de sa paillasse... c'est quoi encore c't'affaire-là ? Bon, ben, je vas aller voir...

Marie-Anne Caron se fit alors entendre :

–C'est qu'il se passe ?

–Quoi ? s'empressa de demander l'autre qui entrebâilla mieux la porte de la chambre.

–C'est qu'il arrive ?

–Ah ! c'est le petit fou à Georges qui dit que le petit

Joseph est couché en dessour de sa paillasse pis qu'il veut pas se rév... se lever...

—Va donc voir au plus vite !

—C'est là j'allais...

À nouveau, Marie-Anne Caron se mit à l'écoute des bruits. Elle s'alarma jusqu'au désespoir. D'abord un cri semblable à un cri d'horreur. Puis un grand gémissement. Des non, non, non s'égrenant comme un chapelet. Des pas qui redescendent à travers des plaintes incessantes.

Marie-Anne Houde parut dans la porte, les yeux exorbités, une main au coeur sous les seins et l'autre dont les doigts s'agitaient de manière incohérente.

—Il nous est arrivé un... terrible accident, Marie, un accident épouvantable...

La malade comprit aussitôt.

—En dessour de la paillasse, en dessour de la paillasse, se mit-elle à répéter en même temps qu'elle se levait.

—C'est que tu veux faire ?

—Je veux... le voir.

—Je te le conseille pas, Marie, il a tout la face bleue...

—C'est qu'on va faire, c'est qu'on va faire ?

La malade se jeta dans les bras de la veuve qui lui marmonna des mots d'encouragement :

—C'est pas de ta faute, c'est de la mienne... Le petit, je l'ai couché dans le lit des gars, mais il s'est levé pour aller se coucher dans le sien pis il a dû vouloir essayer de mettre sa paillasse sur la fonçure de bois... J'aurais jamais dû refaire les paillasses, jamais dû... C'est terrible... Je voulais juste les matelasser comme il faut...

Et elle se mit à sangloter.

Si Marie-Anne Caron doutait de la valeur des manières de l'autre envers les enfants, jamais l'idée qu'elle aurait pu se livrer à un acte criminel sur l'un d'eux ne lui eût seulement effleuré l'esprit sans personne pour en évoquer la possibilité à mots couverts devant elle.

—Es-tu sûre qu'il est ben... parti ?

—Il souffle pas, il a la face noire, il est frette comme de la glace...

–Emmène-moé en haut que je le voye !

Marie-Anne Caron vit alors de vraies larmes dans les yeux de Marie-Anne Houde. Elle les vit à travers les siennes...

Elles montèrent péniblement. Toutes deux de reculons et chacune pour ses propres motifs. Quand elle fut assise auprès de l'enfant mort, sa mère fit le signe de la croix. Et l'autre femme la devança dans un Miserere et un Avé.

–Es-tu capable de rester tuseule, moé je vas atteler pis aller avertir Exilda, Télesphore pis monsieur le curé...

Marie-Anne acquiesça. Elle prit la main de glace dans les siennes tout aussi froides.

L'autre partit sur une brise. Elle résuma l'accident à la voisine en redisant plusieurs fois «en dessour de la paillasse» et revint sur son chemin pour prendre le bord du village.

Tandis que la veuve se rendait au village à bride abattue, Exilda vint en catastrophe. Elle pleura tout son soûl. De chagrin et de remords. Pourquoi ne l'avait-elle pas gardé comme les gens de Sorel retenaient Georges-Étienne ? Alors elle examina la paillasse et la mort de l'enfant lui parut hautement suspecte. Mais elle n'en dit rien sur-le-champ pour ne pas jeter la mort dans une âme déjà agonisante...

–Viens t'en tusuite, le petit Joseph est mort, gémit la veuve qui fit s'arrêter le boghei vis-à-vis l'entrée de terre noire de la cour du moulin.

Télesphore laissa tout en plan et courut à elle.

–Il s'est étouffé en dessour de sa paillasse. Un accident terrible... Faut prévenir monsieur le curé, embarque...

L'homme dit deux mots rapides à l'abbé Blanchet et il prit les cordeaux pour rentrer. Le cheval fut poussé à fond de train sur tout le trajet. Et la femme ne cessa de s'accuser elle-même. Elle regrettait d'avoir changé les paillasses, d'avoir laissé celle du petit debout en arrière du lit, de ne pas être montée plus vite en haut puisqu'il dormait trop longtemps...

Quand il eut examiné la situation, Télesphore lança à la veuve d'un ton énorme :

–On voit ben que c'est pas de ta faute : arrête donc de brailler pis de crier comme ça.

Le curé s'amena accompagné du juge de paix Oréus Mailhot. On reconstitua l'accident devant les femmes effondrées.

–La paillasse est jamais assez pesante pour étouffer un enfant de deux ans et demi, déclara Mailhot doctement. Suffisait qu'il pousse avec ses pieds pour aller se chercher de l'air...

Exilda eut un regard fulgurant à l'endroit de Marie-Anne Houde qui, à moitié pliée en deux, se lamentait sans arrêt comme une pleureuse de pays latin. Télesphore devint terriblement songeur. Marie-Anne Caron demeura prostrée, absente, vide comme son teint.

Le curé tâta la tête de l'enfant. Trouvant la vérité, il fut tenté d'un sourire qu'il retint, mais il put répondre à l'interrogation posée :

–Il a une bonne bosse au crâne, ce qui veut dire qu'en tirant sur la paillasse, il l'a eue sur le dos, qu'il est alors tombé et qu'il s'est assommé.

–Comme ça, ça se peut ! conclut le juge de paix.

De retour au village, les deux hommes téléphonèrent au coroner William Jolicoeur de Québec afin d'obtenir son autorisation pour inhumer le corps. Après explications, réponses à ses nombreuses questions, constatations, la voix dut se rendre à l'argumentation. Dès le lendemain matin, il ferait parvenir un télégramme officiel.

Marie-Anne Houde assista voilée de noir à la cérémonie de l'enterrement qui eut lieu au cimetière près d'une fosse à creuser. Après le dernier coup de goupillon sur la caisse pâle fabriquée à la hâte par Télesphore au cours de la nuit et déposée sur l'herbe rousse de l'automne, elle s'approcha du curé et lui demanda de la confesser avant qu'elle ne rentre à la maison.

Et une fois de plus, au confessionnal, elle s'accusa de négligence en geignant.

Le prêtre s'arrangea ensuite pour parler seul à seul avec Télesphore dans la sacristie tandis que la veuve se rendait dans l'église pour dire sa pénitence qui consistait en une dizaine de chapelet. Car avant cette confession l'avaient inquiété quelque peu des propos un brin tendancieux tenus devant lui par Oréus Mailhot qui, comme il le disait souvent, se plaignait de ce que "les oreilles lui silaient" parfois en la présence de personnes au coeur impénétrable comme cette Marie-Anne Houde.

–Tu feras en sorte de rassurer la petite madame qui reste chez vous : elle se sent ben mal avec cet accident-là.

–Je le sais qu'elle se fait de gros reproches...

–Ben... je pense qu'elle a pas à s'en faire...

*

Exilda prit de l'avance sur eux pour rentrer et elle s'arrêta visiter Marie-Anne Caron par ce jour de soleil frais et de grand vent. Elle s'enferma avec elle dans la chambre et parla à coeur ouvert.

Tout d'abord elle souligna leur vieille amitié et affirma parler à ce nom-là seulement. Puis les sourcils froncés et qui semblaient encore plus inquiets en raison de leur épaisseur noire, elle dit :

–Moé, je pense que cette femme que vous avez fait entrer dans votre maison est un corbeau. Si elle est pas la cause du malheur, elle l'accompagne pis elle le porte... peut-être malgré elle, mais elle le porte pareil.

Marie-Anne était assise dans sa berçante d'habitude. Exilda prenait place sur le bord du lit. La malade se forgea un sourire d'opposition complaisante :

–Si tu savais comme elle s'est dévouée pour moé depuis qu'elle est icitte. J'ai rien à lui reprocher.

–Cette histoire de paillasse, ça me rentre pas dans la tête, si tu veux savoir.

–Ben voyons, monsieur le curé pis monsieur Mailhot ont dit ce qui s'est réellement passé. Pis Télesphore est d'accord... pis moé itou. Un accident, ça arrive. L'année passée, il y a eu trente-neuf décès dans la paroisse, et là-dessus vingt-neuf enfants.

–Des morts par la maladie pis surtout des jeunes bébés.

–Ben oui...

–Tu vois pas clair, Marie-Anne, tu vois pas clair pantoute. Moé, je pense que y a rien à son épreuve, celle-là.

–Ce que je pense, moé, c'est que t'aimais le petit Joseph autant que moé pis que ça te fait une grosse blessure qu'il soye parti si vite. Mais c'est un ange du paradis asteur...

–C'est ça que disait monsieur le curé tantôt pis c'est tout le temps ça qu'on nous dit. Mais moé, j'aime mieux des grands anges qui ont eu le temps de faire leur vie sur terre que des petits anges trop vite montés au ciel...

Marie-Anne coupa :

-On pleure toujours sur nous autres mêmes ben plus que sur les autres. Pis c'est naturel. Mais faut pas que ta douleur sorte en colère comme font les hommes. Quand ça fait mal, on dit tout le temps : c'est de la faute à qui ?

–Bon, bon, je parlerai pus là parce que c'est moé qui vas finir par passer pour une femme malfaisante. Mais je te demande de garder ça pour toé pis surtout d'y repenser...

–Je te le promets, je te le promets...

Lorsque survinrent Marie-Anne Houde, Télesphore et les enfants de la veuve en voiture, la femme reconnut l'attelage de la voisine à côté de la maison. Elle descendit, laissa Télesphore s'en aller à l'étable puis entra avec le moins de bruit possible après avoir ordonné à ses enfants de jouer dehors tant qu'elle ne leur aurait pas dit d'entrer.

Par la fenêtre de la chambre, on avait entendu les bruits des arrivants et la clenche de la porte trahit malgré tout celle qui voulait peut-être écouter aux portes.

–La v'là qui rentre, chuchota Exilda. Je te jure qu'elle va essayer d'entendre ce qu'on dit. Parlons fort comme si de rien n'était pis je vas te montrer comment qu'elle est...

Marie-Anne Caron se prêta au jeu et la conversation roula sur n'importe quoi, mais on pressait les phrases pour ne pas inquiéter l'indiscrète présumée tandis que doucement, Exilda allait à la porte. Rendue, elle trancha un mot en deux pour dire :

–Si ça te fait rien, je vas boire de l'eau : j'ai assez soif !

Et en même temps, brusquement, sans aucune chance laissée à la veuve, elle ouvrit la porte le plus grand qu'elle put, quitte à l'assommer...

Mais c'est elle-même, Exilda Lemay, qui fut frappée, cognée durement par la scène qui s'offrait à elle et à la malade. Attablée, Marie-Anne Houde était effondrée, la tête dans les mains et donnait l'air d'une pauvre misérable à l'âme déla-brée.

Sa tête se souleva, elle fit des hochements négatifs, pleur-nicha :

–Je voulais pas vous déranger en plus... Suis la femme la plus malheureuse de la terre... Malgré que monsieur le curé, tantôt à confesse, qui m'a dit que c'était pas de ma faute, moé, j'arrive pas à m'accoutumer à l'idée que si j'avais pas changé les maudites paillasses... C'est comme ça quand on se mêle pas de ses affaires, hein, Marie ? Si seulement je t'avais demandé ton opinion... ou ben l'idée de Télesphore... Que tout le monde me chante des bêtises pis je vas l'accep-ter, ça, c'est certain !...

–Ben moé, j'ai juste une affaire à te dire, fit Marie-Anne Caron avec un regard à l'endroit d'Exilda, veux-tu la connaî-tre ?

–Ben entendu ! fit l'autre qui cacha sa crainte de ce qui venait.

–Serais-tu assez bonne pour nous préparer un bon thé chaud comme tu le fais si ben ?...

–Ah ! mais oui, ah ! mais oui ! Pis au plus coupant !

Dubitatif et piteux, l'oeil d'Exilda rencontra celui de Ma-rie-Anne, triste et doux.

*

La vie reprenait son cours normal et le monde continuait de tourner.

À l'autre bout de l'Europe, en ce moment même, le croi-seur *Aurore* donnait le signal du déclenchement de la Révo-lution dite d'Octobre qui ébranlerait la terre entière et chan-gerait son histoire.

Quelques semaines plus tard, à l'Assemblée législative de Québec, Napoléon Francoeur présenterait une motion visant à séparer le Québec du reste du Canada. L'homme désirait devenir premier ministre de la future république.

Dans Fortierville, seuls Oréus Mailhot et le curé porte-raient un intérêt quelconque à ces nouvelles.

******

Chapitre 18

Au cours des semaines qui suivirent, rien dans le comportement de la veuve n'indiqua à Marie-Anne que les craintes d'Exilda s'appuyaient sur le moindre fondement. La femme travailla d'arrache-pied comme auparavant. Elle corrigea très peu les enfants et les prit par la bienveillance, les sermonnant d'une voix forte mais qui chantait le bon sens et la mansuétude.

La mort de Joseph, celle, apparente, de la nature, l'arrivée des froids et la patience du bacille firent décliner la malade de jour en jour. Le docteur Lafond vint deux fois et à chacune, il sortit de la chambre en hochant la tête.

Lors de sa seconde visite, au coeur de décembre, avant-veille de la boucherie chez Télesphore, la malade n'arrivait même plus à tenir sur ses jambes. L'homme s'assit avec Marie-Anne Houde à table. Refermant sa trousse noire, il lui donna à mi-voix les meilleures recommandations dans les circonstances :

—Voyez-vous, même si c'est pas encourageant de la voir, si elle passe l'hiver, je pense qu'elle va réussir à gagner la bataille. Mais il vous faut absolument agir comme suit. Chaque jour, ouvrez sa fenêtre de un ou deux pouces durant une heure ou deux. Recouvrez-la avec trois épaisseurs de couvertes pour qu'elle ne sente pas le froid. Ce qu'il lui faut, c'est de l'air froid sur les bronches et les poumons. Soyez prudente cependant. S'il y avait trop d'air et si elle manquait de couvertures, au lieu de la guérir, vous la feriez mourir... L'oeil de la femme regarda au loin, brilla :

–Je m'en vas suivre ben scrupuleusement ce que vous me dites...

–J'en doute pas, j'en doute pas, dit le médecin qui toutefois n'en était pas absolument convaincu.

Les deux nuits suivantes, la veuve fut jetée dans son grand cauchemar. Si violemment qu'elle craignit être entendue d'en bas. La boucherie l'inspira aussi. Les viscères de la taure abattue s'entortillèrent autour de son cerveau. Le souvenir de la fin de son mari servit de bouillonne à tous ces éléments disparates auxquels s'ajoutèrent des sentiments débridés et retenus, et des idées fixes et folles.

Ce jour-là, tandis que Télesphore se rendait au village porter de la viande à Anthime, et qu'il emmenait avec lui à la demande de la veuve ses garçons pour leur faire couper les cheveux en prévision des fêtes, Marie-Anne Houde s'occupa à la fabrication de savon du pays à l'étable.

Elle alluma tôt la truie de la crémerie sur laquelle se trouvait déjà la grande marmite noire contenant les abats de la taure, le gras, l'eau. Ce consommage devrait bouillir jusqu'à midi puis serait laissé à refroidir afin que le gras remonte en surface après quoi celui-ci, mélangé de caustique et d'un peu d'arcanson, devrait bouillir à nouveau jusqu'au soir pour donner enfin le meilleur savon dont plusieurs briques seraient alors additionnées de parfum par la veuve qui aurait de la sorte pour toute l'année sa provision de savon d'odeur auquel s'ajouterait d'autre plus fin, acheté fait au magasin celui-là.

Marie-Anne Caron était plongée les trois quarts du temps et plus dans un profond sommeil semi-comateux dont elle n'émergeait, parfois en pleine nuit -ce qui usait la patience de Télesphore- que pour prier et réclamer la présence de ses filles auprès d'elle au jour de l'an.

Tout l'avant-midi, la veuve courut de la maison à l'étable et de l'étable à la maison pour chauffer, chauffer et chauffer encore. La chaleur devint insupportable dans la chambre de Marie-Anne. Quand elle se réveilla, l'autre la tint consciente le plus longtemps qu'elle put sous tous les prétextes : elle insista pour la faire manger, lui parla des bebelles qu'elle désirait acheter non seulement pour ses enfants mais à Marie-Jeanne et Aurore qui viendraient en visite, pria tout haut, chanta, rappela les conseils du docteur, demanda des opinions et chaque fois que la malade voulut se réfugier dans l'inconscience, elle alla s'interposer sans toutefois s'arrêter de chauffer le poêle.

Lorsqu'enfin cessa le jeu cruel, la malade tomba dans une profonde inconscience. La veuve alors ouvrit sa fenêtre de douze pouces, elle lui ôta toutes ses couvertures sauf une puis sortit et referma la porte.

«C'est comme ça qu'elle va guérir,» marmonna-t-elle en quittant la maison pour retourner travailler à son savon.

Quand elle fut de retour deux heures plus tard, elle trouva Marie-Anne Caron couchée sur le plancher dans la cuisine, près du poêle, grelottant sous sa seule couverture, perdue, petite, presque moribonde. La veuve jeta les hauts cris de l'étonnement et de la pitié. Et pour éviter que l'autre ne se plaigne, elle revint à la méthode des bons soins attentifs.

*

Au jour de l'an vinrent les fillettes avec leurs grands-parents et Véronique ainsi que son cavalier Eugène Beaudet qui la fréquentait depuis quatre ans et l'épouserait sitôt la guerre finie.

Marie-Anne reprit conscience et put les voir comme elle l'avait espéré et voulu. Une fois encore, les enfants demeurèrent dans le cadre de la porte sans droit d'entrer, ce qui ajoutait à la cruauté de la rencontre. La femme était méconnaissable. Un dérisoire paquet d'ossements pointus à peine retenus par une peau mince comme du papier et sèche comme un vieux bardeau. Sa voix était maintenant si affaiblie qu'elle ne franchissait pas la distance la séparant des enfants. Marie-Anne Houde s'assit auprès d'elle. Au besoin, elle recueillait ses mots dans son oreille qu'elle tendait devant la bouche aux lèvres inexistantes de la moribonde. Et elle redisait à haute voix ce qu'elle entendait.

La mère se dit heureuse de les voir si grandes. Si belles.

En si bonne santé. Si bien habillées. Elle se fit parler de leur école, de leurs compagnons...

–Y en a un, un grand là, dit Aurore, qui grimpe partout... dans les arbres...

–Pis jusque sur la couverture de l'école, coupa Marie-Jeanne...

–Les enfants, ils l'appellent l'écureux mais c'est pas son vrai nom... son vrai nom, c'est Jean-Baptiste Demers...

Marie-Anne leur fit demander ensuite si elles patinaient à Leclercville. Véronique répondit à leur place :

–Tant qu'on peut, hein Eugène ?

Le jeune homme sourit. Il se revit à embrasser sa blonde au clair de lune tandis que les enfants se couraient sur la glace.

Marie-Anne trouva au fin fond d'elle-même l'énergie d'une larme ultime. Elle aussi revivait un clair de lune...

*

–Monsieur le curé, monsieur le curé, je pense que vous devriez venir lui donner les derniers sacrements... pis l'inscrire sur votre liste de mourants à visiter chaque semaine.

Marie-Anne Houde arrivait pressée au presbytère. On était le vingt-deux janvier. Le froid était passable et les chemins bons.

–Quelle tristesse ! Une si jeune femme ! s'exclama le prêtre qui invita la visiteuse à s'asseoir.

Elle refusa et ajouta :

–Vous savez comment c'est que je me suis sentie coupable à cause du petit Joseph, ben je voudrais pas qu'elle quitte notre monde sans les secours de la sainte religion. Je le sais qu'elle peut traîner encore un mois, mais...

–Je comprends, je comprends... Retournez auprès d'elle et j'irai aujourd'hui même...

Sur son chemin puis en administrant les derniers sacrements, le prêtre en vint à deux conclusions. Un, la femme de Télesphore n'en avait plus que pour quelques jours. Deux, après sa mort, il ne serait moral ni de permettre la cohabitation du veuf et de la veuve ni d'envisager que la femme soit jetée au chemin avec ses enfants au pire de l'hiver sans endroit où se réfugier. Certes, il pourrait la prendre au presbytère pour un temps, mais il était sur le point de quitter la paroisse et d'être remplacé par un nouveau curé. Pouvait-il laisser un tel fardeau sur les bras de sons successeur ?

Voilà pourquoi il demanda à parler seul à seul avec Télesphore. On monta dans la chambre du bord en haut.

Après avoir exposé le problème avec la traditionnelle méticulosité cléricale, le prêtre dit à brûle-pourpoint :

–Pourquoi ne l'épouserais-tu pas ?

Télesphore bredouilla :

–Ben... mais... c'est que ça regarderait curieux, vous trouvez pas ?

–Évidemment non, puisque je te le conseille.

–Le monde...

–Laisse-moi me charger du monde. Est-ce que... elle pourrait être une bonne épouse ?

–Dépareillée ! C'est une femme qui sait tout faire. Faut être honnête.

–Qu'est-ce que tu veux de plus ?

–Écoutez, c'est une personne fière pis libre... je veux dire fière pis indépendante...

–La fierté et l'indépendance, ce n'est pas ce qui apporte à manger. Ça mène le diable plus que ça ne donne la paix, mon cher ami.

Télesphore fit une moue en disant, indécis :

–Faudrait tout de même que ma pauvre femme soye partie avant que j'en demande une autre en mariage.

–Ta femme est déjà morte depuis plusieurs mois et tu le sais. Parce que si tu te maries, va falloir que tu le fasses vite, autrement la veuve devra s'en aller d'ici, tu comprends ?

–Je comprends, je comprends...

–On va la faire monter, la bonne petite madame de Sainte-Sophie... Oh, il est bien entendu que tu verras à reprendre tes enfants qui sont éparpillés, n'est-ce pas ?...

Marie-Anne Houde accepta toutes les propositions qui lui furent faites sous forme de demandes respectueuses et multiplia les promesses de bonne volonté.

*

Deux jours plus tard, Marie-Anne Caron rendit son âme à Dieu.

«Elle s'est éteinte pieusement,» fut-il dit dans toute la paroisse, comme on le répétait de chaque personne décédée, même de celles qui s'approchaient peu des sacrements.

Vu la nature contagieuse de sa maladie, il n'y aurait pas d'exposition du corps. On fit savoir la nouvelle à Leclercville par une occasion. Arzélie prit les fillettes dans sa chambre pour leur faire part du funeste événement auquel la femme les avait préparées de longue main.

–C'est qu'on va faire, nous autres ? demanda Marie-Jeanne dans une grimace douloureuse.

–Vous allez continuer d'aller à l'école icitte comme avant. Jusqu'à la fin de l'année, pis là, ben on va voir...

Aurore demeura parfaitement silencieuse, interrogeant les choses de la chambre, ses yeux remplis d'une crainte respectueuse. Puis elle se rendit s'asseoir à terre, à côté du poêle, avec son chien qu'elle flatta longuement, les yeux fixes et perdus.

*

Les funérailles eurent lieu le vingt-six janvier 1918.

Après une cérémonie modeste dans l'église avec une maigre assistance à cause du temps et du mal qui avait emporté la femme, le cercueil fut porté dans la fosse d'attente près du mur extérieur. Un adulte et deux enfants s'y trouvaient déjà. Le froid cinglait comme un coup de fouet. Et la bénédiction finale n'eut de durée que le geste du prêtre. Aux beaux jours d'avril, on reviendrait pour l'enterrement et des prières ultimes.

L'on se retrouva au presbytère, le curé Blanchet, Marie-Anne Houde et Télesphore Gagnon. Le prêtre annonça qu'il avait appelé à Québec la veille afin d'obtenir les deux dispenses nécessaires.

Télesphore s'étonna :

–Encore des dispenses ?

–Oui, mon ami, l'une d'affinité du deuxième degré en ligne collatérale égale, et l'autre d'affinité spirituelle vu que vous avez vécu sous le même toit...

Puisque la demande faite était urgente, les dispenses arriveraient dans les trois jours. Pour ne prendre aucune chance, il fut décidé de fixer le mariage à six jours de là, soit le premier février.

Le couple se dispersa ensuite. La femme et ses fils se rendirent au magasin chez Oréus Mailhot tandis que Télesphore se dirigeait vers chez Anthime qui avec son épouse Victoria était retourné chez lui aussitôt après les funérailles. Son frère l'attendait pour lui couper les cheveux, tel qu'entendu précédemment. Il le vit venir et en avertit sa femme. Depuis sa cuisine, Victoria lança :

–Veux-tu que j'y prépare de leur viande ?

Anthime sourit. Tous les deux après le départ de Télesphore lors de la boucherie d'avant les fêtes, on s'était échangé des peurs quant à cette viande à laquelle Marie-Anne Houde avait touché. Puis on avait fini par se dire que la veuve n'était tout de même pas une empoisonneuse publique même si on ne trouvait pas sa viande des plus sympathiques.

Et puis on s'attendait à son départ imminent de la paroisse puisque sa raison principale de vivre chez Télesphore venait d'être mise en fosse.

Télesphore eut vite fait de s'asseoir sur la chaise de barbier sitôt entré et déshabillé.

–Même si on s'en attendait depuis longtemps pis si on s'est fait une résignation, quand le temps est venu d'enterrer une personne... c'est pas aisé pantoute...

Les deux hommes se regardèrent par le miroir. Il est toujours plus facile de s'envisager indirectement. Anthime jetait un oeil sur la chevelure à tailler et son frère observait ses réactions.

Il se racla la gorge pour ajouter :

–J'irai pas par quatre chemins, Anthime, je me marie le premier jour de février. Je le sais qu'à voir, ça paraît un peu curieux, mais y a des raisons... plusieurs raisons...

–Des raisons ?

–D'abord, c'est avec la veuve Gagnon...

–Je m'en serais douté d'abord que tu dis que tu veux te marier... en dedans d'une semaine après l'enterrement de ta femme...

–Je le sais, je le sais, tu vois ça mal, mais c'est pas pantoute c'est que tu penses, mon frère.

Anthime prit un peigne sur la commode qui servait de meuble à accessoires et une paire de ciseaux... Il décida de ne plus interrompre.

–C'est pas mon idée, c'est l'idée de monsieur le curé pis il va te le dire lui-même. Je peux pas cohabiter avec une femme pis on peut pas la sacrer dehors non plus, hein ? C'est ça que m'a fait comprendre l'abbé Blanchet. Pis la veuve, c'est une personne de coeur pis d'honneur. Travaillante, bonne en tout'...

–En toute ? échappa Anthime qui avait commencé à tailler la chevelure.

–Écoute, là, toé, aurais-tu doutance sur moé, sur ma conduite ?...

–Non, non, je me suis rien que dit qu'un homme de bon appétit qui jeûne depuis deux ans, ça aide à se marier plus vite...

Télesphore leva les mains qu'il sortit du drap blanc lui recouvrant les épaules, et les tendit vers leur image dans le miroir en disant :

–Si tu veux continuer à parler de même, moé je dirai plus un maudit mot, hein !

–Continue, continue, tu m'entendras pas...

Et Télesphore redit une fois encore les qualités de Marie-Anne Houde tout en les démontrant, ce que son frère n'était pas en mesure de nier du reste. Au loin, dans la pièce voisine, Victoria tendait l'oreille. Quand il crut avoir convaincu son frère, Télesphore lui cria de venir et il annonça ce qu'elle savait déjà. Elle demeura discrète sans donner d'opinion.

Puis les deux hommes papotèrent sur des sujets virils. L'électricité qui finirait bien par se rendre dans les villages de campagne.

–Mais de notre vivant dans tous les rangs comme le sept, ça me surprendrait pas mal, dit Télesphore.

–Les barbiers de ville, ils ont des clippers électriques. Ça vient de l'Australie. Par là, ils s'en servent pour tondre les moutons. Pis les Anglais, ils ont adapté ça pour du monde. Le progrès, c'est sans limites, hein ? Des fois, je m'imagine de vivre jusqu'à cent ans, ce qui donnerait 1987, pis je me dis que tout va être électrique dans ce temps-là...

Télesphore se cira la moustache. Il n'écoutait plus, lui qui de coutume s'intéressait plus que tout le monde aux choses d'avant-garde.

Sur le point de terminer la coupe qu'il étirait, Anthime plongea :

—Pour ce qui est de ton mariage, Télesphore, d'abord que tu veux mon idée, je vas t'dire que tu prends pas la femme pour aller avec toé. Pis j'entends pas te le prouver, c'est rien que je sens ça, c'est toute... Je me dis qu'un jour, tu vas en faire ton mea culpa...

L'autre ne dit pas un mot de suite. C'était le moment de descendre de la chaise. Il sortit une pièce de vingt-cinq cents pour payer...

—Non, non, c'est gratis... Pas parce que t'es mon frère, mais parce que c'est ta coupe de noce pour ainsi dire...

Télesphore jeta la pièce sur la commode en disant durement :

—Toé, tu vas mourir plein de dettes si tu continues comme ça. Quant à moé, je paye les miennes, mes dettes !...

En deux pas, il fut au crochet de son gros manteau. En s'habillant, il ajouta :

—Pis je vas te dire que si c'est tout ce que t'as à dire sur mon mariage, Anthime, ben t'es mieux de rien dire. Parce que j'étais pas venu pour te demander ton idée mais pour que tu me coupes les cheveux. Pis peut-être que je t'aurais demandé pour me servir de témoin...

—Ah ! si tu veux...

Télesphore ne sourit pas, ne salua pas et partit.

*

Le premier février, il épousait discrètement Marie-Anne Houde à la sacristie devant le curé Blanchet et deux simples témoins : Anthime Lemay, oncle de la mariée et un villageois du nom de Archange Daigle.

******

327

Marie-Anne Houde dite la marâtre.
Elle avait 30 ans à la mort d'Aurore
et mourut en 1936 à 46 ans.

Chapitre 19

Les fidèles avaient l'âme partagée entre la peine et la joie. Si toutes les paroisses se ressemblaient par les structures sociales, par la hiérarchie du pouvoir, par les moules moraux et les traditions chrétiennes ou pas, leur trait caractéristique fondamental restait toujours le curé; et un changement de prêtre au presbytère changeait automatiquement la face de la paroisse, le curé ayant la haute main sur tout ce qui relevait du spirituel comme du matériel.

L'abbé Blanchet achevait un dernier sermon qu'il ne voulait pas voir traîner en longueur. Il y aurait deux prêches ce jour-là : son homélie d'adieu puis les premiers mots de son successeur déjà entré en fonction la veille en tant que pasteur de Fortierville et qui officiait pour la première fois.

Le curé partant ne conservait plus que les oreilles de l'assistance, car les yeux, les bleus, les vieux, les bigleux, les tortueux, les heureux ou les malheureux se croisaient de toutes parts vers un point focal : le nouveau curé assis dans le choeur et qui, une fois présenté par l'abbé Blanchet, monterait à son tour dans la chaire pour s'adresser à ses nouveaux paroissiens.

Quel homme ! Très jeune, c'était l'évidence même et pourtant cela disparaissait bien vite derrière son masque d'acier. Pas une seule fois durant sa messe jusque là, il n'avait regardé la foule. Tous ses orémus, il les avait dits en jetant les yeux vers le jubé de l'orgue. Et quand il s'était arrêté pour ôter sa chasuble et revêtir son surplis en vue du sermon puis qu'il s'était assis pour entendre l'adieu du curé Blanchet et la présentation qu'il ferait de lui, jamais il n'avait non plus daigné offrir un seul reflet de son âme à la foule en attente. En homme d'élévation, il restait là-haut, quelque part entre le petit peuple au sol et les citoyens du ciel dans leur essence d'infinitude. Les ponts sont toujours des entités solitaires.

Assis là depuis près de dix minutes, droit comme un I, rigide comme un soldat, aucun muscle n'avait encore bougé Pas un cheveu de son abondante et stricte chevelure qui ne soit au même endroit d'un côté ou de l'autre d'une tranchée les séparant sur la gauche. Pas un oeil qui cille, pas un sourcil qui bronche derrière les lunettes à petits verres ovales qui laissaient voir les coins des orbites où des yeux de glace se fichaient dans le mur au-dessus des enfants de choeur comme des piolets acérés.

En ce moment, l'homme ne pensait à rien. Mais pas un seul mot de l'abbé Blanchet ne lui échappait. Au besoin, il sauterait sur une phrase comme un prédateur sur sa proie afin de la clouer sur le sol de sa logique, de la décortiquer, de l'analyser et de la rejeter ou bien de s'en nourrir. Depuis le milieu de ses études qu'il s'exerçait ainsi à faire le vide dans son esprit tout en restant à l'affût : exercice hautement profitable grâce auquel toute sa pensée en arrivait, se disait-il, à s'extraire de la prison charnelle, à se libérer de toute passion humaine pour rejoindre le spirituel pur et dur...

—Et voici venu le moment, dit le prêcheur, de vous présenter mon successeur. Ainsi que vous avez pu le constater, monseigneur l'évêque ne vous a pas envoyé un vieillard. Mais... mais ne vous y trompez surtout pas car la sagesse n'est pas absente pour autant. Oh ! que non ! Voyez-vous, votre nouveau curé est considéré comme l'un des hommes les plus instruits de la province de Québec. Docteur en théologie, il connaît aussi le droit et quantité de choses utiles. Connaissances médicales, littéraires, linguistiques, philosophiques, sans compter de précieuses connaissances pratiques. Qui de mieux qu'un natif de Kamouraska ayant étudié à La Pocatière pour s'y entendre merveilleusement en agriculture, par exemple ? Mes bien chers frères, vous aurez en la personne de votre nouveau curé un prêtre capable aussi bien de vous prodiguer les conseils les plus savants que de troquer la soutane pour des pantalons de travail afin de mettre la main aux travaux les plus serviles. Telle est en lui, je le sais, la grandeur de l'humilité...

L'abbé assis ne battit même pas des paupières. Pas une onde de son âme silencieuse ne frissonna. L'observateur eût pu croire, à l'envisager et à le dévisager s'il en avait pu supporter le regard, qu'il se trouvait deux hommes en un seul et même. Les deux tiers d'un demi-dieu ! Il y avait une ligne physique accentuée entre les deux côtés de la figure. Le côté droit effrayait, ce devait être celui de ses connaissances et de sa pensée. S'y retrouvaient la vague la plus lourde de ses cheveux, le sourcil le plus épais, l'oreille la plus longue et fuyante, une narine plus large et oblique de même qu'une bouche épaissie.

C'était dans le seul profil gauche que se réfugiait une certaine douceur dans l'harmonie avec parfois quelques éclairs de bienveillance dans l'oeil mais qui ne s'aventuraient guère en dehors de leur geôle et que l'homme rattrapait aussitôt avec des mots d'autorité quand il s'en évadait quelques imprudents.

–... et, en même temps que je demande au ciel de bénir cette belle paroisse en remerciement pour tout ce qu'elle m'aura apporté, je demande à votre nouveau pasteur de venir s'adresser à vous... Voici, mes bien chers frères, monsieur l'abbé Ferdinand Massé qu'il faut déjà considérer comme un futur évêque. Il me semble qu'un destin à nul autre pareil l'attend ici même dans votre... oh ! je devrais dire notre belle paroisse car elle restera toujours en moi..., oui, un destin peu commun. C'est la grâce que je souhaite de tout mon coeur. Au nom du Père, et du Fils, et du Saint-Esprit. Ainsi soit-il !

L'abbé Massé ne réagit qu'à ce moment. Il se leva et marcha d'un pas énergique et mesuré vers la chaire, un petit livre noir tenu replié sur son coeur. Dans les marches, son pied resta feutré grâce à un tapis mais sur le parquet de bois ensuite, son soulier ferré parla avec éloquence d'ordre et de discipline. Les prêtres se croisèrent. Le partant disparut des yeux avant même d'atteindre la table de communion et l'arrivant gravit les marches tournantes avec sur les épaules le poids de l'attente des fidèles, un poids qui ne l'embarrassait aucunement toutefois.

Dès son arrivée dans la boîte, il s'appuya fermement sur son oeil gauche pour faire une première déclaration propre à susciter l'étonnement et le rire.

–La chaire frémissait tandis que je montais dans l'escalier, j'espère qu'elle tiendra le coup et qu'on n'aura pas à la renforcer...

La tension éclata dans une rumeur pieuse et rieuse. Des gens s'échangèrent des regards. L'homme se félicita d'avoir frappé dans le mille dès les premiers mots. Dans l'assistance, on s'étonnait d'entendre un prêtre aussi peu comme les autres et capable de s'adresser à elle sans d'abord avoir fait le signe de croix. Mais surtout, ce qui alimentait la surprise, c'était précisément qu'il avait fallu étançonner la chaire du temps du curé Grondin qui pesait trois cents livres.

La nouvelle voix était de cristal et le ton d'argent. Mais ses modulations ne dureraient pas. Il les rattrapa encore et, cette fois, le verbe sonore, long et lourd, il fit le signe de la croix.

–Mes frères, mes soeurs de cette paroisse de Sainte-Philomène que je ne peux encore qualifier de belle, ne la connaissant pas, sur le train qui m'amena de Québec jusqu'ici, traversant cette contrée immense dont tant de flèches disent à Dieu la foi et le courage d'un peuple, je me suis senti... fier. Oui, fier de notre patrimoine et de notre patrie. Fier de la fidélité de tout un peuple envers son Dieu et sa très sainte Église catholique ! Tant de travail, de sueur, de labeur quotidien mais tant à faire encore ! Oui, mes bien chers frères, voilà la clef même du dépassement : le travail. Le travail qui est le meilleur chemin de l'homme qui aspire à la perfection, une perfection que, bien sûr, il n'atteindra pas de ce monde mais à laquelle il doit tendre toute sa vie durant. Le travail de la terre qui nourrit l'homme. Le travail du bois et des matériaux qui lui donne un toit. Le travail du fil de lin, de soie, de laine et de coton qui lui donne le vêtement. Dieu nous a donné toutes ces choses et l'intelligence pour les travailler, les domestiquer, les modifier afin de les rendre utiles; notre devoir est de répondre à son invitation. Et lorsque nous avons accompli ce que doit, alors il nous bénit et alors les miracles deviennent possibles.

Mais le chemin est long... et parfois dur. Jamais il ne faut laisser le moindre espace à l'abattement, au découragement, à la peur ou à la tristesse. Car le travail, c'est la liberté. Et le jour où votre travail sera devenu prosaïque, alors il aura perdu tout son sens et toute sa valeur...

Un jeune homme profita de ce que le prêtre tournait la tête dans l'autre direction pour dire à un autre de son âge, en soufflant les mots derrière une main lui cachant la bouche :

–C'est vrai qu'il est pas mal savant... Je comprends pas tous les mots qu'il dit...

Aux grands regards panoramiques et négligents du curé Blanchet avait succédé une véritable mitraille de coups d'oeil dont chacun portait un message d'autorité et une perception scrutatrice. Même et surtout les regards obliques ou ceux-là à paupières mi-closes qui pénétraient et parlaient en même temps qu'ils questionnaient, portés alors par un flux d'étincelles qui n'allumaient pas les sentiments rencontrés mais plutôt les éteignaient en les transformant dans une sorte de respect résigné qu'inspire la force à la faiblesse.

L'occasion d'établir dès le départ son pouvoir pur et dur n'aurait pu être meilleure. Car l'abbé Massé vit l'adolescent parler. Au nom du bien commun, de l'autorité purificatrice et constructrice, il l'utilisa donc comme souffre-douleur :

–Je dois ouvrir une parenthèse, dit-il en transperçant la victime de son oeil agrandi derrière ses verres luisants et de ses mots mordus et saccadés, afin de signaler que si quelqu'un me force à ôter mon gant de velours, il trouvera en dessous une main... de fer... Ceux qui voudraient parler dans cette église, et sans nécessité, ce qui est un manque de respect flagrant envers le Seigneur, le sacré du lieu, le prêtre et même les fidèles, ceux-là dis-je n'auront désormais plus le choix de le faire si tant est qu'ils l'ont déjà eu...

Toutes les têtes se tournèrent vers le coupable que la honte saisissait par la nuque et qui se renfrogna dans une encolure écarlate.

–J'ai voulu que ce premier sermon ait pour thème le travail car le travail, pourvu qu'il soit honorable et sanctifié par la prière, constitue la clef de toute vie humaine, son solage, son armature, son pilier principal...

Télesphore, malgré le savonnage fait à l'adolescent, se permit un coup d'oeil du côté de sa femme qui le lui rendit. Dans ce banc, l'on appréciait au plus haut point les paroles de ce prêtre. L'éloge du travail n'aurait pu tomber en des oreilles plus attentives et réceptives.

–... c'est l'amour de Dieu qui doit baigner vos travaux et vos vies, mais c'est l'amour de la Vierge Marie qui peut le mieux les parfumer...

Télesphore se souvint avec bonheur puisqu'il en avait désormais le droit sacré, de ce soir du premier février où enfin, après tant de désirs refoulés, il lui avait été donné de s'enfouir dans la chair odorante de sa nouvelle épouse qui le mettait en aussi bel appétit que du pain chaud...

–... à l'inverse, mes frères, elles sont putrides et cruelles, les odeurs de la déchéance morale, pires que ce qui commence à émaner de ces corps mis dans la fosse commune près de l'église et qui, en l'occurence, seront inhumés mardi, veuillez en prendre bonne note. Et que chaque famille soit représentée à l'enterrement si l'on désire savoir à coup sûr où se trouve chaque défunt...

Télesphore fut ennuyé. Il avait trop à faire. Et Marie-Anne tout autant. Tiens, il demanderait à Gédéon d'assister. Après tout, son père et sa nouvelle femme ne demanderaient pas mieux pour passer leur temps.

–... mais il n'y a point de mal dont il ne naisse un bien.

L'abbé Massé citait Voltaire, ce qui, malgré le bon sens de la proposition, lui eût valu la réprobation de l'évêque; mais qui donc, en ce lieu, avait même déjà entendu parler de Voltaire qu'il avait lu, lui, en cachette et sans jamais s'en accuser à confesse même si aux yeux de l'église québécoise, il s'agissait là d'un péché sérieux, quelque part entre le véniel et le mortel.

–... s'il faut tendre à la perfection dans son travail, il faut bien se dire que nul travail sauf celui du Créateur, n'est parfait. Voilà pourquoi aussi il nous faut prier avec ferveur. Mais voilà aussi pourquoi il nous faut corriger nos travaux sans cesse et sans arrêt puisque tout est perfectible... Il n'y a point de mal dont il ne naisse un bien, citons pour exemple la main d'un père qui frappe son enfant. C'est en soi un mal mais dont il émergera quelque chose de bon.

Les fidèles flânèrent plus longtemps que de coutume sur le perron de l'église après la messe. L'âme collective cherchait à se faire sur-le-champ une opinion définitive.

«C'est une belle force d'homme,» dit à la femme d'Oréus Mailhot Marie-Anne Houde que le jeune prêtre avait enchantée.

«Surtout, dit l'autre à mi-voix souriante, c'est la première fois qu'on a un bel homme comme curé...»

«C'est un homme d'organisation qui veut du résultat,» stipula Oréus, le personnage le plus en vue de la place et qui en plus d'être marchand avait été marguiller, secrétaire municipal, maire et qui demeurait juge de paix.

Son avis était prépondérant. On le crut éminemment favorable à l'abbé Massé tandis qu'en réalité, l'homme d'affaires l'avait trouvé cassant, sec, comme dépourvu de chaleur humaine et qui se comportait déjà comme une sorte de pater familias paroissial.

On savait que le nouveau prêtre avait déjà mis un ordre différent au presbytère où il s'était installé avec quatre autres personnes soit sa soeur Albertine, son frère Arthur et sa femme ainsi qu'un neveu orphelin. Il avait remercié l'ancien bedeau. Arthur serait désormais le sacristain et cultiverait la terre de la fabrique. Une terre que l'on rendrait hautement productive...

*

«Nul besoin qu'elle fût interminable pour qu'une prière soit efficace,» avait dit aussi le curé Massé dans son premier sermon.

Le mardi suivant, à l'enterrement des morts de l'hiver, il montra qu'il mettait en pratique ce qu'il prêchait. Quand chaque cercueil fut déposé dans sa propre fosse devant laquelle

335

attendaient les témoins des familles, Arthur envoya un adolescent au presbytère pour avertir son frère. Le curé s'amena aussitôt d'un pas déchaîné, écritoire à la main, mais sans goupillon. À chaque fosse, il nota d'abord le nom du défunt sur un schéma préparé d'avance, puis il jeta une médaille de la Vierge dans le trou et traça le signe de la croix avec sa main portant crayon de bois en récitant la prière finale : "Que les âmes des fidèles défunts reposent en paix !" À quoi les fidèles répondaient en murmurant : "Par la miséricorde de Dieu, ainsi soit-il !"

Quand son devoir fut accompli, Gédéon Gagnon venu seul s'éloigna de quelques pas. Il étendit son regard sur ce tapis rubigineux où les feuilles mortes de l'automne précédent se décomposaient en exhalant des odeurs désagréables.

Son avis à lui fut qu'il le trouvait bien expéditif, ce jeune curé qui avait tout l'air de n'être que savant et travaillant, ce qui ne suffit pas toujours pour faire d'un homme un être humain.

******

Chapitre 20

Marie-Anne Houde quitta le bureau de poste avec une lettre à la main. Une fois rendue dans la voiture, elle ouvrit l'enveloppe et lut sans se laisser éblouir par les éclats vifs du soleil d'août sur la blancheur du papier.

Une excellente nouvelle leur parvenait de Sorel en réponse à la lettre que l'on avait envoyée à Rose-Anna quinze jours plus tôt afin de réclamer Georges-Étienne tel qu'entendu avec le curé Blanchet aux abords du mariage l'hiver précédent.

La jeune femme remit la lettre dans son enveloppe puis elle fit claquer les guides sur le dos du cheval roux, un mince sourire au fond de l'oeil.

Elle s'arrêta vis-à-vis de l'entrée du moulin Laquerre et cria à son mari qui s'amena.

–J'ai une lettre de Sorel. Chez Octave, ils disent qu'ils vont garder le petit pour tout le temps. Que quoi qu'on fasse, ils vont pas le ramener icitte. Ils disent qu'on a assez des miens, de Marie-Jeanne pis d'Aurore... pis de ceux qu'on va avoir à nous autres, toé pis moé ensemble...

–On a fait ce qu'il fallait, jeta l'homme laconiquement

337

avec un crachat qui s'étiola dans la terre noire séchée.

Satisfaite de cette opinion, Marie-Anne Houde pensa aussitôt à l'avenir :

–Faut dire qu'ils ont ben raison... parce qu'avec Marie-Jeanne pis Aurore qui vont nous tomber sur les bras dimanche...

*

Télesphore se rendit seul à Leclercville dès après la messe, sitôt qu'il eut reconduit sa femme et les enfants à la maison. Quand il arriva chez les Caron, il leva la tête pour voir la lucarne. Elle donnait l'air d'un oeil terne et vide bien qu'un moment il eût cru voir quelque chose y bouger.

Seule là-haut, embusquée derrière le rideau blanc, Aurore guettait le chemin et elle pleurait. Elle pleurait depuis l'avant-veille quand était parvenue la lettre disant que leur père viendrait reprendre les fillettes ce dimanche. Parfois même, elle s'étouffait ou avalait de travers à vouloir refouler ses larmes. Durant la soirée, elle avait osé dire à sa grand-mère qu'elle refusait de retourner avec son père.

Arzélie la prit à part pour tâcher de la convaincre.

–T'es une grande fille de neuf ans asteur, tu vas comprendre que des enfants, ça appartient à leurs parents. Pis tu vas revenir souvent te promener... Pis à ton école, tu vas connaître d'autres enfants de ton âge... Pis tu seras pas tuseule, Marie-Jeanne va être avec toé...

Quand elle avait fabriqué son petit projet de refus, la fillette s'était convaincue qu'on accepterait sa volonté mais voilà que même sa grand-mère approuvait son départ. Quoi répondre quand on est une écolière de troisième année à un critère universel qui stipule que les enfants sont la propriété de leurs parents ? Dans les tréfonds de ses mémoires s'agitaient les souvenirs oppressants de maintes douleurs physiques, de la peur et du rejet se rattachant à son père et à la maison de Fortierville. Chez ses grands-parents, jamais elle n'avait été battue ni même mise en pénitence dans un coin. Elle avait son chien, des petites amies à l'école, du rire à profusion...

–Papa... il me trouve tout le temps tannante ! dit-elle pour exprimer son sentiment d'en être méprisée.

–Ben... de temps en temps, un papa, faut que ça corrige

ses enfants. Quand ils sont malcommodes...

Malcommode, elle croyait qu'elle ne l'était pas. N'obéissait-elle pas soigneusement à tout ce qu'on lui demandait à condition de pouvoir le faire ? Elle faisait toutes ses prières, le matin en se levant, le soir en se couchant, avant et après les repas, à l'église, à l'école, devant la croix du chemin quand elle y passait et même sans raison, juste comme ça, pour remercier le bon Dieu et la très sainte Vierge de lui avoir donné la vie et de la protéger... Jamais elle n'aurait volé la moindre chose, ne serait-ce qu'un bonbon comme sa tante Véronique se vantait souvent de l'avoir fait à son âge. Et elle communiait chaque fois qu'elle assistait à la messe depuis sa première communion.

Il était passé midi. Les gens de la maison avaient mangé. On ne savait pas quand viendrait Télesphore. Mais Arzélie lui gardait de la fricassée au cas.

–Merci, j'ai emporté des oeufs à la coque pis du pain pis je me suis paqueté ben comme il faut en venant, dit-il tout en s'asseyant quand même à table.

L'homme se sentait mal à l'aise dans cette maison maintenant. On devait lui reprocher de s'être remarié trop vite, c'est sûr. Jamais les parents de sa première femme ne lui avaient donné leur approbation et leur caution morale. Il avait pourtant fait pour bien faire... Néanmoins, il se trompait. Les Caron s'étaient toujours empressés depuis le mois de février de défendre son point de vue. Par ailleurs, Télesphore nourrissait une crainte injustifiée du qu'en-dira-t-on puisque peu de temps après son mariage, personne n'en parlait plus. Les deux plus réticents, Exilda Lemay et son frère Anthime se taisaient. Le curé Blanchet avait dit et répété que ce mariage était son idée. Qui aurait osé contester le jugement d'un si saint prêtre ?

Il ne fut donc pas long, un petit quart d'heure de papotage, à mettre sur le tapis la question de sa dette envers eux pour la garde des deux fillettes durant deux ans complets.

–Ça vaut ben cinquante piastres par année, que me disait justement ma femme avant de partir.

Nérée sortit sa pipe de sa bouche pour rire pointu.

–Ben ça sera pas une maudite vieille cenne noire. Pis on

a trente-six raisons pour ça.

—Comme je dis toujours, moé, je paye mes dettes.

—Ben justement, c'est pas une dette. Marie-Anne, c'était notre fille. Marie-Jeanne pis Aurore, c'est nos petites-filles. Des grands-parents, ça se fait pas payer pour garder leurs petits-enfants. Autrement, où c'est qu'on s'en irait ?

Télesphore questionna le regard d'Arzélie. Elle déclara :

—Ce que dit Nérée, c'est ce que je dis.

Télesphore reprit, sûr de lui en additionnant des chiffres imaginaires sur le tapis de la table :

—D'abord que j'aime pas ça me sentir en dette avec du monde, je vous propose un échange. Quand vous aurez besoin d'un ouvrier pour régrandir vos bâtiments ou ben lever un hangar ou quoi que ce soit, je veux que vous me le fassiez à savoir...

—Ben correct ! acquiesça Nérée.

—Bon ben, je resterai pas plus longtemps qu'il faut...

—Fume, fume...

—Le temps se graisse pis la pluie est pas loin...

—T'es ben libre de tes actes ! Pour ce qui est du coffre des enfants, on t'a attendu vu que t'es gros pis fort pour le descendre toi-même d'en haut...

—Je m'en occupe, fit-il en se levant.

Marie-Jeanne qui surveillait du coin de l'oreille de loin se précipita dans l'escalier et courut en haut mettre dans le coffre quelques objets qui, laissés sortis, lui faisaient espérer encore qu'elles ne partiraient pas.

Arzélie l'entendit et pensa au chagrin d'Aurore.

—Télesphore, faut que je te dise... la deuxième, elle a ben de la peine de s'en aller. Pis j'y ai promis qu'elle pourrait emporter un petit chien qu'on lui a donné quand elle est arrivée icitte. Es-tu d'équerre pour ça ?

Il grimaça :

—Y en a déjà un gros à maison. Je sais pas trop si ça va s'endurer...

—Certain, dit Nérée, tu sais ben que deux chiens, ça se chicane pour commencer pis qu'au bout de deux jours, ça s'accoutume ensemble. Pis souvent, c'est le petit qui fait la loi...

—Ah ! pourquoi pas ?

Le coffre trouva bientôt sa place dans la voiture longue à un siège. En l'y mettant, Télesphore se souvint nettement du jour de ses noces alors qu'il avait fallu sangler le même coffre derrière la banquette du boghei. Mais cela faisait partie d'un passé mort et enterré et il n'en subit aucune forme de nostalgie. Un homme regarde en avant.

Il s'appuya à nouveau sur le prétexte réel de la pluie qu'annonçaient des nuages pesants pour procéder rapidement. Marie-Jeanne cria des bonjours puis monta d'elle-même et alla s'asseoir sur la fonçure, dos à la banquette. Elle remonta sur sa tête une toile noire dont une extrémité était fixée au siège et qui servait précisément à abriter des enfants ou des effets en cas de pluie.

Son chien roulant des yeux inquiets à ses pieds, Aurore restait rigide devant sa grand-mère, les regards morfondus, priant le ciel de s'emparer d'elle et de l'emmener avec sa mère là-haut dans le paradis où tous disaient qu'elle se trouvait. Pourquoi souffrir ici-bas si le bonheur est ailleurs, raisonnait quelque chose dans son inconscient. Au lieu de cela, deux bras puissants la soulevèrent de terre et elle se retrouva vite sur la fonçure à son tour.

—Et hop ! dit Télesphore comme il l'aurait fait avec un garçon.

Si rien n'avait été physiquement brutal, l'arrachement l'était pour son âme et Aurore éclata alors dans des sanglots sonores.

—Ben voyons, t'as pas honte ? marmonna son père qui en même temps prit le chien et le mit avec elle.

Elle n'entendit pas et sa grand-mère descendit les marches et s'approcha d'elle tandis que l'homme prenait place sur son siège devant.

—Assis-toé sur la fonçure, là, que je t'embrasse comme il faut.

Aurore obéit. Elle s'accrocha au cou de sa grand-mère comme l'eût fait une enfant deux fois plus jeune...

—Tu me le diras pour ta communion solennelle pis je vas aller te voir.

Véronique s'était tenue à l'écart jusque là avec son ami. Touchée par ce départ, elle s'approcha à son tour et dit un secret à l'oreille de la fillette :

–Ma tante, elle va se marier l'année prochaine pis on va aller vous chercher, toé pis Marie-Jeanne pour venir aux noces. Mais dis-le pas à personne parce que... parce que y a rien que toé qui le sais... Pis on ira faire un petit tour de bateau sur le fleuve...

Cela ajouta des sanglots aux sanglots.

Télesphore clappa. La voiture partit.

–Elle est trop sensible, cette enfant-là, dit Arzélie, l'air noir.

–Elle va s'accoutumer, opina Nérée qui n'en était pas certain pourtant.

Après quelques centaines de pieds, Télesphore arrêta l'attelage et dit à la fillette avec une certaine impatience dans la voix :

–Aurore, viens t'assire avec ta soeur pis arrête de limoner comme ça. C'est pour rien, tu t'en viens, c'est tout.

La fillette marcha à quatre pattes avec un peu de difficulté car ses genoux tiraient sur sa robe à petites fleurs bleues qui lui venait de sa tante Marie-Ange. Elle se réfugia auprès de Marie-Jeanne qui pour calmer ses propres appréhensions lui prit la main un bon bout de chemin, tout le temps que rapetissa la maison à leurs yeux.

Alors la pluie commença. Et le bruit des gouttelettes sur la toile eut sur elles un effet calmant. Aurore se mit à flatter son chien. La douceur de son pelage duveteux l'apaisa aussi...

*

–Dites "bonjour maman", gênez-vous pas ! furent les premiers mots chantés de Marie-Anne Houde à leur endroit.

La femme se donnait quelques mois pour finir d'apprivoiser comme il faut Télesphore et tout le Sainte-Philomène auquel elle avait affaire, la parenté, le voisinage, les notables, les gens de la poste, de la gare, du moulin, des magasins, du presbytère... Les morts de Joseph et de Marie-Anne Caron à quelques mois d'intervalle seulement ne devaient pas exciter les gens contre elle, une étrangère après tout dans la paroisse, et elle sentait le besoin impérieux de montrer patte de velours comme le disait si bien le curé Massé. Quand son image serait bien établie grâce à Marie-Jeanne et Aurore, alors elle mettrait cette maison à sa main de fer... comme le disait si bien aussi le curé...

La visite paroissiale annuelle avait été faite par l'abbé Blanchet tôt au printemps. La prochaine, c'est-à-dire la première de son successeur n'aurait donc lieu que vers avril 1919. Dès l'arrivée du nouveau curé, elle s'était promis de se trouver un prétexte au plus tôt pour lui payer une visite au presbytère. Mais il semblait que le prêtre n'avait pas de temps à perdre puisque son ministère plus ses lectures savantes de même que ses nombreux travaux manuels ne lui laissaient pas une heure à papoter sans utilité avec des fidèles.

C'est au confessionnal que la jeune femme avait pu le mieux se rendre compte de son affinité avec le prêtre. Ses confessions furent donc à leur image : rigoureuses et expéditives. Mais aussi baignées des odeurs mélangées du savon et du parfum de Marie-Anne que le prêtre aurait dénoncées poliment en tant que coquetterie coupable si la femme avait laissé échappé des indices de passion et surtout si moins d'odeurs insupportables de fidèles mal lavés n'avaient eu la détestable coutume d'empester l'étroit réduit. Car l'abbé Massé, tout comme Marie-Anne Houde, était méticuleusement propre de sa personne.

–Sais-tu, mon mari, j'ai changé tous les airs en haut le temps que t'étais parti... C'est pour donner à chaque enfant sa bonne place...

Il ne tombait plus qu'une bruine légère. Debout sur la fonçure, Marie-Jeanne cachait ses craintes en examinant les environs comme si tout lui était nouveau; à son côté, Aurore gardait les yeux à terre. Et pourtant, le coeur lui battait comme un tambour.

Il ne questionna pas et dit à la place :

–Ben, y en a une qui rechigne depuis Leclercville. La gadille au nez : regarde-la...

–Ben non, ben non, bourrasse-la pas... c'est ben naturel voyons !

L'échange fut brusquement interrompu par des aboiements et l'arrivée d'un terrible chien noir aux yeux rouges, et qui apparut depuis l'arrière de la grange, courant pour planter ses crocs roses de rage dans le cou de ce minable intrus jaune et blanc. La bête ne tint aucun compte des ordres de Télesphore qui dut retenir le cheval, et elle s'approcha de la voiture pour japper ses affreuses menaces. Le petit lui répondit dérisoirement. Il se mit sur le bord de la fonçure et jeta sur l'autre des balbutiements pointus qui se noyaient à mesure dans l'éloquence écrasante de son congénère. Le gros tourna, en profitant pour avertir aussi ces enfants inconnus. Le petit suivit. Le gros se tordit. Le petit sauta. Le gros s'éloigna de quelques pieds, s'arrêta, montra les crocs; le petit le suivit, s'arrêta, montra les siens. On se fit face ainsi de plusieurs manières puis la crise se résorba.

Ce qu'avait prévu Nérée se produisait déjà : le petit mettait le grand à sa patte.

La scène, après avoir fait monter la tension très haut un moment, finit par provoquer la bonne humeur. Marie-Anne rit :

—Ha, ha, t'as l'air fou, Télesphore, tout couetté pis cotonné comme un quêteux fatiqué !...

Puis elle s'adressa aux enfants :

—Bon, ben descendez, les filles, je m'en vas aller vous montrer votre chambre.

—Oui madame, dit Marie-Jeanne.

—Ah ! non, dit la femme avec une fermeté aux airs de bienveillance, faut dire maman. Dis : "oui maman".

—Oui maman.

—Et pis toé, Aurore ?

—Oui maman.

Marie-Anne Houde connaissait par coeur l'âme de ces fillettes par les confidences de leur mère. Elle ajouta pour Aurore :

—Mais t'es belle, toé, Aurore, avec tes petites bouclettes dans les cheveux... T'as l'air d'une petite... une petite chérubin... Un chérubin, c'est un ange... Ah ! t'es belle toé itou, Marie-Jeanne, là !... Bon ben venez avec maman ! Vous venez ?

Sécurisée un peu par l'incident du chien, Aurore descendit sans plus se faire prier, suite à Marie-Jeanne.

De fait, la femme n'avait rien changé du tout. Les quatre gars auraient leur chambre comme auparavant dans le grand espace sur lequel donnait l'escalier qui montait en haut tandis que les deux filles retrouveraient leur chambre d'autrefois à l'avant de la maison. Et le vieux banc gris demeurait dans son coin proche de la fenêtre donnant sur le toit de la maison d'été.

Quand leur coffre fut monté, Marie-Anne les aida à sortir et à mettre leur linge sur des accrochoirs. Tout en travaillant, elle leur posait des questions sur leur vie à Leclercville, sur l'école, sur leurs oncles, leurs tantes... Puis elle annonça que la première chose que l'on ferait après souper serait d'aller rendre visite à madame Exilda pour la saluer et lui faire plaisir.

Ensuite, elle fit venir ses garçons et leur dit que désormais, ils ne devraient jamais mettre les pieds dans la chambre des filles. Sinon, elle leur ferait donner une bonne volée par leur père.

–Bon, pis asteur, mélangez-vous pis parlez entre vous autres... pis je veux pas entendre de chicane ! Maman va aller faire à manger. Vous avez compris, là ?

–Oui, maman !

Le ton sec et autoritaire chuta vers la douce fermeté une fois encore et elle reprit :

–Pis vous autres itou, là, hein, les filles ?

–Oui maman !...

–Bon !...

*

Il y avait une résolution ferme chez les commissaires : tous les enfants du rang sept devraient aller à l'école du sept. Marie-Jeanne et Aurore furent déçues de ne pouvoir fréquenter celle du village comme autrefois.

Elles ne mirent pas long à s'habituer. La distance n'était guère plus grande, moins en tout cas qu'entre la maison des Caron et leur école de Leclercville. Et la maîtresse ne battait pas les enfants. Pas un n'avait été mis en pénitence depuis le début de l'année six semaines plus tôt.

«La maîtresse est assez fine !» disait-on dans tous les

345

foyers du rang. Et cette phrase parvint même au presbytère, à des oreilles qui commandèrent à des sourcils de se froncer.

Elmire Barabé avait dix-sept ans. Un bon visage au sourire incertain, le nez pointu et le regard un tantinet bigleux. Et des mains aux doigts interminables, si longs que les enfants dans les premiers jours de classe appréhendaient avec terreur le jour où ils en seraient frappés.

Ce jour-là comme la veille et comme elle le ferait les jours suivants de la semaine, Elmire portait sa plus belle robe en coton noir et blanc à petits carreaux avec épaulettes rouges surjetées et boutonnées, et brassard rouge à chaque poignet pour envelopper la manche longue.

On attendait le curé.

Parfois, quand les enfants travaillaient, elle se rendait dans sa chambre dont la porte se trouvait à deux pas de son bureau et s'enfermait un moment pour se regarder dans le miroir. Pas qu'elle eut été fierpette mais pour replacer sa chevelure qui n'en avait aucun besoin. Ceints d'un ruban rouge serré sur le front et autour duquel tournoyaient sur le dessus des tourbillons, les cheveux s'échappaient, folichons, sous le ruban, sur les oreilles et la nuque.

Elle n'entendit pas arriver un attelage dans la cour, encore moins frapper, car la classe séparait sa chambre du vestibule d'entrée au fond duquel se trouvait la seule porte donnant sur l'extérieur.

On cogna plus fort et par coups saccadés. Les vingt-cinq enfants murmurèrent. On se demandait quoi faire. Personne n'avait reçu l'autorisation de se lever pour aller ouvrir ou bien courir chercher la maîtresse. Sa chambre constituait un lieu interdit.

La porte s'ouvrit, le curé apparut, les enfants se jetèrent en bas de leurs bancs pour se tenir debout. Ceux d'une rangée le long du mur arrière où se trouvait la quatrième année donc Aurore, imitèrent les autres. Car eux ne pouvaient voir le visiteur. Le fond de brouhaha alerta la maîtresse qui, désespérée sortit de sa chambre alors même que le curé se présentait dans le cadre de la porte de la classe, les yeux furibonds en frappant sa soutane pour la dépoussiérer, geste inutile puisque le chemin était transi par l'humidité de l'automne qui s'installait fermement.

Il ratait son entrée triomphale; cela terminerait mal sa visite des écoles qu'il avait faite en trois jours. Les enfants regardaient derrière eux, devant, s'interrogeant... À mains levées, doigt servant de baguette comme celle d'un chef d'orchestre, Elmire obtint l'attention de plusieurs qui entonnèrent une déclamation pratiquée depuis la semaine d'avant et dans laquelle les autres s'embarquèrent aussitôt à leur tour :

«Bonjour monsieur le curé et bienvenue dans notre école. Il nous plaît de vous recevoir ici. Longue vie à notre pasteur bien-aimé.»

Le prêtre promena son regard dur et chargé d'ombre sur la petite assistance, sans rien dire, sans rien ajouter. Il attendait que la maîtresse se sente mal à l'aise, se repente, souffre pour son manque de respect envers le représentant du Seigneur.

Elle attendait qu'il dise quelque chose. Se sentait fondre, caler dans le plancher, le rouge à l'assaut de son visage, le coeur échappé comme un cheval emballé.

Le prêtre serra les mâchoires. Des enfants baissèrent la tête. Aurore regardait la lumière de la fenêtre et ses paupières battaient. Marie-Jeanne lorgnait du côté de la maîtresse qui commençait à refouler ses larmes. Georges se croisa les bras et ramassa ses petits muscles qu'il croyait importants et les dirigea vers lui-même. Roméo mit ses mains derrière son dos et ses doigts engagèrent un duel entre eux tandis que le petit Gérard, enfant de première année et demi-frère d'Aurore comme les deux autres, debout en biais, gardait les mains le long de ses hanches, et seuls ses yeux bougeaient depuis le prêtre dont il ne regardait que la soutane à la maîtresse dont il ne voyait que la robe.

–Voulez-vous rentrer, monsieur le curé ? réussit à dire Elmire en espaçant des pas incertains dans sa direction.

–On dit entrer, pas rentrer puisque je ne suis pas sorti préalablement, reprit l'homme avec hauteur.

–Oui... c'est ça que je voulais dire.

–Non, ce n'est pas ce que vous vouliez dire. Vous ne le saviez pas et vous mentez pour vous protéger devant les enfants. Et ce n'est pas beau.

Il marcha les pieds arrogants dans l'autre allée entre les pupitres et se rendit prendre place à son bureau. Elmire, honteuse de son mensonge découvert, recula à l'arrière. Le curé fit asseoir les enfants. Il sortit un calepin noir de l'intérieur de sa soutane et posa des questions à la maîtresse : son nom, Elmire Barabé, sa paroisse d'origine, Deschaillons, son âge, dix-sept ans. Ce qu'il nota. Puis il demanda la liste des enfants qu'il nomma ensuite un à un en ordonnant que chacun s'identifie à main levée à l'appel de son nom. Mais il ne prit pas de notes.

–Et quels sont ceux qui feront leur communion solennelle cette année ?

Cette fois, il prit les noms. Il y avait parmi eux un garçon de quatrième année.

–Pourquoi lui ? demanda-t-il à la maîtresse.

–Parce que c'est sa dernière année de classe.

Le prêtre esquissa un hochement négatif et dit :

–Vous le savez comment, mademoiselle ?

–C'est lui qui me l'a dit.

–Ce n'est pas ainsi qu'il faut faire. Ce sont ses parents qui doivent vous en informer directement, pas lui.

–Ils savent pas écrire.

L'abbé ne rajouta rien sur la question. Il s'enquit des dernières leçons de catéchisme, de ce que chaque division avait eu à apprendre la semaine précédente, et il entreprit de poser des questions en utilisant le petit livre contenant l'essentiel de la culture populaire.

Ceux de première et de deuxième furent les meilleurs malgré la peur qui les figeait. Les réponses n'étaient pas difficiles à donner et ils les savaient sur le bout de leurs doigts. Mais ceux de troisième commencèrent à trébucher. Même résultat en quatrième, surtout Aurore que l'émotion pétrifiait, gelait des pieds à la tête, désespérait. Il lui parut qu'elle ne savait à peu près rien car il lui posa quatre questions au lieu d'une comme aux autres et rien ne sortit d'elle d'autre que des mots butés et culbutés.

Il fallait chapitrer cette maîtresse et hautement. En faire une bonne titulaire tandis qu'il en était encore temps, sinon il faudrait qu'il la fasse renvoyer l'année d'ensuite.

La visite aux élèves prévue courte le fut davantage. Il les fit s'agenouiller, les bénit et réclama Elmire dehors où il procéda à sa nécessaire réforme.

–Tout d'abord, vous devrez punir sévèrement tous ceux qui n'ont pas pu répondre aux questions...

–Mais...

Il éleva immédiatement la voix qu'il lança comme un fouet à mise :

–Une maîtresse d'école doit tenir sa classe dans sa main comme ça...

Son geste à main ouverte aux tremblements volontaires et aux doigts repliés signifiait la rigidité, l'emprisonnement, la force d'un rocher.

–Ce que vous ne pouvez contrôler, il faut le casser : voilà l'autorité...

–Mais, monsieur le curé, je vous assure que les enfants que vous avez questionnés savaient presque tous toutes leurs réponses. La petite Aurore autant que les autres. Elle sait son catéchisme sur le bout de ses doigts...

–Celle qui s'est enfargée quatre fois sans même être capable de dire un mot en français ?

–Je vous le dis, monsieur le curé, la petite Aurore, elle étudie comme il faut. C'est pas la meilleure de sa classe, mais c'est pas la pire non plus.

–Mademoiselle, vous vous fiez aveuglément à ce que vous disent les enfants et c'est une erreur de votre part, une grave erreur. Vous êtes très jeune. Il ne faut pas faire montre de faiblesse et de sentimentalisme devant eux. Vous me semblez les choyer plus qu'il ne le faut, beaucoup plus qu'il ne le faut, au point de vous enfermer dans votre chambre en pleine période de classe.

–C'était pour...

–Je ne vous pose pas de questions personnelles. Je sais que c'est votre première année dans une école et vous devez savoir qu'il faut exiger trois fois plus que ce que les élèves peuvent donner pour obtenir le minimum raisonnable. Leurs parents sont pour la plupart des ignorants, souvent analphabètes. Ils les rappellent à la maison dès la troisième ou la quatrième année, surtout leurs garçons; au moins que leurs enfants aient en tête un certain bagage quand ils s'en vont ! Et la seule manière, c'est la forte.

Le prêtre monta dans sa voiture et ajouta :

–C'est à cette condition que vous pourrez poursuivre votre travail parmi nous à Sainte-Philomène, être considérée et réussir. Votre bien le veut ainsi, celui des enfants, celui des parents, celui de la paroisse. Dieu vous bénira.

–Oui, monsieur le curé.

–Bonne journée, mademoiselle Barabé.

–Bonne journée, monsieur le curé.

Elle rentra en même temps qu'il quittait la cour.

Dans le vestibule, elle réfléchit un moment puis elle parut dans l'embrasure de la porte de la classe au grand soulagement des enfants.

–Pour chaque réponse manquée, vous allez la copier dix fois dans votre cahier de devoir, annonça-t-elle en marchant vers son bureau d'un pas résolu.

Aurore ne comprit pas sur le moment même qu'elle devrait copier quarante réponses de catéchisme soit quatre fois plus que plusieurs, deux fois plus que les plus punis. Et puis ce fut un étonnement général quand la porte du vestibule se rouvrit brusquement et que le prêtre reparut. Il fit venir Elmire et lui remit vingt-cinq médailles de la Vierge Marie qu'il avait oublié de lui remettre durant sa visite.

Elle remercia dans la soumission. Il repartit pressé.

–Ah ! je vous dis qu'il est généreux, monsieur le curé. Regardez, il vous a donné à chacun une belle médaille même si vous n'avez pas bien répondu aux questions de catéchisme... Vous êtes d'accord ?

Un oui général plana sur la pièce et fut accompagné d'acquiescements de la tête et de regards admiratifs que l'on s'échangeait mais que chacun savait s'adresser au prêtre parti.

*

Le curé mit son cheval, une jument rouge, au trot. Il tira sur la chaîne de sa montre, ouvrit d'une seule main le couvercle doré à fioritures actionné par un ressort. Il lui restait de bonnes heures avant la brune. Il résolut de marcher une seconde fois la terre de la fabrique afin de mieux en planifier l'aménagement, les rotations de culture. Et il verrait Arthur aux labours.

L'air était frais et le jeune prêtre s'en gorgeait les poumons par de longues inspirations. La nature offrait ses plus belles splendeurs de l'année. Haut dans le ciel passait un vol d'oiseaux. Des canards bien alignés sur leur éclaireur. Ce spectacle de la discipline chez les animaux l'émerveillait toujours. Une seule paire d'ailes n'avait pas le pas. Un boiteux sans doute. Il finirait par se poser. Par se reposer. Et les autres poursuivraient sans lui. Les processus de la sélection naturelle le fascinaient. Il fallait l'accepter comme le créateur l'avait voulu, même chez les humains tout en respectant la vie. Au fond de ses pensées, l'une, très marquante, suggérait que l'homme ne cesse jamais ses activités et qu'il meure le marteau à la main. Et faute de forces physiques à cause de la maladie ou d'une quelconque invalidité, il avait le devoir de garder actives ses forces intellectuelles en lisant, en écrivant, en réfléchissant, cn priant non de manière répétitive mais constructive et créative... Mais comment demander cela à des pauvres cultivateurs le plus souvent illettrés ?

Son oeil guettait la formation ailée tandis qu'un autre, dans une fenêtre de maison, surveillait son approche. Le moment venu, Marie-Anne sortit et courut au chemin.

Dès qu'il l'aperçut, c'est le parfum de cette dame qui lui vint à la mémoire du nez. Qu'elle ne le retarde pas trop sinon...

–Bonjour monsieur le curé, dit-elle de sa voix la plus soprano avant même que le cheval ne se soit immobilisé.

–Bonjour madame !

–Vous allez peut-être trouver que j'ai du toupet, mais je vous arrête pour vous inviter à prendre une tasse de thé... avec un petit morceau de tarte. Ça vous reposerait peut-être enterci le presbytère. Je sais que vous avez ben de l'ouvrage pis je veux pas vous achaler avec ça. C'est juste une politesse que je voulais vous faire; y a personne de malade icitte pis...-elle rit un brin- on paye notre dîme à temps...

Tout cela plaisait au curé. Ce cran de la femme, sa bienveillance, son respect de l'ouvrage, sa discipline quant au paiement de la dîme... Ni gourmand ni gourmet, il ne dédaignait pas le thé ni les tartes non plus.

–Et pourquoi pas ? jeta-t-il sans chaleur tout en descendant de voiture.

–Vous pouvez attacher votre cheval drette-là au piquet de clôture : comme ça vous aurez rien qu'à sauter dans votre voiture en sortant...

Il suivit le conseil d'abord puis la femme qui ne cessait de montrer son bonheur et son honneur :

–Ah ! vous me flattez d'accepter d'entrer chez nous en dehors d'une visite paroissiale ou d'un cas grave. Ça serait sir Laurier ou sir Gouin que je m'en ferais pas une plus grande gloire. J'ai deux sortes de tartes... Aux framboises pis à la citrouille... Pour tout vous dire, j'ai un beau grand morceau de chacune qui chauffe déjà dans le fourneau. Pis mon thé, ben, il est frais pis fort... Mais si vous l'aimez pas trop trop fort, on le réduira...

Les deux chiens émergèrent de nulle part et vinrent débiter au curé leurs litanies de menaces comme si chacun eût été un anticlérical convaincu. Il les approcha à travers les mots de Marie-Anne et parvint à flatter sans passion la tête du plus grand.

–Celui-là, c'est le nôtre : il est pas vicieux. Mais le petit à Aurore, on sait pas trop...

Ce fut moins des odeurs de cuisine que de celle de la femme dont le prêtre fut embaumé en entrant. Tout respirait la propreté dans cette maison. Le plancher de bois frais lavé au savon du pays possédait une belle couleur dorée. Des petits rideaux riaient aux fenêtres. Aucune traînerie nulle part. Un ordre de presbytère. Quel cas exceptionnel en campagne où l'intérieur des maisons était le plus souvent sens dessus dessous !

La chaise était déjà tirée. Elle la montra.

–Vous voyez : même la chaise vous dit bienvenue.

Il prit place, dit, la voix retenue et nasillarde :

–Vous m'excuserez, mais je ne sais pas votre nom. À chaque pénitente, je l'ai fait dire au confessionnal et je me souviens fort bien de vous, mais, vous comprenez...

–Ben c'est ben déjà assez que vous vous rappelez de m'avoir confessée. C'est la marque d'une rôdeuse de belle mémoire, je vous dis !

Et en versant le thé dans une tasse de fantaisie à motifs d'or qui attendait déjà au bout du poêle, elle reprit :

—C'est madame Gagnon, Télesphore Gagnon. Vous avez dû voir de nos enfants tantôt à l'école. Quand je dis nos enfants, je veux dire mes trois à moé pis les deux à Télesphore étant donné que je suis, si vous voulez, une jeune mariée pis que lui pis moé, on était dans le veuvage tous les deux. Mon mari, de ce temps-là, il travaille au moulin Laquerre. C'est un ben gros travaillant, vous savez.

Il l'interrompit en recevant la tasse qu'elle posa devant lui :

—Les enfants, quels sont les prénoms ?

—Ah ! eux autres ? Ben y a Georges, mon plus vieux. Pis Roméo, le suivant. Pis le petit Gérard qui fait sa première année. Les deux filles à mon mari s'appellent Marie-Jeanne pis Aurore...

—Aurore ?

—Oui, c'est la deuxième.

Le curé voulut boire, mais le liquide était trop chaud. Marie-Anne lui parla encore de tartes, l'invitant à choisir la sorte qu'il préférait.

Il leva une main de commandement.

—Attendez un moment... Le thé est un peu bouillant...

—La tarte itou !

Il sourit au son de la phrase elliptique. Marie-Anne se rappela que c'était sur le même sujet et avec des mots très voisins qu'elle avait jeté le pont du rire entre elle et la défunte Marie-Anne Caron.

—Dans ce cas, je prendrai à la citrouille.

—Ah ! là, vous me faites plaisir ! À Sainte-Sophie, -c'est de là que je viens- elle avait une ben bonne réputation.

—Qui elle ?

—Ma tarte à la citrouille.

—Ah bon !

Le prêtre se rendit compte qu'il se rapprochait trop et trop vite de cette paroissienne. Il voulut rétablir une certaine hauteur.

—Je dois vous dire, hélas ! que votre fille Aurore fut la

plus mauvaise en catéchisme à l'école tout à l'heure.

–Ah ! ça, monsieur le curé, c'est pas de notre faute, vous savez. Elle vient juste de revenir de Leclercville où c'est qu'elle restait...

-Leclercville nous donne pourtant l'un des plus grands députés du Québec...

–Monsieur Francoeur, c'est sûr ! Mais je voulais dire que les filles à Télesphore sont allées deux ans à l'école de rang à Leclercville pis elles restaient avec leurs grands-parents... Vous savez ce que c'est que ça fait avec les enfants, les grands-parents ?...

–Cela confirme bien ce que j'ai pensé à son sujet, à savoir qu'elle connaît peu son petit catéchisme. J'espère que vous allez remédier à cela, madame Gagnon.

–Ça, c'est certain, monsieur le curé : comptez sur moé !

Elle prit des poignées de protection pendues à celle du fourneau qu'elle ouvrit et sortit les deux parties de tarte qu'elle posa sur le bout du poêle près de la théière jaune à long bec.

–Jeune mariée, cela veut dire combien de temps ?

–Au mois de février.

–Et... votre veuvage a duré longtemps ?

–Moé ? Deux ans.

–C'est raisonnable. Et celui de monsieur Gagnon ?

–Ben... Ayoye ! suis en train de me brûler les doigts. je vous dis qu'elle est chaude. Quen... Je vous glisse tout le morceau dans votre assiette, mais si c'est trop, vous aurez rien qu'à laisser un reste.

Et elle vint poser l'assiette derrière la tasse de thé.

–Merci, madame ! L'odeur est exquise !

–Ah ! j'en reviens pas de ce que vous êtes instruit, vous ! On a vu ça tusuite, mon mari pis moé, à votre premier sermon. Ah ! je vous aurais écouté toute la journée tellement c'était beau de vous entendre.

Le prêtre leva un doigt mais il ne put réprimer un sourire de haute satisfaction, et il voulut réparer en laissant libre cours à son humilité :

–Ma bonne dame, je sais vous parler d'Aristote et de saint Thomas, mais je ne saurais jamais confectionner une si fameuse tarte à la citrouille. Car le parfum qu'elle exhale est presque... divin.

—Ah ! exagérez pas, là, vous !

—Je dis vrai.

—C'est trop de flatterie ! Ça prend pas beaucoup de jarnigoine pour faire des bonnes tartes.

Il prit sa fourchette et se tailla un morceau en disant doctement :

—Madame, l'art de faire est un don du ciel qu'il ne faut pas mépriser, car il est essentiel à la vie.

—L'art de faire quoi ?

—L'art de faire... simplement.

—Ah !

Marie-Anne se versa du thé à son tour et s'attabla.

—Vous ne m'accompagnez pas avec une pointe de tarte ? fit le prêtre tandis qu'il commençait lui-même à manger.

—Si vous voulez.

—Vous êtes chez vous.

—Quand le prêtre est sous notre toit, je considère que la maison devient comme une église.

La bouche trop occupée par la citrouille fondante, il ne dit mot.

—Après tout là, vous êtes porteur de cinq des sept sacrements. Vous pouvez confesser, donner la communion, administrer les derniers sacrements, bénir les mariages et baptiser les enfants... Et comme dit mon mari, peut-être que dans pas trop d'années votre mérite éclatera à la face du bon Dieu pis que, devenu évêque, vous serez porteur des sept sacrements.

—Là, c'est vous qui me flattez.

—Je vous dis en face ce qu'on s'est dit entre nous autres, rien de plus.

—En attendant, il y a beaucoup à faire dans cette paroisse.

—C'est pas l'ouvrage qui vous fait peur pis vous pouvez pas tout faire tout seul.

—J'ai nombre de projets, vous savez, dit-il entre deux gorgées de thé aspiré. Pour les jeunes, un Club de baseball. Une patinoire. Je dis bien "une" car le mot est féminin. Pour les cultivateurs, la création d'un champ de démonstration agricole devant l'église. Et je veux que mon frère Arthur fasse de la terre de la fabrique l'une des plus productives de tout Lotbinière. Au besoin, j'y mettrai la main. Il y a beaucoup à faire, épierrer, essoucher, effardocher...

—Arrangez-vous pas pour y laisser votre santé, là, vous ?

—Un prêtre ne s'appartient pas, madame, dit-il froidement, il appartient à Dieu d'abord, à son ministère auprès des fidèles ensuite.

Marie-Anne questionnait le visage du prêtre et la disparition graduelle du morceau de tarte mais lui ne l'envisageait pas. Elle se rendit compte qu'elle avait omis de mettre une serviette de table à sa disposition et courut en chercher une dans sa chambre. Elle put la lui donner en mains propres puisqu'il achevait justement sa collation.

—Madame, votre cuisine est très caractéristique.

Elle le prit déjà pour un compliment.

—Vous pensez ?

—Je veux dire que son goût est hors du commun. Plus fin, je dirais, que ce que l'on appelle la cuisine d'habitant, pardonnez-moi l'expression un peu péjorative...

—Ah ! je comprends, je comprends, fit-elle en s'asseyant.

—Faites-moi aussi goûter à votre tarte aux framboises si vous m'accompagnez, cette fois.

—Volontiers ! Ah, volontiers, monsieur le curé !

Pendant qu'elle s'empressait à les servir, il redemanda :

—Il me semble que vous ne m'avez pas répondu quant à la longueur du veuvage de votre mari.

—Ah ! nous autres, c'est un cas spécial, vous savez...

Elle traça les grandes lignes des événements depuis son mariage avec Napoléon Gagnon, ce qui l'avait conduite chez Télesphore et comment l'abbé Blanchet les avait en quelque sorte jetés dans les bras du mariage, ainsi que le retour des enfants.

—Tout est bien ! stipula le curé.

Ayant fini de boire et manger, il se recula sur sa chaise et croisa les bras.

—Il est possible, madame Gagnon, qu'il nous faille interrompre l'année scolaire des enfants. Un nuage terrible se dessine à l'horizon. Qu'on le veuille ou pas, il est là et dès qu'il commencera à nous affecter, ici, à Sainte-Philomène, toutes les écoles fermeront indéfiniment. Vous avez cinq enfants, il vous faudra veiller à les faire étudier chaque jour sans relâche. Leur catéchisme surtout; et quand on pense au retard de vos filles en la matière...

—Je veux ben vous obéir en tout', monsieur le curé, mais vous me pardonnerez de vous dire que je sais pas c'est que vous voulez trop dire avec un nuage...

—Ah ! il s'agit de la grippe...fit le prêtre songeur.

—La grippe espagnole ramenée par les soldats ?

—Hélas ! oui. Il y a déjà plusieurs cas tout près d'ici, à Princeville, Plessisville et Victoriaville...

—Espérons que monsieur Laurier...

—Monsieur Laurier est très malade, ai-je su de monseigneur l'évêque. Mais pas de la grippe... De plus, il se trouve à Ottawa et non à Arthabaska.

—C'est un soldat qui a ramené la mort icitte itou, vous savez. Le beau-frère à Télesphore... Ah ! mais vous savez, il reste pas de microbes dans la maison...

—Madame, un prêtre, tout comme un médecin, est souvent en contact avec la tuberculose, et, avec l'aide de Dieu et surtout de la Vierge, il s'en défend bien.

—Eh ! que j'admire donc ça, moé, votre dévotion envers la Sainte Vierge !

—Mais la grippe espagnole, elle est souvent mortelle en quelques jours, dit l'abbé sur un ton dubitatif comme s'il s'était parlé à lui-même.

—Le monde, ça meurt comme des mouches, que nous disait justement monsieur Mailhot ces jours-citte. Comme vous, il suit ça sur le journal...

La conversation fut si longue que les enfants eurent le temps de revenir de l'école avant que le curé ne reparte. Les deux garçons les plus vieux couraient plus vite et arrivaient toujours longtemps avant les fillettes et Gérard qu'elles devaient garder avec elles tout le long du trajet. L'un d'eux aperçut le prêtre par la fenêtre : ils n'osèrent entrer. Même que Georges courut au-devant de ses soeurs pour leur annoncer la nouvelle. Aurore se mit à trembler. Tous les enfants de l'école savaient maintenant qu'elle avait été la plus mauvaise en catéchisme et qu'elle avait fait honte à la maîtresse. Certains lui avaient crié des noms à la sortie de la classe. «La cruche !» «Tu vas avoir la médaille de la queue, Aurore Gagnon !»

Quand ils entendirent les voix enfantines, le prêtre et son hôtesse réalisèrent l'heure.

—Je dois cesser de discutailler, dit-il en consultant sa montre. Moi qui devais marcher la terre de la fabrique. Qu'importe !

—Ben, je vous demanderais votre bénédiction avant de partir, si vous voulez. Pis quen, je vas faire rentrer les enfants...

Dehors, Aurore manquait. La femme s'enquit d'elle, cria. Le curé répéta haut qu'il devait partir. La femme rentra, s'agenouilla...

La fillette avait trouvé refuge sous le gangway de la grange où son chien l'avait rejointe. Elle y resta jusqu'après le départ du prêtre de la maison.

—Ma petite bonyenne, t'es mieux de te dépêcher pour aller copier ton catéchisme, hein ! lui dit sa belle-mère, mais en se retenant de trop lui en dire.

Une lueur malicieuse au fond des yeux, elle la regarda monter avec sa honte, son coeur gros, sa peur et son sac pour passer des heures à copier son catéchisme et à user son cahier et son crayon.

On ne voudrait pas lui procurer un cahier neuf plus tard; elle n'aurait alors plus rien pour faire ses devoirs; on lui infligerait d'autres punitions pour ça; sa misère commençait à l'encercler grâce aux grandes et incomparables qualités d'un curé respecté, rigoureux, savant et travaillant, lui-même appelé par un curieux destin.

Passé la voie ferrée, sur le chemin de travers qui reliait le rang 7 au village, le curé fit arrêter son cheval. Cet immense champ de broussailles qui s'étendait là et qui empiétait sur la terre de la fabrique lui déplaisait au plus haut point. Il lui vint en tête un nouveau projet...

Au retour de Télesphore, à table tandis que la fillette travaillait toujours dans sa chambre, les autres s'empressèrent de vider leur sac. L'homme questionna sa femme. Elle confirma leurs dires puis raconta la visite du prêtre. Télesphore sortit, se rendit dans la shed, y prit une sangle et revint à l'intérieur.

–La petite limoneuse, elle a besoin d'une correction. Faire honte à sa maîtresse pis à tout nous autres comme ça !

Il s'engagea dans l'escalier avec un visage qui terrifiait les enfants.

–Attends un peu ! dit Marie-Anne à voix ferme en se levant de table pour s'approcher de lui.

–Attendre quoi ?

–Que je te dise c'est que j'en pense.

–C'est que t'en penses ?

–Que tu devrais pas la fesser.

–Depuis quand que t'es de contre les corrections ?

–Elle l'a, sa punition. Elle a de la copie pour la veillée. Elle a honte d'elle. Pis elle soupera pas.

Il gravit deux autres marches. Elle reprit :

–Pourquoi c'est faire que tu me laisses pas juger quand c'est le temps de corriger les enfants. C'est moé qui sais ce qu'ils font quand t'es pas là. Crains pas, quand ça sera le temps, je vas te le dire. Mais là, c'est pas le temps.

Il hésita encore.

–M'semble qu'on s'était entendus, toé pis moé, que tu sévirais dans le cas de tes enfants pis que je sévirais dans le cas des miens ?...

Elle questionna, défiante :

–Je serais-t-il ta femme ou ben la femme du troisième voisin ? Tu te fies à moé ou ben tu te fies pas à moé ?

Il rebroussa chemin et retourna jeter dehors la bande de cuir.

Quand il fut de nouveau à table, la voix de Marie-Anne Houde fut tout aussi coulante que le noeud qu'elle venait de tresser au cou de son mari :

–Tu veux de la tarte aux framboises ou ben de la tarte à

la citrouille ? Un homme qui travaille dur comme toé, il faut que ça mange comme il faut...

*

Une semaine plus tard, Marie-Anne fut à même de constater avec certitude qu'elle était enceinte et porterait donc tout l'hiver et jusqu'au mois de juin.

******

Chapitre 21

«T'es possédée du diable, Aurore Gagnon !»

«La petite cruche, elle sait même pas jouer; laissez-la faire tuseule !»

La fillette entendit cela à plusieurs reprises dans les semaines suivantes. Et parfois de la bouche de ses propres frères. Quand la vie est dure, les plus forts cherchent toujours des êtres plus faibles sur lesquels marcher pour s'élever. Telle est la nature humaine animale !

Marie-Anne Houde surtout était à l'origine de ces "slogans" qu'elle répétait devant ses enfants mais lançait comme en ayant l'air de ne pas y réfléchir trop, jamais à plus d'un à la fois et en recommandant de ne pas le redire, surtout pas à Aurore.

Pourtant, malgré ses rages subites et son cauchemar, lesquels s'emparaient si souvent d'elle quand elle se retrouvait enceinte, la femme ne corrigea pas une seule fois Aurore jusqu'à la fin de l'année.

Tous ses efforts consistaient à isoler l'enfant, à torturer son âme et à l'abattre. En la faisant mépriser. Ridiculiser. En faisant naître tout autour, sans en avoir l'air, l'idée que la fillette était mauvaise, rejetée par le curé, par la maîtresse, par les autres. D'autre part, elle prouvait à tous et chaque fois que l'occasion se présentait ainsi qu'en des occasions montées par elle, que sa main était douce envers les enfants de Télesphore. La voisine Exilda surtout semblait la redouter. Et son beau-frère et sa femme qui, par bonheur pour elle, ne venaient plus souvent depuis qu'Anthime, elle le savait, avait déconseillé à Télesphore de la marier.

*

–Toé pis moé, on va s'en aller. Avec maman pis mon oncle Tit-Charles... Pis on va être heureux. Ils sont au paradis, eux autres. Ils vont nous rouvrir la porte, tu vas voir, tu vas voir... Le diable, il viendra pas nous prendre, il viendra jamais nous prendre...

Aurore parlait à son chien, assise au bout de la maison. Sur sa voix, le train gémit trois fois. Elle le vit là-bas, empanaché de sa longue traînée de vapeur molle. Il s'en allait à Villeroy. Il emportait les voyageurs. Elle désirait qu'il l'emporte, elle et son "pitou" sans nom...

On était le quatorze novembre 1918, trois jours après la fin officielle de la première guerre mondiale. Les écoles restaient ouvertes malgré plusieurs cas de grippe espagnole. Seuls les enfants d'une famille atteinte avaient obligation de rester chez eux. Mais Fortierville n'était pas encore au pire de l'épidémie qui atteindrait son point maximal dix jours plus tard.

Craignant au plus haut point d'être lui-même atteint à force de côtoyer le mal, -car la santé morale de ses ouailles dépendait, répétait-il, de sa propre santé physique- le curé Massé se plaignit douloureusement au cardinal Bégin de l'ampleur -véritable- de sa tâche et réclama une aide qui lui fut consentie en la personne de l'abbé Wilfrid Ferland, professeur au séminaire de Québec.

Et la fermeture des écoles fut décidée par les commissaires sur avis des prêtres, eux-mêmes conseillés par le docteur Lafond. Le lendemain serait le dernier jour de classe avant le mois de janvier.

Les effets de la mise en quarantaine d'Aurore se faisaient sentir même sur Marie-Jeanne qui, forte et bien jambée, courait avec les gars, laissant loin derrière, sa soeur et le petit Gérard. Ce matin-là, Aurore dut chasser son chien qui la suivait pas à pas plus que de coutume. Elle n'y parvint qu'aux approches du deuxième voisin, Adjutor Gagnon où un autre chien, mais très hargneux, paraissait, contrairement au grand noir de la maison, effrayer celui d'Aurore.

Depuis plusieurs jours, Exilda observait l'enfant qui lui paraissait si blanche, si pâle dans sa marche égale, la tête toujours basse, pliée par la honte et l'ostracisme. Sa nullité en catéchisme décuplée par les apparences avait été colportée dans tout le rang. Mais la femme soupçonnait plus et elle s'en était vidée à sa voisine, la femme d'Adjutor, qui se mit aussi à la surveillance. On croyait qu'Aurore était peu alimentée. Il fallait voir ce que contenait sa petite chaudière.

–Aurore, Aurore, viens icitte un peu !

Grande, mince, les cheveux tordus derrière la tête, la femme qui avait vu venir la fillette, était sortie et, cachée par la galerie, avait attendu son passage. Elle s'approcha avec une belle grosse pomme rouge que l'enfant ne vit pas sur le moment. Aurore demeura sur place, gelée, figée, craignant de se faire traiter de possédée.

–Veux-tu une belle pomme à madame Gagnon ?

–Heu...

–Je te la donne... Viens que je la mette dans ta chaudière.

–Ben... j'en ai une...

–Ben... ça t'en fera deusse...

Docile, l'enfant fut quelques pas et tendit sa chaudière que la femme ouvrit. Elle en examina le contenu. Il y avait deux belles tranches de pain beurrées et collées ensemble et deux oeufs cuits à la coque de même qu'une pomme aussi belle que la sienne. Il s'agissait donc d'un repas normal voire copieux.

–Ton petit frère, c'est qu'il a, lui ? demanda la femme en déposant la pomme qui eut à peine sa place.

–Il a rien qu'un oeuf parce qu'il mange moins, lui.

–Pis Marie-Jeanne ?

–Comme moé, fit Aurore à la fois étonnée et soulagée.

–Ah ! Bon, ben, dis-le pas à personne, hein, que je t'ai donné une pomme.

–Non, madame !

–Continue ton chemin pis bonne journée, là !

Les deux voisines durent donc se taire de crainte de passer pour les pires bavasseuses de la paroisse.

La journée d'Aurore fut moins dure que les précédentes. La maîtresse lui sourit comme aux autres. Et cette période de congé imprévue fit naître en elle une grande espérance : elle ne s'amuserait pas une seule fois et passerait tout son temps à étudier son catéchisme. Et au mois de janvier, elle saurait toutes les réponses, même celles de cinquième année.

L'être bafoué et seul, quand il trouve une brindille d'espoir à ses pieds, voudrait l'exhiber devant l'humanité tout entière tant son dérisoire trésor lui apparaît précieux. Mais Aurore n'avait personne à qui le dire, pas même à Marie-Jeanne qui ne l'écouterait pas et courrait jouer avec les gars.

Sur le chemin du retour, toute sa pensée alternait entre des réponses de catéchisme et l'aveu de son projet merveilleux qu'elle ferait à son "pitou" en arrivant à la maison...

À leur arrivée, les garçons de Marie-Anne furent envoyés là-haut. Puis Marie-Jeanne qui, comme eux, devrait rester dans sa chambre tant qu'on ne lui donnerait pas la permission d'en sortir. Et la femme resta à la fenêtre à guetter la progression d'Aurore et de Gérard vers la maison.

Dès après les Lemay, la fillette se mit à appeler son chien.

–Pitou, pitou, pitou...

Gérard riait à chaque fois à cause de la répétition qui sonnait drôle et parce qu'il avait bien aussi hâte qu'elle d'apercevoir le petit chien courir à leur rencontre comme tous les soirs en se tordant de bonheur et en reniflant partout.

Le grand noir répondit mais il resta loin, n'espaçant que des hésitations à donner suite à une voix qu'il savait par l'habitude ne pas l'appeler, lui. Mais pas de petit chien au museau blanc et aux oreilles à longs poils jaunes.

Quand les deux enfants furent dans la cour, la mère sortit. Elle dit à Gérard d'entrer, prit les choses d'Aurore et les mit dans l'escalier puis entraîna la fillette par la main vers l'arrière de la grange. Sans rien dire.

–Où c'est qu'on va, maman ?

–Tu vas le voir.

–Où c'est qu'il est, mon chien ?

–Tu vas le voir.

–Mais...

–Pis regarde où c'est que tu marches, dit la femme qui voulait que l'enfant garde la tête basse.

–Oui, maman !

Elles s'approchèrent du tas de fumier. Marie-Anne s'arrêta et parla à la fillette qui la regardait :

–Bon, ben, asteur, tu vas le voir, où c'est qu'il est ton chien : regarde... là, sur le tas de fumier.

Le coeur de l'enfant fit un bond terrible, mais il n'était encore que dans un inconnu menaçant puisque la couleur du tas et celles du chien mort se confondaient encore à ses yeux.

–Où c'est qu'il est ?

–Là, indiqua la femme en désignant un point assez élevé du tas.

–Pourquoi ? Quoi c'est qu'il fait là ? Il est malade ?

–Il est plus malade, il est mort. Tu le reverras plus jamais, il est mort ben raide... Défuntisé, le chien chien...

Et la femme guettait les réactions sur le visage déjà éperdu.

Le chien gisait, la tête plus basse que le corps, les yeux vitreux et fixes, la bouche restée ouverte avec les dents de la mâchoire inférieure sorties et une écume blanche et verte sur les babines et le nez...

Aurore rejeta ses épaules en avant, les mains accrochées l'une à l'autre sur son ventre et se tordant affreusement, un barrage immense céda dans son âme et son visage devint une pauvre grimace. Des larmes gémissantes embrouillèrent sa vue...

Marie-Anne parla mais sans être capable de rage; un tourbillon de plaisir à l'épigastre l'en empêchait.

–Bon, ben c'est de ta faute, là. Il a eu une attaque de grippe espagnole. Si t'avais su ton catéchisme pis si t'avais prié comme du monde, il serait pas mort... Pis c'est peut-être ben le diable qui est venu le chercher...

Aurore fit des pas en avant...

–Ah ! non, non, non, Aurore, je te fais ben défense d'aller le toucher. D'abord, tu vas tout de salir pis ensuite, tu vas attraper la maladie... Voudrais-tu mourir toé itou de la grippe espagnole ?

Aurore fit signe que oui sans que ses plaintes lourdes et ses larmes intarissables ne s'arrêtent un seul instant.

–Si tu vas y toucher, je vas le dire à ton père pis à monsieur le curé pis à ta maîtresse d'école. Pis tu vas rester tuseule parce que... on voudra pas pogner la grippe à cause de toé, là, hein !

Les pleurs se poursuivaient. La femme frappa encore avec des mots choisis pour les alimenter :

–T'auras rien qu'à flatter le gros chien. Il est ben plus fin que lui était. Pis maman, elle te corrige pas, hein, ben si tu veux pas qu'elle te fasse corriger par ton père, t'es ben mieux de pas y toucher...

–Pourquoi qu'il est mort ?

–Arrête de grimacer pis parle comme du monde.

–Pourquoi c'est faire qu'il est mort ?

–Je te l'ai dit : la grippe espagnole. C'est pour ça que l'école est finie. C'est une épidémie... Une contagion. Sais-tu ce que c'est, une contagion ? Ton oncle Tit-Charles, il en a ramené une, une contagion icitte, pis il a fait mourir ta mère, tu devrais le savoir, c'est quoi, une contagion.

L'enfant ne fit plus que de "siler" des douleurs, la gorge écrasée, la poitrine dans un étau. Elle pleurait bien plus que son chien mais aussi son isolement.

–Bon, ben va t'en avec Marie-Jeanne asteur, là pis apprends ton catéchisme comme du monde.

Aurore partit devant.

Sa belle-mère se rendit à la crémerie. Elle cacha haut derrière des pots de compote une boîte de vert de Paris dont elle s'était servi pour empoisonner l'animal. En premier lieu, le samedi précédent, après le passage du marchand de viande, elle avait préparé des boulettes qu'elle avait mises au frais. Et la veille, après avoir affamé le chien pendant vingt-quatre heures, elle lui en avait servi plusieurs, bourrées de poison, assez pour tuer un grand carnassier.

Aurore prit ses affaires dans l'escalier et monta dans sa chambre.

–Pourquoi c'est que tu brailles de même ? lui demanda

sa soeur qui, à leur table commune, commençait les longs devoirs que la maîtresse leur avait demandé de faire durant leurs vacances prolongées.

–Pitou... il est mort...

–Comment ça ?

–Sais pas... la grippe...

–Ben oui, mais c'est rien qu'un chien.

–C'était mon chien.

Au loin, le train siffla. L'attention de la fillette s'évada, ses larmes cessèrent; elle s'agenouilla à la fenêtre et y resta longtemps sans bouger, sans dire, sans pleurer, sans rien...

******

École fréquentée par Aurore

Chapitre 22

Le 10 janvier 1919.

Assouvi pour un temps, le bras de cette femme aux folies furieuses intermittentes ne s'exerça guère durant les vacances des enfants, les fêtes de fin d'année et jusqu'à leur retour à l'école. Les claques sur la margoulette furent réservées à Georges et Roméo qui, depuis le temps, avaient la couenne épaisse.

Chacun pendit son bas à une chaise au jour de l'an et reçut ses bonbons clairs et son orange. Les filles reçurent même des mitaines neuves. Néanmoins, la mise au ban d'Aurore se poursuivit, mais elle demeurait verbale et les enfants la maintenaient en sachant que cela faisait plaisir à la mère. Réaction malsaine mais naturelle du faible envers l'autre plus faible devant le fort !

Pour se défendre et tâcher de se refaire une petite place dans la maison, Aurore se montra d'une politesse parfaite, elle exécuta méticuleusement les tâches les plus grosses comme celle de laver le plancher à la brosse et elle étudia avec application, osant même demander à sa mère de lui demander ses questions de catéchisme, ce que l'autre refusa avec dédain.

La femme leur fit annoncer à tous qu'elles avaient reçu un cadeau spécial. Elles montrèrent leurs mitaines à la voisine, à leurs cousines du village, et la femme de Borromée Brisson les vit aussi puisque Marie-Anne les avait achetées toutes faites à sa boutique de lingerie, tricotées par une veuve du village qui survivait de peine et de misère.

Télesphore et Marie-Anne venaient de se coucher. Il faisait une grande noirceur dans la chambre après que la lampe fut éteinte. Même après si peu de temps au lit et alors qu'elle était loin de s'endormir, la femme voyait défiler devant ses yeux blessés par les lumières insupportables de son imagination des images éparses et denses de son épouvantable cauchemar...

—Pourquoi c'est faire que tu te refuses à ton mari pis à ton devoir ? dit-il après avoir tenté en vain de relever sa jaquette.

—Parce que j'sus pus capab' de vivre icitte, moé.

—Voyons donc, maudit torrieu !

—Ça fait des mois que j'endure pis là, c'est le boutte.

—Le bout' de quoi ?

—Ahhhhhhh !...

—Veux-tu ben me dire de quoi c'est qui a ?

—Tes poisonnes d'enfant, c'est pas vivable avec ça dans une maison.

—Je le sais pas trop ce qui se passe icitte dans, moé. Pas souvent là...

—Il se passe que ces petites démones-là, sont toutes déformées, tout croches d'avoir passé deux ans avec leurs grands-parents. Sont salopes, sont menteuses, savent rien à l'école...

—J'ai voulu corriger Aurore l'autre fois pis t'as dit non gros comme mon bras.

—Ben asteur, le temps est arrivé. Tu vas corriger Aurore, surtout elle. Pis pas rien qu'elle par exemple. Les miens itou. C'est une correction générale que ça leur prend. Pareil comme une confession générale à sacristie. Comme quand ta mère est morte. Elle est sortie après sa confession pis elle est montée drette au ciel. Faut leur nettoyer le caractère, ces enfants-là... parce que moé, j'en peux pus.

—Pourquoi c'est faire que tu commences pas par les corriger à mesure pour ce qu'ils font ?

—Je l'ai toujours fait avec les miens parce que le Poléon, il voulait pas leur toucher; mais je veux pas que ça soye de même icitte. Y a d'autres enfants qui s'en viennent, j'en ai un dans le ventre, tu le sais. Ça fait que comporte-toé comme un père doit se comporter.

—De quoi c'est que tu veux que je fasse ?

—Je veux que demain au soir, tu leur passes le fouet à tous les cinq. Georges, Roméo, Gérard, Marie-Jeanne pis surtout Aurore, la petite cruche.

—Peut-être qu'au lieu de leur donner une grosse volée de temps en temps, ça serait mieux, comme je te le disais, de les corriger un peu à mesure ?...

—Un empêche pas l'autre.

Deux phrases de répétition suivirent en même temps que Marie-Anne relevait sa jaquette sous les couvertures.

Dehors, le vent rafalait. En haut, les enfants, après avoir frissonné, s'étaient collés les uns contre les autres et le sommeil réduisait leur métabolisme...

*

Le lendemain, vendredi, Télesphore se fit invectiver de la pire manière qui soit pour lui, celle qui picossait sa fierté d'homme et de travaillant.

«Un gros homme comme toé, je pensais pas que ça avait besoin de se réchauffer aussi souvent à ras le boiler. Ça serait-il que ta bonne femme te fait mourir la nuitte ?»

De retour à la maison, après le train, il ne laissa que la lumière d'une seule lampe dont il baissa la mèche à moitié. Taciturne, lugubre, il mangea. Puis il se rendit dans la shed où il trouva le vieux fouet fait d'une lanière de cuir d'un pouce et demi de largeur et longue de trois pieds, vissée au bout d'une grosse hart flexible. Il s'installa sur la table débarrassée où il mit les outils nécessaires à son projet : une chignole, des pinces, son couteau de poche.

Tous les enfants étaient en haut. Quand Marie-Anne vit son mari faire, elle monta et les fit mettre tous en jaquette et, le regard brillant dans la pénombre, elle attendit, une fesse sur le bord d'un lit des garçons dans leur chambre du bord. Parfois on entendait le chien siler derrière le poêle en bas. Parfois la femme fermait les yeux, ouvrait la bouche et décrivait avec sa tête un grand cercle grimaçant comme quelqu'un qui cherche à se déboucher les oreilles en altitude.

Dans la pénombre, Georges et Roméo se regardaient, terrifiés. Ils sentaient ce qui se passerait. Les gestes de la mère leur étaient familiers. Marie-Jeanne et Aurore utilisaient la maigre lueur de leur lampe pour étudier en marmonnant vivement les réponses de catéchisme, anxieuses elles aussi car leur père au souper avait laissé en elles une image effrayante, et puis ce comportement inhabituel de la mère les troublait.

Télesphore coupa un morceau de lanière de trois pouces puis deux autres à chaque tiers de ce qui restait. Il réunit les bouts à l'extrémité de la hart sur celui déjà fixé, perça un trou avec la chignole puis assujettit le tout à l'aide d'un bout de broche qu'il fit tricoter et envelopper tout le secteur de la jonction du cuir et du bois. Enfin, le morceau court encercla l'assemblage; il l'enserra d'un long bout de broche à clôture qui lui permit de faire plusieurs tours.

Il était probablement l'un des derniers de la paroisse à se munir d'un instrument de correction pour mieux élever les enfants et heureusement que l'abbé Massé ne le savait pas car il lui aurait certes reproché son retard à bien faire.

Alors il serra ses outils, poussa la table et les chaises, garda une berçante qu'il mit au bout du poêle dans la demi-obscurité. Il posa son fouet à terre à côté de lui.

–Marie-Anne, fais-les descendre.

Elle tressaillit et sauta sur ses jambes.

–Envoyez, envoyez, là, vous autres. Marie-Jeanne pis Aurore, venez en bas, votre père a affaire à vous autres. Vite, dépêchez-vous !

Elle les aligna devant lui dont ils ne discernaient que le blanc des yeux. Gérard, Roméo, Georges, Marie-Jeanne et Aurore dans l'ordre qu'elle voulait les voir punis. Puis elle retraita dans l'ombre, croisa les bras et commença à vibrer au spectacle anticipé.

–On a décidé de faire une correction générale parce que vous avez tous fait des affaires coupables. On a pas fait la liste, ça fait qu'on vous la donnera pas; mais vous méritez tous une volée. Tournez vous pis avancez de deux pas excepté toé, le petit Gérard, viens icitte...

Les enfants bougèrent tel que demandé sauf Aurore dont toute l'âme était en recherche d'une réponse à un immense pourquoi.

—Pis toé avec, Aurore, c'est que t'attends ?... (Il ajouta en marmonnant :) Je te dis, que c'te limoneuse-là...

Elle revint sur terre et imita les autres grands tandis que le petit se tenait debout devant l'homme qui le fit se tourner, le tint à bout de bras et prit son fouet dont il mesura la portée d'un geste lent sans frapper.

Gérard commençait déjà à rechigner. Le père mesura une seconde fois la portée du fouet puisqu'il l'essayait pour la première fois et parce que l'enfant puni était un garçon dont il ne fallait pas abîmer les parties; la tâche serait plus aisée à cet égard avec les filles. Et il frappa. Le coup se perdit aux trois quarts dans le tissu du vêtement lâche mais un bout de lanière atteignit la cuisse et pinça la peau. Gérard éclata en sanglots et dans une danse surfaite, car il y avait plus de peur que de mal.

—Asteur, va te coucher...

—Envoye, monte en haut, ajouta Marie-Anne qui ravala de la salive.

—Méo, viens icitte.

Le garçon désespéré pleurait en hurlant, le regard alternant du père à sa mère :

—Mais j'ai rien fait, moé, j'ai rien fait, moé...

Il ne reçut en guise de réponse que la brutalité du bras gauche de Télesphore qui le retint et deux coups dont l'un le pinça cruellement sur la fesse jusqu'au coeur.

—Plus vous braillez fort, plus ça fesse fort ! dit l'homme qui appela Georges tandis que son frère courait dans l'escalier pour fuir une douleur qui, sur sa cuisse, n'en faisait pourtant qu'à sa tête.

Georges savait d'avance comment se comporter. Il devait se montrer fort. Pleurer, certes, mais en retenant une partie de ses larmes et de ses gémissements. Ne se montrer ni fantasque ni faible. Dur et docile.

Les deux coups eurent chacun la même portée, le même effet que celui-là qui avait fait mal à Roméo. Pourtant, il hurla deux fois moins. Et il repartit en pleurant avec la mesure qu'il avait appris à donner à ses réactions en de tels cas, et avec l'admiration du père et celle aussi de sa mère.

Marie-Jeanne qui jusque là s'était mordu les lèvres pour ne pas crier de peur, dut s'approcher à son tour. Plus jeune, elle avait reçu des tapes sur les bras par sa mère et des corrections manuelles sur les fesses par son père, mais jamais le fouet. Des enfants en parlaient à l'école. Elle avait vu des marques. La terreur la rendait si nerveuse et excitée qu'elle bougeait sans arrêt même quand Télesphore la retint. Cela lui sauva des douleurs quoique le premier coup la fit bondir à pieds joints comme quand elle sautait à la corde. Au deuxième, elle fut plus chanceuse; les lanières se répartirent également, la jaquette fit écran, son bassin poussé en avant juste au bon moment neutralisa une partie de l'impact. Elle hurla aussi fort pour montrer à son père qu'il n'avait pas manqué son coup.

–C'est au tour de la petite cruche ! annonça Marie-Anne à qui il manquait des sensations, beaucoup de sensations et qui pour les obtenir devait absolument souxer Télesphore.

–Viens icitte, toé.

Par une bizarrerie née de la peur, Aurore prit conscience qu'elle avait été la seule que son père n'avait pas appelée par son nom. Dans l'immense tourbillon de ses sentiments et de ses pensées, au milieu du remous qui l'emportait, enfermée comme dans l'oeil d'une tornade, il y avait un calme effroyable tel celui d'une immensité polaire.

–J'ai peur que celle-là, elle soye dure à corriger, hein ? dit Marie-Anne après avoir tâché de se déboucher les oreilles par son geste grimaçant de la tête.

–Y a pas un maudit joual qui se dompte pas, pas un maudit joual...

Il la fit tourner et la retint non seulement par le bras mais aussi par la jaquette de sorte que le tissu se resserrant sur ses fesses et ses cuisses ne lui laisserait aucune chance comme les autres en avaient eu une. Condamnée à la souffrance, elle l'était sans rémission.

–Faudra que tu lui en donnes plus, à elle, hein, parce qu'on dirait qu'elle est possédée du diable. Elle est méchante pis paresseuse : elle sait jamais son catéchisme. Pis elle veut pas se faire bénir par monsieur le curé...

Durci par ces mots jetés au moment précis où le bras s'élançait, l'homme frappa beaucoup plus fort que toutes les autres fois...

Télesphore qui avait, comme tout le monde, souvent frappé la croupe d'un cheval, sut que le coup avait porté au maximum et qu'il n'aurait pu faire 'mieux'.

Aurore chancela. La douleur fut d'une telle intensité que son cerveau aussitôt émit des substances endorphines pour la protéger de l'évanouissement et pour que la peur animale chez elle fasse en sorte de fuir l'assaut cruel pour éviter la mort peut-être...

Mais un bras de fer la retenait. Un deuxième coup cingla. Elle le sentit à peine.

–Tu vois, tu vois, s'excita Marie-Anne, elle pleure même pas, la bonyenne. Quoi c'est qu'on va faire pour la corriger, on dirait qu'elle a même pas de coeur, cette enfant-là. Elle braille pas : aucun remords...

–Ça, ça veut dire qu'elle a la corde du coeur trop longue; on va y trouver...

Il frappa une troisième fois.

–Jamais vu ça ! dit Marie-Anne qui avalait et avalait encore.

Un quatrième coup.

–Asteur, va te coucher.

Marie-Anne courut à la fillette et la poussa par l'épaule. Au pied de l'escalier, Aurore tomba à genoux. La mère la releva et la poussa. L'enfant tomba encore. Même geste de la femme. Troisième chute d'Aurore dans les marches.

–Assomme-là pas toujours, dit Télesphore.

La femme sentit un liquide mouiller sa main.

–Pis je pense qu'elle a fait ses besoins en plus...

Le sang coulait sur les fesses et les cuisses d'Aurore.

Mais depuis le premier coup, c'est toute son âme qui était devenue une mare de sang, des morceaux d'être humain dé-

375

chiquetés et sanglants...

Ce n'est que rendue en haut, à la lumière plus accusée de la lampe au-dessus de l'escalier que Marie-Anne Houde comprit qu'elle avait du sang sur les mains. Elle en ressentit beaucoup d'aise.

—Ta jaquette est salie pis tu vas tout beurrasser ton litte; va t'en sur le vieux banc, là...

La femme courut en bas, se rendit dans la shed et, à la lueur du fanal, trouva deux poches de jute qu'elle secoua avant de rentrer, puis elle retourna en haut.

Hébétée, les yeux fixes, entourée de gémissements, Aurore s'était couchée sur le banc. Silencieuse.

—C'est exactement là que tu vas dormir, lui dit la mère qui lui jeta les poches.

—Mets-en une en dessour de toé pis l'autre pour t'abrier. Pis t'es mieux de pas aller dans ton litte...

Aurore fut longtemps absente, très longtemps. Les violentes brûlures sur sa chair et les immenses frissons qui s'étendaient ailleurs que sur les endroits tuméfiés ramenèrent son esprit à l'atroce réalité.

La main tremblante, elle trouva une première poche qu'elle mit sous elle puis la seconde dont elle se recouvrit tant bien que mal les épaules.

Au matin, elle eut tout le mal du monde à se lever.

Elle se fit encore traiter de paresseuse. Mais la femme n'insista pas, car elle avait trop à faire.

Ce soir-là, Marie-Anne et Télesphore se rendirent au village.

Veiller.

Anthime Lemay conta des hauts faits. Ce fut une belle soirée malgré l'aller et retour dans un froid cassant.

*

À l'église, ce dimanche, Aurore resta à genoux toute la durée de la messe. Parfois debout pour résister. Si le curé n'aurait pas toléré de voir quelqu'un d'aussi jeune assis tout le temps, l'agenouillement ne l'offusquait pas, car il était un grand signe de dévotion et surtout de soumission à Dieu et à travers cette foi en Lui, à ses serviteurs les prêtres..

Après la messe, il y eut une confession générale à la sacristie. En une pareille période d'épidémie, car il y avait encore plusieurs cas de grippe espagnole dans la paroisse, on évitait d'administrer dans l'intimité du confessionnal le sacrement de pénitence qui eût pu devenir un sacrement contagieux. Ce fut un grand succès par le nombre de fidèles et par les mots remplis de ferme propos suggérés par l'abbé Massé.

La famille de Télesphore s'y était rendue au complet.

Aurore demanda pardon à Dieu pour toutes les fautes qu'elle avait commises et qui lui avaient valu sa punition.

Mais elle ne parvint pas à les retracer et dut en conclure qu'elle les avait oubliées.

Marie-Anne Houde chercha les yeux du curé jusqu'à les rencontrer et alors, elle sourit. Il fit un signe de la tête : d'acceptation, d'affirmation...

*

À la maison, il y eut une accalmie qui dura un mois. Les enfants ne furent pas touchés excepté Aurore. La mère la pinça souvent et cruellement avec son pouce et son index. Chaque fois, la fillette pleura. Et cela intriguait fort Marie-Anne. Comment avait-elle résisté sans une seule larme à quatre coups de fouet au sang tandis que des petites torsions de la peau allaient chercher ses gémissements ? Elle en conclut que l'enfant simulait, que ses larmes n'étaient rien de plus que des maudites menteries.

Il arriva que Roméo la frappe sournoisement sans qu'elle ne le vît venir. Elle apprit à s'en méfier et à éviter ses attaques. Mais elle se garda bien de lui répondre de la même manière et se contentait de le repousser ou de le retenir, surtout quand sa mère le souxait contre elle.

Quand les parents se trouvaient là, elle se taisait de crainte que ses paroles n'attirent l'attention sur elle et provoquent leur colère. Quant à Marie-Jeanne, elle reprit confiance; elle avait de la force de caractère et on ne l'avait pas pénalisée plus durement que Georges. Elle ne s'en prit pas à Aurore ni ne tenta de la protéger non plus.

Et Aurore s'enlisa de plus en plus dans le rôle de la pelée

et galeuse, tâchant d'y répondre du mieux qu'elle pouvait dans des demi-sourires blancs et des projets intérieurs de racheter ses échecs scolaires de plus en plus cuisants.

Un autre orage grondait dans la tête de Marie-Anne Houde. Vingt-huit ans, septième grossesse, de plus en plus de misère à tenir la maison comme elle l'aurait voulu. Et les nuits cauchemardesques...

*

Oréus Mailhot fit un exprès pour se rendre au moulin Laquerre ce midi-là. Il y aurait là audience pour la nouvelle qu'il venait d'apprendre avec stupeur. Une dizaine d'hommes alignés sur des bancs fabriqués à partir d'un madrier cloué grossièrement à deux bûches avalaient le contenu de leur chaudière à lunch. Car en hiver, même ceux du village s'emportaient à manger le matin faute de temps pour se rendre à la maison.

Autant il faisait froid dehors, autant la chaleur était importante dans la petite pièce quasiment située au-dessus de la grande chaudière qui fournissait la vapeur nécessaire pour faire *virer* le moulin. Oréus entra sans frapper, retira ses mitaines, ouvrit son capot en saluant.

D'une poche intérieure, il sortit un journal qu'il brandit en disant :

–Mes amis, suis venu vous apprendre quelque chose de ben triste pour tout le monde...

Les bouches s'arrêtèrent de mâchouiller, les têtes le dévisagèrent.

Faussement malheureux comme le sont toujours les humains lorsque meurt un homme qui a fait son temps, il déplia le journal et le tint devant lui pour laisser parler la grande manchette noire :

Laurier est mort.

Des hommes qui ne savaient pas lire se raclèrent la gorge. Ils devinaient, mais ne voulurent pas risquer de dire des bêtises. Télesphore parla :

–Quand est-ce qu'il est mort ?

–Avant-hier à Ottawa.

–Ça se parlait qu'il était malade, dit un homme d'âge moyen mais qui se donnait des vieux airs dans sa voix chevro-

378

tante.

Oréus rentra le journal et sortit un flasque de boisson.

–Suis pas venu icitte pour vous faire brailler... parce que d'abord, vous braillerez pas, mais pour qu'on boive ensemble en l'honneur du plus grand Canadien français depuis la Confédération, qu'on aye été avec ou de contre lui aux élections.

D'une autre poche, il commença à sortir des petits verres de la hauteur du pouce qu'il distribua. Il en avait cinq. On trinquerait en deux vagues successives et même plus, pourvu que personne ne s'enivre et risque de se blesser à l'ouvrage par la suite ou de se pogner dans les alluchons comme le curé Moreau jadis...

*

Ce soir-là, dès son retour à la maison, Télesphore fut pris à part dans la chambre par Marie-Anne qui se plaignit amèrement d'Aurore.

L'homme s'assit sur le lit et fut comme pris de regret.

–Faut que je te dise que c'est l'enfant de la boisson. C'est pour ça qu'elle est méchante.

Il raconta sa visite à Arthabaska en 1908 et il dit qu'on savait que l'enfant avait été conçue là-bas ce jour-là et que ce jour-là, il avait bu, et que ce jour-là, Marie-Anne Caron s'était sentie coupable de... plaisir...

Marie-Anne Houde fut horrifiéc.

–Tout est clair, asteur. Je comprends pourquoi c'est faire que y a tant de mauvais dans cette enfant-là. Elle est paresseuse, malpropre pis d'autres choses que j'ose pas dire encore. Vas-tu la corriger ? Faudrait que tu la corriges drette à soir...

Il soupira :

–Non, pas à soir. Suis fatigué. Pis faut que je te dise: suis affligé par la mort de monsieur Laurier. C'est comme si... un morceau de moé était mort avec lui... C'est dur à expliquer... Faut que je dise que ce fut une bonne journée pareil quand il m'a donné la main...

Il raconta une fois de plus comment le premier ministre du Canada s'était frayé un chemin à travers la foule pour le retrouver et le saluer, lui, le petit cultivateur de Fortierville, tandis que l'avocat Francoeur n'avait jamais réussi, à la même occasion, à s'approcher de l'illustre personnage.

–En tout cas, si tu y mets pas la main, à celle-là, moé je vas m'en occuper.

*

–Des fois, monsieur le curé, je me demande si elle sait ce que c'est, voler. Suis assez découragée de cette enfant-là. Elle vole. Elle est menteuse. Paresseuse. Elle sait jamais son caté-chisme. On dirait qu'elle a le diable au corps. Vous vous rappelez, quand vous êtes allé à son école, elle savait rien pis ensuite, elle a pas voulu se faire bénir. Vous trouvez pas que c'est terrible ? La première fois que je l'ai vue, mon-sieur le curé, je l'ai vue voler quelque chose. Un petit Jésus que son père avait gossé pour les enfants. C'était dans le temps du curé Blanchet. Il était là, il a tout vu, il pourrait vous le dire. Aurore a perdu le sien pis ensuite, elle a volé celui-là à Marie-Jeanne... C'est que vous me conseillez dans un cas de même ?

–Il faut sévir sans hésiter, madame. Sévir est un devoir rigoureux. Et si vous deviez tergiverser avec vos principes, alors pensez à ceci : livre des Proverbes, chapitre 22, verset 15...

«La folie est attachée au coeur de l'enfant
La verge de la correction l'éloignera de lui.»

–Pis faut que je vous dise, monsieur le curé, mon mari Télesphore, c'est rare qu'il les corrige. Ça fait que je suis tuseule pour en élever six avec un septième pas loin...

–Je veux dans cette paroisse des familles saines avec des enfants forts et fervents. Si vous me le demandez, j'en glisse-rai un mot à votre mari, de ses obligations de père qui doit bien châtier...

–Certain que ça m'aiderait, monsieur le curé, certain.

C'est avec une lueur malicieuse à l'endroit d'Aurore que Marie-Anne quitta le confessionnal où la fillette la remplaça. La femme avait l'âme blanche, patte blanche et carte blan-che.

Quand ce fut son tour, l'enfant n'accusa rien. Elle déclara ne pas avoir de péchés à dire. Le curé ne la crut pas. Mais il lui donna un certain bénéfice du doute, se disant qu'à neuf ans, même si cela était anormal, elle avait peut-être de la difficulté à différencier le bien du mal. Le mieux était donc de la questionner pour lui faire penser à ses fautes oubliées ou non reconnues.

–Est-ce qu'on t'a punie dernièrement à la maison ?

–Oui.

–Quand ça ?

–Ben... surtout l'autre fois... j'ai eu des coups de fouet.

–Ah ! et pourquoi ?

–Ben... je le sais pas... Parce que j'ai pas su mon caté-chisme...

–Et... tu t'es accusée de paresse ?

–Oui, monsieur le curé... la dernière fois que je suis venue à confesse...

–À la confession générale.

–Oui, monsieur le curé.

–Ah bon !

Qu'il la trouvait astucieuse, cette petite ! Profiter ainsi d'une confession publique pour vider tout son sac de fautes ! Sans aucun doute, elle ne savait pas différencier le bien du mal. Peut-être n'acceptait-elle pas que le mal puisse provenir d'elle; sa mère avait bien raison, la correction la rendrait responsable.

Il lui fit dire qu'elle avait menti, volé du manger à la maison et continué de paresser puisque ses notes de caté-chisme n'étaient pas meilleures qu'auparavant. Et c'est avec bonheur qu'il lui donna l'absolution en lui recommandant de ne plus recommencer et de ne jamais céder à la tentation du diable... Car il eut la conviction qu'il avait fait faire un petit pas dans le droit chemin à cette jeune âme en danger...

Télesphore se confessa ensuite. L'abbé Massé lui glissa un mot sur sa conduite avec les enfants, lui suggéra plus de sévérité. L'homme se défendit qu'il n'était pas toujours à la maison, que sa femme devait sévir la première. Puis le curé lui parla spécifiquement d'Aurore et de catéchisme. Le péni-tent se sentit très coupable et il avoua que la fillette avait été conçue dans la boisson et le plaisir.

Le curé en fut troublé. Très troublé. Et au rappel de cette

confession, ce soir-là, il réfléchit profondément une fois de plus aux manières du Malin d'établir son emprise sur le monde. Il consulta sa bible. S'endormit en se disant que non, Aurore Gagnon n'était pas une petite possédée bien entendu, mais qu'elle n'était peut-être pas bénie du ciel... de la même façon que les autres...

*

Et pourtant, une fois de plus, mais la dernière, Marie-Anne Houde étira son impatience. Ce qu'elle fit valoir devant son mari. «On va lui donner encore une chance en parlant, mais c'est la dernière des dernières. Moé, je vas entreprendre de la redresser, la petite démone. Pis Marie-Jeanne itou, je vas lui refaire son petit caractère...»

Il lui restait une preuve à faire encore. Une preuve publique. Après le curé, le personnage le plus redoutable de la paroisse, car le plus instruit et le plus capable de prendre des décisions, et de juger les gens, c'était précisément le juge de paix et marchand général Oréus Mailhot.

*

On était dans le décours de mars. Il faisait soleil. Un soleil de printemps, doux et discret. Le chemin était à la bouette, mais demeurait gelé en profondeur et on ne risquait pas de s'enliser dans un ventre-de-boeuf. Marie-Anne attela le cheval à la toad-sleigh. On avancerait avec une lisse sur la neige de l'accotement et l'autre sur la terre baveuse.

Pâques arrivant, elle voulait faire des achats chez Oréus Mailhot. Son imagination maladive avait échafaudé un autre plan qu'elle tâcherait de réaliser si l'occasion s'en présentait. Elle fit donc venir avec elle au village Aurore et Roméo qu'elle fit asseoir à l'arrière de la banquette. Le garçon voulut prendre place avec elle en avant, mais elle le refoula.

–Reste en arrière avec Aurore. Pis vous êtes mieux de faire attention pour pas tomber parce que sinon vous allez marcher à pied jusqu'au village.

La fillette s'assit sur la fonçure sans rien dire et s'appuya le bras au côté de la boîte, les jambes dépassant jusqu'au mollet mais qui ne pendaient pas, car elles auraient pu traîner dans la neige ou la boue et salir ses bottines ou même les briser.

Elle cherchait à comprendre pourquoi la mère l'avait fait endimancher. Elle qui faisait attention à son manteau qui lui allait encore en bas des genoux car elle n'avait guère grandi depuis son retour de Leclercville et les autres fillettes de son âge à l'école la dépassaient toutes d'un ou deux pouces.

«Tu vas venir au village, ma belle Aurore,» avait dit la mère avec un sourire faux. «Brosse tes cheveux pour te faire une belle tête pis mets ton manteau du dimanche.»

Et l'attelage s'en allait à petite vitesse, chaque pas du cheval se répercutant jusque dans le chapeau de la mère qui hochait avec sa tête d'avant en arrière dans une sorte de tranquille indifférence.

Roméo avait une tête ronde à cheveux pointus en avant. Il possédait un beau visage, mais la peur de sa mère et ses méchancetés le durcissaient. De tous les enfants, c'était celui qui se tenait le plus proche d'elle et à cause de sa propre faiblesse, il s'était fait l'ennemi d'Aurore.

À mi-chemin alors que l'on s'approchait du lieu de la croix et de la jonction du chemin de ligne conduisant au village, il repensa aux derniers mots entendus. «Tombez pas parce que vous allez marcher jusqu'au village.» Et il vit Aurore qui, anémique et toujours fatiguée depuis que la peur s'était emparée de son âme, et plus encore ces derniers temps où elle devait souvent aller se coucher privée de nourriture au repas du soir, et engourdie par ce soleil doux, paraissait somnoler, la tête couchée sur son bras. Et puisque sa mère riait toujours quand il la maganait, il se glissa lentement derrière elle en se roulant sur lui-même jusqu'à se trouver en position de lui donner une ruade dans le dos.

La fillette ne pensait à rien. La plus mince occasion lui étant offerte, elle cherchait à dormir. Comme elle se sentait bien quand le sommeil la prenait dans ses bras ! Personne pour lui crier des noms, des menaces, pour lui faire peur avec le diable et l'enfer, pour lui pincer la peau des bras, pour lui frapper les doigts avec une hart ou la faire saigner avec un fouet. Des rêves d'envol, des rêves de courir sur la voie ferrée, tenue par les mains, sa mère de l'une et l'oncle Charles de l'autre. Mais il y avait aussi hélas ! des cauchemars que le froid lui causait car pour susciter les frissons et la protection de la chaleur du corps, l'inconscient faisait surgir en son imagination nocturne, alimentée par la peur de Lucifer évoquée chaque jour par quelqu'un, des visions dantesques la réveillant. Sans le vouloir, Marie-Jeanne tirait souvent toute la couverte pour elle seule et sa soeur avait moins de forces maintenant pour prendre sa maigre part.

Son âme était partie dans un autre monde où régnait une grande paix...

Elle ne sentit pas les pieds joints la frapper dans le dos ni les effets immédiats de la ruade et ne reprit conscience qu'en tombant par terre dans la boue.

–Hey, maman, la petite cruche est tombée en bas de la voiture.

Marie-Anne se retourna en tirant sur les cordeaux.

–Huhau, huhau !... Non, mais de quoi c'est qu'elle fait là, la petite bougresse encore.

La femme ragea à voir ainsi Aurore qui pigrassait dans la vase en se relevant. Tout un pan de son manteau était noirci ainsi que le côté de son visage et ses cheveux. Elle avait planifié autre chose que ça. L'enfant l'accompagnerait au magasin et elle lui avait fait mettre son manteau à grandes poches pour y cacher quelque chose qu'elle-même volerait à la première occasion pour ensuite démasquer la petite voleuse et montrer aux Mailhot quelle espèce d'enfant Aurore était.

Mais le plaisir de la voir ainsi toute souillée et misérable traversa sa colère et s'en nourrit abondamment. Elle ricana, le regard quand même furibond :

–Coudon, t'es rendue assez paresseuse que tu veux dormir dans le chemin asteur.

Roméo rit en regardant successivement sa mère et la fillette au bord des larmes qui tâchait de nettoyer ses vêtements à l'aide de mitaines tout aussi sales.

Elle ne réalisait pas encore qu'on l'avait poussée. La mère ne se posait pas la question et croyait à un accident, car Aurore avait dû s'endormir sur la fonçure et tomber en bas. Et Roméo guettait les rires de la femme pour ajouter les siens.

Aurore ôta une mitaine et elle écura son visage et son manteau du plus gros et en même temps, elle éclata en sanglots. Elle aurait préféré le fouet à cela. Quelque chose en elle lui disait qu'on abîmait l'image de sa mère par les salissures à ce précieux morceau de vêtement.

–La petite cruche, elle braille comme un veau, dit Roméo le ton inquisiteur en regardant sa mère.

Aurore marcha jusqu'à la sleigh où elle reprit la place qu'elle occupait auparavant. Elle coucha le côté de sa tête resté propre sur son bras non éclaboussé appuyé au montant de la boîte et elle continua à pleurer et à gémir. Si au moins comme lors de la correction générale ou du questionnement par le curé, une grande peur venait geler sa douleur morale !

Sans force dans la voix car elle pensait à deux choses à la fois, Marie-Anne jeta :

–Mon doux Jésus, mais c'est parce qu'elle est une petite vache qu'elle braille comme un veau. Pis plus tard, elle va faire une coureuse de chemins d'abord qu'elle aime ça le chemin au point de se coucher dessus avec son manteau du dimanche.

Elle clappa. Sa tête reprit son balancement d'avant en arrière à chaque coup sur les atteloires. D'une pierre, elle ferait deux coups. Le bon Dieu avait permis cela. Aurore serait démasquée non seulement pour vol si l'occasion s'en présentait mais encore la verrait-on sous son vrai jour en petite pas-grand-chose malpropre.

Dans la cour du magasin, la fillette resta assise dans la voiture.

–Viens t'en, Aurore.

–Je reste icitte...

–Non, non, non... Tu vas venir qu'on te nettoye un peu là.

Malgré sa honte, l'idée d'être nettoyée remit une lueur d'espoir en son âme. Elle suivit la mère et son fils à l'intérieur, timorée, la tête basse, n'osant guère dépasser le pas de la porte.

À l'intérieur, derrière un long comptoir en U au fond de la pièce derrière plusieurs îlots de marchandises diverses, sacs de sucre, de farine, étals de balais et de fourches, harnais accrochés, licous et brides, bouilloires et chaudrons de cuisine, chaussures de toutes sortes et pour tous, outils de menuisier et petits accessoires de sucrerie, il y avait le marchand bien cravaté sous sa veste à laquelle pendait la brillante chaîne de sa montre qui ne lui servait plus que de décoration puisque l'homme portait à son poignet une montre-bracelet dont l'usage commençait à se répandre dans la province.

Le secondait son épouse, un être effacé un peu courbé du dos, ce qui lui donnait un air timide. Mais une femme perspicace et efficace qui ne parlait guère et s'entendait bien avec cet homme brillant qui connaissait tant de sujets. Elle percevait fort bien et depuis leur retour même à Fortierville, la tristesse de Marie-Jeanne et d'Aurore Gagnon et c'était elle qui maintenait son mari en état d'alerte au sujet de cette femme bizarre.

En ce moment, elle faisait de l'époussetage des tablettes dans le rayon des produits féminins, savons de beauté raffinés, flacons d'eau de senteur, bâtons de rouge à lèvres, bigoudis, fers à friser... Elle ne se retourna qu'interpellée après que l'arrivante eut salué son mari.

—J'ai une petite fille qui est tombée dans la gadoue du chemin, je sais pas si on pourrait la nettoyer un peu, madame Mailhot.

La marchande se tourna. La femme avait cloué un sourire sur son visage.

—Ah ! mais sûrement ! Venez dans la cuisine en arrière...

Elle souleva le rabat du comptoir qui laissait le passage libre entre le rayon où elle travaillait et celui des boîtes de flocons de maïs, sacs de gruau et biscuits secs.

—Aurore, Aurore, viens te nettoyer, ma belle fille, cria Marie-Anne à voix pointue et faussement bienveillante.

Puis elle souffla à l'autre femme :

—J'ai de la misère avec celle-là, elle est ben malpropre. Pis moi, ben, j'sus trop propre comme vous savez...

Aurore vint à petits pas vifs sans lever les yeux ni répondre au bonjour d'Oréus qui regretta aussitôt de l'avoir fait car la fillette lui parut si mal à son aise dans cette crasse visqueuse.

La femme Mailhot conduisit Aurore à un évier où se trouvait une pompe qu'elle actionna et qui commença à déverser de l'eau dans un plat tandis qu'elle trouvait des linges dans un tiroir et un morceau de savon doux.

—On va tout te nettoyer ça, que ça paraîtra quasiment plus

ensuite, dit-elle de sa meilleure voix rassurante en regardant avec pitié ce visage d'enfant si beau et si barbouillé à la fois.

–Vous savez, je pense qu'elle s'est endormie sur le bord de la fonçure...

–C'est Roméo qui m'a poussée...

–Voyons donc là, conte pas de menteries !

Pour éviter des problèmes à la fillette, la femme Mailhot changea le sujet tout en débarbouillant l'enfant.

–C'est pas une bonne année pour les Laurier, hein ? Au mois de février, c'est monsieur Laurier qui mourait pis là ben c'est Marie-Scapulaire... qui s'appelait Marie-Henriette Laurier qui s'est éteinte. Sa photo était dans le journal hier.

–Ah ! jamais entendu parler, dit Marie-Anne.

–Ben voyons ! Mais toute la province en a entendu parler. Une pauvre femme qui a gagné sa vie à vendre des médailles dans les rues de Montréal...

Piquée dans son orgueil, car elle l'ignorait, Marie-Anne décida de s'en aller dans le magasin d'autant que son plan s'était adapté aux dernières circonstances. Elle dit :

–Ben, vous allez m'excuser, le temps que vous êtes assez bonne de vous occuper de la petite Aurore, je vas aller commencer mes achats d'effets parce que j'ai une liste pas mal longue aujourd'hui. Quasiment toute ma clientèle est icitte, asteur, vous savez !

La femme s'éloigna, arriva entre les deux pièces, dans la jouée du mur où elle repéra le marchand qui lui sourit; alors elle s'arrêta pour ajouter quelques mots inutiles à l'endroit d'Aurore :

–Tu t'en reviendras quand t'auras fini...

Le marchand se tourna vers autre chose. Marie-Anne en profita pour s'emparer d'une bouteille d'eau de senteur qui se trouvait avec d'autres à portée de sa main hors de sa tablette habituelle, mise là par la femme d'Oréus pour faire son travail. Le geste fut de la même espèce d'éclair que celui d'une langue de batracien ou d'une tête de serpent qui attrape une proie et que celui qui lui avait permis de s'approprier du Jésus d'Aurore dans l'église voilà six ans.

Un sourire fabriqué et des salutations en biais, elle retrouva Oréus tout en glissant la chose volée dans sa poche.

Et elle commença à décliner les noms des effets désirés.

Au retour d'Aurore, elle remercia la femme compatissante en la félicitant :

–Ah ! mais, comment vous avez fait pour remettra ça si propre ?... Viens donc dans la lumière, Aurore, que je regarde si il reste des cernes... Ah ! je doute pas de votre ouvrage, mais il reste toujours un petit quelque chose, hein ? En attendant, voulez-vous me peser une livre de biscuits au thé s'il vous plaît ?

Elle entraîna Aurore, constata qu'il ne restait pas de cernes visibles pour le moment, s'écria :

–Ah ! mais il reste rien pantoute, madame Mailhot. Vous savez y faire, vous...

Elle fit pivoter Aurore, resta penchée derrière elle, trouva la bouteille dans sa poche et la glissa aisément et furtivement dans celle de la fillette tout en surveillant les regards d'Oréus et de sa femme.

–Bon, ben, c'est parfait de même. Tu vas faire attention quand on va s'en retourner, là, hein ?

Aurore acquiesça d'un signe de tête et s'éloigna vers nulle part, indécise et intimidée. Oréus la vit. Il esquissa un sourire et se pencha pour prendre quelque chose sous son comptoir.

–Aurore, viens icitte, pis dis à ton frère de venir...

Elle le questionna du regard. Il répéta. Marie-Anne intervint :

–Tu comprends pas, monsieur Mailhot te dit d'aller le voir pis d'emmener ton frère qui est là-bas, assis sur des poches de son... Viens Méo, viens icitte...

Les deux enfants s'alignèrent devant le comptoir et le marchand leur montra une bouteille de Coca-Cola qu'il décapsula devant leurs yeux. Puis il mit deux verres sur le comptoir et les remplit.

–Pour toi, Aurore. Pour toi, Roméo.

Le garçon fit des yeux aussi pétillants que les bulles du liquide brun. Aurore n'osait.

–C'est gratis, vous pouvez le boire...

Puis le marchand en ouvrit une seconde bouteille qu'il

offrit à Marie-Anne en disant :

–Une petite traite pour une grosse cliente comme vous.

–Ah ! ben merci ! dit-elle joyeuse. Allez, les enfants, prenez-le et dites merci à monsieur Mailhot, là.

Ils obéirent. Aurore prit le verre avec précaution et but pour la première fois de sa vie de ce liquide qu'elle ne connaissait pas, pas plus que Roméo d'ailleurs. Le garçon vida le contenu de deux traits puis il retourna s'asseoir sur le son.

Aurore s'éloigna de quelques pas, espaça les gorgées qu'elle gardait petites pour faire durer son plaisir. Il n'y avait pas que ce délicieux liquide dans le verre, il y avait aussi toute la sollicitude du marchand qu'elle savourait à petites doses comme si ce devait être le dernier geste de bonté à son égard du temps qui lui restait encore à vivre.

–Vous allez me donner un fer à friser itou, madame Mailhot si vous voulez. Ah ! mais c'est-il des nouvelles bouteilles d'eau de senteur que vous avez là ?

Elle en acheta une. Le magasinage se continua.

–Pis quen, donnez-moé donc des mitaines neuves... C'est pour Aurore. Les siennes sont pas rien que sales, elles commencent à être percées. Je sais ben que c'est le printemps, mais les frettes sont pas finis à demeure.

Elle héla Aurore et la fit s'approcher. On lui essaya les mitaines et quand une paire s'ajusta correctement, Marie-Anne dit :

–Bon, ben, facturez-les avec le reste, je lui mets dans sa poche de manteau.

La bouteille incriminante fut aussitôt trouvée et brandie haut.

–C'est quoi ça ? Comment ça se fait que t'as une bouteille d'eau de senteur dans ta poche, hein, petite voleuse, comment ça se fait ?

L'attention de tous se porta sur la scène. Deux femmes nouvellement arrivées dans le magasin jetèrent les yeux à la mère et l'enfant. Le fait que Marie-Anne soit enceinte la rendit sympathique. Elles écoutèrent. Roméo s'approcha.

–Je le sais pas maman, je le sais pas.

–Elle est venue là tuseule ? C'est le bon Dieu qui l'a

mise là, je suppose ?

Aurore tenait toujours son verre à moitié vide. Elle roulait les yeux partout, vers le marchand, la marchande, les clientes, la mère, son Coca-Cola...

—Je le sais pas, maman, je le sais pas.

—Pis c'est toute c'est que tu trouves à dire ma petite bonyenne...

La femme se redressa et mit la bouteille sur le comptoir.

—Tiens, madame Mailhot, je pense qu'on vient de voir qu'elle est pas rien que malpropre mais voleuse en plus. Je le savais, mais là, on a la preuve. Tu l'as prise en passant ? C'est ta manière de remercier madame Mailhot de t'avoir nettoyée pis monsieur Mailhot pour t'avoir donné du Coca-Cola ? Ingrate en plus ! Ah ! je vous dis que celle-là, si je me retenais pas...

Les femmes souhaitaient qu'elle la corrige sur place. Elles la trouvaient bien molle de ne pas le faire. La marchande fronça les sourcils et eut des regards extrêmement durs. Oréus demeurait interdit.

—En tout cas, je te dis que monsieur le curé va le savoir, ça, hein ?

Aurore se demandait si elle ne devenait pas folle.

Et ne cessait de répéter la même phrase :

—Je le sais pas, maman, je le sais pas.

Elle ne finit pas son verre et le mit sur le comptoir. Roméo courut, s'en empara et but le reste délaissé.

La fillette s'éloigna en hésitant tandis que la mère s'en désintéressait.

Au moment de partir, Marie-Anne l'obligea à demander pardon à Oréus et sa femme...

—Ça fait rien, ça fait rien, dit la marchande. C'est rien pantoute !

Quand elle fut partie, que l'homme fut rentré après avoir porté la dernière boîte dans la toad-sleigh, les époux discutèrent à mi-voix :

—Ça se peut-il que la petite fille soit comme ça ?

—Non, ça se peut pas.

—Tu l'as pas vue faire ?

–Non. Mais je l'aurais vue faire si elle l'avait fait.

–Comment ça ?

–Écoute, quand j'ai fini de la nettoyer, je l'ai quasiment suivie qui s'en revenait de ce côté-citte...

–Oui, mais...

–Ben je pense que c'est sa mère qui a volé la bouteille pis qui l'a mis dans la poche de la petite fille... pis qui a peut-être pris peur, pensant qu'un de nous deux aurait pu la voir faire...

–Oui, mais elle en a acheté une, une bouteille.

–Sais pas... elle voulait en avoir deux, je suppose. Elle est connue pour aimer le parfum, cette femme-là...

Les clientes entendirent et s'échangèrent des regards de doute... Et s'inquiétèrent de voir qu'on parlait ainsi en mal dans le dos d'une personne qui n'était plus là pour se défendre...

Sur le chemin du retour, comme punition, Aurore dut marcher à pied jusqu'à la maison. Mais elle s'en moquait bien et préférait ainsi.

Au T de l'embranchement du rang, elle se signa devant la croix du chemin. Marie-Anne l'aperçut et lui lança :

–Je me demande ben c'est que le bon Dieu peut faire avec les prières du diable... Pis tes mitaines neuves, pense pas que tu vas les garder après ce que t'as fait, hein, pense pas ça pantoute, la petite voleuse...

–La petite cruche, la petite brailleuse pis la petite voleuse, enchérit Roméo le doigt bourré des mêmes malices que son oeil.

******

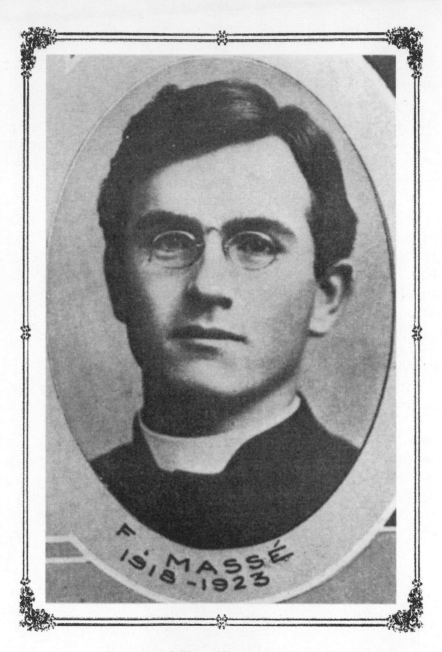

Le curé Ferdinand Massé

Chapitre 23

–C'est ben le moins que je vienne voir la maîtresse d'école de mes cinq enfants une fois dans l'année, hein ? lança Marie-Anne qui venait de se mettre le nez dans la porte ouverte.

La classe était finie pour la journée et pour la semaine. La femme venait d'arriver en boghei, seule. Après être descendue avec difficulté de la voiture à cause de son ventre énorme, elle avait marché en tanguant, une main sur les reins, jusqu'au petit escalier extérieur de trois marches.

Dans deux semaines guère plus, elle serait mère de nouveau. En raison de cet état 'intéressant' avancé, elle n'avait guère pu exercer des sévices physiques contre les enfants et s'était contentée de harceler Aurore par les menaces et les invectives, et par Roméo qui, sur son ordre, l'avait fouettée avec une hart à trois reprises. Mais l'enfant était gauche et Aurore avait feint la douleur par des cris et des larmes. Télesphore dut aussi, à la demande de sa femme, lui donner des coups de fouet, mais il s'arrangea pour le faire hors de portée de sa vue et il ne vargea pas à sa force d'homme, ayant jugé les prétextes à la correction trop minces et son bras étant retenu par il ne savait quoi malgré les conseils du curé.

Isolée, bousculée parfois, souvent frappée subitement et sournoisement par des phrases horrifiantes, culpabilisée, diminuée, rapetissée par de la terreur morale, Aurore en vint à faire des cauchemars toutes les deux ou trois nuits et qui la réveillaient au bout d'un sommeil affreusement agité, tordu, écourté.

Elle se mit à manger moins. Parfois, à l'école, elle donnait la moitié du contenu de sa chaudière que la mère toutefois gardait généreux car elle avait su par Gérard et un aveu forcé d'Aurore que la venimeuse à Adjutor Gagnon avait mis son nez de serpent dans le manger de ses enfants.

Souvent, Aurore s'endormait le midi, à la récréation, assise seule, adossée au mur de l'école, à l'écart. Et des enfants cruels venaient fouiller dans sa petite chaudière laissée ouverte et lui volaient ses affaires pour les manger eux-mêmes et, le plus souvent, pour les jeter au loin en riant d'elle qui ne se réveillait même pas. Plusieurs ne la désignaient plus que par les surnoms avilissants que son demi-frère Roméo leur faisait penser d'utiliser quand ils l'oubliaient. Georges ne s'en mêlait pas. Il était si proche de devenir un homme que sa mère ne le touchait plus. Quant à Marie-Jeanne, elle n'osait défendre sa cadette. Pas directement, mais elle tâchait de détourner l'attention de ceux qui s'en prenaient à elle.

Et le petit Gérard risquait parfois des surnoms, mais il ne le faisait pas par méchanceté gratuite ou pour imiter les autres mais par une sorte d'instinct indéfinissable qui le poussait à agresser un peu comme un petit chien qui jappe, espérant être rabroué pour pouvoir ensuite se sentir bien, se blottir dans sa protection et lui témoigner de l'affection. Toutefois, Aurore n'était plus capable de percevoir les bonnes intentions cachées et elle ne disait plus rien. On achevait de briser son âme avant que ne commence sa mort lente et abominable.

Et c'était pour tuer en elle toute velléité d'espoir que Marie-Anne visitait la maîtresse ce jour-là. Car elle décelait dans les paroles raréfiées de la petite et sa façon de dire «mademoiselle Barabé» une espèce de bouée de sauvetage à laquelle sans doute se raccrochait cette enfant incorrigible.

—Bonjour madame ! fit Elmire qui s'approcha avec un sourire inquisiteur.

—C'est mam' Gagnon, Télesphore Gagnon. Georges, Roméo, Gérard, Marie-Jeanne pis Aurore, c'est les miens, ça.

Le visage de la maîtresse s'éclaira :

—Ah ! je suis ben contente de vous voir. Venez...

Marie-Anne entra, jeta un regard sur les pupitres, se fit situer celui de chaque enfant après quoi elle dit :

—Vous me permettez de regarder dans celui d'Aurore, on sait jamais...

Et elle fouilla sous la table sur la tablette, sortit le peu qui s'y trouvait bien rangé, cahiers, livres qu'elle remit soigneusement à leur place en disant :

—Vous savez, mademoiselle Barabé, c'est pas pour rien que les autres la traitent de voleuse, celle-là. Elle prend tout ce qui lui passe devant les yeux, mais elle est fine mouche comme ça se peut pas. Elle finasse tout le temps. Elle a tout le temps une bonne raison pour se défendre. La première fois que je l'ai vue, elle a volé le petit Jésus à Marie-Jeanne devant le curé Blanchet. Vous le demanderez à Marie-Jeanne... elle a assez pleuré pis eu peur cette fois-là à cause d'Aurore. Pis l'autre fois, elle a volé une bouteille d'eau de senteur chez monsieur Mailhot; vous demanderez à madame ou monsieur Mailhot... À la maison, c'est pareil...

—J'ai jamais rien remarqué à ce sujet-là icitte...

—Y a jamais de vols icitte ?

—Pas souvent.

—Quand ça arrivera, fouillez-la... Elle manque de rien pourtant. Vous regarderez dans sa chaudière à dîner... Pis comment qu'elle est dans ses devoirs, ses leçons, son catéchisme surtout ?

—Pas forte ! dut avouer Elmire. On dirait qu'elle est malade, en tout cas ben fatiguée. Des fois, elle s'endort sur son pupitre...

—Malade ? s'écria Marie-Anne. Fatiguée ? Malade de dormir, oui. Fatiguée de paresser, oui. Les autres enfants travaillent trois fois plus qu'elle...

—Peut-être qu'elle a une maladie cachée... des fois, ça couve sous la cendre comme on dit...

—Non, non, non... Quand on lui brasse la canistre, je vous dis qu'elle se grouille les petites fesses paresseuses... Quand elle s'endormira, escouez-la, vous allez voir que les esprits vont lui éclaircir. Si vous me croyez pas, essayez rien qu'une fois... Pis... c'est pas nous autres, ni monsieur le curé, ni l'inspecteur qui vous le reprocheraient...

Naïve, de tout juste dix-huit ans maintenant, peu expérimentée, influencée par l'éloquence de la femme et celle, précédemment du curé, Elmire "essaya" le lundi suivant.

Aurore s'endormit encore une fois. Sa maîtresse la secoua violemment par les épaules, puis elle la fit mettre au coin avec sur la tête le bonnet de l'âne. Il faisait très chaud dans la classe ce jour-là. Aurore pleura, pleura, pleura sans arrêt d'avoir perdu cette lueur de bonté qui lui parvenait encore, elle pleura jusqu'à ce qu'elle s'effondre, sans connaissance.

Elmire regretta amèrement son geste.

Trop tard.

Elle avait brisé un des derniers morceaux encore intacts de l'âme de l'enfant.

******

Chapitre 24

Une semaine avant la fermeture des classes, Marie-Anne donna naissance à son enfant. Le jour et le lendemain de l'accouchement, les garçons furent envoyés chez la voisine qui aurait préféré recevoir les filles tandis qu'elles passèrent la journée et la nuit suivante chez leur oncle Anthime, au village.

Victoria remarqua la pâleur extrême et la nervosité d'Aurore, et la questionna; mais l'enfant, honteuse et coupable, répondit par des demi-rêves.

«Ta mère, elle est fine avec toé au moins ?»

«Ah oui !»

«Elle te corrige des fois ?»

«Oui, mais c'est parce que j'ai de la misère avec mon catéchisme pis monsieur le curé était fâché après moé.»

«As-tu du bon manger dans ta chaudière quand tu vas à l'école ?»

«Ah oui ! Maman, elle en met plein ma chaudière, hein, Marie-Jeanne ?»

Victoria était venue à leur chambre improvisée. Elles coucheraient à même le plancher mais sur deux paillasses superposées. Déjà sous le seul drap car il faisait très chaud dans la pièce, l'une et l'autre usaient de prudence pour parler à leur tante de crainte que la mère sache ce qu'elles diraient.

–T'es pas mal blême, Aurore, t'as l'air malade.

–J'sus pas malade, ma tante, j'sus pas malade.

–Va y avoir un nouveau petit bébé chez vous demain...

–Ah ! oui, je le sais. Pis c'est moé qui va le garder quand maman va s'en aller. Pis je vas en prendre bon soin...

Victoria crut lire comme des lueurs d'espérance dans le regard de l'enfant, mais la faiblesse de l'éclairage la rendit incertaine.

–Pis comme ça, vous allez aux noces de votre ma tante Véronique à Leclercville...

–Ah oui ! fit Aurore qui sauta encore une fois devant une réponse de Marie-Jeanne. Pis on va aller sur le fleuve. C'est ma tante qui me l'a dit. Pis on va boire du Coca-Cola comme au magasin à monsieur Mailhot... J'ai assez hâte...

Les vies les plus amochées s'accrochent à des petits riens et Aurore s'agrippait du mieux qu'elle le pouvait à des projets réels ou imaginaires. Et souvent maintenant, elle fabulait comme à l'âge de trois ou quatre ans. Parfois, elle parlait aux disparus, à sa mère, à son oncle, à son chien. D'autres fois, elle soliloquait tout haut et cela lui valait des quolibets dans la cour de l'école. Mais surtout, elle se parlait à elle-même en grignotant sur les moindres lueurs qui pointaient à l'horizon.

Après le départ de sa tante, elle croisa les doigts dans le noir tandis que sa soeur s'endormait aussitôt. Mais elle n'osait prier Jésus à cause de toutes ses fautes et parce qu'on lui avait souvent dit que Jésus ne devait pas être trop content de sa conduite. Alors elle s'adressa à sa mère :

«On va aller sur le fleuve... pis ben comme on patinait la nuitte avec vous, maman... Je vas mettre ma belle robe du dimanche pis je vas me brosser les cheveux une grosse heure pour être belle aux noces...»

*

–Les filles, ça vous prend une trim de cheveux pour aller aux noces demain. Marie-Jeanne, viens t'assire sur la chaise icitte.

Et la mère raccourcit modérément la chevelure de l'enfant qui portait déjà les cheveux assez courts.

—J'ai pas besoin, moé, fit Aurore qui brossait les siens depuis que sa soeur était sur la chaise de coiffure.

—Envoye icitte tusuite !

La fillette obéit et dut se faire petite et tremblante. La mère se mit à couper, à couper... Les mèches tombaient sur le plancher tandis que la tête perdait peu à peu une partie de son charme car le visage blanc et amaigri était accentué par cette coupe sauvage.

—Les ôtez-vous toute, maman ? osa l'enfant au bord des larmes.

—Tais-toé si tu veux pas que je te pique avec les ciseaux.

Lorsque son travail démoniaque fut terminé, qu'elle eut laissé çà et là des touffes plus longues que le reste aux allures garçonnière, Marie-Anne rit. Elle prit le miroir de la coquetterie devant lequel l'enfant s'était brossé les cheveux auparavant et lui mit devant le visage.

—Regarde comme ça te fait ben, Aurore ! C'est comme ça, une belle trim pour une brailleuse pis une voleuse.

Pourtant libérée de son état de femme enceinte, Marie-Anne ne l'était pas de sa démence à la destruction. En ses pensées torturées, quelque chose lui disait qu'il n'y avait plus de place pour les filles à Télesphore dans cette maison, surtout qu'un nouvel enfant était là et que d'autres certainement suivraient.

Aurore avait rêvé de cette noce depuis son départ de chez ses grands-parents, fête à laquelle Télesphore aurait refusé qu'elle se rende avec sa soeur sans le désir affirmé de Véronique et l'envoi à Fortierville de son frère exprès pour les prendre, et qui les ramènerait ensuite. Plus ses souffrances morales augmentaient, plus elle comptait sur cet événement. Car du temps où elle avait vécu à Leclercville, jamais personne ne l'avait traitée de tous les noms si ce n'est que la deuxième année, on avait parlé à quelques reprises de la tuberculose de sa mère. Là-bas, on lui sourirait, on ne l'accuserait pas de péché, de malpropreté, de vol, de mensonge... Mais en lui coupant les cheveux de cette manière, c'est comme si la mère avait écrit toutes ces choses en grosses lettres sur sa tête. Tous sauraient qu'elle ne valait rien, rien du tout : ses cheveux en seraient le signe certain. Capable d'enjoliver les choses les plus insignifiantes, elle l'était aussi de les empirer, en s'en rendant elle-même coupable. Et ce, par la suggestion même de la femme mentalement troublée.

Il ne resterait de la journée des noces que des images entrecoupées, comme des photos tronquées par le travers, barrées d'un éclat blanc aveugle. La sortie de l'église de tante Véronique au bras de l'oncle Eugène, mais leur visage éclaboussé d'une lumière douloureuse. Des yeux multiples regardant sa tête. Le fleuve en bas là-bas où personne de la journée ne parlerait d'aller. Le chien, frère du sien, qu'elle ne tarderait pas à rapprivoiser et avec lequel elle passerait le plus clair de son temps dans l'après-midi, car elle ne supportait pas ces regards lourds ayant l'air de savoir qu'elle était nulle en catéchisme et peut-être possédée du diable...

D'une manière, elle fut soulagée lorsqu'au retour le jour d'après apparut devant elle sa maison rouge et la grange blanche derrière. On la battrait, mais sa honte diminuerait puisque la correction serait une sorte d'expiation pour ses fautes, comme une pénitence reçue au confessionnal.

Le soir même, on apprit que Marguerite Leboeuf, leur cousine de Deschaillons âgée de quatorze ans, viendrait passer l'été pour aider sa tante Marie-Anne, laquelle s'était amèrement plainte à son mari de l'ampleur de sa tâche et de son besoin de reprendre des forces au plus vite. Marie-Jeanne sauta de joie. Aurore se montra contente elle aussi, mais après être couchée, elle s'inquiéta au plus haut point. Elle qui avait compté s'occuper du nouveau-né, de le garder comme il faut comme elle l'avait si souvent fait avec Georges-Étienne et Joseph avant son départ pour aller vivre à Leclercville, était privée de ce moyen de défense par la venue de Marguerite.

Puis elle se consola car sa cousine devrait bien retourner chez elle à la fin de l'été.

*

Malgré une pluie intermittente le jour suivant, Marguerite fut reconduite par son père. C'était une jeune adolescente souriante au front large avec une chevelure qui lui retombait à égalité des oreilles et dont une barrette enserrait une large mèche brune au-dessus de la tête.

Marie-Anne n'avait pas prévu de lit pour elle. Elle n'y songea qu'en la reconduisant en haut et alors un commencement de solution lui apparut : Marguerite coucherait avec Marie-Jeanne à la place d'Aurore et Aurore, elle...

Il fallait une justification pour que l'enfant mal-aimée soit condamnée à dormir tout l'été sur le vieux banc. La femme surveilla Aurore. Et Aurore posa les gestes qu'il fallut. Perdue d'avance, quoi qu'elle fasse ce jour-là, un crime lui aurait été trouvé par la mère.

–Non, mais as-tu vu comme t'as les pieds sales, toé, la malpropre ?

La plupart du temps, les enfants restaient pieds nus l'été et Aurore s'était rendue dehors à l'arrivée de sa cousine. Des cernes de terre détrempée étaient restés autant sur ses pieds à elle que sur ceux des autres enfants, mais pas davantage.

Alimentée par sa folie monstrueuse, la femme s'enragea plus qu'un chien malade; elle sortit dehors et se rendit à un tas de bois formé des restes des bécosses que Télesphore avait démolies pour les remplacer par des neuves. Elle se trouva un bout de planche de cèdre qui convenait par sa longueur et sa grosseur, l'arracha par des torsions violentes et revint sans l'examiner plus à fond. À l'intérieur, elle le mit à côté du poêle en retrait puis cria à la fillette qui, terrorisée par ce qui s'annonçait comme une correction à venir, était montée se cacher en haut dans l'espoir de se faire oublier.

Aurore s'était assise sur le banc encore taché de son sang de l'hiver et avec ses mains et de la salive, elle lavait ses pieds le plus vite qu'elle pouvait, essuyant les résultats tant bien que mal sous le banc.

Marie-Anne pensa qu'elle ne pourrait accomplir son dessein sans attacher la fillette. Dans la shed, elle trouva une corde tressée qu'elle vint poser sur la planche puis elle cria :

–Aurore, viens icitte tusuite, as-tu compris ?

Aurore ne répondit pas.

–Marguerite, Marguerite...

–Oui, ma tante.

–Aurore est-il là ?

–Ben... oui...

–Dis-y de descendre tusuite parce que si je vas la chercher, je la jette en bas de l'escalier...

Des grands enfants, seule Marie-Jeanne se trouvait là. Elle se renfrogna le corps et l'âme. Marguerite la retrouva dans leur chambre tandis qu'Aurore descendait, plus blanche encore que jamais auparavant.

—Assis-toi icitte, lui dit Marie-Anne en lui désignant une chaise droite.

Quand Aurore y fut, la mère passa par derrière, prit la corde et emprisonna la fillette qui offrit peu de résistance de peur que la punition soit pire, avant de multiplier les tours jusqu'à l'immobiliser tout à fait. Aurore gémissait sans plus, les paupières closes comme si cette attitude eût pu avoir pour effet de calmer la tempête ou bien de la faire passer plus vite.

Soudain, une douleur intolérable, affreuse, partie de son pied droit transperça son coeur et son cerveau. La mère lui avait asséné un coup de planche sur le dessus du pied. Par instinct, elle releva la jambe et ce fut sur la plante du pied que le morceau de bois frappa aussitôt. D'immenses cris tordus jaillirent de la bouche de la victime et stimulèrent son bourreau qui frappa encore et encore, n'importe où sur les pieds avec pour seul soin d'éviter les orteils qu'il ne fallait pas casser pour n'avoir pas à la faire soigner par le docteur.

Aurore se rejeta le haut du corps en avant puis vers l'arrière et elle allait basculer quand la mère la rattrapa et la repoussa dans l'autre sens. Il y avait maintenant du sang sur le bout de la planche et sur un clou rouillé s'y trouvant, lequel avait piqué dans la cheville et la plante du pied. Marguerite accourut dans l'escalier alors que Marie-Jeanne se terrait dans un coin de la chambre en se demandant si elle ne serait pas la prochaine...

Et la fillette tomba en avant, sa tête frappant le même noeud du plancher qu'autrefois quand son père l'avait poussée d'une claque dans le dos, souvenir dont seul son inconscient avait gardé la notion. Alors la femme s'acharna à la battre encore sur les deux pieds...

—C'est qu'elle a donc fait ? intervint Marguerite qui n'en croyait pas ses yeux et cherchait à faire cesser cela.

Son manège réussit. La femme eut un éclair de réflexion.

Et si la petite Leboeuf racontait la chose à ses parents ?

–Viens m'aider à la relever, là...

Marguerite obéit. Aurore n'était plus qu'un paquet de cris comme ceux d'une folle, ce que souligna Marie-Anne en insérant ses mots entre les hurlements :

–Tu vois : c'est une petite voleuse, menteuse, malpropre, pis possédée du démon. Ça prend rien qu'une possédée du diable pour crier de même...

On releva Aurore dont le pied droit se contorsionnait d'une affreuse manière. La cheville avait été piquée à l'os et la douleur la laissait au bord de l'inconscience sans l'y précipiter toutefois comme si son instinct de petite bête prise au piège avait voulu qu'elle restât capable de s'échapper de l'attaque brutale.

–Détache-la pis emmène-la en haut. Qu'elle se couche sur le vieux banc : ça va être sa place tout l'été parce qu'elle mérite pas mieux.

Marguerite s'empressa de la libérer, répétant sans arrêt :

-Aurore, c'est Marguerite, Aurore, c'est Marguerite, rouvre les yeux. Aurore, c'est Marguerite...

Dès qu'elle se sentit libre l'enfant se jeta au cou de sa cousine et serra comme une désespérée en train de se noyer, les hurlements de terreur se transformant en cris de détresse.

Marguerite vit les pieds ensanglantés qui enflaient à vue d'oeil et la joue grafignée.

–Viens t'en, je vas t'aider à monter en haut...

Aurore s'appuya sur elle sans cesser de pousser de long gémissements que la voix de Marie-Anne rendue dans la cuisine d'été enterra :

–Pis qu'elle se couche sur le vieux banc parce que je vas monter pis elle va en avoir une autre bonne volée, pis par la tête c'te fois-là...

Malgré son désir de la faire coucher dans son lit, Marguerite n'avait pas le choix pour le bien même de sa cousine et elle la conduisit dans le réduit près de la fenêtre sous le comble. Aurore s'étendit aussitôt en agitant constamment la jambe droite et en se roulant sur elle-même pour chasser cette douleur atroce qui lui piquait le coeur.

La voix de Marie-Anne les atteignit de loin :

–Pis t'es ben mieux d'arrêter de brailler pis de crier parce que je monte...

Les pleurs devinrent des sanglots sourds. Marguerite courut lui chercher une couverte...

–Pis qu'elle s'abrille avec les poches, sont sous le banc, reprit la mère qui paraissait suivre et deviner tout ce qui se passait en haut.

Cette fois, Marguerite refusa d'obéir. Elle dirait qu'elle n'avait pas entendu, et laissa la catalogne sur sa cousine en ayant soin de lui garder les pieds à découvert pour éviter des souffrances additionnelles en même temps que pour empêcher de souiller la couverture.

Les victimes d'une tumeur au cerveau ont la rage aisée et l'oubli rapide. Mais entre leurs crises, l'agressivité que les bonnes gens appellent la méchanceté reste vive sous la cendre, et l'intelligence ne cesse de servir leurs noirs desseins. Telle aurait pu être la conclusion d'un aliéniste témoin du comportement de Marie-Anne Houde dans lequel se pouvait remarquer la progression évidente de son mal psychosomatique.

Mais seul le curé avait lu Freud dans cette paroisse. Grande lumière de ces pauvres gens et fier de l'être, le malheur étant que les êtres trop fiers et diplômés sont le plus souvent coupés de leur coeur, la lumière du prêtre au lieu d'éclairer et de réchauffer Aurore avait accéléré sa perte. Quand sa souffrance devint un peu plus tolérable, elle eut l'idée un moment de courir au village par la voie ferrée, de se rendre au presbytère et de demander pitié, mais le visage dur de l'abbé Massé la questionnant. Et ce conditionnement par lequel on lui avait fait croire qu'elle pouvait bien appartenir au diable lui firent rechercher une autre solution. La voie ferrée et des souvenirs lui en suggérèrent une et elle finira par s'endormir très tard ce soir-là, après tous les autres, épuisée, meurtrie comme jamais depuis sa naissance.

Durant la soirée pourtant, elle reçut une visite de son père. Alerté par Marguerite sur l'état des pieds d'Aurore, Télesphore questionna sa femme. «Je l'ai pas fait exprès, c'est parce que y'avait un clou rouillé après la planche,» se défendit-elle. À son retour de la chambre, il dit :

404

–Si elle les a aussi laids à voir demain matin, va falloir lui faire tremper ça dans l'eau salée. Un empoisonnement de sang, elle pourrait en mourir...

«Qu'elle meure donc durant la nuitte !» pensa Marie-Anne qui néanmoins eut peur et dit qu'elle ferait comme il voulait.

*

Un oeil petit et penché regarda ses pieds. Le droit était énorme. Bleu. Les orteils ne bougeaient plus, prisonniers de l'enflure. C'était l'aube. De l'autre côté de la vitre, sur la tablette du châssis, un oiseau dansait à pieds joints... Aurore ouvrit les yeux et l'aperçut. Ce n'était qu'un simple moineau domestique au plumage gris, brunâtre et blanc. Elle se persuada qu'il venait la saluer, la consoler, lui sourire de bon matin... Peut-être qu'il n'était pas un oiseau, un vrai, et que sous ces apparences, il y avait quelqu'un qu'elle connaissait, son chien, son petit frère Joseph ?

C'était dimanche.

La terre avait eu si soif ces dernières semaines que toute trace d'humidité de la veille avait pénétré le sol et disparu. Et le soleil annonçait déjà ses couleurs de plomb par des rayons montants dispersés en éventail et que la fillette blessée pouvait apercevoir au-dessus de l'horizon.

Elle avait terriblement mal à son pied et pourtant, elle trouva la force de sourire à l'oiseau. Par bonheur, Marguerite lui avait mis un oreiller sous la tête, ce qui lui avait sauvé des meurtrissures à l'épaule comme elle en avait ressenties les fois où elle avait couché là déjà.

Elle soliloqua :

«Asteur, je vas faire attention pour pas me salir les pieds. Je vas offrir mes souffrances au bon Dieu... Il va me pardonner mes fautes... Pis il va me rouvrir la porte... Parce que je vas m'en aller le trouver aujourd'hui... «

Les intentions les plus contradictoires se mélangeaient en sa tête. Un projet était net cependant...

*

Au même moment qu'Aurore, le curé rouvrit les yeux après une nuit calme et paisible. Il se leva, tira sur les pans de la veste de son pyjama comme s'il se fut agi d'un complet à la mode porté par un homme public, et se rendit à la fenêtre pour se gorger d'air matinal. Son regard se durcit aussitôt. Il pouvait apercevoir au loin cette image déplaisante voire intolérable qui chaque jour l'agaçait, le narguait : ce champ de broussailles, lieu de mauvaises herbes produisant de la mauvaise graine que le vent emportait vers les bonnes terres pour les corrompre en quelque sorte, repaire de petits animaux nuisibles, mulots, couleuvres, terrain inutile donc de Caïn et qu'il fallait absolument transformer, régénérer avant qu'il ne dégénère encore davantage.

Un vague projet devint net dans sa tête.

Il serra les mâchoires et leurs muscles saillirent.

*

De mal gré, Marie-Anne remplit un seau d'eau où elle jeta beaucoup de saumure et monta en haut.

Elle ne ressentit ni joie ni peine d'apercevoir l'enflure du pied.

—Assis-toé pis mets ton pied dans la chaudière...

Aurore s'enveloppa la tête de ses bras. La femme lui parla fort, mais évita de montrer de la hargne :

—Si tu veux que ton pied guérisse, faut que tu le fasses tremper dans de l'eau salée. Autrement, tu vas faire un empoisonnement de sang pis tu vas mourir...

À dix ans, Aurore connaissait les vertus de l'eau salée mais aussi la douleur qu'elle provoquait en touchant une plaie, néanmoins, elle obéit à moitié et souleva sa jambe qui tremblait, se retenant de la plonger dans l'eau. La femme l'y poussa. C'était ce que l'enfant voulait même si elle gémit.

L'oiseau était revenu. Mais il s'envola quand Marie-Anne se rendit à la fenêtre et l'ouvrit pour voir s'il n'y aurait pas un nid de quelque chose sous l'excédage du toit.

Télesphore s'enquit de l'état d'Aurore. Sa femme lui dit la vérité. L'enfant ne pourrait se rendre à la messe. Elle resterait à la maison avec Marie-Jeanne qui garderait le bébé. L'homme pensa qu'il vaudrait mieux laisser un message pour le docteur chez Oréus Mailhot après la messe ou au bureau de desserte...

*

La mère nourrit le nouveau-né puis on partit pour le village avec les autres enfants et Marguerite.

Marie-Jeanne se rendit auprès de sa soeur dont le pied trempait déjà depuis une heure et qui avait ordre de le laisser dans l'eau salée jusqu'au retour de la famille.

Elle s'assit sur le banc, n'osant regarder dans le seau où des grumeaux bruns de sang séché flottaient à la surface.

–J'ai assez faim, dit Aurore qui n'avait rien mangé depuis la veille au midi.

–Je vas aller te chercher quelque chose.

–La mère, elle va te battre, tu penses pas ?

Marie-Jeanne hésita un moment puis elle repartit et revint peu après avec une assiette remplie de plusieurs choses, mais de petites quantités de chacune pour que la mère ne s'en rende pas compte. Il y avait des fèves au lard froides, du pain, du beurre, du lard salé, de la mélasse et un oeuf cuit dur et épluché.

Aurore mangea comme une ogresse et comme si rien ne s'était produit. Elles parlèrent peu et sa soeur la regardait faire tout en réfléchissant à ce qui s'était produit. Quand la fourchette ne réussit plus à glaner quelque chose sur la faïence, Aurore la lécha minutieusement puis elle lécha l'assiette jusqu'à la rendre propre, et elle la déposa entre elles sur le banc.

Alors, l'oeil éclairé, où brillaient les rayons solaires, elle annonça sa grande nouvelle, sa grande décision :

–Ben moé, je m'en vas, Marie-Jeanne.

–Quoi ?

–Ben oui, je m'en vas, moé.

–Où c'est que tu t'en vas ?

–Ben, je vas m'en aller sur la track des chars...

–Où ça ?

–Sur la track des chars...

–Ah !

Et Marie-Jeanne réfléchit. Si elle restait toute seule à la maison, c'est elle qui se ferait battre. Et puis, elle ne pouvait pas laisser Aurore s'en aller toute seule. Surtout avec son pied... D'autre part, l'idée lui semblait fort prometteuse. On s'en irait sur la track jusqu'au bout, et au bout, c'était Québec... Et une grande idée s'ajouta à celle d'Aurore : elles pourraient vendre des médailles dans les rues là-bas, comme à Montréal Marie-Scapulaire dont on avait parlé devant elle. C'était gratuit, des médailles, elles en demanderaient aux prêtres là-bas... Et avec leur argent, elles pourraient s'acheter du manger...

–Quand est-ce que tu t'en vas ?

–Tusuite, là...

Aurore sortit son pied de l'eau. L'enflure avait diminué de moitié, mais il en restait encore trop et il lui serait impossible de marcher. Elle essaya sans réussir à se porter sur son pied. Alors Marie-Jeanne lui donna son épaule et ainsi accrochées l'une à l'autre, elles purent avancer autour de la petite pièce.

–Tu peux pas t'en aller, tu peux pas marcher tuseule; ça fait que je vas m'en aller avec toé.

Aurore n'aurait pas pu entendre plus belle parole. Sa plus grande peur de partir, c'était d'être seule; elle ne le serait pas et la personne qu'elle aimait le plus au monde, sa soeur aînée, serait avec elle pour l'aider. Mais son front se rembrunit. Marie-Jeanne ne pouvait pas venir avec elle, là où elle voulait aller... Elle ne savait plus...

Elles se rassirent. Marie-Jeanne prit le projet en mains. Elle parla de Québec, de vendre des médailles... Mais il y avait plusieurs obstacles à surmonter. D'abord le bébé en bas qui dormait et qu'il ne faudrait pas laisser seul trop longtemps. Elle résolut le problème en mesurant le temps et la distance dans sa tête. On partirait une demi-heure avant le retour de la famille et c'est la cloche de l'église du moment de l'Élévation qui l'indiquerait. Puis il fallait trouver quelque chose pour contenir le pied d'Aurore. On emmènerait ses bottines, mais en attendant que son pied rapetisse... Elle finit par trouver. Il fallait lui envelopper la jambe avec des poches de jute. Personne ne les comptait et ce n'était pas un vol de s'en servir, même sans permission.

Aurore fut ébranlée par ce changement à son programme. Sa destination à elle n'était pas Québec mais ce nouveau projet lui souriait beaucoup plus que le sien car elle ne serait plus seule maintenant qu'elle serait seule avec Marie-Jeanne.

*

Marie-Anne écoutait avec attention et soumission les éloquentes paroles du prêtre qui prêchait sur la folie du péché conduisant à l'enfer et aux flammes éternelles. En même temps, l'abbé Massé pensait à un incendie d'une autre sorte. Les mots sortaient si mordus et serrés de sa bouche, jetés sur l'assistance par son intelligence supérieure où bouillait constamment le consommage de ses connaissances, que son auditoire en restait chaque fois béat d'admiration. Après avoir terminé par les promesses d'un pardon passant par ses absolutions, il fit savoir qu'il désirait voir venir à la sacristie après la messe une douzaine d'adolescents grâce auxquels, annonça-t-il laconiquement, il réaliserait un projet important et longtemps caressé.

Les gens pensèrent de suite au club de baseball dont il avait été question souventes fois depuis son arrivée dans la paroisse. Leur jugement se confirma quand l'abbé ajouta son désir de voir Oréus Mailhot se présenter lui aussi à la sacristie. Ce serait pour lui passer une commande de balles sans doute ou bien pour solliciter sa commandite. Le marchand acquiesça d'un signe de tête imprimé d'une certaine fierté de se voir ainsi requis du haut de la chaire.

Marie-Anne communia avec la plus grande ferveur. Le curé respira son parfum après toutes ces bouches pâteuses, édentées, ébréchées, noircies par divers tabacs, ces crasses vieillies et multipliées, ces souffles rancis. Elle et d'autres jeunes femmes de la paroisse rafraîchirent l'air échauffé de l'église.

*

Lorsque sonna le tinton, Marie-Jeanne et Aurore, rendues en bas depuis un bout de temps jetèrent un dernier coup d'oeil au bébé endormi puis, difficilement, elles sortirent, descendirent l'escalier et se mirent en route, leur petite chaudière à manger des jours d'école à leur bras avec dedans des riens, des restes qu'on avait mesurés pour éviter que la mère s'en aperçoive, comme si cela avait eu de l'importance, l'aînée portant une petite valise ayant appartenu à l'oncle Charles autrefois et qui traînait dans les ravalements, contenant leur tasse, la bottine qu'Aurore n'avait pas pu se mettre, un vieux couteau qui ne servait plus à personne, le Jésus de bois à Marie-Jeanne qui en le prenant dans sa main dit à Aurore qu'elle le lui donnait, un crayon, le petit catéchisme appartenant à la cadette qui y tenait pour pouvoir apprendre et répondre aux questions qu'on lui poserait peut-être là-bas, là-bas elle ne savait où, là-bas où elle serait, la brosse à Marie-Jeanne pour ses cheveux, et pour ceux d'Aurore qu'on laisserait repousser, chacune son *smock* de coutil blanc beige, et plusieurs autres poches de jute pour se protéger la nuit quand il faudrait coucher dehors.

On prévoyait trouver refuge dans des granges tant qu'on ne serait pas à Québec.

Un moment, on changea d'idée à cause de la peur de l'inconnu très grande chez Marie-Jeanne. Il fut discuté de partir par le chemin et de trouver refuge à Leclercville, mais c'était fou puisqu'on les retrouverait vite.

En fait, c'est Marie-Jeanne qui planifiait et re-planifiait, et sa soeur l'écoutait sans toutefois abandonner son propre projet pensé si fort depuis la veille.

Elles allaient, le pas difficile et pénible, l'aînée donnant l'épaule à l'autre qui touchait à peine le sol avec son pied malade et choisissait des surfaces sans cailloux pour le poser. Au lieu des dix minutes habituelles pour atteindre la voie ferrée, elles en avaient prévu le double et rendues là, elles prendraient la direction de l'est entre les arbres qui leur jetteraient de l'ombre et de la fraîche, ignorant absolument tout du temps qu'il leur faudrait pour atteindre leur objectif, de la suffisance de leurs vivres, des dangers que les loups représentaient sans compter les vagabonds, de ce qu'elles croiseraient en route et de ce qui les attendait à l'autre bout de la voie.

Leur mal de vivre chez elles mettait leur avenir sous les augures les plus favorables. Elles se promettaient de prier chaque heure ou quand elles croiraient qu'une heure avait passé, car aucune ne possédait de montre.

*

«Ite missa est !»

Le prêtre faisait peur et attirait à la fois comme tous ceux qui exercent une emprise physique, intellectuelle ou bien les deux sur leurs semblables en les effrayant; en conséquence, deux douzaines d'adolescents se pressèrent dans l'étroit couloir menant à la sacristie et parmi eux se trouvait Georges Gagnon poussé par les propositions sans appel de sa mère.

«Il va apprendre le baseball,» dit-elle à Télesphore quand après le départ du prêtre, on fut libre de se consulter à voix basse dans les bancs.

«Fais comme tu voudras. Si il veut y aller...»

«Il aura rien qu'à remonter à maison par la track des chars.»

«Ça me fait ben rien !»

«Ça va faire plaisir à monsieur le curé.»

«Pourquoi pas que je te dis, envoye-le...»

L'abbé Massé s'adressa d'abord à Oréus Mailhot à qui il demanda de lui fournir à manger pour une douzaine de jeunes estomacs, ce que la fabrique paierait, et de lui faire parvenir par trois d'entre eux qu'il enverrait avec lui au magasin cinq gallons d'huile de charbon dans une douzaine de cruches différentes.

—Je pensais qu'on venait icitte pour former le club de baseball ? s'enquit le marchand.

—Pour le moment, j'ai quelque chose de plus utile à faire pour la paroisse.

—Comme quoi donc ? s'inquiéta le juge de paix.

Le prêtre lui mit une main dans le dos en disant :

—Vous verrez bien, mon cher ami, vous verrez bien. En attendant, faites ce que je demande s'il vous plaît. Votre curé n'a pas l'intention de mettre le feu à l'église...

Puis il congédia les plus jeunes venus se mettre à sa disposition non sans avoir pris en note le nom de chacun dans son calepin noir. Et parmi eux Georges qui retrouva sa mère venue après lui et qui attendait discrètement près de la sortie de pouvoir s'adresser à Oréus Mailhot tandis que Télesphore retournait avec les autres enfants à l'étable où il détenait, ayant déserté chez Anthime parce que trop loin de l'église, avait-il alors argué.

En attendant les jeunes envoyés du curé, Oréus rejoignit Marie-Anne. Ils se saluèrent à voix basse, mais un regard autoritaire du curé les fit taire. Tant mieux, se dit la femme, elle pourrait parler devant le prêtre et ensuite peut-être jaser un brin avec lui.

Il s'approcha enfin après avoir dit aux jeunes de rester sur place et de parler s'ils le désiraient. On leur apporterait à manger et ensuite ils sauraient pourquoi ils se trouvaient là.

—Merci de votre silence et si vous voulez parler fort, vous avez ma permission, dit-il à Oréus et la femme.

Marie-Anne dit à voix quand même retenue :

—Je voulais juste dire à monsieur Mailhot de laisser un message pour nous autres au docteur Lafond quand il va venir c'te semaine pour qu'il vienne examiner un enfant... J'en ai une qu'a marché, imaginez donc, sur un clou rouillé hier pis qu'a le pied pas mal gros à matin...

—Pas la petite Aurore, j'espère ? demanda le prêtre.

—En plein elle. Quelle autre ?

—J'ai comme l'impression que les bénédictions ne lui tombent pas sur la tête.

Oréus fut révolté d'entendre ça dans la bouche d'un prêtre. La femme trancha dans sa réflexion :

—Ce qui est certain, monsieur le curé, c'est qu'elle a un don pour se mettre le pied où c'est qu'elle a pas d'affaire.

—Ah ! mais ça va lui passer... avec le temps. Le temps arrange tout, dit-on. Et la prière recoud ce que le temps n'arrive pas à cicatriser...

Le curé faisait allusion à la fois au comportement prétendument décousu de l'enfant et à cette blessure dont avait parlé la mère. Il était le seul homme de la paroisse à pouvoir ainsi s'exprimer au propre et au figuré en même temps. Les artistes symbolistes l'avaient aidé à acquérir cette habileté, mais il fallait un cerveau brillant pour se livrer si aisément dans ses sermons aussi bien que dans le privé à pareille joute intellectuelle qui lui bâtissait une réputation de fin causeur. Un vrai Français de France ! disait-on souvent dans la paroisse, opinion qui rappelait toujours à Télesphore son pauvre compagnon du pont de Québec au destin si tragique et que sa fierté avait entraîné dans la mort. Pauvre fierté des fiers esprits !

—Vous pouvez compter sur moi, dit Oréus qui avait la tête remplie de trop de choses pour s'arrêter sur une seule quoique pour l'heure, ce mystère entretenu par le curé Massé le chicotait passablement.

*

Les fillettes arrivèrent enfin à la voie ferrée en plein bois, à mi-chemin entre leur maison et celle du plus proche voisin là-bas à l'embranchement du rang et du chemin du trécarré. Marie-Jeanne regarda dans toutes les directions. Rien loin devant ni rien derrière. Pas âme qui vive sur les rails vers le village, non plus que dans la direction est vers laquelle en peine et misère l'on s'engagea.

Le problème, c'était la distance entre les dormants. On tenta de s'ajuster à elle en évitant à Aurore de devoir se porter trop sur son pied, mais l'on n'y arrivait guère. Ou bien il aurait fallu qu'elle mette le pied entre les morceaux de bois couchés et donc sur du gravois aux pressions atroces ou encore il eût été requis de laisser porter son poids entier et même une partie de celui de sa soeur sur son membre malade. Au bout de quinze pas, il fallut s'arrêter. Aurore voulait s'asseoir.

—Non, ils vont nous voir sur la track en revenant... Faut marcher, faut s'en aller plus loin jusqu'au croche là-bas !...

—J'ai assez mal à mon pied, moé...

—Je le sais, mais faut s'en aller, faut s'en aller...

Marie-Jeanne qui jusque là avait supporté sa soeur par sa droite à elle et donc la gauche d'Aurore pour éviter de lui heurter le pied pensa qu'elle pourrait essayer de ce côté même.

—Tiens-toé comme il faut après moé, je vas te prendre autrement !...

Tandis que l'autre tournait autour d'elle en la tenant par où elle pouvait, Aurore obéit. Se tint piteusement, écartelée entre son envie de s'asseoir et la nécessité de poursuivre. Leur progression fut un peu facilitée de cette manière. Elles avancèrent, avancèrent vers la courbe nécessaire pour les cacher à la vue des passants sur le rang sept. Mais pas assez vite car la voiture des Lemay traversa la voie; personne ne tourna la tête en leur direction. Peu de temps après tandis qu'elles y arrivaient, à cette courbe espérée, Télesphore et la famille franchirent à leur tour la voie ferrée. Personne, cette fois non plus, ne regarda vers l'est excepté Marguerite qui vit sans voir. En fait, ses yeux balayèrent l'ensemble de la scène mais en un temps si rapide que son attention ne s'arrêta pas et que sa conscience ne digéra pas cet éclair fugitif. Car elle n'avait même pas pu enregistrer de mouvement à cause de la distance la séparant des marcheuses et du temps trop court de son coup d'oeil. Une de ces images trouvant à retardement ses vrais contours et son acuité !

*

Marie-Anne accourut elle-même vers la grange où Télesphore dételait pour lui crier sur le ton d'un énorme reproche pointu :

–Tes filles... elles sont pas là... Y a personne dans la maison pis le bébé est resté tuseul...

–Regardé partout ?

–Moé pis Marguerite, on les a cherchées partout dans la maison. Sont pas là... Sont rendues chez Lemay, je mettrais ma main à couper.

–Sont peut-être dans les bâtiments icitte ?

On cria à Georges et Roméo afin qu'ils cherchent dans la grange, l'étable et le hangar, et même dans les latrines où l'homme croyait qu'elles pouvaient se trouver. Les résultats ne se firent pas attendre.

–Ah ! quand je vas les retrouver...

–C'est que tu fais ?

–J'attelle pis je vas du côté des Lemay pis jusque chez Adjutor. Si je les trouve pas là, je vas prendre le chemin de Leclercville. Peuvent aussi ben s'être fourré dans la tête de retourner là-bas...

–On sait ben : se sont fait pourrir par là durant deux ans...

Télesphore avait été ébranlé par cette correction trop brutale et irréfléchie que sa femme avait fait subir à Aurore, et qui était sûrement la cause du départ des deux enfants. Avant de se mettre en route, il se rendit sous l'appentis, décrocha un manche de hache parmi d'autres à être vendus à Oréus Mailhot et il le mit entre les mains de Marie-Anne.

–À l'avenir, quand tu corrigeras un enfant, arrange-toé donc pour te servir de quelque chose de moins dangereux qu'un bout de planche avec un clou rouillé dedans. Pis fesse aux bonnes places, pas n'importe où c'est !

Il y avait un côté carte blanche dans ce manche de hache en bois pâle sur lequel pourraient s'écrire du redressement, des marques de tuméfaction, des caractères de sang. De plus, elle ne manqua pas une si belle occasion de manipuler son mari :

–Si tu t'en occupais mieux pis plus, de corriger ces enfants-là, j'aurais moins besoin de le faire tuseule.

–Je vas m'en occuper, je vas m'en occuper...

Au moment de s'engager sur le chemin, Télesphore aperçut des colonnes de fumée s'élever au-dessus du bois vers le village. Sans sa préoccupation du moment, il eût été davantage intrigué par la chose. Son inquiétude tenait aussi aux risques de racontars. Suite à la correction d'Aurore, on pourrait grossir les faits et dire qu'il avait marié une marâtre, ce qui l'aurait humilié au plus haut point, d'autant plus qu'il se souvenait trop bien que son frère Anthime s'était mêlé de le prévenir...

Il fallait donc retrouver les enfants au plus vite. Ne pas les corriger pour éviter une nouvelle fugue mais les menacer d'une grosse volée si elles en parlaient à quelqu'un et emberlificoter les autres enfants dans des faussetés qui les mêleraient.

Marie-Anne aussi ressentait de la peur. Elle avait travaillé fort pour s'établir une réputation et ces enfants-là pourraient bien la lui faire perdre. Son cerveau bossu lui suggéra d'isoler tout à fait Aurore de Marie-Jeanne. En donnant des punitions à Marie-Jeanne, elle avait commis une erreur. Désormais, elle la rassurerait, éviterait de la frapper et ferait porter tous ses efforts sur celle-là qu'elle appellerait désormais "la petite maudite" avec à l'occasion des corrections de surface aux autres sauf Marie-Jeanne qu'elle garderait néanmoins sous certaines menaces mesurées... Toutes les pièces du puzzle se rajustaient donc dans les basses-fosses de son âme. Pourvu que ces deux-là soient ramenées par leur père !...

*

Le curé Massé vibrait à la fierté.

Debout sur une énorme pierre, il portait ses regards aux douze coins du champ de broussailles. Douze colonnes de fumée semblables à celles d'un temple, le temple de son entreprise, s'étendaient vers l'est, en fait elles étaient penchées par une faible brise et s'en allaient au-dessus du bois et de la ligne ferroviaire.

Détruites, les plantes deviendraient cendres et engrais. Il suffirait ensuite de semer quelque chose dans ce champ du renouveau. Quoi, il ne savait pas encore mais il n'aurait qu'à consulter ses livres d'agronomie ! Non, il ne le demanderait pas à son frère Arthur car ce serait un aveu de méconnaissance, ce qu'un curé d'élite ne pouvait se permettre de faire. Au pays de Louis Cyr, les faibles n'ont de respect qu'envers les forts.

Fier de lui-même, dans cinq ans, il le serait de sa paroisse qui, en attendant, lui posait plusieurs défis. Un jour, même cette roche immense sous ses pieds et que six chevaux ne sauraient faire bouger, disparaîtrait de ce champ et non pas par la simple force musculaire comme la célèbre roche à Mailhot mais par celle du savoir-faire... On verrait bien ce qu'un cerveau peut faire là où des bras demeurent impuissants.

*

Les fillettes avaient réussi à franchir plus d'un demi-mille. Elles arrivaient à la rivière. Alors il y avait obligation de quitter la voie puisqu'elle enjambait l'eau par le moyen d'un *tracel* où les dormants étaient ajourés. Cela non plus, on ne le prévoit pas quand on fuit la douleur et l'horreur et qu'on n'a que dix et douze ans, qu'on est sans aucune défense, sans aucun poids devant l'autorité et qu'il faut vivre dans un monde où la fierté est sans pitié...

Par chance, l'eau était peu profonde. Les pierres en affleurement en témoignaient. La sécheresse des dernières semaines n'avait connu de maigre répit que la veille et les ondées successives n'avaient pourtant rien livré aux cours d'eau.

Malgré qu'il ait été un jeu d'enfant de traverser pour des êtres bien portants, la blessure d'Aurore rendit l'entreprise affreuse. En premier lieu, Marie-Jeanne alla mettre toutes choses sur l'autre rive puis elle revint prendre sa soeur qu'elle avait fait asseoir sur une pierre.

–Je veux pas m'en aller tusuite, moé, annonça Aurore.

–Ah !

Marie-Jeanne jugea qu'il valait mieux lui donner le temps

de se refaire un peu de forces. On était à l'ombre d'un grand érable. Le soleil dansait partout sur l'eau. Il vint à l'esprit d'Aurore une flamme brillante et lointaine, lointaine. Pour un moment, elle oublia sa souffrance.

Pour s'encourager, on se parla à nouveau de Québec. Un grand regret apparut quand elles songèrent qu'elles avaient oublié de prendre leurs patins à glace. Il y avait plusieurs patinoires à Québec, paraît-il. Puis Marie-Jeanne trouva des mots de consolation. À deux, on vendrait bien assez de médailles pour s'en acheter des neufs...

Mais il y avait encore du chemin à parcourir. À leur vitesse, il faudrait six mois pour atteindre Québec et en marchant dix heures par jour.

–Ça va-t-il prendre encore ben du temps ? demanda Aurore.

–J'sais pas. Plusieurs jours... Quasiment une semaine, je pense...

–Ben partons, dit la blessée elle-même, ce qui étonna sa soeur qui l'entendait se plaindre et vouloir s'arrêter depuis leur départ.

De nouveau, Aurore passa son bras par-dessus l'épaule de sa soeur guère plus grande qu'elle heureusement. On s'engagea prudemment dans l'eau. Une si belle rivière aux chuchotements si apaisants ne leur ferait sûrement pas de mal...

Aurore ne put se retenir de mettre son pied dans l'eau qui imbiba aussitôt les trois poches et la guenille intérieure entortillant la blessure et l'enflure. Cela lui fit grand bien. On avança en respectant chaque pas. Le soleil leur dispensait dans le dos des encouragements doux et affectueux. Mais, hélas ! des moustiques de plus en plus nombreux et que les odeurs d'Aurore attiraient particulièrement, la piquaient cruellement aux endroits à découvert, surtout sa nuque et le fond de sa tête que les cheveux ne protégeaient plus.

La douleur s'atténuant, elle laissa son pied mordre davantage et ça leur valut de tomber juste avant l'autre rive à cause d'un pas trop appuyé sur un caillou et qui glissa, et valut à la fillette une douleur cinglante. Aurore demeura assise dans le courant. Se mit à sangloter. Sa soeur l'aida à se relever. On parvint enfin près des petites chaudières et de la valise.

*

Télesphore demanda à Exilda puis plus loin à la femme d'Adjutor Gagnon si quelqu'un avait vu passer les enfants. Mais ces gens-là aussi avaient assisté à la messe et personne ne savait.

Où, plus loin, auraient-elles pu se réfugier ? se dit-il en rebroussant chemin. Il restait à explorer la route menant à Leclercville. Quinze minutes à fine épouvante et il les rattraperait si elles se trouvaient par là...

Ces colonnes de fumée grossissaient à vue d'oeil là-bas. Quel idiot faisait un feu de brousse au beau milieu d'une sécheresse pareille ? pensa-t-il sans chercher trop à approfondir la question.

*

L'abbé Massé rappela un premier adolescent qui vint poser sa cruche vidée de carburant au pied de la grosse roche. Il l'envoya rappeler les autres. Il ne restait plus qu'à laisser faire le feu. L'incendie ne dépasserait pas l'humidité du bois que, dans son esprit compétent, garantissaient les pluies de la veille. Par prudence, on resterait là et, tiens, on parlerait de baseball. Pour le faire, il grimpa à nouveau sur la grosse pierre. Paternel et glorieux, il exposa cet autre projet que pas un de ces simples citoyens de Sainte-Philomène, pas même Oréus Mailhot, n'aurait su réaliser... Car, dans son esprit, il fallait beaucoup plus que des gros bras pour former une équipe de baseball intelligente.

*

Soudées comme des jumelles siamoises, les deux soeurs reprirent leur chemin et voulurent marcher comme auparavant, mais le poids de l'eau restée dans le pansement de fortune rendait la progression d'Aurore beaucoup plus ardue. À part ses plaintes sporadiques, le silement des cousins à leurs oreilles et le bruit du pas purjutant de la fillette, l'été répandait partout ses molles et lourdes tranquillités du midi.

Et les rêves de vendre des médailles à Québec commençaient à s'envoler en fumée tout comme les fardoches du curé Massé.

*

–Y a du maudit là-dedans ! s'écria Télesphore quand il

418

remit le pied à terre dans la cour.

Sur la galerie, le reste de la famille atterré ne comptait plus que sur lui pour solutionner le problème.

–Toé, Marguerite, tu sais rien là-dedans ?

–Ben non, je l'ai questionnée, dit Marie-Anne.

Comme l'aurait fait le curé bien avant lui, Télesphore présuma de la conduite des fillettes pour déchiffrer l'énigme. Car pourquoi courir à hue et à dia sans savoir où c'est qu'on va ? se dit-il.

Elles avaient fui par peur. Quand on a peur, on va vers quelque chose qui rassure. Mais des enfants de cet âge savaient bien qu'on les ramènerait si elles trouvaient refuge chez des gens connus. C'est donc vers l'inconnu qu'elles allaient. Et pour y aller sans être vues et prises, un seul chemin : la voie ferrée. Elles devaient s'y être rendues et avaient pris la direction opposée à celle du village.

–Occupe-toé du cheval ! lança-t-il à sa femme.

–Où c'est que tu vas ?

–Drette à la rivière que je vas suivre jusqu'à la track des chars; comme ça, je vas leur couper le chemin parce qu'elles seront même pas rendues là...

L'image fugace revint à l'esprit de Marguerite. Elle sut qu'elle les avait vues et ouvrit la bouche pour le dire, mais quelque chose la retint...

L'air commençait à sentir la fumée. Télesphore marchait, courait...

*

Le curé trouvait que ça faisait bien grand comme champ de feu. Il ne pensa pas à l'enfer, mais il fronça légèrement les sourcils. Au village, beaucoup d'hommes se parlaient, s'inquiétaient. Certains décidèrent d'aller y voir de plus près; après tout on était dimanche et on avait bien le temps. Et puis le curé se sentirait appuyé dans sa démarche purificatrice.

Le prêtre s'assit sur la grosse roche. Il entreprit de questionner les adolescents pour qui le curé était en ce moment le centre de l'univers.

*

Elles eurent beau marcher continûment, leur pas était si lent qu'une heure plus tard, elles n'avaient pas franchi un tiers de mille. Soudain, sans crier gare, Aurore s'effondra, épuisée, brisée par la fatigue, la chaleur et la douleur mais aussi par la perte de sang dont chaque pas tachait les dormants.

Marie-Jeanne s'agenouilla auprès d'elle, l'appela par son nom, gémit :

–Lève-toé, Aurore, lève-toé donc !

Le teint cendreux, le visage émacié, la fillette semblait morte, la bouche ainsi ouverte et les yeux fermés et creusés qui ne cillaient même pas.

Au loin, le train se fit entendre. Marie-Jeanne regarda le ciel, grimaça.

*

Grimaça aussi l'abbé Massé. Le train pourrait-il, oserait-il traverser cette mer de flammes ? Aurait-il dû avertir le chef de gare précédemment ? Et puis, d'où venait-il, ce train-là : de l'est ou de l'ouest ? Il le demanda. On lui assura qu'il venait de l'ouest. Tant mieux car l'ingénieur pourrait juger de la situation en gare de Fortierville.

Et grimaça aussi Télesphore qui pressa le pas dans la rivière. Il savait lui que ce train du dimanche midi venait de l'est.

*

La grimace de Marie-Anne en fut une de contentement. Et si le train la débarrassait donc de ces nuisances dans la maison ? Ce ne serait pas péché et elle ne verserait pas une seule vraie larme... Elle se rendit dans sa chambre et se mit de l'eau de senteur.

*

Marie-Jeanne courut se mouiller les mains dans le sous-bois et revint frotter le front d'Aurore. En vain. Là, elle la sortit de la voie en lui déplaçant le haut du corps puis le bas alternativement. Il fallait de l'eau; il fallait de l'aide. Elle prit sa chaudière et courut à toutes jambes vers la rivière, tandis qu'Aurore reprenait conscience et la voyait aller à travers un nuage qui naissait dans ses yeux mais aussi dans le champ du curé Massé. Elle ne cria pas. Son vrai projet à elle lui fut remis en tête. Le train mugit pour la seconde fois.

*

Télesphore et Marie-Jeanne arrivèrent au même moment au tracel. L'enfant s'arrêta net et posa son regard sur lui, dans ses yeux, plus bas, à terre, dans la terre...

–Où c'est qu'est Aurore ? demanda-t-il, la voix neutre.

–Là-bas... est tombée sans connaissance...

–Où c'est que tu vas ?

–Prendre de l'eau pour elle...

–Tu vas courir à maison pis dire à la mère de venir avec une voiture à l'autre bout, au chemin... Pis crains rien, elle te battra pas...

L'homme partit à la course vers Aurore.

*

Comme les petites Indiennes d'autrefois, la fillette entendait à son oreille collée à la terre nue les vibrations du train qui se rapprochait pour venir la prendre. Ce serait doux comme quand elle s'endormait à l'école, comme tantôt où elle avait perdu conscience. Il fallait que Marie-Jeanne soit partie pour qu'elle accomplisse son dessein. C'est seule qu'elle devrait s'en aller. Et le bon Dieu avait fait en sorte que Marie-Jeanne parte, elle ne savait où ni pourquoi. Pourtant, elle aurait bien voulu que sa sœur soit là quand même. Pour lui tenir la main jusqu'au moment de l'envol, de l'envol...

Il fallait maintenant qu'elle se lève, se mette sur la voie, s'y tienne debout en priant le ciel de lui ouvrir ses portes, appelle sa mère, son chien, son oncle, sa grand-mère Gagnon, mais comment se lever quand on souffre autant et comment s'appuyer sur un pied qui la ferait souffrir encore davantage ?

Alors l'image du vagabond assis sur un dormant à côté du rail lui revint en mémoire. Elle s'était imprimée à deux reprises en elle ce jour où elle revenait de l'école du village, là, sur la voie puis à la maison quand l'oncle Charles y était venu. Peut-être que l'oncle Charles voulait prendre son envol cette fois-là, mais que grâce à elle, il avait modifié son projet ? Si cela était vrai, elle serait donc responsable de son retour et du fait qu'il avait transmis la tuberculose à sa mère comme se plaisait à le répéter si souvent la mère ?

421

Tout était si flou, si net, si flou !

Elle se porta sur les genoux jusqu'entre les rails, le bas de sa robe taché de sang. Rester à genoux dans la position de la prière, c'était la bonne façon. Et puis non, cela faisait trop mal à son pied. Elle se traîna hors des rails pour que seuls ses genoux touchent les dormants. Elle garderait les yeux fermés, les mains jointes jusqu'au bout...

Le train rugit, tout près maintenant.

Elle se mit à prier. Sa toute première prière d'enfant...

«Mon Dieu, je vous donne mon coeur, mon âme, prenez-les s'il vous plaît afin qu'aucune autre créature ne puisse les posséder que vous seul, mon bon Jésus qui m'aimez sans retour..» «Mon Dieu, je vous donne mon coeur, mon âme...»

Elle perdit conscience. Se sentit emportée par un bruit immense et un vent énorme...

Empêché de voir par la distance et par la fumée qui s'épaississait, Télesphore laissa passer le train et il se remit à sa course. Il ne s'arrêta que rendu à la valise laissée là avec la chaudière d'Aurore. Et il dut explorer du regard les environs immédiats pour apercevoir le corps de l'enfant étendu dans de l'herbe haute en bas du tertre que par là surmontait la ligne ferroviaire. Il s'approcha. Elle vivait. À part ce pied, elle ne semblait pas blessée. Le train l'avait littéralement soufflée quinze pieds plus loin.

Il constata aussitôt qu'elle était en train de mourir au bout de son sang et que ce serait peut-être déjà fait sans cette corde retenant les poches et qui avait fait office de garrot. Il savait quoi faire : ôter tout ça, garrotter à neuf et la ramener dans ses bras au chemin tout en prenant soin de desserrer le garrot chaque cinq minutes pour éviter la gangrène. Et à la maison, on lui ferait un emplâtre de quelque chose. Et si la blessure se montrait trop vilaine, il la conduirait à Parisville chez le docteur Lafond, même en plein dimanche puisque le médecin ne ferait pas de bureau à Fortierville avant au moins le coeur de la semaine.

Quand Aurore sortit de son état d'inconscience, elle comprit aussitôt qu'elle n'était pas délivrée, qu'on la transportait... Elle ouvrit les yeux pour apercevoir le visage de son père si près, si terriblement près... Des gémissements qu'elle cherchait à contrer sortaient malgré sa volonté de sa peur et de sa douleur combinées.

–Braille pas, Aurore, je te ramène à maison pis on va te soigner comme il faut, dit l'homme bourru.

À la croisée de la ligne et du rang, Marie-Anne attendait dans la voiture à planches à roues bandées de fer. Georges et Roméo l'accompagnaient. L'aîné ne comprenait pas pourquoi sa mère avait emmené une paillasse pour Aurore tandis qu'à la maison, elle la faisait souvent coucher sur un banc nu. La femme toussotait parfois et se plaignait de cette fumée étouffante qui passait par nuages compacts. Elle espérait voir revenir son mari avec le corps déchiqueté de l'enfant, mais elle ne montra aucun sentiment quand il arriva et dit qu'elle vivait, et qu'il fallait la soigner.

–La petite brailleuse, dit Roméo.

–Toé, ferme ta gueule, lui dit Télesphore qui par voie détournée avertissait sa femme pour la deuxième fois de cette journée.

Il coucha la fillette sur la paillasse, desserra le garrot. Le pied était énorme, sanglant, noirâtre...

*

Il fut nettoyé, enduit de mercurochrome, enveloppé dans du propre et l'enfant fut couchée dans sa chambre. Télesphore partit pour le village pour deux raisons. Il téléphonerait au docteur Lafond, lui expliquerait le cas et au besoin irait le chercher à Parisville. Mais aussi, il obtiendrait réponse à cette interrogation grandissante : pourquoi ce feu et quels en étaient les dangers ?

En chemin, il se dit que l'escapade d'Aurore lui avait peut-être sauvé la vie au fond, en faisant saigner sa blessure, ce qui avait pu la débarrasser de microbes. Car s'il y avait eu empoisonnement du sang, toute la jambe aurait été enflée... Tout de même, il téléphonerait au docteur...

La fumée diminuait d'intensité à mesure qu'il se dirigeait vers elle. Quand elle monta droite, il sut qu'elle était tout aussi importante qu'auparavant mais que simplement le vent virait de bord.

Par tout le village, des têtes regardaient le ciel et pensaient comme lui. Oréus Mailhot envoya des voisins alerter tous les hommes disponibles. Il fallait se préparer au pire. Atteler chevaux et voitures, emporter cuves et seaux, aller au-devant de ce feu avant qu'il ne coure à toute vitesse droit sur le village.

Télesphore fut entraîné dans la corvée générale. Quand il arriva sur le terrain de l'église, le vent donnait franchement sur les maisons. Il comprit qu'il faudrait des tonnes et des tonnes d'eau pour empêcher le feu de se propager aux granges d'abord et à tout le village ensuite.

La nervosité était grande, mais le marchand prit les choses en mains comme un général d'armée. Un homme reçut la mission d'en prendre trois autres avec lui et de voir à lutter contre telle portion de l'incendie. Le champ de bataille et de broussailles fut ainsi divisé entre plusieurs équipes balancées. Télesphore commanderait dans le secteur gauche et prendrait l'eau dans un étang voisin.

On lutta ainsi avec acharnement jusqu'à minuit.

Le curé qui jusque là était resté dans l'ombre à se justifier intérieurement d'avoir agi pour le bien public, se redressa et décida de faire intervenir la Vierge Marie là où les gros bras demeuraient impuissants.

Les poches remplies de médailles, il partit en campagne, accompagné de trois adolescents. À chaque cinquante pas, il planta une médaille dans le sol. À une heure du matin, tandis qu'il achevait sa prodigieuse tournée, le feu commença à baisser; grâce à l'action combinée de l'eau et du ciel, à deux heures, l'incendie était enfin maîtrisé.

Malheureusement, Télesphore ne pouvait pas appeler le docteur à une heure aussi tardive.

*

Non, deux fillettes misérables fuyant la terreur ne seraient jamais sauvées grâce à des médailles qu'elles vendraient aux passants "généreux" dans les rues de Québec, mais Dieu, dans son immense complaisance envers ses plus brillants serviteurs, par la vertu d'autres médailles, les plus puissantes de toutes, celles de la Vierge Marie, avait circonscrit le feu de

424

broussailles, protégeant ainsi plus de cent belles bâtisses de la destruction.

C'est que le bon Dieu n'aurait quand même pas eu le temps de faire deux miracles le même jour.

Après tout, on était dimanche, jour du Seigneur et de repos, même pour le ciel.

Et puis, dans toutes les paroisses du Québec, Dieu, par la main du prêtre, ne ratait jamais l'occasion de poser une action d'éclat au déclin d'un incendie. C'est d'ailleurs la raison pour laquelle, en ce temps-là, on n'avait pas besoin de service d'incendie.

******

Chapitre 25

Le docteur Lafond vint quelques jours plus tard. L'enflure avait baissé, mais l'enfant ne pouvait toujours pas marcher. Il refit le pansement, mit un baume, fit ses recommandations laissa des remèdes. Tout cela coûta douze dollars. Télesphore en fit le reproche à Marie-Anne.

«C'est la faute de la petite maudite,» fut sa réponse et sa défense.

Pendant le temps qu'Aurore fut alitée, Georges et Roméo couchèrent dans la grange tandis que leur lit fut occupé par Marie-Jeanne et Marguerite. Cela déplaisait fort à la mère et elle attendait avec impatience que la fillette recommence à marcher pour que s'appliquent les mesures qu'elles avait prévues à l'arrivée de la nièce de Deschaillons.

Entre-temps, on était en pleine période des foins. Les fils y travaillaient vigoureusement avec Télesphore.

L'événement du champ brûlé prit toute la place et toutes les attentions de sorte que chacun oublia le pied d'Aurore. Le père osa échapper à la table un soir de ces jours-là :

«Le curé, il a beau être ben savant, il est pas mal innocent.»

Mais le prêtre trouva une vigoureuse défenderesse en la personne de Marie-Anne. Elle soutint que l'abbé Massé avait fait pour bien faire et qu'ils étaient rares, les curés possédant autant d'allant que lui, au demeurant un fait reconnu dans tous les environs.

«En plus que sans lui pis ses médailles, c'est tout le village qui y passait, hein !»

Cette fois, Télesphore ne fut pas le seul à ressentir des doutes et à les garder pour lui; Marie-Jeanne aussi avait le regard sceptique. Sans doute qu'Aurore, si elle avait été en bas avec les autres, naïve, bonasse et brisée comme elle l'était, aurait approuvé et aurait prié pour monsieur le curé.

*

–J'sus pas encore forte, forte, mais j'vas aller pareil faire des vailloches avec Marie-Jeanne avant-midi, le temps que vous allez commencer à serrer.

–Si tu veux, on peut se passer de toé; les gars sont rendus pas mal bons.

–Ah oui ?

–Georges, il a du nerf en maudit pour son âge.

–Pis Méo ?

–Lui, il est bon de longueur sur la petite ouvrage. Moins de mosselle mais plus tenace.

Télesphore avait décidé de les faire valoir par le côté qui touchait le plus sa femme. Et lui-même du reste. Un être travaillant trouvait grâce aux yeux de Marie-Anne. Et par ailleurs, il s'inquiétait à l'idée de ce qui pourrait se passer si elle s'en prenait à son plus vieux de la même manière qu'elle avait battu Aurore. Cette pensée lui faisait craindre non pas pour le fils mais pour la mère...

La marâtre gardait ses projets criminels au fond de sa tête. Elle recommença son entreprise d'isoler Aurore pour que la fillette se sente perdue et en vienne à s'abandonner comme Marie-Anne Caron l'avait fait. Et qui sait si la tuberculose ou bien une nouvelle épidémie de grippe l'hiver d'ensuite n'emporterait pas l'indésirable.

–T'as pas besoin d'avoir peur, Marie-Jeanne, je te battrai pas pour avoir fui sur la track... T'es pas mauvaise, toé, c'est Aurore qui est mauvaise. C'est de sa faute si je l'ai battue, c'est parce qu'elle est malpropre... Viens t'assire icitte, sur la vailloche, on va se parler comme il faut... Pis j'ai apporté de quoi de bon pour manger là...

*

À la maison, quand le bébé fut endormi, Marguerite monta voir Aurore dans sa chambre. Il y régnait une grande chaleur, difficile à supporter, mais la malade mangeait si peu qu'elle traversait sans peine la canicule. D'autant qu'on lui laissait sa fenêtre ouverte et que là-haut, l'air bougeait toujours un peu. Les maringouins l'achalaient, mais elle s'en défendait en restant sous le drap et en couvrant son visage de son voile de première communion qu'elle avait pris dans le coffre.

Sa cousine s'assit à terre en bouddha près du lit et elles jasèrent.

–T'as-tu encore ben mal à ton pied ?

–Oui, à plein.

–Ah !

–Mais ça fait rien, je vas revenir.

–Où c'est que t'allais avec Marie-Jeanne dimanche.

–Ah ! nulle part... on allait marcher sur la track...

–Vas-tu t'en aller encore ?

–Ben non, voyons ! Ma mère, elle me battra plus... je le sais, elle l'a dit à Marie-Jeanne... J'sus assez contente... Pis quand tu vas être partie, c'est moé qui vas garder le bébé...

–Oui, mais tu vas aller à l'école...

–Oui, mais après l'école pis le samedi...

–Tu vas être en cinquième année ?

–Ben j'pense que je vas redoubler ma quatrième année. Mademoiselle Barabé, elle a dit que ça serait mieux... Pour mon catéchisme surtout...

–Pourquoi c'est faire que ta mère, elle t'a coupé les cheveux de même ?

Aurore qui ne répondit pas à la question fit un coq-à-l'âne :

429

–Ta mère, elle te bat-il, toé, des fois ?

–Ben... non, j'sus trop grande, hey, j'ai quinze ans, moé, là.

–Moé, j'ai rien que dix ans, dit la fillette couchée avec un regard dubitatif et nuageux.

Aussitôt, elle reprit en s'appuyant sur un coude dans son lit :

–Pis toé, tu vas être en quelle année ?

–En neuvième année.

–En neuvième ? s'émerveilla Aurore.

–Oui. Pis après, je vas être maîtresse d'école peut-être.

–Ben moé itou, je vas être maîtresse. Mais les enfants, je les battrai pas. Mademoiselle Barabé, c'est rare qu'elle nous bat, elle, mais des fois, elle nous brasse un peu pis elle nous met dans le coin avec le bonnet d'âne...

–Elle t'a envoyée dans le coin, toé ?

–Ben... ben non, voyons ! mentit Aurore qui en était venue à refuser de se souvenir de cet épisode cruel du printemps.

Marguerite se frappa une joue et y écrasa un maringouin. Aurore eut un filet de rire et dit :

–Ben moé, ils me piquent pas... ben j'ai quasiment pus de sang...

–As-tu hâte de recommencer à marcher ?

–Ah ! ben certain !

–Il te faudrait une canne.

–Une canne ? C'est vrai, ça... Mais papa, il voudrait peut-être ben pas m'en faire une... En tout cas, je vas pas lui demander...

Le visage de Marguerite s'éclaira :

–Mais moé, je vas t'en faire une. C'est ben facile, je vas couper une grosse branche d'aulne avec une scie pis je vas la gosser avec un couteau pour ôter les pendrioches.

Une flamme s'alluma dans l'oeil creux d'Aurore.

–Tu serais capable ?

–Certain... pis je vas le faire tusuite.

–Non... la mère va se choquer après toé.

–Ben non voyons ! Pas après moé !

Ce qui ne laissait pas entendre "rien qu'après toé" malgré les apparences de la phrase et les résultats de l'entreprise.

–T'es chanceuse, toé, si maman veut te battre, t'as juste à t'en aller chez vous à Deschaillons... moé, j'peux pas m'en aller... j'peux pas... Mais elle me battra plus, là, c'est fini, elle l'a dit à Marie-Jeanne...

–Ben là, je vas te faire une canne pis je vas revenir tantôt...

Aurore esquissa un sourire pâle quand sa cousine partit et se coucha sur le côté, les mains collées et glissées entre sa joue et l'oreiller.

Marguerite trouva un couteau de poche dans un tiroir et sortit. Sous l'appentis de la grange, elle prit une égoïne puis traversa le chemin et entra dans un secteur à moitié boisé où poussaient des fardoches, des aulnes et des conifères en abondance.

Une heure plus tard, triomphante, elle pénétrait dans la chambre d'Aurore avec la canne et l'égoïne.

–Quen, je l'ai faite trop longue, mais on va la couper tant qu'elle te fera pas...

L'objet grossier avait le corps un peu flasque, mais il ne comportait aucune aspérité tranchante, même en son extrémité du haut en forme de I grec droit. Marguerite aida sa cousine à se mettre debout et à se tenir droite sans avoir à se laisser porter sur son pied. Ainsi, elle put ajuster la branche à la bonne longueur en la tronçonnant à deux reprises.

Aurore n'avait jamais été aussi heureuse depuis la nuit du jour de l'an où elle avait patiné avec sa mère et Marie-Jeanne.

Avec de l'aide, elle se tiendrait vite sur ses deux jambes. Elle cacha sa canne sous sa paillasse dans le coin de la boîte de manière à ne pas la sentir. Dans quelques jours, le temps arrivé de se porter sur son pied, elle la sortirait.

*

Ce devait être la dernière visite aussi longue de sa cousine. Quant à Marie-Jeanne, elle avait carrément défense maintenant de voir sa soeur et Marguerite n'avait le droit que de lui porter à manger sans plus, sans lui parler, sans même s'arrêter. Aurore sentit aussitôt que l'on recommençait à la mettre à part.

La dimanche suivant, c'est Marguerite qui garda le bébé durant la messe. Elle en profita pour aider Aurore à marcher un peu, car l'ordre du médecin de ne pas bouger s'arrêtait ce jour-là. Étonnamment, elle n'eut guère de difficulté à espacer des pas raisonnables à l'aide de sa canne.

–Quasiment un miracle ! s'exclama sa cousine.

*

–Un véritable miracle ! tonna le curé Massé, l'oeil rempli d'enthousiasme. Prions, mes frères, pour rendre hommage à la Vierge Marie qui nous a protégés. Voyez-vous, mes chers paroissiens, pour faire ainsi tourner le vent en plein coeur d'un beau dimanche, il n'y a que le Malin qui puisse y arriver... Mais ses desseins ne furent pas accomplis grâce à la Vierge. Prions, mes frères... Le ciel bénit Sainte-Philomène... Je commence à me sentir très fier de ma paroisse... car il aura fallu vos prières ferventes aussi pour que le vent tombe en cette nuit de cauchemar...

Oréus Mailhot demeura convaincu que l'eau se faisait plus vertueuse que l'huile de charbon lors d'un incendie menaçant... Quant aux médailles, elles n'avaient pas dû nuire !

*

Marguerite avait également reçu pour tâche de changer le pansement d'Aurore. La mère n'aurait jamais pu se résoudre à le faire elle-même. Et Télesphore avait l'air de tenir à la guérison complète de l'enfant.

L'adolescente procéda donc tel que recommandé par le docteur. Elle ôta le gros pansement en déroulant la bande de coton qui entourait le pied et la cheville. Là encore, sa surprise fut grande : les blessures étaient sèches et le membre commençait à reprendre sa forme normale.

Incapable de trouver le coton laissé par le médecin pour le nouveau pansement, Marguerite utilisa une guenille propre qu'elle enduisit du baume resté dans la chambre et assujettit à l'aide d'une épingle de sûreté.

*

En bas, dans les jours qui suivirent, chaque fois qu'elle entendait Aurore marcher, Marie-Anne riait et parlait ou bien du Grand Lustukru qui avec sa canne marchait sur les grands chemins à la recherche d'enfants à emporter ou bien du pirate carapatte dont la jambe de bois par son bruit semait le terreur à la ronde quand l'homme du diable s'approchait en avançant sur une surface dure.

Aurore se sentait seule, mais le soleil lui remuait l'espoir. Pas une fois, elle ne vit la mère qui, lorsque nécessaire, envoyait Marguerite en haut.

Le dimanche d'après, la femme jugea que cette paresseuse-là avait assez flâné. Elle ordonna qu'elle mange à table comme tout le monde après avoir proclamé qu'à force de se prendre pour une princesse là-haut, ce n'est pas dans son pied que se mettrait la gangrène mais dans sa tête.

Télesphore et les fils partirent aussitôt le repas fini. Il y avait beaucoup de foin à serrer. Et le curé s'était montré particulièrement généreux en accordant la permission à tous les paroissiens et non seulement aux cultivateurs, de travailler ce dimanche-là et tous les dimanches jusqu'au mois de septembre. Le miracle du feu était un signe du ciel et il y obéissait.

—D'abord que tu marches, tu vas aider comme les autres pour laver la vaisselle, dit la mère à Aurore.

La fillette était restée en jaquette. Elle fut la première à l'évier. Cette parole l'encourageait car elle n'en devinait pas l'intention malicieuse cachée. Elle aimait laver la vaisselle, la faire briller, satisfaire la mère, montrer comme elle voulait bien faire...

Marie-Anne se rendit elle-même dehors avec le plat à vaisselle chercher de l'eau chaude dans le gros chaudron dont on se servait tout le temps des grandes chaleurs d'été afin d'éviter de chauffer le poêle.

Aurore avait déjà sa lavette en main, un accessoire fait de cordes molles. Par instinct de sauvegarde, elle s'éloigna quand la femme arriva près de l'évier, se rapprochant ainsi de sa soeur et sa cousine qui attendaient avec leur linge à vaisselle sur le bras.

—Crains pas, je t'ébouillanterai pas !

La femme mit le plat dans l'évier, mais elle ne tiédit pas l'eau avec celle de la pompe et aussitôt, elle secoua la passoire à morceaux de savon tant qu'elle put afin de rendre l'eau le plus savonneuse possible.

–C'est que vous attendez, les filles, allez chercher la vaisselle... pis cassez rien...

Aurore posa sa lavette sur le comptoir et s'apprêta à suivre les deux autres; mais la femme lui dit de rester là.

–Aimez-vous mieux que je lave, moé ? osa-t-elle dire.

–Ah ! mais certain, ma chère princesse... je devrais dire la fée carapatte... Avec toé, tout reluit comme par miracle...

Aurore, dans l'incroyable naïveté des êtres abusés, le prit dans le bon sens; elle se redit qu'elle lavait bien la vaisselle quand on lui donnait la chance de le faire.

On apporta les assiettes. L'eau déborda. Sa température baissa un peu. Aurore commença à laver. La mère disparut. La fillette poussait chaque assiette contre le bord du plat et la faisait glisser hors de l'eau pour ne pas se brûler la main. Et elle frottait avec sa lavette, frottait, frottait... Marie-Jeanne et Marguerite n'avaient pas grand-chose à faire. Elles se mirent à chanter en choeur.

C'est aujourd'hui dimanche,
Tiens, ma jolie maman,
Voici des roses blanches
Que ton coeur aime tant.
Va, quand je serai grand,
J'achèt'rai au marchand
Toutes ses roses blanches
Pour toi, jolie maman.

Comme surgie de l'enfer, le regard rouge et fou, Marie-Anne entra soudain dans la grande maison par la porte de la cuisine d'été avec à la main et mal camouflé dans les replis de sa robe le manche de hache que lui avait donné son mari pour corriger les enfants.

Aurore gardait tout son poids sur sa bonne jambe et elle n'était pas loin de se sentir heureuse à écouter ces voix qui se piétinaient, se relevaient, se heurtaient, riotaient...

Elles se turent si soudain ces belles notes égrianchées. Un silence pesant vint à sa droite et Aurore n'entendait plus que le bruit du flacotage de sa lavette... Elle tourna la tête dans l'autre direction. Trop tard : un coup terrible lui fut asséné derrière les genoux qui fléchirent mais que la porte du comptoir retint. Puis un autre aussi vite donné sur les fesses. Un troisième avant qu'elle n'ait encore eu le temps de réagir frappa le mollet de sa jambe malade.

–Quen, c'est ce qui arrive quand on se grouille pas le petit derrière... Lave plus vite, là...

–Oui maman, oui maman, criait Aurore qui accéléra le mouvement de ses mains quitte à les brûler.

–Regarde, Marguerite, je vas te montrer comme elle travaille vite quand je la bats. (phrase authentique)

D'autres coups grêlèrent. Aurore avait beau s'évertuer et crier, les coups continuaient de pleuvoir. La femme visait les endroits charnus afin d'éviter des reproches de son mari.

Au comble du désarroi et de la terreur, Aurore s'effondra sous le regard ahuri des filles et ébahi de la mère qui, en ricanant, courut aussitôt à l'évier et remplit une tasse d'eau de vaisselle qu'elle jeta de haut sur le visage de la fillette évanouie.

À ce moment, le petit Gérard parut dans l'embrasure de la porte de la cuisine d'été; il regarda faire un moment puis se sauva de crainte de subir le même sort.

L'intensité de la chaleur sur la peau de son visage ranima l'enfant qui se releva. Boitant et sanglotant, elle s'enfuit par l'escalier menant à sa chambre sous les invectives, menaces et commandements de la mère :

–Pis tu vas reprendre la place que tu mérites sur ton banc. La chambre, tu l'auras plus, c'est fini, la petite maudite. Mais pour à soir, pour ton beau petit pied à son papa, on va te donner une poche de plus... Que je te revoye pas en bas pour souper ! Tu mangeras rien avant demain, rien pantoute !

Couchée dans son coin torride, mangée par les mouches, Aurore pleura en silence durant des heures en se répétant sans arrêt la même question jusqu'à finir par sombrer dans l'épuisement moral et physique le plus profond :

«Elle l'a dit qu'elle me battrait pus... pourquoi ? D'abord qu'elle l'a dit, pourquoi ?...»

*

435

Sa fuite dans l'escalier et sa nuit sur le banc réveillèrent sa douleur au pied mais pas au point de l'empêcher de marcher. Consciente de ce que son père voulait la voir guérie, elle exagéra son mal quand ce fut le moment de descendre pour le repas du midi car elle était restée confinée à son semblant de chambre jusque là. Elle descendit à l'aide de sa canne que la mère vit pour la première fois, n'en sachant l'existence que par la confidence de Marguerite et le bruit des pas.

–Ah, ben v'là la fée carapatte qui nous arrive ! dit Marie-Anne en chantonnant et qui avait déjà pris place à table avec Roméo, Gérard, Marguerite et Marie-Jeanne

–C'est la petite maudite fée carapatte, enchérit Roméo en interrogeant le regard encourageant de sa mère.

–Faudrait dire la sorcière carapatte, dit Marie-Anne qui grafigna dans les airs avec ses mains mises en pattes de bête fauve. Tu ris pas, Aurore ? Elle est même pas capable de rire quand c'est drôle... Falloir l'envoyer à l'asile... Ben oui, une vraie échappée de l'asile...

Aurore s'assit à l'autre bout sur le côté de la table et mit sa canne à terre près d'elle. Elle réussit à obtenir une patate et du pain que lui donna sa cousine.

Télesphore et Georges viendraient manger plus tard, entre deux voyages de foin.

–Laisse-la se servir tuseule, voyons, elle a un mauvais pied, mais elle a deux bonnes mains... Pis elle fait pas toujours des choses propres avec... Pis là, ça fait quasiment trois semaines qu'elle s'est pas lavée, ça fait que je vous dis qu'elle sent l'eau de senteur à monsieur Mailhot... Saviez-vous ça qu'elle a volé une bouteille d'eau de senteur au magasin ? Pour enterrer sa crasse pis que ça sente moins fort...

Aurore ne comptait sur personne pour la défendre. Des larmes roulaient sur ses joues et tombaient sur son pain qu'elle avalait quand même de travers par petits morceaux pressés entre ses doigts. Elle avait beau se dépêcher pour retourner en haut, elle avait si faim qu'elle résistait aux quolibets.

Marguerite et Marie-Jeanne se mirent à interrompre la mère et à faire des coq-à-l'âne, mais la femme s'acharnait, servie à l'occasion par le grain de sel du fils.

Il était d'usage que les enfants quittent la table quand ils le voulaient et la mère ne pensa pas à prendre ombrage de ce seul geste quand Aurore se glissa hors de sa chaise après avoir repris sa canne.

Elle passa derrière Roméo qui la surveillait du coin de l'oeil. Alors se déroula une fois de plus une scène à faire perdre le moindre respect envers la nature humaine et qui pourtant n'a pas d'âge ni de pays : la complicité du faible avec le fort pour écraser le plus faible que lui. La mère fit un clin d'oeil au fils en même temps qu'elle montrait ses mains ouvertes. Expérimenté dans cet art de la bassesse, le garçon comprit illico; il se leva en même temps qu'elle, contourna sa chaise, s'élança mains ouvertes devant lui et fonça sur Aurore qui n'eut même pas le temps de réagir aux cris de Marguerite.

Elle fut projetée vers l'avant, perdit pied et s'affala dans l'entrée de la cuisine d'été. La canne roula vers le poêle. Aurore ne sentit aucune douleur et se releva vite pour fuir. Elle courut vers sa canne, mais une autre main l'attrapa avant elle et la brandit.

–Vous voyez la preuve là, hein, que c'est rien que des maudites menteries, son boitage.

La femme rit comme une hystérique. Ses yeux rencontrèrent ceux de l'enfant. Elle dit en sondant la rigidité de l'objet :

–Quen, ça va me faire une maudite bonne hart, ça. J'en avais justement besoin d'une pour redresser les carapattes qui se lèvent tard le matin pis qui font rien dans la maison...

Aurore tourna les talons et courut dans l'escalier. Ses reins furent rattrapés par un violent coup de la canne qu'elle avait chérie comme le plus précieux des biens.

Les bruits de Georges et du père sauvèrent la fillette d'autres tourments ce jour-là.

*

Peu de temps après, elle reçut trois coups de manche de hache par son père qui frappa les fesses et les cuisses. Le crime commis frôlait le sacrilège cette fois.

Pour retenir la nappe de communion à la sainte Table, il y avait des crochets dorés amovibles. Marie-Anne, vive comme un chat, mais pas assez pour empêcher son fils Georges de la voir faire, en décrocha trois qu'elle fourra ensuite dans la poche du tablier d'Aurore. Puis elle les "trouva", reconnut leur origine et fit battre la fillette.

«Maman a pris une affaire après la sainte Table, elle l'a mise dans le tablier d'Aurore et elle a ensuite dit à mon père que c'était ma petite soeur qui l'avait volée. Mon père a battu Aurore avec un manche de hache.» (Témoignage de Georges au procès de Télesphore en avril suivant.)

Marie-Anne ramena elle-même les petits crochets au presbytère avec toutes ses excuses.

–Quand elle viendra au confessionnal, je lui ferai une remontrance, dit le curé.

******

Chapitre 26

Au cours du reste de l'été, Aurore connut une paix relative.

Mais l'horrible créature qu'elle devait appeler maman polissait lentement ses desseins. Ses rages subites furent rares. Elle n'était pas enceinte.

Par des menaces et des mamours bien dosées, tel que planifié, elle éloigna Marie-Jeanne de sa soeur et l'aînée dut rester à l'écart pour son propre bien et, croyait-elle, pour celui de sa cadette. Elle évita de lui parler comme au cours du printemps, courbait la tête, baissait les yeux comme une coupable.

Marguerite posait problème car elle n'obéissait guère aux demandes de sa tante concernant la mise en quarantaine de sa cousine; et Aurore se raccrochait à elle, au moindre de ses sourires, comme à une bouée de sauvetage, la seule qui lui restât.

Le soir, Marie-Anne continuait de se livrer à sa propagande subtile dans la chambre à coucher, à travers des bonbons consentis à Télesphore. Patience, le moment venu, elle l'obligerait à sortir le fouet et alors, elle aurait une vraie carte blanche, bien plus qu'avec ce manche de hache dont elle ne pouvait même pas se servir à sa guise encore. Mais le moment n'était pas arrivé.

«Elle est malpropre sans bon sens.»

«Lave la !»

«Je vas la laver avec la brosse à plancher...»

«T'as beau le faire ! C'est pas ça qui la fera mourir pis ça va la dompter.»

*

Un samedi soir du début d'août, la femme procéda.

Aurore qui ne demandait qu'à se laver dans la cuve comme tous les autres chaque semaine et qui souffrait beaucoup plus de sa crasse à cause de sa sensibilité, de son isolement et de son désir de plaire à la mère, une femme de grande propreté, en avait été empêchée tout l'été sous divers prétextes : son pied à guérir, le temps qui manquait -elle était la dernière à pouvoir se servir de la cuve- l'eau trop sale, l'eau qu'on avait jetée déjà...

Pour la mégère, l'occasion était belle de faire un coup d'éclat, c'est-à-dire de salir Aurore aux yeux de tous en la lavant avec la brosse à plancher. La femme calcula tout. Télesphore lui avait déjà donné son aval et il n'interviendrait donc pas, d'autant qu'elle éviterait de frapper sa victime. Lui n'intervenant pas, les enfants, Marguerite surtout, mettraient tous "la petite maudite" dans son tort. Mieux, on saurait à quel point, elle, la mère, qui faisait à manger pour tous, qui lavait, nettoyait, travaillait au train, dans les champs, s'évertuait à élever tous ces enfants, se montrait bonne et magnanime de ne pas corriger cette ingrate pour son affreuse malpropreté.

–La princesse, elle va se baigner la première à soir, annonça Marie-Anne à table.

Télesphore remplit la cuve avec de l'eau très chaude mais endurable puisqu'il y plongea la main une dernière fois, et il se rendit fumer sa pipe sur le perron devant la maison avec l'espoir que des voisins passent et s'arrêtent pour placoter un peu.

Il y avait de l'appréhension dans l'âme de l'enfant à s'ap-

440

procher du rideau qui entourait le coin de la cuve de bois. Quelque chose de confus en ses mémoires gardait le souvenir flou de cette grande peur douloureuse qu'elle avait eue lorsque toute petite, elle s'était laissée attirer par la belle voix douce venue de là.

La honte de sa crasse et l'appel de la propreté balayèrent tout. Elle se dépêcha d'ôter sa robe puis d'enjamber le rebord à l'aide d'un montoir à deux marches en prenant le plus grand soin de ne pas regarder entre ses deux cuisses pour ne pas commettre un péché mortel. Elle n'en vit pas moins des coulées grises, noirâtres sur ses genoux et ses jambes et sentit ces odeurs fortes qu'elle dégageait faute de pouvoir s'essuyer après avoir fait ses besoins.

Tout était prêt à portée de la main. Du savon neuf sur une tablette, une serviette, une débarbouillette... Elle commença par sa tête.

Pendant ce temps, la femme faisait asseoir les enfants en ligne, leur disant qu'ils devraient tous se laver pour reluire comme les planchers. Puis elle prit la grosse brosse qu'elle montra et elle franchit le rideau...

La suite parut aux assistants, autant les enfants que le père dont on apercevait le dos par la porte ouverte, relever d'un certain chaos alors que chaque cri était provoqué exprès, que chaque phrase possédait le ton et les mots propres à souiller l'enfant.

«Beurk ! c'est effrayant être aussi sale !»

«Pourquoi c'est faire que tu te laves pas, Aurore ?»

Le bruit de la brosse sur la peau se fit entendre.

«Ça fait mal, maman.»

«Ça fait mal, maman, ça fait mal, maman ! Je laverai toujours pas la petite princesse avec du savon d'odeur pis de la ouate, pis je l'essuierai pas avec des langes de bébé.»

Des "awe" sanglotants suivirent, mais la fillette ramassait toutes ses forces pour résister à la douleur qu'elle croyait mériter.

«T'es rien qu'une petite *vèreuse* pis c'est de ta faute si le petit bébé fait tant d'eczéma.»

La femme voulait aussi des aveux et elle diminuait la pression de la brosse en augmentant celle de la voix :

«Vas-tu te laver comme il faut à l'avenir ou ben si va falloir que je te brosse pis brosse tout le temps comme un plancher sale ?»

«Je vas me laver, je vas me laver, maman.»

Marguerite et Marie-Jeanne se parlaient. Georges osa s'en aller avec son père qui parfois crachait dans la terre noire puis remettait sa pipe dans sa bouche. Roméo se terrait au fond de sa chaise en pensant que ses jambes à lui étaient parfaitement barbouillées de poussière...

Lorsqu'enfin Aurore émergea du rideau avec une robe nette sur le dos, elle marcha, les yeux cloués au plancher par la honte, claudiqua plus que de coutume et alla s'asseoir à la table de la grande maison sur ordre de la mère.

Marguerite prit son bain seule. Marie-Anne retrouva son mari dehors et lui annonça :

–Je te dis que je l'ai mis propre, celle-là. Si elle avait eu des poils comme un cochon... un cochon qu'elle est... il en resterait pas un.

–Ouais, ouais, j'ai tout entendu...

–Elle a la peau d'un beau rouge...

L'homme cracha de travers.

Elle reprit :

–Après Marguerite, faudra quasiment mettre de l'eau neuve parce que les autres vont se salir dans son eau...

–Ouais... je regarderai à ça...

–Pis toé, Georges, c'est que tu fais dehors ?

–Laisse-le faire, il est venu me parler.

–Il devait rester en dedans...

–Toé, va-t'en en dedans pis laisse-nous tranquilles...

–Essayez donc d'élever des enfants avec un homme de même !

Plus tard, Marguerite entreprit de se friser avec son fer. Aurore demeurait prisonnière à table. La femme cherchait une manière de parfaire son entreprise à moitié réussie de ravaler l'enfant au rang de la bête rampante. *Elle emprunta le fer et le fit chauffer sur une lampe et se mit en train de friser une mèche des cheveux d'Aurore, qui les avait très courts. Elle avait les cheveux coupés ras comme un petit garçon. (La femme) ma tante se mit à tortiller les cheveux. Quand elle retira le fer à friser, les cheveux étaient grillés.* (Témoignage de Marguerite au procès de M-Anne Houde en avril suivant.)

*

Plus septembre approchait, moins la mère voulait que la fillette reprenne l'école avec les autres. Si pour une raison ou une autre elle devait rester seule à la maison en sa compagnie, il serait bien plus facile de se débarrasser de l'indésirable à petit feu, *sans que personne en eût connaissance* comme la tuberculose avait libéré le monde de sa mère inutile.

La meilleure et sans doute la seule façon consistait à la priver de ses moyens soit de sa capacité de s'y rendre. Ce pied l'avait gardée dans la maison durant plusieurs semaines, en haut à ne rien faire, ce pied l'empêcherait aussi d'aller à l'école. Mais il y avait Télesphore qui voulait sa guérison pour des raisons d'honneur. Serrée dans le coin, la femme dut se résoudre à courir un risque.

Le vingt-neuf août, c'était jour du départ de Marguerite. Marie-Anne s'arrangea pour que tous les enfants accompagnent leur père pour aller la reconduire à Deschaillons. Aurore ne méritait pas ce bonheur et la mère décida de la garder avec elle à la maison pour lui faire laver le plancher de la cuisine d'été.

La conscience travaillée, au bout d'un mille, Télesphore renvoya Marie-Jeanne à la maison sans lui donner de raison. Affligée, la jeune adolescente revint, le pas flâneur.

Quand elle arriva près de la maison, des cris de terreur lui parvinrent soudain. Elle courut à la porte pour apercevoir la mère asséner des coups d'un bout de planche sur le pied de sa soeur qui fuyait à quatre pattes et que la femme rejetait par terre quand elle réussissait à prendre appui pour se lever. La mère cherchait surtout à piquer sous le pied pour le blesser et en même temps l'infecter et c'est la raison pour laquelle, comme deux mois plus tôt, elle avait utilisé un morceau de bois des vieilles bécosses, n'ayant toutefois pas pu en trouver un maniable avec des clous dedans.

Quand elle aperçut Marie-Jeanne, la femme s'arrêta tan-

443

dis qu'Aurore s'enfuyait en haut.

–Faut que je la batte, elle veut pas laver le plancher comme il faut. Va voir si elle a mal au pied pis reviens me le dire...

Marie-Jeanne revint bientôt après une interpellation de la mère et dit :

–Elle est pas capable de marcher, elle saigne...

–Ah !

Elle réfléchit puis conduisit Marie-Jeanne en haut jusqu'à la chambre où Aurore se terrait dans un coin après avoir mis une poche autour de son pied. Et dit avec une froideur à donner le frisson :

–Maman, elle te battra plus, mais faudra pas que tu le dises à personne. Pis toé non plus, Marie-Jeanne. Parce que si vous le dites, je vas vous battre que vous pourrez plus jamais marcher... Pis quand c'est que le poêle va chauffer, je vas vous mettre les mains dessus... Aurore, tu vas dire à ton père que tu t'es versé le pied. Vas-tu le faire ?

La fillette acquiesça d'un signe de tête, le regard au bord de la folie. Marie-Jeanne dit oui aussi.

*

Télesphore remarqua que la fillette avait recommencé à boiter aussi fort qu'après la correction du mois de juillet mais il ne dit mot.

Aurore put se rendre à l'école à la rentrée.

Elmire Barabé eut quasiment peur de la voir si maigre, si pâle, si perdue, si seule et surtout marchant si péniblement. Dans les jours qui suivirent, Marie-Anne fit en sorte de retenir Aurore à la maison jusqu'après le départ des autres simplement pour qu'elle soit en retard à l'école et qu'elle se fasse mettre au coin avec le bonnet de l'âne. Mais la maîtresse eut pitié et crut bon dire à la femme qu'il vaudrait peut-être mieux songer à garder Aurore à la maison tant que son mal de pied durerait.

Elmire parla même à Exilda qui en parla à Arcadius qui en parla à Télesphore. Car Exilda pleurait quand elle voyait la misérable enfant essayer de rattraper les autres, s'arrêter, se décourager, sangloter le long du chemin... Mais la pauvre femme, toujours enceinte comme tant d'autres, ne pouvait pas suivre de près les enfants des autres et le plus souvent, elle devait se limiter à soupirer et à prier... Elle résolut de glisser un mot au curé de la misère d'Aurore à sa prochaine confession. À l'abri du secret, la voisine n'en saurait rien et peut-être que...

Télesphore fit revenir le docteur qui décida de faire hospitaliser l'enfant.et au milieu de septembre, les parents reconduisirent la blessée à l'Hôtel-Dieu de Québec où on prévoyait qu'elle serait une semaine ou bien tant qu'elle ne serait pas guérie. L'ordre du docteur était formel.

Exilda apprit la nouvelle d'une manière fort désagréable. Avant elle, Marie-Anne passa par le confessionnal et se vanta au curé de ce qu'on n'avait pas ménagé les efforts pour la guérison de l'enfant malade qu'on venait de faire hospitaliser sur recommandation du médecin. À Exilda qui lui avoua s'inquiéter au plus haut point quant aux agissements de sa voisine envers l'enfant, l'abbé Massé répondit paternellement qu'elle ferait bien, par simple charité chrétienne, de ne pas se mêler des affaires du voisinage, que les Gagnon prenaient grand soin de leur fille, à preuve son départ pour l'Hôtel-Dieu... pour une simple blessure au pied...

******

Chapitre 27

L'espérance que la vie fait miroiter aux yeux du désespéré puis qu'elle lui retire dès qu'il commence à s'en bercer constitue, avec la solitude, l'élément de cruauté le plus effroyable dans l'interminable processus de la destruction d'une âme.

Cette chance de l'hôpital, un bien maigre sursis avant l'irrémédiable accroissement du poids de ses souffrances, source d'un minimum de tendresse que la fillette fabulant grossit considérablement dans les premiers jours, était par voie de conséquence un aliment de sa terreur à devoir retourner chez elle, un effroi qu'elle combattit en faisant part de sa décision de ne pas retourner à la maison même quand elle serait guérie.

–Ma mère, moé, elle m'aime pas beaucoup, vous savez. Des fois, je suis méchante.

–Mais non, Aurore, elle t'aime beaucoup au contraire. Autrement, on ne t'aurait pas fait hospitaliser, tu sais bien.

La jeune sœur qui agissait comme infirmière auprès de l'enfant commençait à douter et à se dire que cette fillette n'était pas comme les autres, et se différenciait par quelque chose d'important, de curieux et d'indéfinissable. Tandis qu'elle refaisait le pansement du pied, un bout de conversation la frappa :

–Je vas rester à Québec, moé...

–Où ça ?

–Ben... nulle part...

–As-tu un oncle, une tante à Québec ?

–Ben... non, mais je vas pas aller à l'école, non... Peut-être que je vas vendre des médailles...

–Pauvre enfant, mais le soir, tu vas coucher où ?

–Ben... icitte, dans mon lit...

–Bien oui, mais quand tu ne seras plus malade, nous ne pourrons plus te garder. Il y aura d'autres malades qui se serviront du lit et de la chambre, vois-tu ?

–Ah !

À sa visite suivante, la soeur fouilla plus avant :

–Tes parents, est-ce qu'ils te battent parfois ?

–Ben non, voyons !

–Ta mère, elle ne te bat jamais ?

–Ben non, voyons !

Le lendemain, la soeur détortilla la bande de coton, elle toucha légèrement jusqu'à obtenir une petite réaction de douleur et alors, elle dit à brûle-pourpoint et dans le langage populaire :

–Pourquoi c'est faire que ta mère, elle t'a battue sur ton pied ?

La fillette tomba dans le piège et dit vivement :

–Ah ! c'est parce que j'ai couru dehors pis que j'avais les pieds sales. Mais elle l'a pas fait exprès pour me faire mal... c'est parce que y'avait un clou rouillé après la planche pis elle l'avait pas vu.

La soeur fut sur le point de mettre la fillette devant sa contradiction afin d'en savoir plus mais elle se ravisa. Aurore pourrait prendre peur. C'est par le chemin de la tendresse qu'elle atteindrait son coeur puis son esprit et enfin la vérité.

Elle se rendit tout droit au bureau de la directrice de l'hôpital qui la reçut dans sa hauteur habituelle, une hauteur qui, en ce temps-là, rendait les gens plus compétents pour occuper les postes de commande.

Quand la jeune religieuse tout de blanc vêtue se fut vidée de ses appréhensions à cette personne à l'autorité aussi noire que sa robe, la directrice, assise derrière son bureau, répondit en frisant pieusement ses R à l'autre restée debout :

–Mère Anna, j'ai eu l'occasion de m'entretenir avec la maman de la patiente en question. Pour une personne de la campagne, épouse de cultivateur et mère de nombreux enfants, elle m'est apparue comme une femme de bien. Je dirais même : distincte. Si notre société ne se composait que de personnes comme elle, nul doute qu'elle se distinguerait parmi les nations. Et je dois vous avouer qu'elle m'a prévenu de la tendance à la... mythomanie de la fillette. Oh ! elle ne l'a pas accablée, loin de là, et c'est ce qui m'a donné confiance, mais elle m'a dit que la petite Aurore a... disons beaucoup de problèmes et... qu'elle est difficile à corriger comparativement aux autres enfants...

–Ah bon !...

–Est-ce que cela répond à vos questions ?

–Non, ma mère.

–Non ?

–Il est vrai que la fillette ne dit pas toujours la vérité mais c'est parce qu'elle a peur.

La directrice fronça les sourcils qui durent s'arrêter toutefois à sa guimpe de tissu blanc semi-empesé.

–Est-il vraiment de votre ressort de réfléchir sur une pareille question et surtout de poser des jugements... pour le moins téméraires ?

–Mais, ma mère, j'ai fait en sorte que la fillette me réponde spontanément pour obtenir la vérité et je l'ai obtenue, je le sais...je le sais.

–Vous êtes... habituellement une religieuse qui... respecte son voeu d'obéissance... Pour cette raison, je veux bien vous aider à en avoir le coeur net. Nous allons simplement téléphoner au docteur Lafond qui l'a fait hospitaliser ou bien au curé de Sainte-Philomène d'où vient la petite fille... Quel est son nom déjà ?

–Aurore.

–Aurore ?

–Aurore Gagnon.

–Oui, je me souviens... Et son père s'appelle Télesphore. Alors, ma mère, à qui désirez-vous que je parle ? Car l'opinion de l'un ou de l'autre nous suffira bien, n'est-ce pas ?

–Je ne sais pas...

–Ah ! je vous laisse le choix, soeur Anna.

La jeune infirmière eut l'espace d'un éclair l'impression terrible qu'elle tenait le sort de la fillette entre ses mains et que de jeter un nom sur la table serait comme de jeter les dés qui arrêteraient son destin.

Le meilleur choix serait donc celui qui rapprocherait le plus cette démarche de Dieu lui-même. On savait, tout comme le docteur Lafond, la nature des blessures d'Aurore. Il fallait donc, pour ces deux raisons, s'adresser plutôt au curé de la paroisse.

–Et alors ? insista la directrice qui se leva et se rendit à l'appareil de téléphone dont elle prit le récepteur d'une main, sans toutefois le décrocher, et la manivelle sans la tourner de l'autre.

–Appelez monsieur le curé, dit la jeune soeur soulagée.

La communication fut établie. Soeur Anna entendit les bribes. Elle sut que le curé s'appelait l'abbé Massé. Que sa voix semblait charmer son interlocutrice qui souriait abondamment. Que tout semblait aller dans le sens de la satisfaction de la directrice.

–Vous pouvez dormir sur vos deux oreilles, annonça la Supérieure en se rasseyant. Ce que m'a confié madame... Gagnon me fut confirmé presque mot pour mot par monsieur le curé. La petite fille a vécu chez ses grands-parents et elle a pris des mauvais plis. Selon monsieur le curé, le cas de la fillette en serait un de mythomanie pathologique. Elle se comporte comme une enfant de quatre ans. C'est simple, vous voyez.

–Mais sa blessure au pied et tous ces bleus partout ?

–Elle a marché sur un clou rouillé. Et les bleus ? Elle s'obstinait à marcher malgré sa blessure et elle tombait plus facilement...

–Bon ! soupira soeur Anna.

–Vous m'aviez promis d'être satisfaite. Croyez-vous que monsieur le curé Massé, un homme si savant, si fin causeur et si bon...

–Il pourrait se tromper...

–Votre sensibilité est bien trop à fleur de peau, soeur Anna. Frottez-la un peu... avec une brosse, ajouta-t-elle dans un rire chuchoté.

–Bon !

–Ça ira ?

–Il le faut bien.

–Retournez à vos malades maintenant, vous leur serez bien plus utile qu'en restant ici.

–Merci ma mère !

Soeur Anna vérifia ses sentiments et perceptions. Elle demeura convaincue des malheurs d'Aurore. Absolument tout l'indiquait : les cheveux, les marques, les peurs, et cette fameuse *mythomanie pathologique*...

Elle se montra d'une tendresse particulière à l'endroit de la fillette le reste du temps de son hospitalisation. L'aida à marcher. Lui mit des petites faveurs spéciales dans ses assiettes. Lui parla avec une dose particulière de bienveillance. La traita comme une grande personne.

Privée de tout cela au point où elle l'avait été, Aurore se mit à rayonner dans sa misère et sa faiblesse morale et physique. Et l'amour qu'elle ressentait pour soeur Anna devint sublime presque surnaturel par son intensité au point qu'elle s'imagina que cela durerait toujours car c'était un don du bon Dieu, et jusqu'à ne plus penser aux lendemains, à ce projet de médailles emprunté à Marie-Jeanne ni même à son départ de l'hôpital.

*

L'inéluctable se produisit.

Vint le jour de ce départ.

L'heure.

Aurore ne pleura pas.

Il y avait en elle une grande douleur mais aussi une grande

451

espérance. La veille, soeur Anna lui avait dit qu'elle prierait pour elle, qu'elle la considérait comme la petite fille de Notre-Seigneur, qu'on ne la battrait plus jamais comme autrefois.

Aurore se sentait réconciliée avec le ciel grâce à cette personne qui avait pris si bon soin d'elle.

Soeur Anna accompagna l'enfant dehors où une automobile attendait. Un taxi qui les reconduirait à la gare.

—Tu as déjà fait un tour d'auto ?

—Non.

—C'est aujourd'hui le jour... Chanceuse !

—C'est-il pour nous autres ?

—Pour la famille Gagnon, dit le chauffeur qui entendait les mots de l'échange.

La capote était abaissée; il faisait grand soleil. Les époux Gagnon arrivèrent en maugréant; ils avaient trouvé la soupe chaude au paiement du compte.

«Pourvu qu'il nous arrive pas un autre bébé l'année prochaine !» pensa Marie-Anne en montant dans l'auto comme une grande dame après avoir salué d'un large sourire la jeune soeur qui tint la main d'Aurore jusqu'au dernier moment.

«Prenez bon soin d'elle, c'est une enfant sensible et vulnérable ! » pensa dire la soeur à la mère. Mais elle garda le silence. Et si Aurore était vraiment maltraitée, une telle phrase ne pourrait que lui nuire.

Aurore monta à son tour puis Télesphore qui mit la valise sur la banquette avant à côté du chauffeur, un jeune homme joyeux portant des lunettes d'aviateur et une longue écharpe blanche autour du cou.

Il y eut de vagues salutations. Quand la voiture démarra, Aurore tourna la tête et son regard rencontra le dernier de soeur Anna : noir et brillant, et qui parut lui lancer des forces miraculeuses.

La soeur leva une main hésitante. Aurore sourit.

—Bon, ben, tourne-toé en avant, là, toé, dit sèchement la mère.

******

452

Chapitre 28

Marie-Anne Houde reprit son travail de sape et de propagande sur le dos d'Aurore dans l'intimité de la chambre. Télesphore avait exercé sa volonté pour que le pied guérisse, il fallait qu'il soit le premier à sortir le fouet. Et pour qu'il le fasse, il faudrait un très sérieux motif. Répéter les coûts de son hospitalisation imputables à sa mauvaise conduite, rappeler les vues du curé et de la bible sur la correction des enfants, redire les plis à faire disparaître comme ceux d'un vêtement par une chaleur intense : tout cela préparait le terrain.

Lui revint en tête un fait observable mais qu'elle n'avait jamais pensé utiliser contre l'enfant. Sa manière de dormir avec la main, et souvent les deux, entre les cuisses quand il faisait froid autour d'elle.

Octobre avait posé sur le pas des portes les dernières feuilles des arbres. La forêt était nue, froide, indifférente. Sans lampe ou autre éclairage, la mère monta au deuxième étage après que les enfants y furent couchés et, espérait-elle, endormis. Elle ouvrit discrètement la fenêtre près de la chambre du banc et une grande fraîche se répandit par toutes les pièces. Puis elle retourna en bas et reprit place auprès de son mari endormi qui, elle en était sûre maintenant, l'avait encore engrossée. Elle attendit, le regard allumé par des résidus de lumière lunaire, un temps qu'elle jugea dépasser une heure, suffisant en tout cas pour provoquer l'effet désiré.

Là, elle croisa les doigts haut devant elle et les poussa à l'envers en tournant les mains. Elle se leva, se rendit à la cuisine, alluma une lampe dont elle laissa la mèche basse puis retourna dans la chambre où elle s'assit au bord du lit. À l'aide de ses jointures, elle piqua dans les muscles du dos de Télesphore qui se réveilla en grommelant.

–M'écoutes-tu, là ?

–Ouais...

–Bon, ben, j'arrive d'en haut pis la Aurore, je sais pas où c'est qu'elle a appris ça, mais c'est rien qu'une impure pis une vicieuse. Viens voir quoi c'est qu'elle fait : c'est ben édifiant.

–Quoi c'est qu'elle fait ?

–Faut que tu viennes le voir toé-même, autrement, tu me crèras pas comme de coutume.

Il la suivit en bâillant.

–Attends que je prenne la lampe pis laisse-moé monter devant... pis fais pas trop de bruit...

Marie-Jeanne avait tiré sur elle toutes les couvertures et Aurore, comme prévu, était couchée en foetus sur le côté et elle bougeait sa main gauche entre ses cuisses.

–Tu vois, je te l'avais dit.

–C'est pas de sa faute, elle dort pis il fait frette icitte.

–Mais je l'ai surpris à le faire même quand elle est réveillée : c'est une vicieuse que je te dis.

–Ah ! on s'occupera de ça demain. Je vas voir si y a pas quelque chose d'ouvert...

*

Quelques jours plus tard, la femme amplifia une raison futile de faire punir Roméo. Elle se rendit elle-même chercher le fouet accroché haut dans la shed et revint le mettre devant son mari dans leur chambre en disant :

–Tu vas les corriger comme il faut, ces deux-là. J'ai encore un autre petit dans le ventre; l'autre est en couches pis

454

bourré d'eczéma; la Aurore nous a coûté les yeux de la tête pis c'est une impure; faut pas que le vice rentre dans la maison en plus...

–Bon... va me les chercher...

Le sang coula sur les jambes d'Aurore. (Témoignages de Georges et Gérard au procès de Télesphore en avril suivant.)

Roméo s'en tira à meilleur compte.

«Il battait aussi les autres enfants mais pas comme Aurore.» (Mêmes témoignages.)

S'avouant à lui-même qu'il avait agi comme Ponce-Pilate à l'endroit de Jésus, Télesphore exigea que sa femme mît une paillasse sur le banc où elle obligeait l'enfant à passer la nuit.

Et cette nuit-là, Aurore souffrit des contusions mentales les plus graves qui furent depuis le début de son lent martyre. Quand, à bout de forces, son corps sombra dans le sommeil, elle rêva. Et dans son rêve, en essayant d'éviter le fouet, elle se jeta en avant et tomba sur le plancher de bois.

Marie-Anne aussi était agitée par un cauchemar, toujours le même. Elle devina par le bruit qui la réveilla ce qui arrivait à Aurore.

–Tu vois, elle est même pas capable de rester sur sa paillasse !

Mots perdus car Télesphore ronflait.

La femme malade se rendormit. Une forme informe commença à l'écraser, à la tirer vers le trou de l'escalier...

À l'aube, Marie-Jeanne trouva sa petite soeur sans connaissance sur le plancher tout beurré de sang autour d'elle.

******

Chapitre 29

Cette fois, l'inconscient d'Aurore décrocha définitivement de la vie. L'enfant en elle était déjà morte.

Il ne resta plus que le seul instinct de survie du petit animal traqué, fou de terreur, excepté qu'elle ne possédait pas les crocs d'une bête, ni ses griffes, ni l'agilité, ni la force, ni rien du tout.

Marie-Jeanne partit pour l'école avec un message de sa mère à la maîtresse. Il y était dit qu'Aurore, même si son pied avait été guéri à l'hôpital, semblait avoir maintenant une maladie de peau, peut-être de la tuberculose et qu'il faudrait la garder à la maison, peut-être pour tout l'hiver.

L'aînée qui avait maintenant la responsabilité du petit Gérard se mit en route avec son jeune frère, laissant Aurore seule à la maison avec la mère. Car Télesphore et Georges travaillaient sur la terre tandis que Roméo courait déjà sur le chemin de l'école au loin devant les deux autres.

Sur sa route, la fillette exécuta des pas de jeu avec le gamin. Quand elle fut en vue de l'école, le souvenir de sa lettre lui revint; elle fouilla dans sa poche de smock mais ne la trouva pas. Elle tâta, palpa ses autres poches, mais en vain. Désespérée, elle regarda tout autour : même résultat. Ignorant le contenu, craignant une terrible correction, elle rebroussa chemin et se mit à la recherche de l'enveloppe que le vent avait poussée loin dans la cour des Lemay.

Pendant ce temps, Aurore dormait sur sa paillasse du banc. Marie-Jeanne, à la demande de la mère, lui avait lavé le front pour lui faire reprendre conscience et l'avait aidée à se recoucher.

Au paroxysme de la nervosité, l'oeil fou, le rictus aux lèvres et le tic aux doigts qui s'ouvraient et se refermaient sans cesse, Marie-Anne marchait d'un bout à l'autre de la cuisine sans jamais s'arrêter, le regard fixant les ouvertures brillantes de la porte du poêle. À travers l'une se pouvait apercevoir le manche du tisonnier.

Tout l'être de la femme était en proie à une excitation charnelle dont elle connaissait déjà des avant-goûts éprouvés lors des corrections précédentes de la misérable enfant. Dépourvue de sens moral naturel, trop souvent rassurée par le curé et par son mari, perturbée par son état "intéressant", la femme traversait le miroir de la folie destructrice sans pour autant perdre son habileté aux froids calculs de fabriquer soigneusement la souffrance et la mort.

Quand elle jugea le moment arrivé, elle se rendit dans la shed et prit une corde puis deux autres beaucoup plus grosses et longues, de véritables câbles ayant servi de cordeaux, au bout desquels se trouvait encore un crochet de métal ayant servi d'attache à la bride d'un cheval. De retour dans la cuisine, elle assujettit un câble à la patte de la table en prenant soin d'enrouler un montant de travers afin que le noeud ne glisse pas vers le bas et permette à Aurore de s'échapper. L'autre cordeau fut laissé là...

Elle mit la petite corde sur la table, alla au poêle, retira le tisonnier. Le métal était rougi et tirait vers le blanc. La poignée elle-même était devenue intenable. Le moment arrivait. Elle rejeta le tisonnier dans les braises, se redressa, regarda vers l'escalier...

Restait un point à régler encore. Prévoir l'infection et la prévenir pour n'avoir pas à faire venir le docteur et aussi, tenir la fillette réveillée. Elle mit donc de l'eau froide, c'est-à-dire du résultat de plusieurs coups de pompe, dans un plat et y ajouta du sel en abondance, puis déposa le contenant sur la table avec un linge.

Elle imbiba ensuite un autre grand linge blanc mais avec l'eau de la pompe non salée et sans aucune hésitation, elle monta en haut.

Aurore gisait sur le ventre, sans couverture mais quand même endormie parce que réchauffée par les rayons du soleil qui entraient dans la chambrette. La femme souleva sa jaquette et elle fit un sourire ricaneur à la vue des plaies causées par le fouet sur les deux fesses et la cuisse droite. Sa main toutefois se fit délicate pour appliquer le linge mouillé sur la peau.

Aurore se réveilla et commença à gémir autant de peur que de douleur...

—Bouge pas, chantonna la mère. Maman est venue pour te soigner. Regarde comme ça fait du bien. Tu trouves pas que ça fait du bien ?

Elle épongeait doucement les plaies. La douleur baissait chez la fillette qui cherchait à comprendre cette soudaine sollicitude. On lui avait dit qu'elle était impure; peut-être que le fouet l'avait purifiée ? C'était sans doute la raison pour laquelle on la soignait...

—Bon asteur, tu vas venir en bas...

—Pourquoi faire ?

—Ben... pour manger... T'as rien mangé depuis hier...

—J'ai... pas faim...

—Ah ! mais faut que tu manges pareil ?

—Vous allez me battre, je le sais...

—Ben non, je te battrai pas... Je te le promets... Quen, je vas le jurer...

La femme courut dans la chambre des gars, décrocha un crucifix et revint en l'embrassant. Elle le tint devant Aurore et mit sa main dessus en disant :

—Je jure que je te battrai pas aujourd'hui. Pis si je te bats, le bon Dieu va m'emporter en enfer d'abord que j'ai juré...

De tout temps, Dieu a servi de preuve et de caution aux

êtres les plus barbares. Et de tout temps, les plus faibles ont cru en cela.

—Lève-toé, je vas t'aider...

La femme prit l'enfant par un bras et Aurore se laissa entraîner...

L'angoisse répétait des mots incessants en l'âme de la fillette. «Je vas obéir. Je vas manger. Je vas guérir. Je vas obéir. Je vas manger...»

Dans les marches de l'escalier, elle aperçut sur la table la corde qui avait servi à l'attacher lors de sa correction sur les pieds...

—Non, non, non, maman, je veux retourner dormir...

—De quoi c'est que t'as peur ? demanda la femme qui la suivait et souriait.

—Vous allez me battre...

La femme fut sur le point de se laisser aller à la colère, mais elle se ravisa :

—Je t'ai juré que non, fit-elle, la voix suppliante.

—Pourquoi c'est faire, la corde ?

—Je le sais pas, moé. C'est Marie-Jeanne qui a mis ça là pis qui l'a pas remis à sa place.

Aurore continua en hésitant. L'autre la suivit patiemment.

—Tu vas t'assire à table à ras le plat d'eau...

—J'veux pas m'assire, j'ai mal aux cuisses...

—C'est vrai... Bon, ben tu vas rester debout devant le plat d'eau.

—Pourquoi c'est faire, le plat d'eau ?

—Pour désinfecter tes plaies.

—Si j'sus pas désinfectée, je vas-t-il aller à l'hôpital ?

Marie-Anne fit une esquive sèche :

—Non, tu vas mourir.

Aurore fut conduite à l'endroit voulu. La mère lui dit d'attendre là, qu'elle cherchait quelque chose à manger; et elle se recula pour évaluer la situation.

La jaquette souillée de sang, l'enfant se renfrogna dans ses propres épaules, se fit petit paquet d'attente et d'anxiété.

La femme agit alors promptement, avec la vitesse d'un

serpent à l'attaque comme la fois où elle l'avait attachée à la chaise. C'était la manière de réussir et de réussir vite sans devoir assommer la victime. Elle contourna l'enfant, plongea la main sous la table, s'empara de l'extrémité du câble dont elle entoura aussitôt le corps soumis, emprisonnant ainsi les bras devant...

Aurore éclata en sanglots, geignant :

—Vous avez juré...

—J'te battrai pas non plus si tu te laisses faire. J'vas juste te purifier, te désinfecter... autrement, tu vas trop te débattre pis j'pourrai pas.

Elle la fit mettre à genoux et poursuivit le ligotage de manière que le corps se rapproche de plus en plus de la patte de la table, un morceau de bois tourné. La femme respirait fort tant elle agissait vite. Le second câble fut posé. Il entortilla, fut serré, serré...

La marâtre ricana :

—T'es-tu capable de te démancher ? Essaye donc, voir !

Aurore fit signe que non en gémissant toujours. Elle se sentait perdue, la tête appuyée au bois dur de la patte. Fine seule dans la maison avec la mère, on la tuerait... Que lui restait-il d'autre à faire que d'implorer la pitié ?

—Je t'ai dit que je te battrais pas, je te battrai pas non plus.

La femme se releva. Elle regarda toutes choses. Jugea que de lier les mains ne saurait que nuire à son entreprise infernale.

L'intention qu'elle nourrissait depuis longtemps de se débarrasser de la fillette *sans que personne en eût connaissance* deviendrait sans retour avec les actes qu'elle poserait maintenant. Le message à la maîtresse le disait : une maladie de peau, peut-être la tuberculose... Sa mère, son oncle en étaient morts, pourquoi pas elle ? Mais il fallait la démontrer, cette affection particulière, la rendre évidente, la créer de toutes pièces !

Elle s'enroula la main dans la guenille mouillée et retira le tisonnier devenu blanc sur le quart de sa longueur.

Marie-Jeanne entrait dans la cour lorsqu'elle entendit l'effroyable cri perçant jeté par la gorge d'Aurore que le tisonnier venait de toucher aux deux mains à la fois.

–Je te l'ai juré que je te battrais pas, je veux juste te purifier...

Mais les mots se perdaient dans les cris sans cesse répétés, venus de toutes les forces ramassées de la fillette dont tout le corps se débattait dans d'affreuses convulsions tandis que sa tête frappait la patte de la table...

Marie-Jeanne courut à l'escalier extérieur, monta, colla son nez dans la vitre... Une image abominable lui apparut. Elle vit la mère assise sur le plancher avec Aurore sous la table, mettre son bras gauche entre la tête et le bois pour éviter que sa soeur ne s'assomme et perde connaissance. Elle la vit coller l'objet de feu sur les cuisses, les mollets, les pieds, les mains encore et encore... Gérard vit lui aussi.

Qu'elle avoue avoir perdu la lettre et elle subirait le même sort, peut-être pire, alors elle prit son petit frère par la main et courut, courut, courut sans s'arrêter, sans se retourner, emportée par la terreur...

Aurore sombra dans un état comateux généré par la douleur. La femme continua de lui appliquer le morceau de fer sur les doigts, à l'intérieur des mains. La peau cloquait, décollait, des morceaux pendaient... Elle répéta ses gestes sur les cuisses, les genoux, les jambes, les pieds... Une forte odeur de chair brûlée s'était répandue par toute la pièce.

L'enfant avait la tête appuyée au montant de la table et son corps était mou dans les câbles. La mère mit le tisonnier sur le bout du poêle puis elle tamponna toutes les plaies, minutieusement, avec de l'eau salée tout en parlant comme une femme qui s'adresse à son bébé avec une grande douceur :

–Le sel, ça va te chatouiller un peu quand tu vas te réveiller, mais comme ça, on aura pas besoin du docteur. Parce qu'on paiera pas encore cinquante piastres pour te faire soigner encore une fois. Tu vaux pas ça, la petite venimeuse, tu vaux même pas une vieille cenne noire, la petite maudite...

Quand l'opération fut terminée, la femme s'interrogea sur la meilleure façon de la reconduire à son banc de la chambre d'en haut. Elle la détacha. Le corps flasque retomba sur le plancher. Il serait trop mou à trimbaler. Les idées arrivaient vite dans la tête malade. Elle utilisa l'un des câbles à nouveau pour à la fois emprisonner les mains et faire deux tours sous les bras. Cela lui permit de traîner la fillette jusqu'à l'escalier. Elle s'engagea dans les marches. Ce n'était guère lourd. À reculons, elle monta lentement et sûrement jusqu'en haut. Les pieds d'Aurore frappaient mollement le bois et retroussaient un peu...

L'enfant fut trois jours dans le coma. De temps à autre, elle se réveillait, jetait quelques cris rauques affreux puis elle sombrait à nouveau dans l'inconscience. Marie-Jeanne croyait qu'elle allait mourir bientôt et elle se terrait dans sa chambre quand elle ne se trouvait pas à l'école. D'ailleurs, la mère défendit à quiconque de s'approcher de la parasite eczémateuse. À Télesphore, elle dit qu'elle croyait que l'enfant avait attrapé une maladie de peau sans doute à cause des coups de fouet qu'il lui avait donnés soit quelques jours plus tôt soit la fois d'avant. À moins que ce ne fut à l'hôpital...

L'homme culpabilisé dit simplement :

—Occupe-toé-z-en.

Le dimanche arriva.

Marie-Anne convainquit son mari que la fillette pouvait rester seule, qu'elle dormait paisiblement. Il suggéra de laisser Marie-Jeanne pour en même temps s'occuper du bébé. La femme refusa. Elle laisserait le bébé chez sa tante au village et le reprendrait après la messe. Le curé aimait trop voir les familles complètes à l'église et il y avait bien assez de cette paresseuse qui dormirait tandis que les autres prieraient...

L'abbé Massé prêcha sur la charité humaine. Il parla de tous ces malheureux dont les villes étaient remplies et rappela aux paroissiens leur chance de vivre dans un lieu si accueillant à la terre si généreuse. À la table de communion, Marie-Anne lui adressa son rituel sourire de bisc-en-coin à peine esquissé avec un signe de tête d'une évidente reconnaissance.

Aurore reprit conscience. Et avec sa conscience, un peu de lucidité. Les ressources du cerveau humain étant sans limites et puisqu'elle était toujours vivante, elle réussit à échafauder un plan de survie malgré ses horribles souffrances. L'idée lui vint alors qu'assise sur sa paillasse, elle cherchait à se débarrasser de sa jaquette qui collait à ses plaies et multipliait ses douleurs.

Tout d'abord, elle sut que c'était dimanche par le silence de la maison et la cloche de l'église. Elle en déduisit que son père reviendrait et rentrerait sans repartir pour l'ouvrage. La différence entre les corrections à coup de bâton ou de fouet et ce qu'elle avait subi était nette dans sa tête. Son père ne la frappait pas pour la tuer tandis que la mère cherchait à la détruire. Il fallait qu'elle se montre à son père. Il le fallait et sans tarder sinon la mère la tuerait. Les souffrances qu'il lui avait causées lui semblaient maintenant des fleurs par comparaison avec celles venues de cette femme...

Les doigts ouverts, écartés, arrondis par les croûtes se formant à l'intérieur, elle finit par se débarrasser de sa jaquette et resta nue à la fenêtre, assise sur sa paillasse, regardant son pauvre corps mutilé, devenu une pléthore de plaies horribles et souvent elle éclatait en sanglots, les sanglots du désespoir qui embrouillaient ses yeux éteints.

Des pensées lui venaient quand même comme si on les avait éclairées. Elle irait jusqu'à l'escalier, descendrait à la grande marche du tournant et y demeurerait tant que son père ne serait pas là. Alors elle se montrerait à lui. Il saurait. Il ne la battrait pas. Il aurait pitié, il aurait pitié... C'est lui qui avait fait venir le docteur, qui l'avait fait hospitaliser à Québec, elle le savait. Tout se sait dans une maison.

«Papa, regardez-moi, regardez-moé... J'ai mal, j'ai mal, regardez-moé, votre enfant... maman, elle va me faire mourir... Je vas obéir, je vas prier, je vas travailler comme il faut... Pitié pour moé !... J'ai assez mal, assez mal dans mes mains, sur mes bras, sur mes jambes... Ça fait mal... Donnez-moé des coups de fouet mais dites à maman d'arrêter... d'arrêter de me brûler... Je suis quelqu'un... Une enfant du bon Dieu moé itou... comme les autres...»

La fillette se composait sans arrêt des phrases simples avec le peu de bagage qu'elle avait ramassé à l'école. Si seulement elle avait eu l'instruction de monsieur le curé, on la comprendrait ! Mais ses larmes alimentaient ses mots. Ses

464

mains pendaient misérablement de chaque côté de son corps assis; elle ne pouvait même pas les poser sur quoi que ce soit...

Il y avait des élancements dans sa tête, des bourdonnements dans ses oreilles. Les rayons du soleil ne la réchauffaient pas, ils la brûlaient, la détruisaient eux aussi... Il fallait qu'elle descende, qu'elle trouve de l'aide, qu'elle en trouve au plus vite...

Elle glissa ses jambes hors du banc et se mit sur ses pieds, mais ne le supporta pas et dut se rasseoir. Il fallait pourtant qu'elle atteigne l'escalier... Au deuxième essai, elle fit trois pas et s'écroula dans des cris de douleur. Et resta sur le plancher, le bas de son corps portant sur sa cuisse droite surtout et le haut sur ses coudes, avec ces mains de cauchemar tenues haut. Après une minute d'abattement et de souffrance à son paroxysme, la terreur revint à sa rescousse. Elle se traîna par la force de ses coudes jusqu'à l'escalier où elle s'engagea, les hanches les premières, retenue tant bien que mal par ses arrière-bras.

Cinq marches seulement séparaient la première de la grande du tournant. Elle y parvint. Il lui semblait que son salut se trouvait là. En attendant, elle resta dans cette position qu'elle avait trouvée là-haut, sur sa cuisse droite et ses coudes, pour gémir et prier, guettant le moindre bruit annonçant le retour de la famille.

Les affres de l'attente durèrent l'éternité. Puis elle entendit enfin les bruits confus. La mère entrerait sans doute en premier, passerait son chemin vite pour s'en aller dans sa chambre comme le plus souvent, mais Aurore resterait dans l'ombre car ce tournant de l'escalier, de jour alors que la lampe ne l'éclairait pas, était sombre. Elle dirait aux autres enfants d'aller chercher le père...

Les choses se passèrent autrement, comme cela arrive toujours pour les misérables. Pour accoutumer Georges aux préoccupations d'un homme, Télesphore lui passa les cordeaux et lui ordonna d'aller dételer. Il descendit le premier de la voiture pour entrer aussi le premier dans la maison.

L'apercevant, l'espace d'un éclair, Aurore crut à un miracle, elle qui s'attendait à voir tout le monde avant lui. Elle bougea et prononça un faible appel :

465

–Papa.

En même temps, elle se laissa glisser. Affrontant les pires douleurs sous ses pieds, elle se mit debout tandis qu'il commençait à s'habituer les yeux à l'ombre.

L'image de l'enfant se précisa. Elle était là, totalement nue, effroyablement amaigrie, chancelante, les coudes levés pour empêcher ses bras de toucher son corps, mains ouvertes, doigts tordus et bourrés de plaies et de cloches d'eau, paumes croûtées, les jambes plus amochées encore, tachées de plaies rouges et jaunes sur toute leur longueur depuis les cuisses et jusqu'aux pieds.

Toutes les petites phrases qu'Aurore avait préparées devinrent muettes, se transformèrent en couteaux sur la gorge, cris silencieux de l'âme, sanglots désespérés. À travers ses grimaces et ses larmes, ses yeux cherchaient à dire, à tout dire, à répéter et redire encore :

«Sauvez-moé, sauvez-moé, sauvez-moé...»

Quelque chose en elle sut qu'elle avait accompli sa tâche et ne pourrait jamais faire davantage, alors les choses se mirent à tournoyer devant ses yeux.

À ce moment, la mère arriva à son tour. Elle fut frappée par la peur devant cette image qu'elle sut lire avec la plus grande précision. Cette démone-là demandait pitié à son père et lui, comme un gnochon, restait planté là en ayant l'air de réfléchir. Il fallait qu'elle prenne l'initiative...

–Quand je te disais que c'est une enfant vicieuse : tu vois comment elle se montre, là. Elle dort pas, là, elle est ben réveillée ou ben c'est moé la folle.

Aurore vacilla, s'effondra doucement, ses jambes fléchissant mollement.

Télesphore sauta en avant et il l'attrapa avant qu'elle ne dégringole jusqu'en bas. Il sentit du liquide sur ses mains : c'était de l'eau des cloches qui éclataient. Et il put voir de près les brûlures mais encore dans une lumière relativement faible.

–C'est qu'elle a encore, celle-là ?

–Je te l'ai dit, je te l'ai dit, répéta Marie-Anne au comble de la nervosité, elle a attrapé une maladie de peau. Pis je pense que c'est à cause de ton fouet...

–Encore le docteur...

–Pas besoin du docteur, fit-elle vivement. *Je vas faire venir des remèdes... (Phrase relevée au procès.)*

L'homme ne dit pas un mot de plus. Il grimpa l'escalier et se rendit mettre la fillette inconsciente sur sa paillasse du banc. La lumière du soleil aurait pu lui en dire plus sur l'état de la peau de l'enfant. Mais il ferma les yeux et revint en bas.

Au pied de l'escalier, sa femme avançait et reculait sans arrêt, parlant comme une insensée :

–Si ça continue, cette enfant-là va nous coûter notre bien. Des fois, je me dis que j'aurais ben dû rester à Sainte-Sophie... C'est pas drôle de vivre dans c'te maison-là... Pis là, de quoi c'est que je vas faire avec celle-là, hein ? Hein, Télesphore ? Tu réponds pas...

Il finit de descendre les marches et jeta simplement :

–Occupe-toé-z-en !

******

Chapitre 30

Exilda trouva la lettre de Marie-Anne dans sa cour. Il n'y avait rien sur l'enveloppe. Elle ouvrit, lut. Et sut. Parla à Arcadius de cette histoire de maladie de peau, et lui, il en parla à Adjutor Gagnon...

Et Marguerite, elle, avait raconté à sa mère le traitement que sa tante faisait subir à sa cousine. Séverine se promit qu'aux fêtes, elle en parlerait avec Albertine, sa demi-soeur, épouse de Jos Badeau de même qu'à Victoria pour qu'elle alerte Anthime.

Dans les conversations fréquentes entre Télesphore et Anthime, il n'était question que d'affaires masculines et puisque Anthime et Victoria n'aimaient guère Marie-Anne, on se fréquentait fort peu.

Exilda intercepta Marie-Jeanne pour lui tirer les vers du nez. La fillette avait reçu l'ordre formel assorti des pires menaces de ne rien dire d'autre que de parler de la maladie de peau d'Aurore.

Adjutor craignant de se faire rabrouer par le curé comme

Exilda l'avait été, s'ouvrit à Oréus Mailhot.

Oréus crut qu'Anthime aurait plus de poids que lui auprès du curé. C'était beaucoup demander à un frère d'aller se plaindre des manières de son frère, surtout qu'Anthime ne "filait" pas bien. Il se rendit quand même à quelques reprises au presbytère, mais le prêtre n'était jamais là : toujours ailleurs, en voyage ou en visite des malades ou bien il s'occupait de choses matérielles concernant la terre de la fabrique et certaines rénovations dans la sacristie.

Les communications allaient à la vitesse de l'escargot. Personne ne disposait du téléphone dans les rangs et seulement quelques-uns dans le village. On se parlait donc d'une semaine à l'autre, de sept jours en sept jours, et le temps passait. Et le temps d'Aurore passait.

La fillette fut transformée en petite bête terrorisée, abrutie, silencieuse, immensément souffrante, morte-vivante.

Au procès de Marie-Anne Houde, en avril, il sera pris en témoignage :

"Souvent, la nuit, elle montait dans sa chambre pour la battre avec ce qu'elle trouvait sous ses mains et aussi elle lui faisait saigner ses plaies et elle lui disait si elle ne se retenait pas de crier, elle la tuerait. Une autre fois, j'ai vu ma mère lui attacher le corps après les pattes de la couchette et lui lier les pieds et les mains et elle la frappait à la figure avec une planche l'épaisseur d'un doigt et aussi avec un tisonnier. Quand la tête a commencé à lui enfler, ma mère trouva cela drôle; elle disait que la tête commençait à lui amollir...» (Témoignage de Marie-Jeanne.)

«Ma mère faisait des beurrées de lessive et forçait Aurore à les manger. Elle lavait Aurore avec une brosse à plancher. Elle la battait avec des harts.» (Témoignage de Gérard.)

«Ma mère cachait le pot de chambre, forçant Aurore à faire ses besoins dans son lit; puis elle la punissait pour avoir souillé son lit.» (Témoignage de Marie-Jeanne.)

*

La femme armée de sa patiente cruauté poursuivit donc systématiquement son travail de destruction de la même manière que si sa tâche eût été de soigner la fillette afin de la ramener à la santé.

Elle entretenait les plaies pour qu'elles restent vives, frappait la peau pour les faire éclater, utilisait la brosse à plancher et du savon pour les irriter. Des blessures se cicatrisaient, d'autres s'ajoutaient. Elle se servait souvent de la canne fabriquée par Marguerite et de plus en plus donnait des coups au visage et à la tête.

Et quand les yeux d'Aurore commençaient à se nettoyer de leur enflure, de nouveaux coups les noircissaient, ce qui ajoutait aux cernes, signe de son lent et inexorable dépérissement.

Télesphore travaillait au moulin et mangeait après tout le monde le soir. La femme prenait soin de soustraire Aurore à sa vue de crainte de l'alerter sur son état piteux. Elle gardait une certaine prudence encore pour que la mort qu'elle anticipait et espérait pour le printemps au plus tard ne survienne pas trop vite et par le fait d'une seule blessure que la maladie de peau et l'affaiblissement général ne sauraient expliquer. Ce sur quoi la marâtre comptait le plus, c'était une infection généralisée qui emporterait la fillette. En tout cas, elle se promettait d'accélérer le processus dès après les fêtes. Télesphore travaillerait alors à Villeroy et quitterait la maison le lundi aux aurores pour ne revenir que le samedi. En outre, elle s'arrangerait pour que l'enfant prenne un bon gros coup de froid...

Aurore endurait, muette, à part les cris des séances de torture. Tout cela n'était rien pour elle après le martyre enduré par l'action du tisonnier rougi. Les coups à la tête : ils l'endormaient. Et quand elle dormait, elle ne souffrait pas. Elle aimait dormir et n'aimait que cela.

La mère avait trop à faire toutefois pour affamer constamment l'enfant. Quand elle se trouvait au train, la fillette en profitait pour se prendre à manger et Marie-Anne, avec la quantité de nourriture qui passait sur la table, ne pouvait pas contrôler les restes. Cela entretenait les forces de la victime. Et prolongeait son martyre.

Durant les fêtes, on veilla chez Albertine un soir. Marie-Anne se plaignit de son mari qui, dit-elle, *ne touchait jamais aux enfants* et lui laissait la tâche difficile de les corriger, surtout l'incorrigible Aurore.

La femme se rendit aussi chez sa voisine pour lui souhaiter une bonne année. Exilda ne put s'empêcher de parler de cette lettre qu'elle avait dû lire et qu'elle avait remise à Marie-Jeanne le jour suivant.

–Ben oui, elle a une grave maladie de peau. Ah ! je te dis que c'est décourageant des fois. *Je voudrais ben que la petite Aurore vînt à mourir sans que personne en eût connaissance, elle aussi. (Témoignage d'Exilda au procès de Marie-Anne Houde.)*

Cette parole odieuse frappa la voisine. En son for intérieur, la mort de Joseph demeurait suspecte et même celle de Marie-Anne. Mais comment intervenir ? Arcadius évitait de se brouiller avec son voisin Télesphore, c'est pourquoi il s'ouvrait de leurs inquiétudes à son autre voisin Adjutor. C'était par le chemin du presbytère que l'on pouvait quelque chose pour arrêter cette femme monstrueuse, mais le curé dormait tout comme Télesphore ronflait.

Après le jour de l'an, Exilda rendrait sa visite à sa voisine, la prendrait par surprise et ferait en sorte de voir l'état d'Aurore. Car si elle flairait beaucoup de choses, la pauvre femme n'avait quasiment jamais rien vu d'une gravité intolérable. Tout contribuait à la bâillonner. Elle craignait par-dessus tout que survienne le pire avant qu'elle n'ait pu intervenir d'une manière qui aboutisse à du résultat concret.

Coupée de l'école, de l'église, des autres enfants, lesquels, par bonheur, oubliaient aisément la consigne du silence à son endroit quand la mère était hors de la maison, Aurore s'en remettait à son Jésus de bois que, "miraculeusement", elle avait réussi à soustraire à la vue de la femme par toutes sortes de moyens, surtout celui de le cacher derrière une planche des ravalements quand elle finissait de se confier à lui.

Vint janvier 1920...

******

Chapitre 31

Les furies de Marie-Anne Houde reprirent de plus belle dans la première quinzaine de janvier. Aurore fut piégée une autre fois et attachée à une chaise. Marie-Jeanne servit d'appât sans le vouloir.

Obsédée par cette fictive tuberculose de la peau qu'elle créait de toutes pièces pour masquer les mauvais traitements et justifier la mort éventuelle de l'enfant, la mère décida d'étendre les plaies à la région du cuir chevelu dont elle voulait qu'il parût malade aussi.

Marie-Jeanne fut frisée, bichonnée puis envoyée dans sa chambre. Les gamins durent aussi rester en haut. Aurore se souvenait de ses cheveux grillés par le fer quand Marguerite était à la maison, mais à part la moquerie, il n'y avait pas eu de douleur physique.

De toute façon, elle n'avait pas le choix. Ce qui lui restait encore de résistance physique passait en cris de terreur et de désespoir, lesquels stimulaient les ardeurs démoniaques de la mère.

Quand la femme la ligota à l'aide d'un lien d'osier, la fillette ne se débattit presque pas et commença à gémir tout

473

doucement à paupières fermées dures.

Et le terrible fer fit son oeuvre au fond de la chevelure inégale. Et chaque fois que l'outil grillait sa chair, l'être abruti émettait des plaintes rauques, longues, mourantes, impossibles, jusqu'au moment où il perdit connaissance. La femme poursuivit son travail macabre. De plus, elle arracha des petites touffes pour que le sang jaillisse afin de mieux créer des foyers d'infection.

«Au-dessus du sourcil droit, il y avait une entaille par où l'on voyait les os du crâne. Il y avait du sang et du pus sur presque tout le cuir chevelu et les os du crâne étaient en partie rongés par ce pus.» (Témoignage du docteur Albert Marois, autopsiste, au procès de M.A.H.)

Chaque jour, l'impatience de la femme psychopathe grandissait. Et chaque soir, elle brisait les plaies à mains nues à son retour de l'étable sans se les laver alors qu'elles étaient encore cernées par les saletés fécales des paires de vache ajoutées de lait séché. Moins Aurore gémissait, moins longtemps ses souffrances duraient.

«Tu vas voir, tu vas finir par aimer ça,» ricanait parfois la femme.

Et le dimanche, l'enfant restait confinée à sa chambre pour que le père ne la voie pas. *Et lui ne s'informait pas...* Et le lundi matin, à la barre du jour, il repartait pour Villeroy.

*

La lundi, douze janvier, Anthime put enfin voir le curé. Il lui fit part de ses inquiétudes. Le prêtre lui répéta mot pour mot ce que lui avait dit encore tout récemment Marie-Anne Houde : *cette enfant-là a tous les caprices qu'un enfant peut avoir.*

–Je suis venu pour savoir si vous saviez, dit Anthime en quittant.

–Quel curé, à moins d'un être inconscient, ne sait pas ce qui se passe dans sa paroisse. Dormez sur vos deux oreilles, monsieur Anthime...

*

Deux jours plus tard, Anthime se leva avec un poing dans le dos. Il ne mangea pas ce que Victoria avait mis sur la table pour le déjeuner et retourna se coucher. Puis il cria à sa femme qui accourut.

–J'sais pas ce qui m'arrive, mais je vois pus clair.

Comme un grand arbre abattu, le jeune homme était couché sur le côté et cherchait son souffle. Incrédule, elle le fit répéter.

–J'vois pus rien... comme un aveugle...

Victoria courut chez un troisième voisin où il y avait un téléphone. Elle appela le docteur Lafond qui arriva à midi accompagné d'une bise tourmentée. Il examina le malade et diagnostiqua une thrombose. Le faire hospitaliser, il mourrait avant même d'être rendu à la gare. Restait l'injection et la position couché sans le moindre mouvement pendant au moins quarante-huit heures. Et au bout de ce temps, il aviserait. Victoria et Anthime prirent la décision ensemble. La piqûre fut faite. Les chances de survie se situaient à une sur deux. Le docteur annonça qu'il resterait là jusqu'au soir. On attendit.

Au comble de l'inquiétude, Victoria ne voulut courir aucun risque et envoya une voisine au presbytère pour que le curé vienne administrer à son mari les derniers sacrements, lesquels, on le savait, ramenaient souvent un moribond à la vie.

«Mais voyons donc ! s'exclama le cartésien curé. Voilà un jeune homme d'à peine trente ans, grand, fort, solide comme un chêne. Ne vous inquiétez donc pas, demain il battra son cheval à la course.»

Au milieu de l'après-midi, Anthime mourut. Il s'éteignit simplement sans gémissements, sans douleur apparente, comme une flamme privée d'oxygène. Il avait trente-trois ans. Victoria était enceinte.

On avertit une seconde fois l'abbé Massé qui accourut, administra sous conditions puis se composa des gémissements douloureux :

–Mon doux Seigneur, que j'aurais donc dû venir plus tôt que ça !

*

Le téléphone permit de rejoindre aussitôt tous les parents de la famille, y compris Télesphore qu'un commissionnaire de Villeroy se rendit avertir sur les lieux de son travail. L'homme revint chez lui assommé. Il resterait taciturne jusqu'après les funérailles.

Vinrent aussi Rose-Anna et son mari, Octave Hamel de Sorel. Le couple fut reçu par Albertine. Elle glissa quelques mots à la femme de ce qui circulait concernant Aurore et qui avait l'air de dépasser les simples racontars.

Elle qui avait voulu prendre la fillette en même temps que Georges-Étienne du temps de la maladie de Marie-Anne Caron, décida de vérifier les dires, mine de rien. Et alors qu'Anthime se trouvait encore sur les planches à la maison, le couple se rendit chez Télesphore, ce vendredi après-midi, le seize janvier par une température plus que froide.

Aurore ne les vit pas arriver par sa fenêtre glaciale aux vitres boisées, mais elle les entendit et, quoique sachant maintenant que le monde des grands ne lui viendrait pas en aide, poussée par les dernières velléités de son instinct de survie, elle descendit.

Rose-Anna qui gardait en tête l'image d'une fillette exceptionnellement belle aux grands yeux foncés et à la chevelure soyeuse et brune, calme et douce comme sa mère, fut épouvantée par ce qu'elle vit.

Aurore s'aidait du mur pour descendre les marches une à une, péniblement comme une petite vieille à bout d'âge. Puis elle progressa comme une automate, la tête légèrement penchée sur le côté, les yeux noircis rivés au plancher, jusqu'à l'évier où elle tomba en pleine lumière...

–Pourquoi c'est faire que t'es descendue en bas ? lui dit Marie-Anne.

–J'ai soif, répondit à peine la voix éteinte.

Rose-Anna n'arrivait pas à dire quoi que ce soit, à prononcer le moindre mot, trop horrifiée même pour alerter son mari qui s'entretenait avec Télesphore à l'autre bout de la pièce.

Toutes ces plaies suppurantes, cette émaciation, cette faiblesse. Ce n'était plus un être humain mais un affreux paquet de blessures... La mère chanta sur le ton de l'impuissance devant les circonstances :

–Elle fait de la *tuberculose* de la peau, c'est que vous voulez... De sa mère, qui a pris ça de Charles, qui a pris ça dans les tranchées...

–Elle boite...

–S'est rentré *une grosse écharde*... Elle se promène tout le temps nu-pieds...

–S'est cognée sur les yeux ?

–Justement, *sur la porte du poêle*...

Aurore but trois petites gorgées puis retourna à l'escalier qu'elle gravit de peine et de misère sans avoir dit un mot, après avoir seulement hurlé au secours dans le plus parfait des silences...

–Tu dis même pas bonjour à ma tante Rose-Anna ? s'insurgea la mère qui, au fond, était fort contente que l'enfant n'ait pas ouvert la bouche.

Aurore poursuivit sans même se retourner dans sa pitoyable démarche.

–Ah ! je te dis qu'elle nous donne de la misère, celle-là. Jusqu'à monsieur le curé qui a été obligé de la reprendre !

–As-tu fait venir le docteur ?

–Ben mieux que ça, on l'a envoyée à l'Hôtel-Dieu cet automne. Pour s'en occuper, on s'en occupe...

–Mais là, dans son état piteux ?

La femme jeta sèchement le fond de sa pensée mais sans penser aux conséquences :

–*Il va falloir dépenser encore $50. pour cette enfant-là. Qu'elle crève ! Je ne verserai pas une larme ! (Témoignage de Rose-Anna Gagnon-Hamel au procès de M.A.H.)*

Après leur départ, entre la maison de Télesphore et le village, Rose-Anna exprima sa révolte.

–Je me demande si c'est ben vrai, tout ce qu'elle dit, celle-là. La petite fille est trop maganée pis de trop de manières.

On s'arrêta chez Oréus Mailhot, l'homme le plus éclairé de la paroisse après le curé. De toute la rencontre, il ne fut question que d'Aurore.

On arriva à la conclusion que Rose-Anna écrirait à l'abbé Massé dès son retour à la maison.

–Quand plusieurs voix différentes se croiseront au presbytère, monsieur le curé va bouger, c'est certain ça, dit Oréus.

–Mais vous, en tant que juge de paix ?

–J'attends juste un mot du curé pour monter à Québec. Vous savez, monsieur Massé est un homme fier... fier de sa paroisse et... il ne voudrait pas qu'un scandale...

*

Le lendemain des funérailles, un dimanche, après le départ de visiteurs, sûre que personne ne viendrait plus mettre son nez chez elle, Marie-Anne voulut donner un coup de froid à la fillette, mais elle dut se rendre à l'évidence : la chose n'était pas possible en ouvrant la fenêtre puisque tout était figé dans la glace et le châssis renflé. Quant à briser une vitre et mettre ça sur le dos d'Aurore, tout le grenier et toute la maison seraient envahis par le froid et quelqu'un se dépêcherait de boucher le trou.

Aurore dormait en grelottant sur la paillasse du banc sous sa couverture. Soudain, on la lui arracha brusquement et, en lui jetant des poches, la mère dit :

–Faut que maman lave ta couverte pour la désinfecter. Pis t'es mieux de pas t'aviser de voler la couverte des autres parce que tu vas y goûter, au tisonnier rougi, la petite bonyenne...

Incapable de se rendormir à cause du froid, car il ventait dehors et l'air glacial s'infiltrait à l'intérieur, l'enfant mit les poches à terre, se coucha dessus et tira la paillasse sur elle.

Plus tard, la femme vint lui porter des restes de table. Son regard brilla quand elle vit la scène. Elle fut sur le point de se mettre à genoux sur la paillasse pour étouffer la dormeuse, mais se contint. Et redescendit en emportant l'assiette dont elle jeta le contenu dehors.

–Elle dort comme une bûche, dit-elle à Télesphore. Quand même je laisserai l'assiette, elle mangera rien pantoute...

Il s'apprêtait à se rendre à l'étable. On allait veiller au village. Une rencontre familiale d'après funérailles chez Anthime. Pendant que Télesphore attelait, Marie-Anne mit une attisée dans le poêle et recommanda à Georges d'en faire autant plus tard, et de laisser comme de coutume la porte du fourneau ouverte pour que la chaleur se répande dans la maison.

«Y en a qui disent que t'es dure pour les filles à Télesphore,» lui avait jeté quelqu'un au visage dans l'après-midi. Cela lui fit prendre la décision d'emmener Marie-Jeanne avec eux. Ils verraient bien. Elle lui fit mettre sa robe du diman-

478

che, lui brossa les cheveux, lui recommanda de sourire à tout le monde pour faire plaisir aux mon-oncles et aux ma-tantes. On aurait la preuve que les malheurs d'Aurore étaient bel et bien dus à la tuberculose. Qui croirait qu'elle puisse maganer l'une et bichonner l'autre ? Et là-bas, Marie-Jeanne prendrait soin du bébé tandis que les adultes parleraient de la vie...

Aurore se réveilla. Affamée. Gelée. Même l'attisée de Georges achevait de se consumer. Et les gars dormaient sous d'épaisses couvertures. Il restait de la lumière dans la maison : la lampe du haut de l'escalier à mèche basse et une de la cuisine. La fillette descendit. Après avoir mangé, elle aurait moins froid. Il lui fallut une éternité pour se rendre en bas. Elle se trouva à manger dans une armoire : du pain, de la mélasse, des oeufs durs. Dès que la faim fut comblée, elle s'arrêta; car l'appétit n'était pas là, lui. Avec le bout de deux doigts où il n'y avait pas de plaies béantes, elle ramassa les grenailles sur la tablette et les fit glisser dans son autre main puis avala le tout pour ne pas laisser de traces de son grignotage.

À l'autre bout du poêle, il y avait les chaises regroupées non remises à leur place. Elle en poussa une jusqu'à la porte du fourneau puis la peur lui fit changer d'idée. Elle pourrait s'endormir là... La chaise fut repoussée là d'où elle venait et Aurore s'assit à terre devant la porte contre laquelle elle s'appuya les bras sur lesquels elle coucha sa tête...

«Le 19 janvier, ma mère est allée veiller. À son retour, elle trouva ma petite soeur Aurore appuyée sur la porte du fourneau du poêle qui dormait; elle l'a réveillée à coups de pied et l'a envoyée tomber sur des chaises. Le lendemain matin, Aurore se réveilla avec les deux yeux bien noirs et enflés.» (Témoignage de Marie-Jeanne au procès de M.A.H.)

Cela se produisit pendant que Télesphore dételait. Il ne vit rien, n'entendit rien, ne sut rien. Aurore fut poussée par la mère dans l'escalier. Rendue au banc, la femme remit la paillasse en place puis redonna sa couverture sale à la fillette.

Ce fut la dernière fois qu'Aurore parvint à se lever par ses propres forces.

******

479

Chapitre 32

La dégringolade de la santé d'Aurore fut marquée dans les jours suivants. Malgré des assiettes frugales que lui portait Georges, ou Marie-Jeanne, ou, le plus souvent la mère qui guettait les plaies et les voyait s'infecter de plus en plus chaque jour, l'enfant délaissait la nourriture. Sa vie ne valait plus très cher. Elle se sentait hors de son corps et ne pleurait plus. Son regard se fixait de plus en plus vers la lumière de la fenêtre quand c'était le jour et sur les étoiles quand le ciel en était constellé. Souvent, elle s'imaginait que sa mère était l'une d'elles, son chien une autre, son oncle Charles prenait la forme de la lune et sa grand-mère ressemblait à ce nuage couché là-bas...

L'épuisement la jetait dans la somnolence, mais son corps grelottait sans arrêt. Et la mère ne demandait toujours pas le médecin. Au contraire, elle s'étonnait de la résistance interminable de cette petite masse informe. Pressée d'en finir et pour être certaine que l'enfant ne connaîtrait pas de sursaut ou de répit, la marâtre pensa lui faire manger du vert-de-paris. Mais il y avait des risques. Qui n'avait jamais entendu parler de cas d'empoisonnements et de personnes condamnées et emprisonnées voire pendues pour ça ? On ferait peut-être une autopsie ? Alors elle résolut de lui faire boire quelque chose qui, sans constituer un poison, irriterait l'estomac au point qu'en voulant régurgiter, la petite pourrait y passer.

Cela se produisit longtemps après le départ de Télesphore le matin du neuf février alors que celui-ci, levé à l'aube, s'était mis en route à pied pour Villeroy, et aussi après celui des enfants pour l'école.

Sans aucune défense maintenant, Aurore, tenue par un bras de la mère, dut avaler une tasse d'eau chaude dans laquelle se trouvait dilué un morceau de savon du pays gros comme deux fois le pouce. Et la petite n'eut pas la force de régurgiter.

L'événement irrita encore plus le cerveau malade de la mère que l'estomac affaissé de l'enfant. Au bout d'une heure, la femme retourna dans la chambre et trouva Aurore dans son même état semi-comateux. Dans un cri de la plus parfaite hystérie, Marie-Anne se mit à répéter :

–Meurs, meurs donc, toé, la petite vicieuse. C'est le diable qui te protège, hein ? Ben moé, je vas te le sortir du corps, le diable, je vas te le sortir du corps, je vas te le sortir du corps...

L'effroyable cauchemar de Marie-Anne Houde se transforma en réalité, mais la victime était une autre qu'elle-même. Aurore fut jetée à terre dans l'ombre. Son corps bougeait dans l'errance. Les mains du diable s'emparèrent de ses bras, tirèrent. Les cuisses frottaient aux interstices du plancher y laissant des bouts de peau, des humeurs, du sang blême... Et la femme tirait, tirait en ricanant et en regardant le puits clair de l'escalier qui, pourtant, était moins lumineux que celui de son rêve horrible. Rendue au bord, elle jeta simplement l'enfant comme on se débarrasse d'un sac de patates. Aurore s'affaissa, s'écrasa dans les marches, fut assommée sur le côté de la tête.

«La cause de la mort fut l'épuisement par suite de nombreuses blessures et de l'infection que ces blessures ont produite; cela a entraîné une espèce d'affaiblissement général sans qu'il n'y ait, dans aucune des blessures, une blessure directement mortelle. La blessure la plus grave était située sur le côté du crâne...» (Témoignage du docteur Marois, responsable de l'autopsie.)

Elle roula ensuite jusqu'en bas et si mollement qu'aucune lésion additionnelle ne fut alors causée.

La femme se rendit chercher un câble et, en habituée, elle remonta la petite en haut en la traînant par les épaules.

*

Dans l'après-midi, Exilda arrêta Marie-Jeanne qui revenait de l'école.

—Comment qu'elle va, ta petite soeur ?

—Maman dit qu'elle va mourir, ça sera pas long.

La femme alors se dépêcha de s'habiller et se mit en route malgré le froid, emmenant dans ses bras sa petite fille, une enfant de deux ans.

—Ah ! s'exclama Marie-Anne Houde en ouvrant la porte mais sachant fort bien qui frappait puisqu'elle avait aperçu la voisine qui venait sur le chemin, si c'est pas madame Lemay, entrez, entrez...

Dès qu'elle franchit le seuil, Exilda jeta un coup d'oeil vers l'escalier menant à l'étage supérieur. L'autre le remarqua. Flaira. La voisine venait sentir. Elle n'irait pas en haut...

Elle l'invita à ôter son manteau, à s'asseoir. Exilda déshabilla sa fillette. L'on se mit à jaser des fêtes, de la mort d'Anthime, du curé dont Marie-Anne Houde aimait beaucoup parler. La fillette rôdailla. Elle entendit des voix venues de là-haut, monta...

Marie-Anne était assise sur une berçante, les pieds accrochés à un montant. Elle se leva et courut à l'escalier où elle s'écria :

—Marie-Jeanne, laisse pas la petite s'approcher d'Aurore, là, toé. Avec sa maladie de peau, elle va lui faire attraper ses bobos comme au bébé...

—Oui, maman.

Peu de temps après, Marie-Jeanne descendait avec l'enfant dans ses bras. Exilda se durcit. Se leva. Marcha d'un pas ferme jusqu'au pied de l'escalier, dit :

—Moé, j'ai pas peur de ça, des bobos pis des maladies de peau. Je vas aller la voir...

«Quand avez-vous parlé à l'accusée pour la dernière fois avant la mort d'Aurore ?»

«C'était le neuf février dernier, trois jours avant la mort de la petite défunte. Je suis allée à la maison des Gagnon.»

«Pourquoi ?»

«J'étais ben inquiète de la petite Aurore. Je ne l'avais pas vue de l'hiver.»

«Que se passa-t-il ?»

«J'étais avec ma petite fille qui était montée à l'étage où se trouvait la petite Aurore. Madame Gagnon dit qu'Aurore avait trop de bobos sur les mains, que cela pouvait être dangereux pour ma petite fille.»

«Et ensuite ?»

«Marie-Jeanne descendit en portant ma petite fille dans ses bras. Je montai et je vis Aurore qui faisait vraiment pitié. Elle avait la figure enflée avec des bobos partout. Ses yeux étaient noircis. La chambre était malpropre...»

«Poursuivez !»

«J'ai dit à madame Gagnon qu'Aurore faisait pitié à voir, qu'elle allait mourir et qu'il était plus que temps de faire venir le docteur. Elle me dit : «Le docteur, ce n'est pas nécessaire; on peut lui téléphoner pour nous envoyer des remèdes...»

(Témoignage de madame Arcadius (Exilda) Lemay)

En fait, Aurore ne bougeait pas. Elle ressemblait à un enfant sur les planches comme il y en avait tant eu cet hiver-là à Fortierville. Exilda fut horrifiée de voir autant de plaies ouvertes, cette bosse pleine de pus à la tête, cette émaciation... Aurore n'était plus qu'un petit squelette retenu par une peau dérisoire toute brisée.

La mort lui parut imminente. Seul un miracle pouvait encore la sauver in extremis. Cette fois, qu'il le veuille ou pas, le curé l'écouterait.

*

De retour chez elle, Exilda confia sa fillette aux plus vieux et poursuivit jusque chez les Gagnon (Adjutor), son mari étant à Deschaillons pour jusqu'au lendemain.

C'était la brunante. Le couple se préparait pour aller vaquer aux travaux de l'étable. On l'invita à s'asseoir; elle refusa net et resta debout, en proie à une nervosité extrême.

–Je viens vous parler de quelque chose de terrible : c'est une question de vie ou de mort. La petite Aurore est en train de mourir, je viens de la voir, elle serait passée en *dessour* d'une machine que ça serait pas pire...

–Maudit torrieu, ça va finir ! jura Adjutor, un homme qui pouvait avoir une voix énorme. Occupe-toé du train, moé je monte au village...

–Chez monsieur le curé ? s'enquit sa femme.

–Non, non... Ça fait assez de fois que le curé est averti pis qu'il bouge pas, pis qu'il empêche les autres de bouger, je m'en vas voir Oréus tout droit. C'est lui le juge de paix. Il faut qu'il monte à Québec demain matin voir la Couronne pour qu'on fasse sortir cette enfant-là de chez eux *au plus maudit !*...

Oréus se montra en parfait accord avec Adjutor. Il ne se rendit pas au presbytère et fit seulement parvenir un message écrit au curé par un commissionnaire du magasin qui exécuta sa tâche après le départ du juge de paix pour Québec ce matin du dix février.

*

Maître Fitzpatrick écouta Oréus avec une certaine dose de scepticisme propre à tout procureur de la Couronne.

–Vous avez vu l'enfant ?

–Non mais... tout le voisinage le sait.

–Qui l'a vue ?

–Madame Lemay.

–C'est elle qui vous en a parlé ?

–Non, c'est monsieur Adjutor Gagnon.

–Qui est monsieur Gagnon ?

–Le voisin des Lemay.

–Ça fait beaucoup de ouï-dire, tout ça.

–Et le docteur ?

–Je vous l'ai dit : ils l'ont même pas fait venir. La petite a été hospitalisée au mois de septembre. Apparence qu'elle serait revenue guérie, mais elle est jamais retournée à l'école ensuite et depuis ce temps qu'elle est malade à maison.

–Et le curé ?

–Notre curé est ben bon... mais je pense qu'il a pas vu

clair là-dedans... La femme à Télesphore est ben habile...

–Télesphore ?

–Le père.

–Et lui, il maltraite l'enfant ?

–D'aucuns disent que oui, d'autres disent que non. Ces jours-ci, il est pas à la maison. Il travaille à Villeroy. Dans l'état où c'est que l'enfant se trouve, c'est pas à lui qu'il faut s'adresser...

–Je vous fais une proposition... J'appelle votre curé pour obtenir sa version des faits...

Et sans attendre de commentaire, l'avocat établit la communication avec le presbytère de Fortierville.

Assis à son bureau, le curé exerçait toutes ses facultés mentales. Toute son intelligence pesait et soupesait les données d'un problème ayant pris les proportions les plus graves à son insu : celui d'Aurore. Il avait bien reçu une lettre de Sorel il y a quelques jours. Elle était là, sur son bureau : lue et relue. Des rumeurs grandissantes avaient circulé à ses oreilles. Et voilà que ce message du juge de paix annonçant sa démarche s'ajoutait à tout le reste.

Les muscles de ses mâchoires saillaient. Ses yeux lançaient des flammes. Le téléphone sonna. Il décrocha machinalement.

La conversation fut brève. Son élément central fut :

–Je crois, oui, qu'il y a lieu d'intervenir dans ce cas.

Me Fitzpatrick raccrocha. Il réfléchit un moment. Puis il jeta, l'oeil terne et bureaucratique :

–Vous allez rentrer chez vous et faire enquête sur place en tant que juge de paix. Vous me ferez rapport dès que possible.

–Je comptais ben que vous enverriez un policier.

–Suite à votre prochain rapport, même s'il est téléphonique, monsieur.

–Mais elle est déjà toute faite, l'enquête. Que voulez-vous de plus, monsieur ?

–Je veux votre enquête personnelle. Voyez de vos yeux.

L'enfant ne mourra pas dans les vingt-quatre heures tout de même. Cette madame Lemay a peut-être l'âme très très sensible. Et maintenant, je dois vous laisser partir, vous comprenez, le travail est immense ici...

Ulcéré, Oréus quitta le bureau.

Il laisserait passer une journée pour faire semblant qu'il enquêtait et il appellerait le procureur le jeudi afin dc confirmer mot pour mot les dires d'Exilda Lemay qu'il n'avait du reste nul besoin de vérifier.

******

Chapitre 33

Le 11 février 1920.

Marie-Anne Houde décacheta l'enveloppe avec gaucherie et nervosité. Que pouvait-il donc lui venir du presbytère ? La dîme était payée pourtant. La femme sentait du soufre dans l'air depuis deux jours, depuis la visite de cette fouine d'Exilda, depuis le passage devant la porte à la fine épouvante du deuxième voisin qui n'avait même pas tourné la tête vers leur maison, depuis qu'on arrêtait Marie-Jeanne sur son chemin pour l'école matin et soir et qu'on la questionnait.

Ce jour-là, elle garda la fillette à la maison. On ne tenterait pas de lui tirer les vers du nez. Elle la garderait le jour suivant aussi, tant qu'on ne cesserait pas ce manège, fait qu'elle ne saurait quand même vérifier à moins de lui permettre de reprendre sa classe.

Elle s'approcha de la fenêtre pour mieux lire, bien que sa vue fût excellente.

Madame Gagnon,

Il appert que votre enfant Aurore serait extrêmement malade. Nous avons appris aussi que vous n'avez requis ni les soins du médecin ni nos offices, lesquels sont désirés par la sainte Église pour tous ses enfants en danger de mort.

Nous aimerions apprendre que de tels renseignements sont empreints de la plus grande exagération et que vous continuez à vous occuper maternellement des enfants de votre époux comme des vôtres; et d'une façon particulière de la petite Aurore qui, quoique difficile à élever selon vos affirmations passées, doit bénéficier des mêmes soins que ses frères et soeurs par le simple fait que la Providence fut peut-être moins généreuse envers elle.

Si la sainte bible recommande la fermeté envers les enfants, elle dit aussi : "Pères, n'irritez pas vos enfants de peur qu'ils ne se découragent"

Nous osons présumer du fait, qu'en tant qu'excellente chrétienne, vous réclamerez notre présence dans votre demeure sans tarder s'il advenait que votre fille montrât des signes d'agonie.

Respectueusement vôtre,
Ferdinand Massé, prêtre-curé."

La femme grinça des dents. Elle courut dans plusieurs directions sans jamais aller nulle part. Ouvrit le poêle afin d'y jeter la lettre, mais se ravisa et la mit dans sa poche de smock. Il fallait tâcher de ramener cette démone, source de toutes ses misères morales, à la vie et à la santé. Cette lettre démontrait bien que ça sentait le roussi autour d'elle. Comme les cheveux d'Aurore. Comme ses chairs brûlées. Elle courut dans sa chambre et cacha la lettre au fond d'un tiroir puis trépigna...

Il fallait qu'ele mange à tout prix. Mais comment la sortir de ce coma ? Ou peut-être en émergeait-elle quand il n'y avait personne auprès d'elle et alors, était-elle trop hère pour appeler quelqu'un ?

Elle fit venir Marie-Jeanne et lui ordonna de rester constamment auprès de sa soeur, et de crier de toutes ses forces quand Aurore rouvrirait les yeux.

La femme courut à l'étable sans s'habiller; elle revint aussitôt. Comment Marie-Jeanne pourrait-elle l'avertir ? Elle cuisina. Fit des tartes à la citrouille avec des restants de la compote d'automne. Peut-être que l'odeur s'en irait lui picosser la faim ? Elle devait avoir faim puisqu'elle ne mangeait quasiment rien depuis plusieurs jours. Marie-Anne ignorait que les muqueuses stomacales ne donnaient plus aucun signal au cerveau, car elles étaient à vif, irritées par le savon du pays.

Elle retourna dans la chambre et se mit beaucoup d'eau de senteur. Si elle devait monter en haut, cela tiendrait l'enfant réveillée plus longtemps et on pourrait la nourrir alors.

Marie-Jeanne restait assise à côté du lit, sur un oreiller posé sur le plancher, surveillant attentivement les moindres mouvements de la tête. Une tête si affreuse à voir, si affreuse de misère et de douleur ! Avec ces yeux si renfoncés dans des orbites noires comme le dessus du poêle. Avec ces brûlures par toute la tête, cette grosse bosse, ces os perçant la peau, une peau pivelée, cicatrisée, labourée... Le temps passa. Il arrivait à Marie-Anne, une fois par heure à peu près, de monter jusqu'en haut de l'escalier, de s'y arrêter et de s'informer.

«Elle se réveille pas,» répétait Marie-Jeanne inlassablement.

«Reste là pis abrille-la comme il faut !» disait la femme à contrecoeur.

Plus tard, la mère monta avec une tasse de lait et dit à Marie-Jeanne de la faire boire dès qu'elle ouvrirait les yeux.

Plus tard encore, la femme revint au comble de l'énervement et commanda à la fillette de l'aider à transporter Aurore dans sa chambre. Il ne fallait pas qu'elle soit vue par le docteur et le curé sur cette paillasse et ce vieux banc. On verrait bien qu'on la traitait convenablement malgré sa peau "malade"... Marie-Jeanne viendrait coucher avec elle en bas. Elle accrocherait un drap pour masquer la chambrette qu'Aurore occupait depuis si longtemps et qui était si souillée de son sang.

Marie-Jeanne eut pour tâche de la prendre par les chevilles. Elle aperçut les jambes de sa soeur dont la peau était à moitié détruite; il lui resta des humeurs et du sang sur les mains. La mère avait prévu cela. Elle avait apporté des linges mouillés pour les essuyer toutes les deux. Mais une fois le transfert exécuté, elle retourna en bas.

Et Marie-Jeanne poursuivit sa patiente surveillance. À midi, la mère vint porter à manger. Une assiette avec de la viande. Un plat de mélasse et du pain. Et une autre assiette avec de la tarte à la citrouille chaude. La moribonde ne resterait pas insensible à tout ça, cette fois, c'était sûr. Et pour ajouter à son entreprise, elle mit les choses sur le coffre gris noir de Marie-Anne Caron devenu plus tard le coffre des fillettes, et le traîna à côté du lit.

Marie-Jeanne put s'y asseoir comme à une table, manger du bout des dents à l'écoute du vent qui sifflait à la fenêtre. Aurore avait repris sa place dans son lit, sa place d'avant, sa place à elle, sa petite place creuse. La mère entretenait bien les paillasses; il y avait cela qu'elle faisait de bon. La paille était fraîche du mois de janvier; propre et sèche, elle n'avait pas chauffé dans la grange.

Marie-Jeanne porta un morceau de tarte à sa bouche lorsque tout à coup, Aurore ouvrit grand les yeux. Comme ça, simplement, sans bouger autre chose que ses paupières sombres. Elle regarda le plafond fixement puis ses yeux descendirent lentement, tout lentement, se posèrent sur sa grande soeur qu'elle reconnut...

Un fin sourire, imperceptible à d'autres yeux que ceux de Marie-Jeanne, prit naissance sur les lèvres sèches. Sur le chemin du regard, il se transforma en la plus pure des tendresses. Deux mots tout juste esquissés glissèrent dans un souffle laminé :

...

–Rie-Jeanne

...

Marie-Jeanne interdite, qui ne mangeait pas ce qui restait dans sa bouche, mit son visage et son âme à l'attention la plus totale.

Mais ce furent les derniers mots d'Aurore et son regard ultime. Ses paupières battirent un peu puis elles se refermèrent à jamais sur un rêve doré. Un rêve où elle et sa grande soeur vendaient des médailles aux passants dans les rues de Québec et avec leur argent, s'achetaient des patins tout neufs...

Marie-Jeanne grimaçait, la nourriture roulait dans sa bouche et du métal tordu triturait sa gorge, ses yeux s'embrouillèrent de larmes alors que ceux d'Aurore disparaissaient derrière un voile éternel.

Aurore eut un geste involontaire. Sa main repoussa la couverture et laissa son bras à découvert. Ce fut aussi son dernier geste d'importance. La dernière journée qui lui restait en ce monde en serait une de coma profond.

L'aînée sortit de sa stupeur et s'approcha. Elle mit sa main sur le front, caressa les cheveux raidis par les liquides secs, pleura, pleura encore, geignant sans laisser passer de plaintes audibles d'en bas...

–Pis, elle se réveille-t-il ? entendit-elle de loin.

–Non, non, maman...

Marie-Jeanne refusait que par sa faute sa petite soeur fût encore une fois battue. Au fond de son inconscient, quelque chose percevait que, sans être morte, Aurore n'était plus du monde des vivants; mais sa conscience le niait, le refusait...

Elle remonta la couverture; il faisait très froid dans la chambre, même si la mère n'avait pas ménagé les bûches depuis le matin.

******

Chapitre 34

Le 12 février 1920

La mère ne dormit que d'un oeil. Elle garda de la lumière dans la chambre d'Aurore, chauffa le poêle comme une déchaînée, vironna, mit encore de la tarte au réchaud pour que l'odeur se répande et... elle pria tout haut comme tous les êtres méchants coincés qui, tout à coup, découvrent que Dieu ne peut pas ne pas être de leur bord :

–Faites qu'elle reprenne connaissance, faites qu'elle reprenne connaissance !

Et parfois, hystérique, elle grimpait les marches de l'escalier deux à deux et se rendait mettre son nez dans l'embrasure de la porte de la chambre d'Aurore. Mais il se trouvait là comme un mur invisible qu'elle ne parvenait pas à franchir; comme si une sorte de champ de forces avait cloué sa volonté au chambranle de la porte, l'empêchant de pénétrer dans la pièce tant qu'il ne s'y trouverait pas quelqu'un d'autre.

Elle redescendait et arpentait la cuisine, les bras croisés ou bien en gesticulant pour se convaincre de tout ce qu'elle avait fait de bon pour cette ingrate-là qui, à tout le reste, lui ferait l'insulte de mourir en l'incriminant aux yeux des bavasseux et même du curé...

Aux aurores, elle réveilla Marie-Jeanne. Il fallait recommencer la surveillance de près. L'aînée retourna à son poste. La femme torchonna les travaux du train à l'étable puis prépara à déjeuner. Un gros déjeuner avec trente-six plats. Cette fois, elle en monta pour les deux filles et le coffre en fut copieusement garni. Puis retourna dans l'embrasure de la porte, guettant un signe sur la visage comateux. Longtemps, elle fut retenue, puis sa conscience fonça dans un monde sacrilège; la femme courut au lit, secoua le corps inerte, piqua les côtes avec les jointures de ses doigts, bouscula, poussailla... Une force immuable repoussa ses gestes dans la prison de l'impossible et la femme se releva en criaillant :

–Reste tout le temps avec elle, même si le bébé braille en bas. Moé, je vas demander à Exilda d'aller téléphoner au docteur pis chercher monsieur le curé...

Au loin le train siffla.

*

L'abbé Massé téléphona au magasin.

–J'arrive de Québec justement, dit Oréus.

–J'ai peur qu'il soit trop tard; la fillette serait mourante.

–Si on s'en était occupé avant, soupira Oréus.

Le prêtre s'empressa de lui rejeter la pierre à la manière subtilement intellectuelle :

–Vous savez, en tant que juge de paix, vous avez fait plus que votre devoir et vous n'avez rien à vous reprocher...

Puis le prêtre demanda à l'autre de l'accompagner à la maison des Gagnon où il voulait se rendre sur l'heure.

Le docteur Lafond à qui Arcadius avait téléphoné avant de se rendre au presbytère était déjà parti de Parisville et la description qui lui avait été faite de la malade imprimait des ordres sévères à sa jument par les cordeaux, et même à l'occasion, le fouet.

*

Depuis presque deux heures, Exilda supportait les lamentations de Marie-Anne et l'apologie de ses "soins" criminels. Tout y passait de la maladie de peau à son état intéressant. Elle voyageait de son mariage avec Napoléon à son dévouement envers tous ces enfants, s'arrêtait parfois à la somme

495

de prières qu'elle avait récitées dans sa vie, disait que le curé l'avait approuvée dans sa façon d'élever les enfants. Quand elle voulut s'en prendre à Aurore en soulignant son ingratitude, Exilda, blanche et dure, se leva d'auprès la moribonde et foudroya la femme du regard, mordant chacun des mots :

–Dans les circonstances, Marie-Anne Houde-Gagnon, une seule chose s'impose, une seule, tu comprends et c'est le silence... le silence... Le silence sera bon pour Aurore, pour Marie-Jeanne, pour moé pis pour toé-même... Ça fait que va en bas guetter l'arrivée de monsieur le curé... Ou ben occupe-toé de ce qu'il faut pour les derniers sacrements...

Écrasée par cette volonté, Marie-Anne hésita puis partit.

*

L'horreur derrière les verres ronds de ses lunettes, le curé fit les prières d'usage, administra les sacrements. Oréus resta près de la porte, l'âme bourrée de colère noire devant l'incroyable; il s'en voulait à lui-même pour commencer, de n'être pas intervenu avant; il haïssait cette mère dénaturée ensuite; mais sa crainte de Dieu l'empêchait de continuer à blâmer le curé. Le pauvre prêtre avait été trompé par cette femme; comme Télesphore sans doute ! Car le mal ne peut pas naître du bien et on reconnaît l'arbre à ses fruits... N'est-ce pas dit dans la Bible ?

Marie-Jeanne se tenait dans l'ombre d'un grand respect à côté d'Exilda qu'elle considérait une protectrice comme sa vraie mère.

Et Marie-Anne Houde était devenue un total paquet de nerfs, tout comme sa belle-fille sur son lit de mort n'était qu'un paquet de blessures. *«La femme ne parvenait pas à répondre aux prières, disait des choses incohérentes...»*

Quand les prières furent finies, Oréus fit quelques allers et retours en bas pour monter des chaises droites. On resterait auprès de la mourante jusqu'à l'arrivée du docteur et peut-être jusqu'à son dernier souffle que le curé prédisait pour d'une minute à l'autre.

Et le prêtre, lui, fouilla dans une de ses poches et répandit autour du corps d'Aurore une dizaine de médailles de la Vierge Marie.

—Je pensais pas qu'une maladie de peau pouvait tourner aussi mal aussi vite, dit Marie-Anne dès que le docteur Lafond entra dans la maison.

L'homme ne dit mot.

Quand il fut près de l'enfant, il sut que la mort se trouvait là aussi sur le point d'entrer dans le corps si effroyablement profané.

Il sonda le coeur avec son stéthoscope puis s'assit et tint la petite main dans la sienne en attendant, l'autre main posée sur son front, le corps courbé vers l'avant. Il ne répondit à aucune question. Parfois, devant ce silence qui la suppliciait, Marie-Anne se disait qu'elle devenait folle, ignorant qu'elle l'était déjà au moins à demi depuis longtemps.

L'homme sentit soudain la mort s'infiltrer par la main, et la chaleur de la vie s'en écouler. Il soupira, remit le stéthoscope sur le coeur, l'ôta, et ne put s'empêcher de laisser tomber tandis qu'il repoussait un sanglot au fond de son coeur :

—Son martyre vient de prendre fin.

Il recouvrit la tête avec la couverture.

Les médailles du curé se dispersèrent. Elles possédaient plus d'efficacité pour éteindre les feux de broussailles que pour empêcher la vie d'une pauvre enfant innocente de s'éteindre après autant de souffrances physiques et morales.

*

Chacun se retira. Seule Exilda resterait avec la morte.

Le curé, le docteur, Oréus et Arcadius se retrouvèrent au magasin, dans une pièce servant de bureau au juge de paix.

Personne ne se dit quoi que ce soit avant qu'Oréus prenne la parole :

—Je crois ben que nous devons tous penser la même chose, mais il appartient au docteur Lafond de parler le premier...

—Il n'y a aucun doute dans mon esprit : nous avons sur les bras une affaire de meurtre. Mais il appartient à la justice des hommes de l'établir. Quant à moi, je vais faire parvenir mon rapport au coroner au bureau du télégraphe dès ma sortie d'ici.

Le curé fit saillir ses mâchoires.

Oréus téléphona au procureur de la couronne. Après lui

avoir annoncé la mort d'Aurore, il lui adressa un reproche poli pour ne l'avoir pas écouté l'avant-veille, ce à quoi Maître Fitzpatrick répondit :

—Au point où elle en était selon vos dires, qu'est-ce que ça aurait changé ? Je vous fais envoyer les policiers nécessaires dès que j'aurai entre les mains le rapport médical...

Par réflexe de défense, chacun cherchait des culpabilités hors de lui-même, l'abbé Massé surtout dont la fierté subissait les pires tortures et qui rageait intérieurement contre cette marâtre aux senteurs menteuses.

Arcadius s'occupa de rejoindre Télesphore à Villeroy.

Le docteur Lafond demanda du papier et se mit au petit secrétaire d'Oréus, un meuble aux allures de piano, et il y rédigea son rapport au procureur de la Couronne.

"Monsieur,

Je, soussigné, médecin résidant à Saint-Jacques de Parisville, crois de mon devoir de vous faire la déclaration qui suit.

J'ai été, ce 12 février, appelé par téléphone auprès de Aurore Gagnon, fille de Télesphore Gagnon, cultivateur de Sainte-Philomène de Fortierville, laquelle, disait-on, était en danger de mort.

M'y étant rendu sur-le-champ, j'ai trouvé la petite malade dans le coma, et couverte de blessures étranges, avec, à la tête, un épanchement sous-cutané abondant. Au témoignage de la mère, l'enfant était malade depuis au moins 15 jours, sans qu'aucun médecin n'ait été appelé.

Je fais cette déclaration en toute conscience, laissant à votre initiative de déterminer ce qu'il y a à faire en pareil cas.

Recevez, monsieur, l'expression de la parfaite considération et de l'estime profonde, avec lesquelles je suis,

Votre très humble serviteur,

A. Lafond, M.D."

******

Chapitre 35

Rapidement les formalités légales furent remplies et Oréus chargea Arcadius Lemay, papier officiel en mains, d'aller réclamer le corps et de l'emmener dans la sacristie où on procéderait à l'autopsie tôt le lendemain, dès l'arrivée du docteur Albert Marois de Québec.

Le corps fut déposé sur une table près des fonts baptismaux. C'est là, présuma-t-on, que l'autopsie aurait lieu même s'il fut un moment question du sous-sol. Il était inimaginable en effet que les médecins procèdent en bas pour diverses raisons : l'endroit était sur la terre et jonché de tas de planches, fort peu de lumière y pénétrait. Or il fallait un éclairage de jour pour accomplir la tâche avec compétence, et enfin, rien ne permettait l'écoulement du sang qu'il aurait fallu recueillir avec des seaux..

La sacristie fut mise sous clef. Les gens se dispersèrent pour le repas du soir. Comme une ombre menaçante, la nouvelle avait fait le tour de tout le village et se répandait vite dans les rangs. Mais elle atteignait aussi les journaux, Le Soleil de Québec et La Presse de Montréal...

À table, le curé refusa de parler d'Aurore et il ordonna

qu'on se taise sur le sujet. Troublé au plus haut point par ce tragique événement, son neveu Félix, un orphelin, échappa une question adressée à son oncle Arthur.

–Veux-tu te taire ? Veux-tu te taire ? Veux-tu te taire ? dit le curé qui quitta aussitôt la table sans avoir mangé quoi que ce soit.

–Je l'ai jamais vu aussi bouleversé, confia Albertine à voix basse à la femme d'Arthur.

On entendit le prêtre quitter le presbytère. Arthur courut à la fenêtre et suivit du regard la direction du fanal jusqu'à la porte de la sacristie.

*

À part les étals de lampions et une lampe à mèche basse ainsi, maintenant, que la lanterne du prêtre, rien ne jetait de lumière et la pénombre était profonde. L'abbé alluma d'autres lampes puis il approcha des lampadaires du pied du cadavre et en alluma les cierges. Ensuite, il traîna un prie-dieu depuis le voisinage de la garde-robe des vêtements sacerdotaux jusque près de la table funéraire... Il fut sur le point de s'agenouiller, mais s'arrêta un moment, la main sur le prie-dieu... Alors il se rendit à Aurore et découvrit son visage dont l'image insoutenable ne tira de lui que des serrements de mâchoire.

Il retourna s'agenouiller, ferma les yeux...

Des souvenirs rendus affreux par les événements vinrent aussitôt se braquer devant le miroir de son âme.

«Alors quoi, la petite demoiselle n'étudie pas bien son catéchisme ?»

Et les yeux déçus d'Aurore s'embrouillant de larmes impuissantes.

«Mademoiselle Barabé, l'une d'entre elles n'a pas pu répondre à quatre questions, quatre vous dis-je. Soyez plus dure, soyez plus dure...»

«Il semble que les bénédictions du Seigneur ne pleuvent pas sur sa tête.»

«Pourquoi désobéis-tu si souvent à ta maman ?»

«Il ne faut pas céder à la tentation du diable, sinon, il va prendre possession de ton âme.»

«Endommager ou voler le plus petit objet qui appartient à l'église, c'est un sacrilège, tu sais, un sacrilège...»

«Alors quoi, tu n'as pas bien étudié ton catéchisme ?»

Et les yeux déçus d'Aurore s'embrouillant de larmes impuissantes...

Un immense sanglot comme un raz-de-marée s'engouffra alors dans l'âme du prêtre et balaya toutes connaissances, toute capacité de hauts raisonnements et la douleur lui éclata par les épaules, la poitrine, les hoquets, les gémissements...

L'homme pleurait pour la première fois, la toute première depuis son enfance.

Après la crise, il se ressaisit. La cause d'un si épouvantable malheur n'était-elle pas cette femme serpent manipulée par le diable lui-même ?

Des badauds que le morbide attirait, ayant aperçu ces lueurs macabres jetées dehors par les fenêtres de la sacristie, se regroupèrent malgré le froid et la nuit. Un adolescent fit la courte échelle à un autre dont le nez parvint à atteindre l'espace d'une vitre dégagé de frimas. Il décrivit la scène.

«C'est monsieur le curé qui prie.»

«C'est monsieur le curé qui pleure.»

Le prêtre tourna la tête et vit l'insolent importun; il se leva et se dirigea vers la fenêtre. À mi-chemin, il répéta plusieurs le fois le geste de rejet des deux mains ouvertes à l'envers devant lui, et se déployant brusquement vers la négative...

«Disparais, disparais de ma vue !»

L'abbé se racla la gorge.

La vie normale commençait à reprendre ses droits...

*

Bon, le meilleur moyen de redevenir un homme, un guide, un être fort comme Dieu les bénit, consistait pour l'abbé Massé à assister à l'autopsie, ce à quoi l'avait convié le docteur Marois afin qu'il puisse témoigner toute sa vie des horreurs que le démon pouvait répandre sur la terre par certains êtres diaboliques.

L'autopsiste était assisté par le docteur Lafond. Il fut demandé au curé de compiler les notes. Il se servit de la tablette du prie-dieu pour poser le cahier...

Par des incisions dans le cou et aux pieds et l'insertion d'un tube dans l'artère jugulaire avec l'autre extrémité branchée au robinet, on procéda tout d'abord à l'écoulement du sang qui sortit par les pieds et coula au fond du lavabo. Il en fut gardé pour analyse.

Puis le ventre fut ouvert et les viscères exposés.

Le prêtre annota.

«Cinquante-quatre blessures par tout le corps.»

«Corps émacié, très amaigri.»

«Taille de l'enfant : quatre pieds et demi.»

«Ces blessures ne peuvent être que le résultat de coups portés à l'enfant.»

«... à l'exclusion de toute autre hypothèse telle que maladie de la peau etc...»

«La blessure la plus grave est située sur le côté du crâne.»

«Corps couvert de plaies.»

«Au-dessus du sourcil droit : une large entaille par laquelle on voit les os du crâne.»

«Du sang et du pus sur presque tout le cuir chevelu.»

«Dans la plupart des cas de blessures, il y a décollement de la chair.»

«La situation symétrique des blessures sur les bras et les jambes porte à croire que la fillette a dû être attachée pour recevoir ainsi les coups.»

«La cuisse gauche : tuméfiée et plus grosse que l'autre.»

«Sur les poignets et les doigts, la peau est enlevée jusqu'à l'os.»

«Aucune lésion interne.»

«Muqueuse de l'estomac : rougeâtre et semble indiquer le passage d'une substance irritante.»

«Il pourrait y avoir eu du poison.»

«Excision des viscères et leur envoi par les forces policières à un laboratoire de Montréal où ils seront examinés par le docteur Derome spécialiste...»

*

À midi, Arcadius Lemay à qui les modalités entourant les

funérailles avaient été confiées vint porter un cercueil qu'il avait fabriqué au matin dans des planches grossières, grises et noueuses, les seules qu'il put trouver chez lui. Le corps déjà enveloppé dans un linceul blanc gris fut mis dans la boîte sans cérémonie. Il fixa le couvercle avec deux clous, car il faudrait rouvrir la boîte au retour des viscères dans une semaine, dix jours.

*

À cause de l'autopsie et parce qu'un sentiment général de honte voulait que l'on disposât au plus vite du corps de la fillette, il fut demandé par le curé à la famille de madame Durant-Laliberté morte deux jours avant Aurore, de ne conduire le corps de leur défunte à l'église qu'au milieu de l'après-midi pour la cérémonie funèbre qui servirait aussi de funérailles à l'enfant martyre.

Et c'est ainsi que la fillette n'eut même pas droit à son propre service funèbre. Son petit cercueil de misère fut déposé à terre, juste devant l'endroit de la table de communion où les crochets avaient été volés pour la faire accuser injustement par la mère, corriger cruellement par son père et admonester inutilement par le curé.

Personne ne savait. En ce moment même, les policiers procédaient à des interrogatoires serrés dans la maison de Télesphore.

Le cercueil noir de madame Laliberté fut mis le premier à la dernière place disponible au fond de la fosse commune, à côté de la dépouille d'Anthime. Arcadius demanda à Arthur de laisser par-dessus les deux autres et de travers, la boîte contenant Aurore afin de ne pas la confondre avec d'autres "tombes" d'enfant qui se trouvaient plus loin, toujours à cause des viscères à y mettre plus tard.

Les madriers recouvrant la fosse furent ensuite remis à leur place. L'hiver étouffait les bruits et l'observateur eût pu croire qu'il assistait à un film muet, triste et lent.

Quand elle apprit qu'Aurore était à toutes fins pratiques déjà enterrée, Exilda reprocha douloureusement à son mari de ne pas l'avoir avertie...

Mais tout ça s'était passé si vite, si vite...

*

L'enquête du coroner eut lieu ce vendredi, le treize février au début de la soirée dans la sacristie aussi, mais à l'avant cette fois.

La table de l'autopsie devint celle du président, le docteur William Jolicoeur de Québec. Témoignèrent à tour de rôle Télesphore, Marie-Jeanne, Exilda, Arcadius, les médecins.

Les jurés ont rendu un verdict de mort causée par empoisonnement général, soit par septicémie soit par une autre cause que seule l'analyse pourra déterminer.

Marie-Anne Houde et Télesphore Gagnon furent aussitôt mis en état d'arrestation.

*

Le jour suivant, alors que les suspects prenaient le train pour Québec, des journalistes de Montréal descendaient à la gare de Fortierville. Ils avaient une journée de retard sur ceux de Québec.

Et Gédéon Gagnon et son épouse quittaient leur maison du village pour aller prendre soin des enfants de Télesphore et s'occuper des travaux de la ferme. Ils s'en allèrent la tête basse et l'âme bourrée d'affliction.

Une spirale de colère s'élevait avec la poudrerie au-dessus du village. Le curé donna le ton officiel à l'opinion déjà formée des citoyens. La marâtre est terriblement coupable. Son mari l'est moins car il fut trompé.

«Mais pourquoi personne n'est-il intervenu ?»

«Personne ? Mais qu'est cela, mes amis ? Encore avanthier, monsieur Mailhot s'est rendu à Québec et la Couronne a refusé de nous envoyer des policiers pour faire sortir l'enfant de chez elle...»

*

Tout Fortierville était dans l'église et aussi des journalistes venus d'ailleurs. Recto-tono, le curé livra un court sermon ce dimanche. Le thème fut celui du pardon et de l'oubli. Après avoir d'abord résumé brièvement ce qui s'était passé, il dit :

«Dès aujourd'hui, dès maintenant, dès après ce sermon doit commencer l'oubli. Ce grand déshonneur pour notre paroisse, il faut le plus tôt possible commencer à l'enterrer afin qu'un jour, il disparaisse à jamais, à tout jamais...»

Les procès de Marie-Anne Houde et de Télesphore Gagnon étaient déjà faits. Ceux qui suivraient en avril, officiels ceux-là, ne seraient en somme que des formalités sous une autre forme de langage alors que le juridique remplacerait le religieux à la barre et que l'église de Fortierville deviendrait en quelque sorte la Cour d'assises à Québec.

*

À Deschaillons, cette nuit-là, Marguerite Leboeuf pleurait dans sa chambre en regardant un valentin qu'elle avait reçu la veille : un dessin fait à la main d'un coeur derrière des barreaux avec pour légende «mon coeur est en prison pis c'est toi qui en a la clef».

Pas une seule fois encore, elle ne s'était posé la question de savoir qui en était l'envoyeur. Les horribles souffrances de sa cousine dardaient sans arrêt son coeur comme si une partie d'entre elles au moins avaient été les siennes.

«Pourquoi c'est faire qu'on n'a pas voulu m'écouter, pourquoi c'est faire qu'on n'a pas voulu m'écouter ?» ne cessait-elle de répéter en pensant à toutes ces fois où elle avait raconté les mauvais traitements que sa tante faisait subir à Aurore.

À Québec, derrière les barreaux de sa cellule, Télesphore ronflait.

À la prison des femmes, Marie-Anne Houde était la proie d'un cauchemar. Pas le même que depuis toujours cependant, lequel semblait avoir disparu à jamais ! Maintenant, elle se voyait **aveugle**...

Dans sa chambre du presbytère, l'abbé Massé était assailli, harcelé, bombardé par des images effroyables du martyre d'Aurore que les faits constatés à l'autopsie et aux derniers sacrements plus la déduction de scènes probables dont son cerveau était si hautement capable, suggéraient à ses rêves noirs.

Il vit Marie-Anne Houde traîner sa belle-fille par les bras, lui prendre les mains et les poser de force sur le poêle brûlant de la cuisine, et il entendit le cri abominable de l'enfant qui perdit connaissance, moment où lui-même se réveilla en sueur, un cri à la bouche, une profonde souffrance à l'oeil que, par la fenêtre, les astres semblaient épier comme autant d'yeux sévères...

Homme rigoureux, homme d'ordre, homme de discipline, simplement homme et prêtre savant, homme de grande fierté et de beaucoup d'honneur, l'abbé Massé entrait pourtant lui aussi dans une prison, celle du remords et de l'insomnie, plus terrible que toutes les autres, avec pour barreaux tous ces sentiments qu'il avait muselés depuis son enfance et que de jour, il continuerait de contrôler au nom du bien des fidèles sous sa responsabilité et à sa charge morale.

Aurore, dans son monde à elle, était libre.
Libre à jamais !
Enfin !

******

Épilogue

Avril vint.

Accusés d'homicide, Marie-Anne Houde et Télesphore Gagnon subirent leur procès, celui de la femme d'abord.

Tous deux furent défendus par Maître J. Napoléon Francoeur, député libéral de Lotbinière, assisté de Maître Lemieux.

Marie-Anne Houde parut voilée de noir au prétoire. Son odeur d'eau de senteur se répandait partout. «Si je pouvais donc leur préparer de la tarte à la citrouille chaude !» soliloquait-elle souvent.

On plaida l'innocence. Devant le poids des témoignages, le plaidoyer fut remplacé par celui d'aliénation mentale. Des aliénistes venus de Montréal optèrent pour la folie. Ceux de la région de Québec prétendirent le contraire.

Chose sûre, il fallait un coupable pour l'opinion et la foule voulait la tête de cette femme.

Elle est ben assez fine pour se faire passer pour folle, disait-on partout.

Après une charge à fond de train par le juge Pelletier, on la trouva coupable de meurtre et, le même jour du vingt et un avril, elle fut condamnée à mort dans le prononcé de sentence le plus spectaculaire et théâtral de l'histoire judiciaire du pays.

Quelque temps après, Télesphore Gagnon fut trouvé coupable d'homicide involontaire et condamné à la prison à vie.

Arthur Massé passa ses semaines à creuser des fosses en avril. Il dut demander de l'aide si on voulait éviter que les cadavres ne commencent à exhaler des relents qui n'auraient rien à voir avec les effluves de Marie-Anne Houde et qui eussent envahi le presbytère voisin.

Un dimanche, le curé annonça l'enterrement général pour le jour suivant. Chaque famille devrait envoyer des témoins à l'inhumation afin d'identifier les cercueils et connaître le lieu exact de la sépulture.

En visite chez sa tante Victoria qui venait d'accoucher, Marguerite Leboeuf assista à l'enterrement de son oncle Anthime et d'Aurore. Gédéon fut présent aussi.

La boîte d'Aurore fut sortie la première de la fosse commune et mise le long de l'église. Personne n'avait payé pour son lot. Quand le curé viendrait bénir les morts une dernière fois lorsque toutes les "tombes" seraient dans les fosses, il déciderait où la mettre.

Et les cercueils furent dispersés.

Madame Durant-Laliberté, la plus "chanceuse" parmi les disparus, avait déjà son monument à sa tête; personne d'autre qu'elle n'en avait un, faute d'argent dans les familles pour le payer. La fosse suivante reçut un enfant. Puis ce fut une vieille personne. Et ensuite, Anthime fut livré à sa dernière demeure, vis-à-vis la cheminée de l'église.

Le moment venu, Arthur se rendit au presbytère; peu de temps après, l'abbé Massé, le front soucieux, arrivait en trombe et en surplis, goupillon à la main et qui luisait sous le soleil frais, suivi de Félix tenant le récipient à eau bénite.

Il commença par les fosses les plus proches du perron de l'église. À chacune, au bout de laquelle se trouvaient témoins et proches parents, il récita la prière d'usage assortie de quelques gouttes d'eau bénite.

–Que les âmes des fidèles défunts reposent en paix !

–Par la miséricorde de Dieu. Ainsi soit-il !

Les réponses lui parurent si murmurées qu'au bout de quelques fosses, à celle d'Anthime, il se mit à l'appuyer lui-même afin d'insuffler de l'énergie à ces êtres mollasses qui assistaient à la cérémonie. Ayant le dos à l'église, il l'eut aussi à la boîte d'Aurore, et au bout, il remit le goupillon à son neveu en lui donnant congé.

Il s'apprêtait à partir à son tour quand Arthur accourut en disant :

–Monsieur le curé, monsieur le curé...

Son aîné pourtant, Arthur devait désigner ainsi son frère pour ne pas risquer, en l'appelant Ferdinand, d'entraîner des gens de peu de jugement à lui manquer de respect.

Les deux hommes se parlèrent à voix basse, le bedeau montrant du doigt la boîte d'Aurore. Le prêtre réfléchit, promena son regard sur les assistants, trouva vite la solution idéale qui règlerait à la fois le problème du coût du lot et celui de certains renifleurs venus d'ailleurs qui, un jour ou l'autre, voudraient savoir où se trouvait enterrée l'enfant trop célèbre et qui continuait de lui donner de longues périodes d'insomnie la nuit sans compter les cauchemars sentimentaux si pénibles à traverser.

D'un pas ferme et rapide, il se rendit de l'autre côté des fosses alignées jusqu'à Gédéon qui échangeait quelques mots avec Marguerite. Le vieil homme attendait le retour d'Arthur auquel il avait demandé où serait Aurore qui semblait ne pas avoir de place au cimetière non plus, elle pourtant si petite et si peu "nuisible".

–Monsieur Gagnon, seriez-vous d'accord pour qu'on enterre la petite Aurore avec son oncle Anthime ?

–Ouais... hésita l'homme.

Non pas qu'il fut en désaccord mais parce qu'il ne se sentait pas l'autorité pour prendre la décision. Il voulut dire qu'on devrait peut-être demander à la veuve malade, mais le curé tournait déjà les talons en remerciant. À toute vapeur, il donna le commandement à son frère puis retourna au presbytère.

Quelques minutes plus tard, le sacristain et son aide laissaient descendre dans la fosse au moyen de leurs câbles de la même sorte que ceux ayant servi à attacher Aurore à la patte de la table, à la fouetter parfois, à brûler sa peau par friction, à la traîner dans l'escalier.

Et quand on les retira de sous la boîte, celle-ci faiblement construite, s'égriancha.

Gédéon s'éloigna.

Marguerite resta longtemps au bord du trou. La gorge lui serra quand les premières pelletées de terre furent jetées sur le bois qui amplifiait les sons.

Mais l'adolescente ne songea pas que de tous les morts enterrés, sa cousine avait été la seule à part son oncle qui n'avait pas eu son lot bien à elle. Cela importait peu car la fillette aurait son corps près de quelqu'un qui avait été bon pour elle dans sa vie terrestre.

Marguerite ne remarqua pas non plus qu'Aurore avait été la seule à n'avoir pas été bénie par le curé Massé...

*

Les insomnies du prêtre se poursuivirent. Chaque nuit, il se levait et regardait le champ vers le sud. Et parfois, les soirs de pleine lune, il lui semblait voir cette grosse roche là-bas qui le narguait et lui lançait une sorte de défi...

Pour retrouver le sommeil qu'il avait perdu malgré son très jeune âge et son excellente santé, il se jeta à corps perdu dans les travaux durs de la ferme. Il organisa des loisirs pour la jeunesse et misa fort sur le baseball, ce sport "intelligent", pour former des garçons de bonne carre, eux, les piliers de la société à venir.

L'été suivant, il organisa un champ de démonstration agricole aux environs de l'église, et qui connut un succès retentissant. Hélas ! sa fierté due à la réussite ne suffit pas à lui redonner ses nuits paisibles d'antan.

Seul un fou ou bien un suppôt de Satan eût pu lui prêter la moindre responsabilité dans la mort d'Aurore. Même Exilda et Oréus chassèrent impitoyablement de leur esprit certains reproches sacrilèges que du vivant d'Aurore ils avaient conçus à l'endroit du prêtre.

Le mal tout pur, c'était la marâtre.

Le moindre mal, c'était Télesphore.

Tout le reste, c'était le beau, le bon, le bien. Le curé en tête de paroisse... Tous les prêtres de ce temps-là dégageaient des odeurs célestes, surtout morts...

En septembre 1923, n'y tenant plus, afin de se libérer de sa fixation nocturne de si vieille date déjà, l'abbé fit acheter de la dynamite par son frère chez Oréus Mailhot. Dans les jours suivants, les citoyens du village entendirent plusieurs détonations; ils s'accoutumèrent.

Et Arthur avec un attelage de chevaux, charriait les éclats de pierre sur une digue longeant une clôture.

Vint enfin le tour de la roche orgueilleuse.

Le prêtre résolut de la chatouiller comme il faut à l'aide d'une charge de trois bâtons. Trois, le chiffre de la sainte Trinité, de l'esprit pur, de la lumière. Un par pointe du triangle imaginaire et imaginé. Le détonateur fut fixé à l'un puis la ratelle déployée depuis un rouleau-dévidoir jusqu'à une distance de quatre minutes au moins.

Avec une telle charge, il y avait lieu de craindre les dangereuses retombées de petites pierres et c'est pourquoi il fallait retraiter jusque derrière une clôture de perches protectrice.

Arthur se trouvait encore plus loin. Au cri de Ferdinand, selon leur habitude, il sauterait en bas de la voiture et se tiendrait à l'arrière, à l'abri sous la fonçure. Si d'aventure des cailloux devaient frapper un cheval et que l'attelage s'énerve, les roues ne présenteraient aucun danger pour lui.

Le prêtre ne traînait jamais sa montre avec lui : il avait le sens du temps. Entre la mise à feu d'une ratelle et le moment de l'explosion, il lui paraissait beaucoup plus sûr de compter les secondes et les minutes que de se fier aux fragiles aiguilles d'une montre montées sur des mouvements imprécis... Avec sa tête, il ne risquait pas de faire erreur en matière aussi aisée.

Il lécha son pantalon avec une allumette et toucha la mèche. Et s'assit le dos à la clôture et à l'explosion imminente pour compter.

Pour plus de sécurité, à chaque trente secondes, il recommença à zéro après avoir replié son doigt dans sa main. Quand il finit de fermer son poing, l'explosion qui aurait dû logiquement se produire, demeura muette. Et pour deux raisons fort simples, et pour deux erreurs ajoutées : il avait déroulé six minutes de ratelle d'une part et pris des demi-minutes pour des minutes d'autre part.

Il se leva donc. Un sentiment de peur vint le frôler, mais il le repoussa aussitôt du revers de la main. La logique seule lui commandait d'attendre deux autres minutes, ce qu'il fit en comptant bien cette fois cent vingt secondes.

Il fit alors sa troisième erreur en confondant quatre minutes de mèche avec quatre minutes de marche. Et en deux minutes, de son pas habituel, il fut à la roche vers laquelle Arthur se mettait aussi en chemin avec son attelage, se fiant à la compétence de Ferdinand en toutes choses.

Quelque chose d'autre en plus emportait le curé vers son destin. Une voix indéfinissable au fond de sa conscience, et qui se mélangeait en lui au sentiment de l'autorité qu'il possédait sur les choses matérielles aussi bien que spirituelles, créait en sa substance profonde l'euphorie de la liberté conférée par la puissance et par l'emprise que certains êtres ont ou croient avoir sur ce qui les environne : les propriétaires du monde de toutes époques de l'histoire de l'humanité.

Au moment précis où l'abbé se penchait sur son entreprise, comme si cet instant avait été calculé et orchestré par le plus suisse des horlogers, un bruit total le souffla vers le ciel. La seule douleur qu'il ressentit durant l'espace de l'éclair fut celle de ses tympans crevés par l'onde de choc et de ses yeux tout aussi crevés par les verres de ses lunettes. L'instant était cruel pour un homme qui depuis plusieurs années était tout yeux, tout oreilles aux moindres choses de la vie et aux problèmes de ses paroissiens.

Le corps projeté dix pieds dans les airs retomba sur le sol tout ensanglanté et déchiqueté.

Arthur fut le témoin horrifié de l'accident. Effrayés, les chevaux s'emballèrent, l'homme perdit alors conscience et l'attelage entreprit une course effrénée sur le terrain, et qui se termina aux abords de l'église.

Il était midi.

Un citoyen souffleta Arthur qui revint à lui et annonça l'horrible nouvelle.

Bientôt le champ fut envahi par les villageois abasourdis. Chacun voulut voir le corps de près avant qu'on le recouvre en attendant l'arrivée du docteur qui ne pourrait que constater le décès.

Le prêtre n'était plus qu'un paquet informe de toutes les blessures imaginables. Quand le docteur Lafond se pencha sur lui, il eut une pensée fugace, un souvenir qui vieillissait déjà dans sa tête : l'image du corps mourant de la petite Aurore.

Il y avait une différence heureusement, l'abbé Massé n'avait pas eu le temps de souffrir, lui, sans doute pas une seule seconde entière tandis que le calvaire de l'enfant martyre avait duré plus d'une année.

Le ciel, au fond, l'avait sans doute favorisé parce qu'il avait les poches bourrées de médailles que des citoyens se penchaient pour recueillir pieusement et auxquelles ils donneraient des vertus décuplées par cette si sainte mort.

FIN

La pierre brisée du curé Massé

Que sont-ils devenus ?

Voici ce qu'il advint de quelques-uns des personnages de ce livre, et dont la mort ne fut pas déjà racontée.

Télesphore Gagnon purgea 5 ans de sa peine de prison à vie. Atteint d'une tumeur à la gorge, il fut libéré. Opéré, il guérit. Il s'installa à Fortierville où il reçut bon accueil et mena une vie exemplaire. Un troisième mariage avec Marie-Laure Habel lui donna un enfant qui n'a pas survécu. Il mourut en 1961 à l'âge de 78 ans et repose au cimetière de l'endroit.

Marie-Anne Houde, enceinte lors du procès, donna naissance à des jumeaux le 8 juillet 1920. Elle obtint une commutation de peine et fut exemptée de la pendaison. Une source indique qu'elle fut transférée à la prison de Kingston où elle mourut deux ans plus tard dans l'aile psychiatrique. Mais une hypothèse bien plus plausible veut plutôt qu'elle ait été emprisonnée à Kingston un certain nombre d'années puis graciée par le roi. Libérée, elle sortit de prison totalement **aveugle**. Elle vécut le reste de sa vie dans une famille Pérusse de Montréal et décéda le 12 mai 1936 à 46 ans. Elle fut enterrée au cimetière de l'est.

Où que se trouve la vérité, on remarque dans les deux cas la confirmation de son **aliénation mentale** et la probabilité d'une tumeur au cerveau, direction prise par ma réflexion et mon intuition dans la construction du livre. *(Un an après la parution de ce livre, un descendant de la femme Houde m'assura de l'existence d'un certificat d'autopsie révélant la chose. Je l'ai cru sans voir.)*

Marie-Jeanne Gagnon vécut longtemps à l'orphelinat d'Youville de Giffard après l'affaire d'Aurore. Elle devint institutrice puis infirmière, se maria et eut plusieurs enfants. Elle mourut en 1986 à 79 ans et fut enterrée dans la région de Shawinigan.

Gédéon Gagnon retourna vivre au village de Fortierville. Il mourut en 1939.

Véronique Caron, tante d'Aurore, épousa Eugène Beaudet tel que raconté dans ce livre. Elle eut plusieurs enfants et vivait encore en 1990, à la parution de cet ouvrage. C'est elle qui m'a parlé de son frère Charles, devenu personnage-clef du livre.

Victoria Vézina, demeura avec ses enfants au presbytère de Fortierville du temps de l'abbé Massé après la mort de son mari. Elle mourut en 1975 à l'âge de 89 ans.

Je n'ai trouvé aucune trace des enfants de Marie-Anne Houde qui furent confiés à l'orphelinat Saint-Joseph de la Délivrance de Lévis après l'affaire d'Aurore.

Oréus Mailhot vendit son magasin qui fut détruit par un incendie en 1946. Il vécut jusqu'à l'âge respectable de 97 ans, comme quoi le travail, la polyvalence et les occupations nombreuses ne tuent pas, car il fut maire, marchand, juge de paix et quoi encore. Il mourut en 1975 à Sherbrooke.

Georges-Étienne Gagnon, frère propre d'Aurore, vivait encore en1990. À plus de quatre-vingts ans, il demeurait dans la région de Tracy.

Adjutor Gagnon acheta la maison de Télesphore en 1924. Il mourut en 1948 à 69 ans. Il est enterré à Fortierville.

Exilda Lemay. Je n'en ai retrouvé trace nulle part. Si de ses descendants lisent ces lignes, qu'ils m'écrivent ! Je voudrais bien connaître son destin après 1920.

Marguerite Leboeuf travailla à Montréal chez un notaire. Puis elle retourna à Deschaillons où elle se maria et eut des enfants. Elle mourut en 1986 et fut enterrée au cimetière de Deschaillons. C'est par son témoignage transmis à une tierce personne qu'il fut possible d'établir le lieu exact de la sépulture d'Aurore puisqu'elle assista à son inhumation en avril 1920 comme l'a relaté ce livre.

Les limites de la justice
(ou opinions personnelles de l'auteur sur l'affaire d'Aurore)

La différence est énorme entre la justice des hommes et celle du coeur.

La première se fonde sur les faits, des preuves, afin d'établir des culpabilités. On la conçoit cartésienne, froide et fort imparfaite. Impartiale par nature, elle sombre aisément dans la partialité. Elle ne fait pas les lois, mais les fait appliquer, point à la ligne. Le plus souvent, ce qui va de travers chez elle tient à ceux qui l'administrent.

Néanmoins, institution de grande valeur, elle se classe parmi les meilleures 'inventions' de l'homme.

La justice du coeur n'a pas son étroitesse et ses limites. Elle tient compte de faits réels mais aussi de la subjectivité de celui qui s'en sert, de son intuition, de son vécu. Cette justice ne saurait établir de culpabilités car elle est sujette à bien des erreurs. Mais, beaucoup plus exhaustive et globale, elle est autrement plus apte à établir les responsabilités, criminelles ou non au sens de l'autre justice.

Sans doute mon lecteur a-t-il pris conscience de cette démarche dans le roman biographique qu'il vient de lire.

J'ai refusé d'emboîter le pas dans le sentier trop étroit du judiciaire quoique je fusse convaincu de la quasi impossibilité pour la justice des hommes de l'époque de conclure autrement qu'elle ne l'a fait compte tenu de l'horreur des faits et de l'opinion...

À ce sujet, mon avis est qu'aujourd'hui, Marie-Anne Houde serait acquittée pour aliénation mentale et internée dans un asile psychiatrique où elle serait soignée et probablement opérée pour une tumeur au cerveau. La justice du coeur doit donc la déclarer irresponsable.

Dans le cas de Télesphore, la justice des hommes et celle du coeur se rejoignent quoique celle-ci doive faire des efforts pour rattraper l'autre.

Cette justice du coeur dans le roman est administrée bien sûr par l'auteur qui procède des faits, de son vécu, de son intuition, de ses perceptions extra-sensorielles, de sa réflexion permanente jour, soir et parfois la nuit pendant des mois entiers sur ce qui est arrivé à Aurore et plus précisément sur les réalités probables.

Le voilà donc, ce sentir global tracé à même la sensibilité de l'écrivain.

J'arrive à destination. L'ensemble des éléments qui m'a fait pointer du doigt l'incroyable irrreponsabilité du curé Massé, si grande qu'à mon avis elle frôla la responsabilité criminelle dans l'affaire d'Aurore, est constitué de ce qui suit.

1. La curé avait la haute main sur tout dans sa paroisse. Alors que beaucoup de gens, les Lemay, les Gagnon du voisinage, les Gagnon du village et jusque le marchand et sa femme se doutaient de ce qui arrivait à Aurore sans pour autant présumer, sauf à la fin, de l'extrême gravité du cas, le curé ne pouvait pas ne pas savoir lui qu'il se produisait des choses inacceptables chez les Gagnon. **Par ailleurs, il n'avait pas à savoir Aurore mourante pour intervenir.**

2. L'abbé Massé était particulièrement au fait des choses matérielles de sa paroisse. Un prêtre éveillé, rapporte-t-on.

3. Par le confessionnal, comme tout prêtre il voyait voire **fouillait** dans les consciences de ses paroissiens.

4. Très instruit, bel esprit, il était coupé de ses sentiments et de son intuition. **Cartésien et sectaire,** les valeurs du coeur n'avaient pour lui aucun poids à côté de celles du travail, de la doctrine et de l'honneur.

5. Ceux qui l'ont connu s'entendent pour dire qu'il fut le plus rigoureux et discipliné des curés de cette paroisse.

6. Tout devait se soumettre à sa volonté éclairante et, m'a-t-on révélé, il **battait** aisément les enfants aux leçons de catéchisme.

7. Comme partout ailleurs dans ce Canada français dirigé par un clergé autoritaire, à Fortierville, on se fiait au curé pour régler les cas difficiles. Si l'abbé Massé avait **levé le petit doigt** dans l'affaire d'Aurore, probable que tout Fortierville aurait aussitôt **levé le bras.** La paralysie du peuple dura ce que dura la sienne.

8. Ma lecture du visage de l'abbé Massé et qui relève de l'intuition (mon sentiment n'a rien à voir avec le sacerdoce de l'homme et si je le fais pointer du doigt par la justice du coeur c'est en tant qu'autorité dont la responsabilité première était de veiller au bien collectif et individuel de tous ses paroissiens, même les petites filles inoffensives et honteuses) me révèle un de ces visages à faire frissonner. Le regard surtout, glacial comme celui d'un officier nazi où les yeux dévisagent et dominent, ne laissant passer aucune lueur de faiblesse et de compassion, lesquelles, on le sait, sont connexes dans le coeur. De surcroît, je décèle un rictus inquiétant dans l'esquisse du sourire.

9. L'opinion **unanime** des citoyens suite à l'affaire, -condamnation radicale de la marâtre, une certaine complaisance envers Télesphore, puis l'effacement honteux de la mémoire même d'Aurore- n'aurait pas pu s'établir à l'encontre de l'opinion du curé et, au contraire, en fut-elle probablement le **reflet** en même temps que le fruit.

10. Les insomnies qui s'emparèrent ensuite du jeune prêtre pourraient fort bien avoir été consécutives au martyre horrible subi par une enfant innocente, de ces coups de matraque semblables à l'annonce de sa mort imminente et qui font retrouver soudain leurs émotions à certains individus tout et trop en 'intelligence'. L'abbé a vu le corps de la victime en lui administrant les sacrements et sûrement aussi son cadavre quand on l'autopsiait.

11. Le destin tragique du curé Massé qui en 1923 comme on le sait, a sauté sur une charge de dynamite qu'il avait lui-même amorcée. Cela correspondit-il à un penchant suicidaire logé quelque part au niveau du subconscient ? Sans aucune volonté à le croire, j'incline pourtant à le penser : cela m'est venu malgré moi.

12. Et puis, pourtant incroyant de nature, je reste sur l'impression très forte d'avoir été dirigé, guidé dans ma recherche et l'écriture de ce livre. J'ai toujours gardé le sentiment de rencontrer Aurore en m'approchant de ses lieux et la sensation physique que son âme glissait sous ma plume en décrivant ses peines, ses douleurs morales, que ni le procès ni personne n'ont jamais relatées ou cherché à imaginer.

13. Enfin, je ne peux tout révéler de mes démarches...

Pour l'ensemble de ces raisons, il m'est apparu que le grand responsable de la mort d'Aurore fut, par son irresponsabilité même, le curé du village. (Encore une fois, ne pas lire coupable mais responsable.)

Enfin, il me semble que si l'abbé Massé avait été un **homme de coeur plutôt qu'un homme de fierté**, on aurait, dès 1920 ou peu de temps après, identifié le lieu de la sépulture d'Aurore, cette enfant innocente qui par son martyre, a fait plus que tous les curés du Québec réunis pour épargner à d'autres enfants des corrections inutiles et vengeresses et d'innombrables tourments de l'âme.

***

En résumé, avec toute la sincérité et l'humilité qu'il m'est possible de puiser en moi, je crois qu'à défaut de justice réelle rendue par le simple appareil judiciaire auquel je ne reproche rien du reste, par ce livre où se sont côtoyés et enrichis les faits réels vérifiés et le senti de l'imagination déductive dans ce bain de trois mois sans la moindre interruption de tout ce qui fut Aurore, **justice sera faite.**

Et comme suit.

1. Le bras (cruel mené par un cerveau malade) de la marâtre sera reconnu comme un **fait accidentel.**

2. L'insensibilité de Télesphore et sa dureté seront acceptés comme un **fait d'époque.**

3. L'aveuglement et l'irresponsabilité orgueilleuse du curé Massé constitueront **un fait établi.**

4. La sauvegarde de la mémoire d'Aurore, de la vraie Aurore, deviendra **un fait accompli...** par l'érection d'un monument sur le lieu de sa sépulture. (Cela sera fait quelques années plus tard par des lecteurs de cet ouvrage.)

Ceci pour qu'elle ne soit plus jamais l'enfant martyre de quelqu'un d'autre, mais devienne la fille spirituelle de tous ceux qui iront la visiter au cimetière de Fortierville.

C'est cela, je crois bien, le message qu'elle a voulu me voir livrer et qui a glissé si aisément de ma plume.

Première fleur sur la tombe d'Aurore
déposée par l'auteur le 17 août 1990 :
un lys qui symbolise à la fois l'innocence d'une enfant
et une richesse patrimoniale.

Pierre tombale à la mémoire d'Aurore
érigée en 1994 suite à la parution de cet
ouvrage biographique.

A

abrier ou
abriller : recouvrir
accommoder : préparer
achaler : importuner
à demeure : à jamais
adrette : adroit
allant : audace
à ras : près de
arrié! : ordre de reculer
assire : asseoir
atteloires : chevilles de timon
aubel : aubier

B

babouner : rechigner
bacul : palonnier
ballant : équilibre
balle : enveloppe du grain
barda : tâches
barbot : coléoptère
bâtoner : bastonner
batterie : aire de la grange
bavasser : médire, répéter
bebelles : étrennes
bed : lit
bécosses : latrines
berlot : voiture d'hiver
betôt : tout à l'heure
beurrasser : souiller
binnes : fèves au lard
bitable : battable
blanc (petit) : whisky
blonde : amie de coeur
boghei : voiture d'été
boiler : chaudière
boitage : claudication
bolts : boulons
bonhommes : bandes dessinées
bonyenne ou
bonguienne : diablesse
bordiche : accessoire à ronds de poêle
bouette : vase
bouillonne : chaudron
bourasser : chicaner
brailler : pleurer

brake : frein
braquetter : fixer à l'aide de braquettes
broc : fourche
bûchage : coupe d'arbres
bûcheux : bûcheron

C

cager : empliler
canadien : tabac
canistre : récipient
capot : manteau
carapatte : infirme des pieds
carreautée : à carreaux
castille : sorte de savon
cavalier : ami de coeur
cennes : cents
chaîner : enchaîner
chambranler : tituber
chars (gros) : train
châssis : cadre de fenêtre (et fenêtre)
chaudasse : un peu ivre
chaudière : seau
chaudronne : chaudron
chef-d'oeuvrer : bricoler
chemin (de) : véloce
chevreux : chevreuil
chipotée : plusieurs personnes
chirer : glisser
clairer : congédier
clipper : rasoir
colletailler : se bousculer
consommage : mixture pour faire du savon
consulte : consultation
cortons : cretons
coton (au) : au maximum
cotonné : fripé
cou donc : dis donc
couetté : emmêlé
coupant (au plus) : au plus vite
couquerie : cuisine de chantier
couquie : assistant-cuisinier
coûtements : coûts
couvertes : couvertures
crémerie : local où on laisse le lait crémer
crère : croire
crèyable : croyable

523

croche : courbe

D

débiscaillé : déformé
débouler : dégringoler
défuntisé : détruit, mort
dégreyer (se) : se dévêtir
démancher (se) : se délivrer
dénicheter : déloger
désangler : ôter la sangle
dessour : dessous
deusse : deux
disable : racontable
disputeux : grincheux
dodicher : cajoler
doutance : doute
dret (drette) : droit

E

échappé : emballé (cheval)
évadé (prison), fou)
échiffer : effilocher
échignant : détestable (enfant)
écornifler : fouiner
écrapoutir : écrabouiller
écurer : nettoyer
écureux : écureuil
effets : marchandises
effoirer (s') : s'écrabouiller
égrianché : de travers
éjarrer (s') : faire le grand écart
élingué : maigre
emmaillottage : action de langer
emmanché : bâti
enfarger (s') : trébucher dans un obstacle
ennuyance : ennui
enterci : entre ici et...
équerrer : mesurer
escalateur : ascenseur
escouer : secouer
escousse : bout de temps
étenderie : ensemble d'objets étendus
étoffe : tissu épais
étriver (faire) : faire fâcher
excédage : partie du toit qui excède le mur

F

fafiner : tergiverser

fale à l'air : chemise ouverte
fale basse : piteux
fanal : lanterne
fancy : de fantaisie
fatiqué : fatigué
feluet : fluet
fiat : confiance
fierpette : très fier
flacottage : clapotage
focailler : essayer en vain
fonçure : fond
fouille (prendre une) : tomber
fourchetée : contenu d'une fourchette
fourchons : tiges de métal
fournil : sens de cuisine d'été
fricassée : plat de boeuf et d'oignon
freluches : fantaisies
frette : froid

G

gadille : roupie
gagne : salaire du travail
galuron : chapeau
game : audacieux
gangway : pont de grange
gesteuse : capricieuse
ginguer : sauter
gnochon : con
godendard : scie à deux manchons
gorlots : petites pommes de terre
gossée : taillée, sculptée
gravouiller : gratter
grouiller : bouger

H

hart : tige d'aulne
hère : paresseux
huile de (à) charbon : pétrole lampant
hustings : estrade

I

infâmes : espiègles
ingrouillable : impossible à bouger
intéressant (état) : enceinte

J

jappailler : japper
jarnigoine : intelligence, cerveau
jaspiner : maugréer

524

jonglard ou
jongleux : rêveur
jumper le tender : voyager clandestinement
en train

L

limoner : rechigner

M

machine : nom donné à l'automobile jadis
maganer : faire souffrir, détruire
mal-en-train : souffrant
malendurant : bourru
marde : merde
maudit (au plus) : au plus vite
menoires : brancards
mister (petit) : contremaître
morvaillon : morveux
mosselle : biceps
motton : grumeau

N

nerfé : fort, musculeux

O

office : bureau
ouvrage : travail

P

pacager : faire brouter
pacsac : havresac
pagée : section de clôture de cèdre
paie-maître : chargé de la paye
paire : pis de la vache (ensemble des)
pantoute : pas du tout
paquetées : remplies
paqueton : havresac
parés à : prêts à
patinoir : patinoire
peinturage : peinture
pendrioches : excroissances
picosser : piquer, agacer
pigrasser : patauger
pite : luge à une lisse
pitounes : crêpes
pivelé : moucheté

poches : sacs
pocheton : havresac
pofes : jet de fumée
popormanes : bonbons à la menthe
portrait : photo
poussailler : pousser
pulpe : billes de bois
purjuter : suinter
pus : plus

Q

quen : tiens
quelqu'un (être) : ... de bien
quelqu'un (c'est) : c'est difficile

R

rabette (en) : de mauvais poil
racontages : racontars, histoires
radouer : réparer
ragotons : avortons
raide (avec son) : force
rain-de-vent : direction du vent
ralle : branche
ramage : panache
ratelle : mèche
rechigneux : pleurnichard
régrandir : agrandir
rempirer : empirer
resté (être) : être rendu, fatigué
retrousser : corriger, reprendre
revoler : être projeté
ripompette : ivresse légère
ripousse : coup de vent
rôdailler : rôder
ronne : séjour de travail
rouche : mauvais foin

S

saouest : chapeau de marin
sapré : sacré
savaneux : marécageux
scie ronde : scie ronde
sciotte : scie
séctes : sèches
serrer : engranger
serrer les ouïes : frotter les oreilles
shed : hangar
show boy : sorte de concierge de chantier

siau : seau
siffleux : marmotte
silement : gémissement d'animal
smock : tablier
solage : fondation
souxer : exciter contre quelqu'un
sparage : discours
steppettes : pas de gigue
stop-cock : robinet d'amenée d'eau

T
taponner : tergiverser, hésiter
tasserie : lassière
teindue : teinte
toad-sleigh (sled) : sorte de sleigh tombeau
toffer : résister
tombe : mot utilisé pour cercueil
tornon : juron
tracel : pont de chemin de fer
track des chars : voie ferrée
train (faire le) : travaux de l'étable
traînerie : long temps ou chose inutile
traîner la ralle : se mal porter
trim : coupe de cheveux
trou-de-cul : homme malfaisant
tuseul : tout seul
tusuite : tout de suite

V
varger : frapper
vèreuse : juron
vernousser : travailler pour tuer le temps
virer : tourner
vironner : tourner en rond
volée : bastonnade, correction

W
waguine : sleigh basse sur lisses

Du même auteur:

1. Demain tu verras (1)
2. Complot
3. Un amour éternel
4. Vente-trottoir
5. Chérie
6. Nathalie
7. L'orage
8. Le bien-aimé
9. L'Enfant do
10. Demain tu verras (2)
11. Poly
12. La sauvage
13. Madame Scorpion
14. Madame Sagittaire
15. Madame Capricorne
16. La voix de maman (Paula 1)
17. Couples interdits
18. Donald et Marion
19. L'été d'Hélène
20. Un beau mariage (Paula 2)
21. Aurore
22. Aux armes, citoyen !
23. Femme d'avenir (Paula 3)
24. La belle Manon
25. La tourterelle triste
26. Rose (Tome 1)
27. Présidence
28. Le coeur de Rose (2)
29. Un sentiment divin
30. Le trésor d'Arnold
31. Hôpital: dange r!
32. Une chaumière et un coeur (Paula 4)
33. Rose et le diable (3)
34. Entre l'amour et la guerre
35. Noyade
36. Les griffes du loup
37. Le grand voyage
38. Les enfants oubliés
    (pseudonyme Nicole Allison)
39. Les parfums de Rose (4)
40. Aimer à loisir
41. La bohémienne
42. La machine à pauvreté
43. Extase
44. Tremble-terre
45. Papi
46. Jouvence
47. Docteur Campagne (-1-)
48. Les fleurs du soir (-2-)
49. Clara (-3-)

50. Au premier coup de canon T1 roman de Jeanne
51. Au premier coup de canon T2 roman de Catherine
52. Au premier coup de canon T3 roman de Sarah
53. La forêt verte
54. La maison rouge

Transcontinental
IMPRESSION
IMPRIMERIE GAGNÉ

IMPRIMÉ AU CANADA